Metamorfoses Paulistanas

Atlas Geoeconômico da Cidade

Secretaria Municipal de Desenvolvimento Urbano
SMDU

Centro Brasileiro de Análise e Planejamento
CEBRAP

Editora UNESP

Imprensa Oficial do Estado de São Paulo

Metamorfoses Paulistanas

Atlas Geoeconômico da Cidade

Alvaro Comin
Carlos Torres Freire
Silvia Anette Kneip
Tomás Cortez Wissenbach
Organização

cebrap
editora unesp
imprensaoficial
GOVERNO DO ESTADO DE SÃO PAULO
PREFEITURA DE SÃO PAULO

Apresentação

Este estudo sobre o Município de São Paulo é resultado de um esforço conjunto, realizado em 2008, entre o planejamento no setor público e a pesquisa acadêmica aplicada. Traz, portanto, em sua elaboração, a busca continuada de fortalecimento institucional e aprimoramento da capacidade de planejamento público, por meio de leituras qualificadas que tomam a cidade como objeto de análise.

"Metamorfoses paulistanas" procura delinear na série de artigos, que compõem a obra, assinados por diferentes autores que podem expressar opiniões distintas e não necessariamente coincidentes com os pontos de vista abraçados pela Prefeitura do Município de São Paulo – as relações entre atividade econômica e espaço urbano. Todos, no entanto, exploram o campo analítico e prospectivo e configuram, por esta razão, um importante subsídio para refletirmos sobre o futuro da cidade. Nesse sentido, o trabalho tem o mérito de levantar questões com significado tanto para o setor público como para toda a sociedade: Quais são os potenciais econômicos de uma cidade como São Paulo? Qual poderá ser a estrutura econômica da cidade nas próximas décadas? Como uma estrutura produtiva baseada na economia do conhecimento poderá ajudar a construir a cidade que queremos?

Vale mostrar que o conjunto de estudos deste livro apresenta uma contribuição importante, ao articular dois campos do conhecimento – economia e urbanismo – cujas interações são, de modo geral, exploradas abaixo de suas potencialidades. Políticas públicas que aproveitam a sinergia desses campos podem gerar benefícios enormes à cidade.

São questões como essas, suscitadas ao longo da obra, que nos ajudam a pensar o futuro de São Paulo relacionando-se com um dos principais campos de ação da Secretaria Municipal de Desenvolvimento Urbano – SMDU: o planejamento de longo prazo. Os diferentes projetos hoje gestados e desenvolvidos na Secretaria apontam para o firme compromisso desta gestão em deixar como legado aos paulistanos um conjunto de ações planejadas de intervenção urbana que nos conduzam a uma cidade melhor.

Miguel Luiz Bucalem
Secretário Municipal de Desenvolvimento Urbano

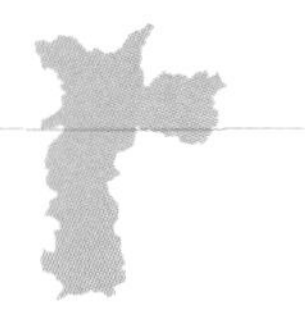

A cidade é provavelmente a maior invenção humana, porque é aquela que não definha, cresce incomensuravelmente até povoar o Mundo e até todo o homem ser inteiramente cidadão.

Mário Chaves[1]

Metamorfoses Paulistanas – Atlas Geoeconômico da Cidade é resultado de ação conjunta da qual participaram a Prefeitura da Cidade de São Paulo, o Cebrap – Centro Brasileiro de Análise e Planejamento e a Fundação Editora da Unesp – Editora da Universidade Estadual Paulista "Júlio de Mesquita Filho". Concluídas as pesquisas que cobriram mais de uma década, a partir de 1996, com dados estatísticos, documentais, cartográficos e historiográficos – visando compreender as incessantes transformações que afetam a cidade de São Paulo –, a Imprensa Oficial do Estado de São Paulo se associou a esta importante parceria.

O extenso levantamento abrangeu não apenas os setores industriais e de serviços, mas também a análise de territórios de ação e de investimentos estratégicos, apontando as relações existentes entre eles.

A pesquisa se deteve em fatores que contribuem para a melhor compreensão da política urbana e do mercado imobiliário, do transporte público e privado, do emprego e da competitividade, da infraestrutura do conhecimento tanto em tecnologia como no ensino superior, tendo identificado no município de São Paulo um número expressivo de trabalhadores especializados, com escolaridade acima da média nacional.

O livro, ao mesmo tempo em que oferece suporte aos planejadores e estudiosos das alternativas de desenvolvimento econômico, social e urbano, leva em conta a dinâmica da cidade nos aspectos que envolvem tanto uma tendência à descentralização como sua inevitável expansão periférica, enfim toda uma gama de indicadores indispensáveis à gestão pública.

Na expectativa de que esses estudos contribuam para um olhar prospectivo sobre nossa cidade esperamos que todos os que nela vivem se transformem em cidadãos por inteiro, na mais completa acepção do termo.

Marcos Antonio Monteiro
Diretor-presidente

[1] Mário Chaves, a propósito do livro *A cidade*, de Massimo Cacciari, Gustavo Gilli, Bracelona, 2010 in Arqa n. 92/93, 05.06.2011 Portugal.

Sumário

Por uma estratégia de desenvolvimento econômico para o município de São Paulo

Manuelito Pereira Magalhães Júnior [1]

Construir uma direção clara para o desenvolvimento da cidade, que oriente a sociedade e o poder público, é a contribuição do presente estudo, no sentido de formular uma estratégia que acelere a transição para a nova economia, baseada na tecnologia e no conhecimento, movida pela inovação e compatível com os preceitos da sustentabilidade. Uma economia urbana que dê oportunidades a uma população cada vez mais escolarizada, mas que ainda convive com uma distribuição de renda muito desigual. Uma atividade econômica mais bem distribuída no território, aproximando as pessoas das oportunidades de trabalho e contribuindo para uma solução estrutural na questão da mobilidade urbana.

Para isso, é necessária uma visão estratégica sobre o processo de reestruturação produtiva e os novos usos do espaço municipal, com base em uma bibliografia que reflita sobre experiências internacionais e, principalmente, em levantamentos empíricos que permitam uma análise aprofundada e detalhada sobre a economia e a área do município. Da mesma forma, a utilização de uma rica e variada base de informações econômicas e territoriais e a construção das cartografias da atividade econômica paulistana fortalecem a capacidade de estudo da cidade.

Diagnósticos superficiais, não raro, têm levado a políticas equivocadas de estímulo à atividade econômica, sobretudo no âmbito local. Muitas vezes, incentivos fiscais e capacitação de trabalhadores não estão articulados a um claro entendimento sobre as tendências da atividade econômica e, por isso, não produzem resultados significativos. Mais do que uma análise robusta, entretanto, é fundamental não se contentar com a mera constatação dos fenômenos ocorridos em período recente, mas sim dispor-se a estabelecer prognósticos. Isso significa apontar tendências que subsidiem ações e políticas públicas que promovam mudanças estruturais na economia urbana.

Para se ter uma visão prospectiva da capital paulista, é preciso incorporar parte do debate consolidado no final dos anos 1990 e propor novas leituras. Nessa linha constituíram-se os pontos de partida do estudo apresentado. A reestruturação produtiva desde a década de 1980, as reformas macroeconômicas, a abertura e internacionalização da economia brasileira e o recente ciclo de crescimento colocam a necessidade de um novo olhar para a estrutura produtiva paulistana, devendo-se considerar que as atividades intensivas em conhecimento e tecnologia são o núcleo estratégico da reestruturação produtiva, como foram

[1] Economista.

nos países desenvolvidos. Os processos de criação e difusão de conhecimento, de mudança tecnológica e de inovação são, portanto, determinantes para competitividade e crescimento de longo prazo e, pela sua atuação transversal, permitem relações de aprendizado e fluxos de conhecimento, auxiliando em processos de inovação.

A partir desse entendimento inovador sobre a cidade, desdobram-se diferentes objetivos: analisar a estrutura produtiva do município de São Paulo sob o prisma das atividades econômicas mais intensivas em tecnologia e conhecimento; e deslocar o debate sobre a oposição indústria *versus* serviços para aquele referente a atividades intensivas em tecnologia e conhecimento *versus* as não intensivas.

Entre os resultados, observou-se que as atividades intensivas em conhecimento contribuem para o aumento do valor adicionado e a geração de emprego e renda para os paulistanos. Verificou-se, também, que o setor de serviços adquiriu, nos últimos vinte anos, uma dinâmica própria, sendo que a indústria, embora continue a fazer parte da sua lista de clientes, passou a dividir suas demandas com o setor financeiro, os governos e o próprio setor de serviços. Nesse sentido, a terceirização de atividades como segurança, alimentação, limpeza, informática e contabilidade, e a exposição à dinâmica concorrencial do mercado significaram um forte estímulo, diversificando a pauta de serviços ofertados, bem como os clientes. Isso acarretou o movimento de criação de novas ocupações, gerando uma complexa rede de subcontratações, como são os casos de certos nichos das telecomunicações, do setor de informática, gestão, jurídico, publicidade, saúde, cultura e entretenimento, e turismo.

Foram ainda identificados setores fortes e com potencial de futuro para a capital: tecnologia da informação e eletrônica (especialmente software); saúde (biotecnologia, fármacos, equipamentos médico-hospitalares e odontológicos, hospitais e laboratórios); economia criativa (audiovisual e outras atividades culturais, jornalismo, publicidade, *games*, indústria de edição e impressão); educação (ensinos técnico e superior e pesquisa); setor financeiro (bancos, corretoras e serviços relacionados); têxtil-vestuário (setor tradicional, mas com possibilidade de modernização e formalização); partes das indústrias de máquinas e equipamentos, material elétrico e produtos químicos.

Contrariando as interpretações mais simplistas, observou-se que a estrutura produtiva do município tornou-se complexa nos últimos anos, consolidando-se, ao mesmo tempo, como diversificada – pois contempla praticamente todas as cadeias produtivas, sendo que a maior parte da sua competitividade deriva dessa diversidade – e especializada – porque é o principal polo brasileiro de uma série de atividades, inclusive industriais. Essa especialização em uma diversidade de segmentos explicita o potencial competitivo de uma metrópole como São Paulo, o qual, se relacionado a políticas públicas efetivas, apresenta fortes oportunidades de ampliação.

O movimento proposto implica um poder público, sobretudo o local, proativo e atuante. Isso significa promover estratégias de desenvolvimento econômico que articulem segmentos com alta densidade de conhecimento e tecnologia, procurando elevar os níveis de competitividade da economia paulistana e, ao mesmo tempo, irradiar seus benefícios, no sentido de incorporar todos os segmentos de sua sociedade. A dimensão territorial se coloca como chave, seja para potencializar políticas específicas, seja para construir alternativas concretas de ampliação das oportunidades econômicas nas áreas periféricas da cidade.

Por isso, procurou-se fortalecer a conexão entre a área municipal e a economia. Tal articulação permite apontar caminhos para promover a desconcentração da atividade econômica no município e readequar a relação entre a infraestrutura existente e a atividade econômica, por meio da reconversão urbana de áreas subutilizadas.

Nessa visão, o território caracteriza-se por oferecer condições técnicas para a reprodução econômica, seja do ponto de vista logístico – da circulação de pessoas, mercadorias, insumos, produtos, entre outros –, seja das infraestruturas tecnológicas e de comunicações.

Por outro lado, não se pode reduzi-lo a essa dimensão, já que se trata, antes de tudo, do *habitat* de cada cidadão, do *locus* de sua reprodução social.

A proposição exposta, contemplada pelas diferentes análises aqui apresentadas, constitui uma matriz de construção de estratégias de desenvolvimento econômico que articulem setores estratégicos para a economia. Esse objetivo implica, da mesma forma, a busca por uma estrutura territorial mais equilibrada – o que em si já é um enorme ganho em produtividade – que aproxime, como tem sido bastante repetido, a população e o emprego.

Do mesmo modo, é fundamental conhecer as condições que dão suporte para o desenvolvimento destes segmentos, sobretudo no campo da produção de conhecimento, das infraestruturas de base científica e tecnológica e do novo patamar de qualificação e escolarização da força de trabalho paulistana, assim como sua articulação com o mercado de trabalho.

As propriedades intrínsecas à configuração das atividades com maior intensidade tecnológica e de conhecimento devem ser articuladas à elevação dos níveis de fluidez e funcionalidade do território. Assim, para aumentar a eficiência econômica da cidade, é importante considerar o aproveitamento das estruturas urbanas existentes e projetadas e indicar oportunidades de combinações virtuosas entre transformações econômicas e o território, seja nas possibilidades de desconcentração econômica no município, seja nos processos de renovação urbana em porções do espaço paulistano.

O estímulo a esses processos combina o conhecimento dos requisitos locacionais diferenciados dos setores econômicos estratégicos com os atributos e potencialidades de partes da capital paulista que apresentam perspectivas de renovação. Tais áreas caracterizam-se ou pela inserção em trechos de reconversão urbana ou pelo recebimento de importantes investimentos públicos na infraestrutura e que apontam para uma melhor inserção nas dinâmicas econômicas da cidade. As oportunidades de adensamento da atividade econômica nas áreas periféricas colocam também a questão de incorporar segmentos da população às dinâmicas produtivas que tenham capacidade de empregar mais e remunerar melhor, potencializando o importante avanço recente na escolarização da população paulistana.

Cada uma das dimensões citadas do desenvolvimento econômico foi articulada, no presente estudo, de forma a permitir uma matriz para o planejamento econômico do município. Nesse sentido, é possível reconhecer as combinações entre as propriedades produtivas e as territoriais da atividade econômica, bem como as potencialidades e possibilidades de indução por parte do poder público.

O aprofundamento de questões relacionadas ao processo de reestruturação produtiva, inovação e conhecimento, ao mercado de trabalho e à infraestrutura de ciência e tecnologia permite passar de formulações amplas para políticas que, específicas, não deixem de ser estratégicas e amparadas numa visão ampla do futuro da cidade. Nesse sentido, se já existe consenso de que o desenvolvimento envolve, necessariamente, a sustentabilidade e a justiça social, permanece o desafio de elevar a competitividade do município e desencadear um crescimento duradouro.

Buscar políticas para o desenvolvimento da capital significa promover uma transformação estrutural da nossa economia, articulando as novas características de sua força de trabalho, a infraestrutura de conhecimento disponível e a dinâmica territorial da atividade econômica. Uma política urbana mais integradora, necessária não apenas para resolver os problemas atuais, mas também para refundar a cidade do futuro. São Paulo precisa incorporar ao seu tecido uma economia cada vez mais fundada em seu principal ativo, o conhecimento e a criatividade dos seus habitantes.

1. A economia e a cidade: metamorfoses paulistanas

Alvaro Comin

Introdução

Este estudo tem por objetivo traçar um panorama da evolução recente da economia da cidade de São Paulo, enfatizando suas intersecções com o espaço urbano. Dadas as características da economia paulistana e o papel central que ela exerce para a economia brasileira, e considerando que esta vem experimentando um ciclo de crescimento que a recoloca entre as mais dinâmicas no grupo dos países emergentes, a preocupação central que nos orienta é a de oferecer parâmetros para ações que reforcem o potencial de desenvolvimento regional e contribuam para que este tenha efeitos distributivos e integradores também para a parcela mais pobre de seus habitantes.

Alguns eixos do debate atual sobre a natureza das transformações nas economias metropolitanas orientaram a definição dos temas aqui abordados e serão brevemente apresentados, neste tópico, para posterior desenvolvimento.

As economias das megacidades como São Paulo – núcleos de áreas metropolitanas primazes em suas respectivas economias nacionais – possuem dinâmicas produtivas complexas, que combinam (nem sempre de modo harmonioso) tanto os tradicionais fatores aglomerativos ligados às cadeias industriais (proximidade entre firmas de cadeias complementares, maior escala do mercado consumidor, disponibilidade de infraestrutura e mão de obra abundante) quanto os requisitos associados à multiplicidade de novos serviços ou de serviços com funções renovadas, que hoje respondem por parcela crescente da geração de valor e de bem-estar. Atributos como a disposição de grande número de instituições universitárias, de um mercado de trabalho de alta e diversificada qualificação, de redes de telecomunicações de grande porte, de uma elevada concentração das atividades financeiras e de uma vasta gama de serviços de apoio distinguem qualitativamente tais cidades de outros tipos de tecidos produtivos de menor escala, caracterizados por formas diversas de especialização. Neste caso, as ações de fomento ao desenvolvimento já não podem ter o enfoque tradicional das políticas de corte setorial, mas cada vez mais uma abordagem de tipo transversal, voltada para o adensamento dos fatores que dão suporte simultaneamente ao conjunto das atividades econômicas.

Por outro lado, a configuração propriamente urbana destas cidades, isto é, a distribuição espacial da população e das atividades econômicas, a qualidade e a amplitude da infraestrutura de serviços coletivos etc, mantém relações de dupla face com a sua estrutura produtiva, favorecendo ou limitando o seu dinamismo e traduzindo os seus efeitos sobre as condições de vida de seus habitantes. Muito se tem enfatizado a perda de atratividade econômica das grandes cidades pelo acúmulo de problemas tipicamente urbanos, como os congestionamentos de trânsito, o alto custo da terra, a violência, a poluição e a ameaça de esgotamento dos recursos naturais. Entretanto, a literatura sobre as economias metropolitanas reserva papel de destaque para os elementos de cosmopolitismo, como a ampla diversidade cultural e a densidade das redes sociais, como explicação para o renovado dinamismo dessas áreas, onde se localizam as sedes das grandes empresas e a nova economia de serviços ligados à inovação, à criatividade e ao entretenimento (Veltz, 1997; Daniels, 1991; Moulaert et al., 1997; Scott e Storper, 2003). Provavelmente estas duas faces das metrópoles – o alto custo e o desconforto da vida cotidiana, por um lado, e, por outro, o maior dinamismo e produtividade das atividades realizadas e a existência de horizontes (não apenas profissionais, mas de estilos de vida) muito mais amplos para os indivíduos – sejam em alguma medida inseparáveis, ainda que em graus bastante diferentes, conforme a história e o grau de desenvolvimento de cada região. A tensão entre essas duas faces deve buscar sua síntese em políticas urbanas que encarem as condições de vida, os níveis de desigualdade social, a infraestrutura educacional e cultural, entre outras dimensões, como parte indissociável das políticas de desenvolvimento econômico.

1. Visão geral do problema: a economia e a cidade:

Transformações na estrutura e nas funções econômicas da cidade

Nas duas últimas décadas, a cidade de São Paulo experimentou transformações importantes, respondendo a influxos de natureza e escala bastante variadas e não necessariamente convergentes. Numa escala ampliada – nacional e internacional – os efeitos da abertura comercial sobre a indústria nacional são bem conhecidos e impactaram de modo especialmente intenso a cidade e seu entorno metropolitano, que concentra parte significativa das cadeias produtivas afetadas pela intensificação da concorrência externa. Estabilização econômica, guerra fiscal, desregulamentação financeira, privatizações, todos esses processos, que acontecem de forma mais ou menos simultânea, impactam a economia da cidade em sentidos diferentes. Se, por um lado, muitos dos novos investimentos em plantas industriais se desviaram de São Paulo para outras regiões, por outro, a concentração das atividades financeiras na cidade, neste mesmo período, foi extraordinária. Como muitos estudos recentes vêm demonstrando, a perda de importância relativa da indústria na região tem como contrapartida o adensamento dos polos industriais localizados em seu entorno próximo, no interior do próprio estado de São Paulo. Assim, a economia da cidade continua fortemente ligada a essas atividades, seja por sediar as matrizes dessas empresas, seja por concentrar muitas das atividades de serviços indispensáveis ao seu funcionamento (Abdal, 2008).

Entre os fatores de desconcentração da indústria estão também aqueles de caráter local, associados à dinâmica da valorização imobiliária, às legislações que restringem ou encarecem as atividades muito intensivas em recursos naturais ou que agridem o meio ambiente, ao alto custo de vida – que eleva o preço da força de trabalho – e aos gargalos de mobilidade. Mesmo assim, segmentos da indústria mais intensivos em tecnologia seguem muito concentrados no município, como a indústria farmacêutica e a de bens de capital.

As Tabelas 1 e 2 mostram as mudanças na composição setorial das atividades econômicas no município entre 1997 e 2005. Embora o peso relativo da indústria tenha declinado no período, o setor ainda responde por mais de 10% dos estabelecimentos empresariais e quase 20% da força de trabalho e da massa salarial no município.[1] Trata-se, portanto, de um peso muito significativo, especialmente quando se considera que o setor industrial apresenta altas taxas de formalização do emprego e salários acima da média do mercado.

[1] Estas informações têm como fonte principal a Relação Anual de Informações Sociais (Ministério do Trabalho e Emprego – MTE). A RAIS é preenchida anualmente por todos os estabelecimentos com inscrição no Cadastro Nacional de Pessoas Jurídicas (CNPJ) – inclusive pelas empresas individuais – na qual devem prestar informações sobre trabalhadores com vínculo empregatício formal. É importante frisar sempre que é uma ótima fonte de dados censitária, porém sobre o mercado de trabalho formal no Brasil. Os dados foram elaborados pela equipe do CEBRAP e os setores de atividade considerados são: indústria, comércio, serviços, construção civil. Foi excluída deste cálculo a administração pública.

Tabela 1: Estabelecimento, emprego e massa salarial segundo grandes setores econômicos. Município de São Paulo, 1997 e 2005*

Setores de atividade	1997					2005			
	Estabelecimento		Emprego		Massa	Estabelecimento		Emprego	
	Abs	%	Abs	%	%	Abs	%	Abs	%
Indústria de transformação	74.286	14,0	549.050	22,4	23,7	80.314	11,8	459.761	16,3
Serviços	219.241	41,2	1.250.324	51,0	57,8	277.766	40,7	1.578.478	55,9
Comércio	216.020	40,6	470.691	19,2	13,4	302.147	44,3	641.834	22,7
Construção civil	22.463	4,2	179.471	7,3	5,2	21.689	3,2	143.174	5,1
Total	532.010	100,0	2.449.536	100,0	100,0	681.916	100,0	2.823.247	100,0

*Em reais de 12/2006. Inflator: INPC/IBGE. Fonte: RAIS/MTE. Elaboração CEBRAP.

O debate brasileiro sobre as transformações na economia paulistana (da Região Metropolitana, na verdade) esteve muito preso à disjuntiva indústria *versus* serviços, notadamente por influência da literatura internacional sobre cidades globais, como se esses dois campos fossem estanques entre si e, para alguns, até extemporâneos. Mas o fato é que as mudanças nos modelos organizacionais das firmas (desverticalização, fusões e aquisições, terceirizações, *global outsourcing*) e o surgimento de um sem-número de novos produtos e serviços – como *hardwares* e *softwares* – tornam cada vez mais equívoca a tentativa de tratar de forma estanque as atividades industriais e os serviços. Os dados empíricos disponíveis não esclarecem satisfatoriamente nem as relações entre estes setores (fluxos de insumo e produto, aproveitamento de nichos do mercado de trabalho), nem as razões para que determinados setores ou empresas optem por se localizar em São Paulo enquanto outras se retiram.

A questão da escala física das plantas industriais serve de explicação para a saída de alguns tipos de indústrias, mas não para outras e isso não tem necessariamente a ver com a intensidade tecnológica dos setores. A indústria têxtil e do vestuário, por exemplo, continua tendo, no município de São Paulo, um grande polo de produção, mas pode-se dizer que a estrutura dessa indústria se transformou para permanecer na cidade, com a progressiva substituição da costura em fábricas pela costura em domicílios, muito provavelmente por que essa indústria encontra na cidade não apenas uma farta oferta de mão de obra qualificada, mas também insumos de ordem intangível, ligados ao *design* e à diversidade cultural, como mostram estudos recentes (Kontic, 2007). Por outro lado, atividades de serviços, como os *call centers*, e de comércio, como os armazéns das grandes redes varejistas, cada vez mais assumem dimensões "industriais", pelos espaços que ocupam, pelo uso intensivo de mão de obra que fazem e pela forma de gestão.

A evolução dos setores de serviços mais sofisticados ou mais intensivos em conhecimento revela, assim, tanto o dinamismo da indústria quanto o do próprio setor terciário, puxado por atividades do setor financeiro (muito concentrado na cidade), de saúde (que se revela um setor altamente moderno e com características de polo nacional, com transbordamentos internacionais), turismo (fortemente associado aos negócios e ao consumo, portanto, integrado à economia regional e não apenas um setor autônomo, como nas cidades propriamente turísticas), tecnologia da informação, telecomunicações, educação superior e pesquisa e desenvolvimento.[2]

Há uma ampla gama de serviços e profissionais que atendem indiscriminadamente aos vários setores da economia e que podem ser agrupados em atividades de maior qualificação e intensidade de conhecimento: telecomunicações, informática, atividades financeiras, publicidade, mídia, turismo; e de menor complexidade: segurança, limpeza, transporte, alimentação etc. Há ainda importantes nichos associados às necessidades cada vez mais complexas da

[2] Ver Torres-Freire, Abdal e Bessa, capítulo 2 deste livro.

população residente, como saúde, ensino superior e entretenimento, alimentados tanto pela renda elevada das classes médias e altas quanto pelos investimentos públicos em grandes hospitais de referência, universidades e centros de pesquisa.

A Tabela 2 exibe as variações no número de estabelecimentos, no emprego e na massa salarial por setores de atividade, segundo a classificação utilizada neste livro, que utiliza como critério o nível de intensidade tecnológica e de conhecimento.[3]

Os dados revelam que o declínio do peso da indústria no município diz respeito ao número de ocupados, mas não ao de estabelecimentos, o que sugere menos um processo de esvaziamento e mais um movimento intenso de reorganização desta estrutura industrial. Olhando para as variações setoriais, nota-se que a maior variação positiva no número de estabelecimentos corresponde ao da indústria de alta intensidade tecnológica, segundo a classificação adotada neste estudo, e a menor ao de baixa intensidade tecnológica. Isso explicaria, pelo menos em parte, o declínio significativo da força de trabalho empregada, uma vez que, como se sabe, os setores mais intensivos em tecnologia tendem a empregar menos trabalhadores. É preciso considerar também que, com a abertura comercial, as empresas consomem hoje muito mais insumos importados, o que inevitavelmente implica redução da produção e do emprego locais.

Assim, os novos setores de serviços que crescem no município se somam ao dinamismo dos setores industriais que permanecem, ao invés de simplesmente substituí-los. O fato de que as indústrias mais tradicionais, intensivas em mão de obra de menor qualificação e que geram enormes fluxos de mercadorias, intensificando os gargalos urbanos, se retirem do município não pode ser encarado como sinal de obsolescência, mas como uma possibilidade de requalificação da economia da cidade. É claro que, considerando o peso que a força de trabalho de menor escolaridade ainda representa no município, esse processo vem gerando a diminuição das oportunidades de emprego para estes estratos. Mas, mesmo nos setores mais tradicionais da indústria, as exigências de qualificação e escolaridade vêm se elevando, o que significa que para estes trabalhadores as dificuldades de inserção no mercado de trabalho são crescentes em qualquer cenário. Ademais, como se examinará no próximo tópico, as mudanças no perfil sociodemográfico da força de trabalho também vem ocorrendo rapidamente.

Tabela 2: Variação (%) de estabelecimento, emprego, massa salarial e renda média segundo classificação por intensidade de tecnologia e conhecimento. MSP, 1997-2005*

Setores de atividade	Estab. %	Emprego %	Massa %	Renda média %
Ind. alta	21,7	-15,5	-20,4	-5,8
Ind. média-alta	10,2	-12,2	1,5	15,6
Ind. média-baixa	11,9	-23,1	-23,1	-0,1
Ind. baixa	1,8	-13,4	-17,3	-4,4
SIC-T	40,8	17,4	18,3	0,7
SIC-P	1,4	90,8	87,0	-2,0
SIC-F	15,1	2,6	6,2	3,5
SIC-S	-16,0	35,5	42,2	4,9
SIC-M	-16,6	8,2	3,3	-4,5
Demais serviços	33,4	23,8	7,3	-13,3
Comércio	39,9	36,4	37,3	0,7
Construção civil	-3,4	-20,2	-20,0	0,3
Total	28,2	15,3	9,6	-4,9

*Em reais de 12/2006. Inflator: INPC/IBGE.
Fonte: RAIS/MTE. Elaboração CEBRAP.

Demografia e mercado de trabalho

Os fluxos migratórios que envolvem a cidade mudaram de sinal já nos anos 1990 (Jannuzzi, 2000), a partir de quando esta passou a apresentar saldos líquidos negativos, após décadas de crescimento acelerado. Essa tendência se explica tanto por fatores locais (como a perda de dinamismo do mercado de trabalho de menor qualificação) e o elevado custo de moradia, quanto por fatores externos, como a emergência de novos polos de desenvolvimento em outras regiões do país. Parte desses fluxos migratórios que se desviam da cidade, entretanto, continuam adensando os municípios da região metropolitana de São Paulo, somando-se ao seu mercado de trabalho e pressionando a infraestrutura de serviços públicos da cidade, como os transportes.

[3] Para detalhes sobre a classificação, ver capítulo 2, de Torres-Freire, Abdal e Bessa, e o Anexo 1 ao final deste livro.

Dado o perfil histórico dessas correntes migratórias, na maioria compostas de indivíduos com pouca ou nenhuma instrução formal, que abandonam o meio rural das regiões mais pobres, esse desvio das correntes migratórias contribui para uma redução na participação relativa da parcela mais pobre e menos escolarizada da população.[4] Esse fator vem somar-se ao declínio generalizado das taxas de fecundidade da população brasileira, apontando para a estabilização futura do tamanho da população do município, para a redução do número de crianças e jovens e para o envelhecimento da população. Segundo os dados da Pesquisa de Emprego e Desemprego (PED, Seade/Dieese), refletindo de modo ainda mais acentuado as tendências demográficas, a população economicamente ativa (PEA) no município vem envelhecendo rapidamente, como consequência da queda nas taxas de natalidade e do aumento da expectativa de vida, mas também por conta de uma redução muito significativa na taxa de participação da população muito jovem, dos 14 aos 17 anos (entre 1997 e 2007, esta taxa recuou de 43% para 31%). É forçoso reconhecer que essa taxa é ainda muito elevada e compromete os esforços de elevar a escolaridade da população, mas, como tendência, trata-se de uma trajetória positiva. Como consequência, a taxa global de crescimento da PEA no município declina de um ritmo de 1,4% ao ano, no período 1998-2002, para 0,6% no período 2003-2007.[5]

Isso significa que a pressão sobre o mercado de trabalho vem se atenuando exatamente no momento em que este apresenta perspectivas melhores no médio prazo. No quinquênio 2003-2007, o crescimento do emprego formal (com carteira assinada) foi da ordem 4,15% ao ano, contribuindo para a redução relativa dos ocupados autônomos e dos empregados sem vínculos formais: pela primeira vez nas últimas duas décadas, o número de trabalhadores com carteira assinada supera os 50% no município. Sob todos os pontos de vista, trata-se de uma tendência extremamente positiva: empregos formais têm rendimentos superiores e maior estabilidade, incluem os indivíduos no sistema previdenciário e de proteção ao trabalhador e favorecem os investimentos das empresas em qualificação profissional. Quanto a esse último e crucial aspecto, os dados da Pesquisa de Condições de Vida (PCV-Seade), em 2006, mostram que, do total de indivíduos no município de São Paulo que realizaram algum tipo de curso de qualificação profissional gratuito, nada menos que 35% o fizeram nas empresas em que trabalhavam.[6] Isso significa que os indivíduos formalmente empregados têm muito mais chances de se manter atualizados em suas áreas de atuação, reduzindo os riscos de desemprego e aumentando suas chances de progressão profissional.

Não obstante os sinais positivos do mercado de trabalho, há pelo menos um risco a ser evitado. A maior atratividade representada pelo aumento da oferta de ocupações e pela trajetória até aqui ascendente dos rendimentos pode estimular uma reversão na tendência de queda na taxa de participação juvenil no mercado de trabalho, o que reforça a urgência de aperfeiçoamentos no sistema educacional, principalmente no ensino médio, que apresenta déficits preocupantes.

Ensino médio e superior, embora constituam uma sequência lógica na carreira educacional, encontram-se bastante desalinhados no que diz respeito ao atendimento da população, como demonstram os dados mais recentes do Ministério da Educação (MEC). Para o Estado de São Paulo, a evolução do número de vagas em cursos superiores multiplicou-se por três, entre 1998 e 2006, saltando de pouco mais de 300 mil vagas para mais de 900 mil. No mesmo período, o número de formandos no ensino médio se manteve estagnado, em torno de 500 mil indivíduos por ano, fazendo com que experimentemos uma situação inusitada de ociosidade de vagas no ensino superior.[7] Esse descompasso é reflexo do fato de que, atualmente, no Brasil, mais de 50% dos jovens entre 15 e 17 anos (idade ideal para cursar o ensino médio) se encontram fora da escola.

[4] É bem verdade que novos fluxos migratórios em direção à cidade de São Paulo, provenientes de países sul-americanos, como Bolívia e Paraguai, começam a se avolumar e podem vir a compor um novo padrão migratório, com características análogas ao anterior. Trata-se de fenômeno típico das grandes metrópoles mundiais, mas ainda é cedo para estimar que dimensão esse fenômeno terá em São Paulo.
[5] Ver capítulo 3, de Barbosa e Komatsu, neste livro.
[6] Ver Políticas Públicas em Foco: *Boletim FUNDAP-CEBRAP*, n.1, novembro de 2008. Disponível em http://www.boletim-fundap.cebrap.org.br.
[7] Ver reportagem no jornal *O Estado de S. Paulo*, de 8.11.2008, pág. A22 e capítulo 3, de Barbosa e Komatsu, neste livro.

A despeito disso, a evolução do perfil educacional da PEA municipal segue um curso bastante promissor. Os estratos de baixa escolaridade, isto é, aqueles que não completaram sequer o ensino fundamental, declinam velozmente: em números absolutos este contingente recuou de 2,3 milhões de pessoas em 1997 para 1,5 milhões em 2007, queda de 35% em 11 anos. Nesse ritmo, deverá se tornar quase residual até o final da próxima década. Em contrapartida, o contingente de pessoas com nível médio completo se expandiu formidavelmente, passando de pouco mais de um milhão em 1997 para quase 2,3 milhões em 2007, um acréscimo de mais de 100% (sempre segundo os dados da PED).[8] Finalmente, o número de indivíduos com nível superior de escolaridade já era de mais de um milhão em 2007, representando cerca de 18% da PEA – um aumento de mais de 30%, ou 250 mil pessoas, em relação a 1997. Isso permite afirmar que, se políticas de ampliação ao acesso ao ensino de segundo grau forem praticadas de forma consistente, a parcela da PEA com segundo e terceiro graus completos terá superado com folga os estratos inferiores de escolaridade até meados da próxima década.

Ciência e tecnologia

Mão de obra qualificada, não apenas de nível superior, mas também de nível técnico, é provavelmente o mais decisivo ativo de uma região para atração de investimentos e desenvolvimento de atividades econômicas de maior geração de valor e dinamismo em termos de crescimento. Uma importante oportunidade vem se abrindo para os países em desenvolvimento na medida em que as grandes empresas transnacionais aumentam seus investimentos em P&D fora de suas sedes. Tradicionalmente, as empresas transnacionais, que lideram os investimentos em P&D, desenvolvem tais tipos de atividade em seus países de origem, relegando a suas subsidiárias em países em desenvolvimento apenas os processos mais adaptativos. Esse quadro, porém, vem se alterando, como demonstra estudo realizado pela UNCTAD (UNCTAD, 2005). O deslocamento crescente de plantas produtivas dos países mais desenvolvidos para países emergentes e a tendência à terceirização também de serviços mais sofisticados vêm estimulando as empresas transnacionais a transferirem investimentos em P&D para suas subsidiárias. Esta tendência se explica pelos menores custos da mão de obra especializada, mas também pela busca por maior diversidade de competências e estratégias mais flexíveis de adaptação a mercados consumidores mais heterogêneos.

Esses deslocamentos, contudo, não dependem apenas das tendências vigentes nos países desenvolvidos, mas, também, e principalmente, dos esforços realizados pelos países beneficiados por estes novos investimentos. Oferta de mão de obra qualificada, boas universidades e instituições públicas de pesquisa e fomento, sistemas de inovação que conectem as instituições de pesquisa e o setor produtivo e a existência de empresas locais com potencial de inovação são condições essenciais para que países em desenvolvimento se beneficiem dessa tendência. Até aqui, segundo o estudo da UNCTAD, os maiores beneficiários desses investimentos têm sido os países do sudeste asiático, como Coreia do Sul, Taiwan, China e Índia, que sabidamente fizeram, cada qual a sua maneira, esforços para se capacitar, elevando a escolaridade média de suas populações – especialmente nos dois primeiros casos –, investindo na formação de especialistas em áreas críticas para as atividades de P&D, como engenharia e informática, e estimulando empresas locais a se tornarem competentes em matéria de inovação.

Entre os países emergentes, o Brasil ocupa a quarta posição em termos dos investimentos globais em P&D, atrás de China e Coreia do Sul, que despendem mais de três vezes, em termos absolutos, o montante brasileiro nestas atividades, e Taiwan (pequena província chinesa de pouco mais de 20 milhões de habitantes) que investe 50% a mais. Mas se encontra à frente de países como Índia, Rússia e México. Quando se consideram apenas os investimentos em P&D das firmas, o Brasil cai para quinto lugar (ultrapassado pela Rússia),

[8] Ver capítulo 3, de Barbosa e Komatsu, neste livro.

mas a uma distância bem maior dos líderes Coreia do Sul e China (UNCTAD, 2005), evidenciando um descompasso maior entre as capacidades tecnológicas do país e seu sistema produtivo.

O Estado de São Paulo (ESP) e a capital em especial concentram parte substancial da infraestrutura de conhecimento do país. Do total de alunos diplomados em cursos superiores no Brasil, em 2004, 30% estavam no Estado e 12% na capital de São Paulo. Entre 1996 e 2003, no ESP, formaram-se 15.711 doutores, mais de 60% do total nacional, cerca de metade dos quais na capital (Viotti e Baessa, 2008). O município é sede da maior universidade do país, que é também a instituição brasileira líder em indicadores de produção científica internacional. Neste último quesito, medido pela produção de artigos publicados em revistas indexadas internacionalmente, a trajetória brasileira nas últimas décadas é bastante positiva: o país saltou de 0,2% da produção mundial, em 1980, para 1,5% na presente década. Nada menos que a metade da produção brasileira se realiza no ESP, 25% relativos apenas à USP, cujo maior *campus* se encontra na cidade. Para que se tenha uma ideia da importância da produção científica realizada na cidade, ela supera em números absolutos em algumas áreas a produção do Chile e se aproxima muito das de Argentina e México. A área de maior destaque é a de saúde e bem-estar social, em que, além da USP, a cidade conta com a Universidade Federal de São Paulo (Unifesp).[9]

Os indicadores positivos na área de produção científica, contudo, não têm se traduzido na mesma medida em atividades de inovação que se materializem, por exemplo, em patentes internacionais: neste quesito, o Brasil respondia por meros 0,05% das patentes registradas no United States Patent and Trademark Office (USPTO) no início desta década. Domesticamente, a imensa maioria das patentes registradas no Inpi pertence a universidades e não a empresas. Esse quadro sugere que o país conta com uma infraestrutura de conhecimento e de formação de mão de obra de alta qualificação bastante respeitável, mas que ainda não se traduz na mesma medida nas atividades de seu parque produtivo. Em outras palavras, indica que o enorme esforço feito nas últimas décadas no Brasil para consolidar seu sistema universitário é ainda pouco explorado como fonte de dinamismo econômico.

A cidade de São Paulo apresenta condições excepcionais para sediar iniciativas de adensamento tecnológico do setor produtivo, mediante, por exemplo, políticas de atração de investimentos em P&D de empresas transnacionais já radicadas na região, da criação de incubadoras de empresas mais intensivas em tecnologia e conhecimento e da organização de mercados de capital. O governo municipal pode jogar um papel importante na modernização do setor produtivo por meio não apenas das políticas fiscais, mas liderando a formação de fundos de investimento para pequenas e médias empresas de tecnologia, organizando, em parceria com as universidades, incubadoras de empresas ou utilizando as compras públicas para alavancar novas tecnologias em setores de interesse da própria administração.[10]

Como vimos, a evolução do número de pessoas cursando o ensino superior em São Paulo é bastante positiva. Porém, para que esse progresso educacional seja adequadamente aproveitado como insumo para o desenvolvimento e como fonte de mobilidade social é importante que as qualificações que estão sendo produzidas pelo sistema educacional sejam razoavelmente compatíveis com as demandas das atividades mais intensivas em tecnologia e conhecimento e, tão ou mais importante do que isso, que o sistema de ensino atinja patamares de qualidade mais elevados. Segundo os dados do INEP (Instituto Nacional de Estudos e Pesquisas Anísio Teixeira, órgão do MEC) para o município de São Paulo, referentes aos primeiros cinco anos dessa década, os cursos superiores em funcionamento na cidade têm se concentrado fortemente nas áreas de humanidades – com grande concentração no grupo de "ciências sociais, negócios e direito", notadamente nas instituições privadas, que foram as responsáveis por mais de 80% do crescimento de vagas neste período. O quadro

[9] Ver capítulo 4, de Consoni, neste livro.
[10] A Índia, por exemplo, alavancou originalmente uma rede de empresas nacionais com alta capacitação em desenvolvimento de sistemas de *software*, a partir das demandas públicas por informatização dos serviços sociais (Evans, 1995).

não é muito diferente nas instituições públicas, mas são essas as principais responsáveis pela formação de profissionais em áreas críticas do ponto de vista das atividades mais intensivas em conhecimento, como médicos, matemáticos, químicos, biólogos, engenheiros, analistas de sistema e físicos. Embora o número de matrículas nas instituições públicas também venha crescendo, o padrão muito concentrado nas humanidades tende a se manter. Uma vez que, como já vimos, há uma relativa ociosidade nas vagas de ensino superior no município, seria bastante desejável que os poderes públicos agissem no sentido de estimular a reconversão dos cursos existentes para áreas de maior interesse estratégico.

A densidade de profissionais qualificados é chave também no processo de surgimento de novas firmas de pequeno porte, apontadas pela literatura internacional como um dos elos mais importantes das cadeias de inovações tecnológicas e organizacionais e de provimento de serviços complementares às atividades das grandes empresas. Além disso, as instituições de ensino universitárias são também os lugares onde se produzem conhecimentos que, de maneira direta ou difusa, alimentam o sistema produtivo. E mesmo as atividades usualmente consideradas menos complexas, como o comércio e os transportes, podem experimentar significativos aumentos de produtividade pelo fato de incorporarem mão de obra mais qualificada.

O desafio da formação profissional não se limita de modo algum ao ensino superior. O ensino técnico tem papel estratégico em diversas áreas. Laboratórios de P&D em geral utilizam equipamentos sofisticados, cuja operação e manutenção dependem de técnicos qualificados em áreas específicas, como laboratórios de exames e ensaios na área médica, de novos materiais, de alimentos, entre outros. Mesmo setores usualmente considerados mais tradicionais, do ponto de vista da tecnologia, como a construção civil, evoluíram extraordinariamente nas últimas duas décadas e profissionais como pedreiros e eletricistas, que antes aprendiam seus ofícios pela própria experiência de trabalho e dos quais, de uma maneira geral, não se demandava nenhum nível de instrução formal, hoje devem possuir conhecimentos mais avançados que lhes permitam operar máquinas de grande porte e decifrar manuais e especificações técnicas de novos materiais. Como o mercado imobiliário permaneceu relativamente estagnado na década de 1990, o perfil da força de trabalho nesse setor não evoluiu na mesma medida que as tecnologias e há vários sinais de escassez de oferta. Como se sabe, o setor de construção civil sempre foi um dos de maior informalidade e rotatividade. O aumento relativo nos vínculos formais que vem se verificando neste setor pode ser um bom indicador de que as grandes empreiteiras estejam sendo levadas a investir mais na formação de seus empregados.

Tanto o governo federal quanto o estadual tem reagido a essa situação, mas os resultados ainda deverão demorar a aparecer de forma mais concreta. O governo federal, que mantém mais de uma centena de escolas técnicas no país (mas apenas uma na cidade de São Paulo), lançou esse ano seu Plano de Desenvolvimento da Educação, que inclui ações importantes na área de educação profissionalizante e seria de todo desejável que o município de São Paulo fosse contemplado de forma mais substancial. Não é demais lembrar que das mais de 50 universidades federais existentes no país, apenas uma se localiza em São Paulo. Embora esta venha sendo ampliada nos últimos anos é patente que a União tem subestimado a importância da região. Se é verdade que cumpre ao governo federal trabalhar por uma melhor distribuição do desenvolvimento científico pelo país – que é de fato excessivamente concentrado no Sudeste – também é verdade que subestimar seus investimentos nas regiões de maior potencial compromete os objetivos de elevar a competitividade internacional do país.

O governo do estado de São Paulo possui um sistema bastante prestigiado de formação técnica, o Centro Paula Souza, que administra 151 Escolas Técnicas (Etecs) e 47 Faculdades de Tecnologia (Fatecs), em 127 cidades no Estado. Entre 2001 e 2007 o número de vagas nesse sistema ampliou de 75 mil para 100 mil. Contudo, considerando que apenas no município de São Paulo o número de jovens entre 15 e 24 anos de idade, principal grupo alvo para a formação técnica, é de mais de dois milhões, e que a parcela dos que não atingem o ensino médio é muito grande, como já vimos, fica claro que há ainda muito por ser feito nesta área.

O aumento generalizado do nível de escolaridade da população eleva a possibilidade de incorporação produtiva de amplos contingentes da força de trabalho, hoje confinados em atividades de baixa produtividade e renda, favorecendo uma melhor distribuição espacial das atividades, com ganhos em termos de mobilidade e bem-estar. Por fim, a elevação do nível de escolaridade da população induz também a transformações nos padrões de consumo, que tendem a se diversificar e a se sofisticar, abrindo espaço para a multiplicação de atividades ligadas à cultura e ao entretenimento, que já são um ponto forte da cidade e que se complementam muito bem com setores como o turismo.

Gravitação territorial

A importância econômica da cidade de São Paulo em termos nacionais é usualmente medida pelo peso de seu PIB. Como este tem declinado em termos relativos, pelo crescimento mais acelerado de outras regiões, como o Centro-Oeste e o Norte do país, isto induz a uma falsa imagem de perda de importância. De fato, quando se considera a importância funcional do município como centro de comando e articulador das economias regionais brasileiras, o que se observa é uma forte ampliação de sua área de gravitação, não apenas em termos estritamente produtivos, mas também como centro de compras e lazer, de serviços médicos especializados e como principal portal de relações com o exterior. É essa vocação do município que deve ser encarada como principal ativo em termos de seu desenvolvimento futuro. E é por esta razão que se enfatiza nesse estudo o imperativo de políticas focadas em áreas transversais relacionadas a conhecimento, tecnologia, inovação e criatividade.

As mudanças na estrutura produtiva da cidade parecem estar intimamente ligadas à ampliação de seu raio de gravitação funcional em direção especialmente às novas fronteiras de expansão da economia nacional. Segundo o recém-lançado "Regiões de influência das cidades – 2007", realizado pelo IBGE, a rede de cidades que tem como principal conexão econômica o município de São Paulo é composta por 1.028 municípios, que juntos concentram 28% da população (51 milhões de habitantes, espalhados por cerca de 2,3 milhões de quilômetros quadrados, mais de um terço do território nacional) e 40,5% do PIB brasileiro, refletindo a concentração mais que proporcional da riqueza nesse agregado. Também no interior de sua área de influência o MSP se destaca com um PIB *per capita* 66% superior: R$ 21,6 mil contra R$ 14,2 mil para os demais municípios do conjunto.

Segundo a classificação hierárquica do IBGE, a rede nucleada por São Paulo é composta por: Campinas, Campo Grande e Cuiabá (Capitais regionais A); São José do Rio Preto, Ribeirão Preto, Uberlândia e Porto Velho (Capitais regionais B); Santos, São José dos Campos, Sorocaba, Piracicaba, Bauru, Marília, Presidente Prudente, Araraquara, Araçatuba, Uberaba, Pouso Alegre, Dourados e Rio Branco (Capitais regionais C); Franca, Limeira, São Carlos, Rio Claro, Jaú, Botucatu, Catanduva, Barretos, Ourinhos, São João da Boa Vista, Poços de Caldas, Patos de Minas, Alfenas, Barra de Garças, Cáceres, Rondonópolis, Sinop e Ji-Paraná (Centros sub-regionais A); Itapetininga, Bragança Paulista, Araras, Guaratinguetá, Assis, Avaré, Andradina, Registro, Itapeva, Ituiutaba, Itajubá, Cruzeiro do Sul, Cacoal, Ariquemes e Vilhena (Centros sub-regionais B).

Para efeito de comparação, o segundo município de maior importância como centro econômico, o Rio de Janeiro, exerce influência sobre 264 municípios, com pouco mais de 20 milhões de habitantes (11,3% da população brasileira), que juntos respondem por 14,4% do PIB nacional, em 2005. E, nesse caso, a diferença entre a renda do centro (Rio de Janeiro, com R$ 15 mil) para os demais municípios (R$ 14,8 mil) é apenas residual.

Das 1.124 maiores empresas instaladas no Brasil, 365 tem sede no município de São Paulo (420 ao todo no ESP),[11] o que reforça a ideia de que as mudanças na estrutura produtiva da cidade incluem o adensamento das funções de comando das atividades empresariais. Das 50 maiores instituições financeiras (por ativo total), segundo o Banco Central do Brasil, 32 têm sede em São Paulo, revelando o importante papel de centro financeiro do município (especialmente no setor privado).[12]

Um indicador sintético da centralidade que o município exerce em relação ao restante do país pode ser obtido pelo volume de passageiros e de cargas que circulam pelos três principais aeroportos que lhe servem: Congonhas, Guarulhos (localizado no município de mesmo nome, contíguo à capital) e o Campo de Marte (Gráfico 1). Somados embarques e desembarques, São Paulo concentra, em termos da movimentação doméstica, 21% dos voos, 26% dos passageiros e 29% do volume de cargas; e, em termos do movimento de entrada e saída do país, 47% dos voos, 67% dos passageiros e 42% do volume de cargas. Comparando os meses de janeiro a setembro de 2008 com igual período de 2003, estes números representam uma variação de 7% no número de voos domésticos e 24,7% no de voos internacionais (variação total de 9,5%); 54,8% no número de passageiros em voos domésticos e 34,4% em voos internacionais (48,9% de variação total); -4,6% no volume de carga em voos domésticos e 11,4% em internacionais (4,7% de variação total). Em termos absolutos, nos primeiros nove meses de 2008, foram 15,5 milhões de embarques e desembarques de passageiros nesses três aeroportos.

A infraestrutura relacionada a cultura, comércio, lazer e entretenimento disponível na cidade é bastante impressionante. São 59 ruas de comércio especializado (SPTuris, 2008), incluindo a famosa "25 de Março", por onde chegam a circular mais de 800 mil pessoas em um único dia, em épocas como o Natal e o Carnaval. O comércio dessa rua, especializado em tecidos, roupas, aviamentos de todas as espécies, brinquedos, produtos de plástico e madeira, bijuterias e enfeites para festas, atrai varejistas de todas as partes do país e cada vez mais vizinhos da América do Sul e visitantes de países africanos, especialmente os de língua portuguesa, como Angola (Kontic, 2007).

Gráfico 1

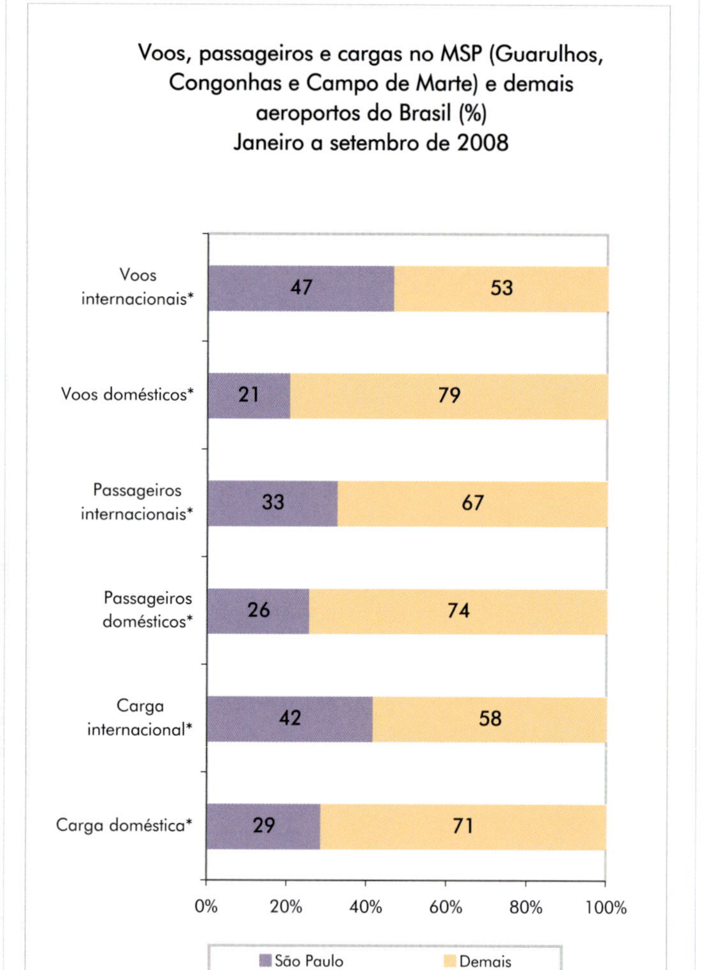

* Soma de embarques e desembarques.
Fonte: Infraero. Elaboração Cebrap.

São 66 hospitais privados e 40 públicos (SPTuris, 2008), muitos deles com capacidade para procedimentos de alta complexidade, capazes de atrair um número crescente de pacientes não apenas de outras partes do Brasil, mas também de outros países, inclusive países mais desenvolvidos, como os EUA, onde os custos de procedimentos médicos sofisticados são muito elevados, e que podem ser realizados em São Paulo com a mesma qualidade e segurança e custo bem inferior.[13]

[11] Para chegar a este número de 1.124 empresas, o IBGE cotejou as listas das mil maiores empresas da *Revista Exame* e do jornal *Valor Econômico*.
[12] Para mais informações sobre o setor financeiro, ver capítulo 2, de Torres-Freire, Abdal e Bessa, neste livro.
[13] Sobre o setor de saúde, ver capítulo 2, de Torres-Freire, Abdal e Bessa, neste livro.

A infraestrutura de educação, cultura e lazer inclui 88 museus – alguns de prestígio internacional como o MASP e a Pinacoteca do Estado – 105 faculdades, 28 universidades e 23 Centros de Educação Tecnológica (MEC, 2006); 12,5 mil restaurantes – a cidade já é reconhecida internacionalmente como importante polo de gastronomia – e 15 mil bares; 257 salas de cinema, 39 Centros Culturais; e 410 hotéis, com média de 112 unidades habitacionais. Segundo a União Brasileira dos Promotores de Feiras (UBRAFE), estão previstas 119 grandes feiras de negócios na cidade de São Paulo em 2008, com público estimado em mais de 4,7 milhões de visitantes profissionais (SPC&VB, 2008). De acordo com a mesma fonte, a cidade de São Paulo é a sede de 75% das feiras realizadas no país. Em 2008, pelas estimativas da UBRAFE, as feiras de negócios realizadas em São Paulo devem movimentar R$ 2,9 bilhões de receita (R$ 850 milhões em locação de área para exposições; R$ 850 milhões em serviços nos pavilhões e R$ 1,2 bilhão em viagens, hospedagem, alimentação, transportes e compras). Em 2007, foram arrecadados em torno de R$ 110 milhões em impostos municipais em São Paulo com a atividade de feiras de negócios. Como se vê, trata-se de um setor absolutamente estratégico e com alta capacidade de gerar renda para outros setores, notadamente comércio, alojamento, alimentação e as atividades culturais e de lazer, que constituem importante fonte de empregos e pequenos negócios das mais variadas qualidades.

2. Localizando o problema: a economia na cidade

Estabelecer com precisão as conexões entre economia e espaço não é tarefa simples, especialmente quando o que está em jogo é compreender as razões de localização das atividades não como uma opção entre cidades e regiões, mas sim entre diferentes subespaços dentro de um mesmo contexto urbano. Em outras palavras, uma coisa é entender por que determinadas atividades se localizam em São Paulo, e não em qualquer outra cidade brasileira. Outra, é entender por que se localizam nesta ou naquela área dentro da cidade. A literatura internacional (Veltz, 1997; Daniels, 1991; Moulaert et al., 1997; Scott e Storper, 2003) oferece pistas frutíferas para explicar por que, a despeito do progresso das formas virtuais de comunicação, os aglomerados urbanos mantêm sua força como núcleo de desenvolvimento econômico dos países. Além dos tradicionais fatores aglomerativos, que explicam a existência das cidades em diversos contextos históricos diferentes, há uma série de fatores não necessariamente materiais nem diretamente econômicos que influenciam as escolhas de localização das firmas e indivíduos e que dificilmente podem ser captados pelas ferramentas empíricas usuais.

O enfoque de tipo "setorial", que privilegia o alinhamento das cadeias produtivas, perde poder explicativo na medida em que a grande indústria tende a pulverizar seus sistemas de produção em muitos espaços diferentes, capturando vantagens locacionais em cada etapa da fabricação dos produtos. Assim, as grandes cidades crescentemente deixam de ser espaços de aglomeração física das cadeias, para se tornarem espaços de articulação destas várias etapas dos processos de produção (Puga e Duraton, 2001). Isso não significa que as atividades propriamente industriais desapareçam dos contextos metropolitanos. Como já se observou aqui, a trajetória recente da cidade de São Paulo demonstra que, por razões diferentes, atividades industriais tão distintas quanto fabricação de fármacos e de roupas se mantêm fortemente concentradas na cidade, a despeito das múltiplas "desvantagens" aglomerativas da região; e sua localização interna à cidade se mantém basicamente a mesma de décadas atrás, a despeito das importantes mudanças urbanas havidas.

Já os setores de serviços apresentam morfologia muito mais complexa, principalmente pela predominância de empresas unipessoais ou de pequeno porte, em que as decisões de localização das firmas estão muito condicionadas pelas preferências individuais de seus proprietários quanto ao local de moradia, estilos de vida e consumo.

Quando se trata de entender as relações entre economia e espaço, as forças econômicas não são as únicas que operam. Como vimos, São Paulo atravessou importantes transformações demográficas nestas últimas duas décadas, com consequências importantes do ponto de vista da ocupação do espaço urbano. O declínio do crescimento populacional, por exemplo, tem grande significado para o perfil socioeconômico da população residente, pois se apoia na queda da taxa de fecundidade, que atinge por último os estratos mais pobres, e na cessação dos fluxos de migração que eram compostos igualmente por famílias pobres e de baixo perfil educacional. O encarecimento do custo de vida, especialmente da habitação, também opera no sentido de empurrar para fora da cidade os indivíduos e famílias de menor renda. Ao contrário das grandes cidades europeias que enfrentam uma crescente polarização social por força da imigração, ou das metrópoles dos países emergentes que crescem a taxas muito aceleradas e veem os níveis de desigualdade de renda entre os indivíduos aumentarem, considerando a população que efetivamente reside na cidade, a tendência no médio prazo parece ser a de um adensamento relativo dos estratos médios em detrimento da base da pirâmide social, uma tendência de uma maior homogeneização socioeconômica, portanto.[14] O problema da segregação espacial da pobreza não desaparece, é claro, mas se repõe em escala ampliada, na medida em que a periferia da cidade extrapola cada vez mais a sua circunscrição física e se concentra nos municípios vizinhos. O processo em si não é novo, mas tais mudanças de escala têm enormes consequências para o planejamento da gestão do município.

Já observamos que um dos saldos importantes dessas transformações, do ponto de vista da cidade, é que seu mercado de trabalho se torna mais adaptado às demandas dos setores economicamente mais dinâmicos. Mas uma tal tendência projeta, também, importantes alterações nos padrões de consumo da população, expandindo as possibilidades dos setores de atividades como saúde, educação e cultura, por exemplo. A proximidade entre provedores e consumidores desses serviços, por sua vez, motiva tanto os deslocamentos das famílias para bairros onde esses serviços são melhores e mais abundantes quanto o deslocamento dos negócios para novas localidades onde o poder de consumo se eleva. A "mediar" esses deslocamentos, pelo menos dois atores são estratégicos: o poder público e o mercado imobiliário.

Dinâmicas de localização

O estudo sobre a localização das atividades econômicas e do emprego neste livro[15] revela pelo menos dois padrões bastante consolidados de ocupação do espaço. O Mapa 1 apresenta a distribuição do emprego industrial no município em dois pontos no tempo, 1996 e 2006. A despeito da redução no volume absoluto de empregos, as manchas de ocupação espacial da indústria manufatureira mantêm o mesmo padrão histórico, marcado pela concentração das atividades ao longo das calhas dos três maiores rios que cortam o município: o Tamanduateí, o Tietê e o Pinheiros.

Os bairros centrais, que abrigaram os primeiros núcleos manufatureiros da cidade, no início do século passado, continuam a exibir forte concentração dessas atividades, notadamente a grande cadeia do têxtil e do vestuário, cujo emprego, crescentemente subcontratado, esparrama-se pelos bairros mais pobres das Zonas Leste e Norte. Um segundo polo industrial de destaque se localiza na região Sul, em Santo Amaro, Capela do Socorro e Jurubatuba, onde se localizam especialmente indústrias de fármacos, bens de capital e metal-mecânica, de maior porte e forte presença de empresas multinacionais. Um terceiro polo importante, seguindo o curso do rio Tamanduateí em direção ao ABC paulista, localiza-se na região sudeste da cidade, recortada pelos bairros do Ipiranga e Vila Prudente, onde estão especialmente indústrias de material de transportes e químicas, seguindo o padrão de concentração de ati-

[14] É claro que, como os níveis históricos de desigualdade no Brasil são gigantescos, esta tendência por si só não garante uma mudança de patamar muito radical, mas pode, sim, promover mudanças importantes nas chances de mobilidade dos indivíduos.
[15] Ver capítulo 5 deste livro, de Bessa, Colli e Paula.

Mapa 1: Indústria. Emprego. MSP, 1996-2006

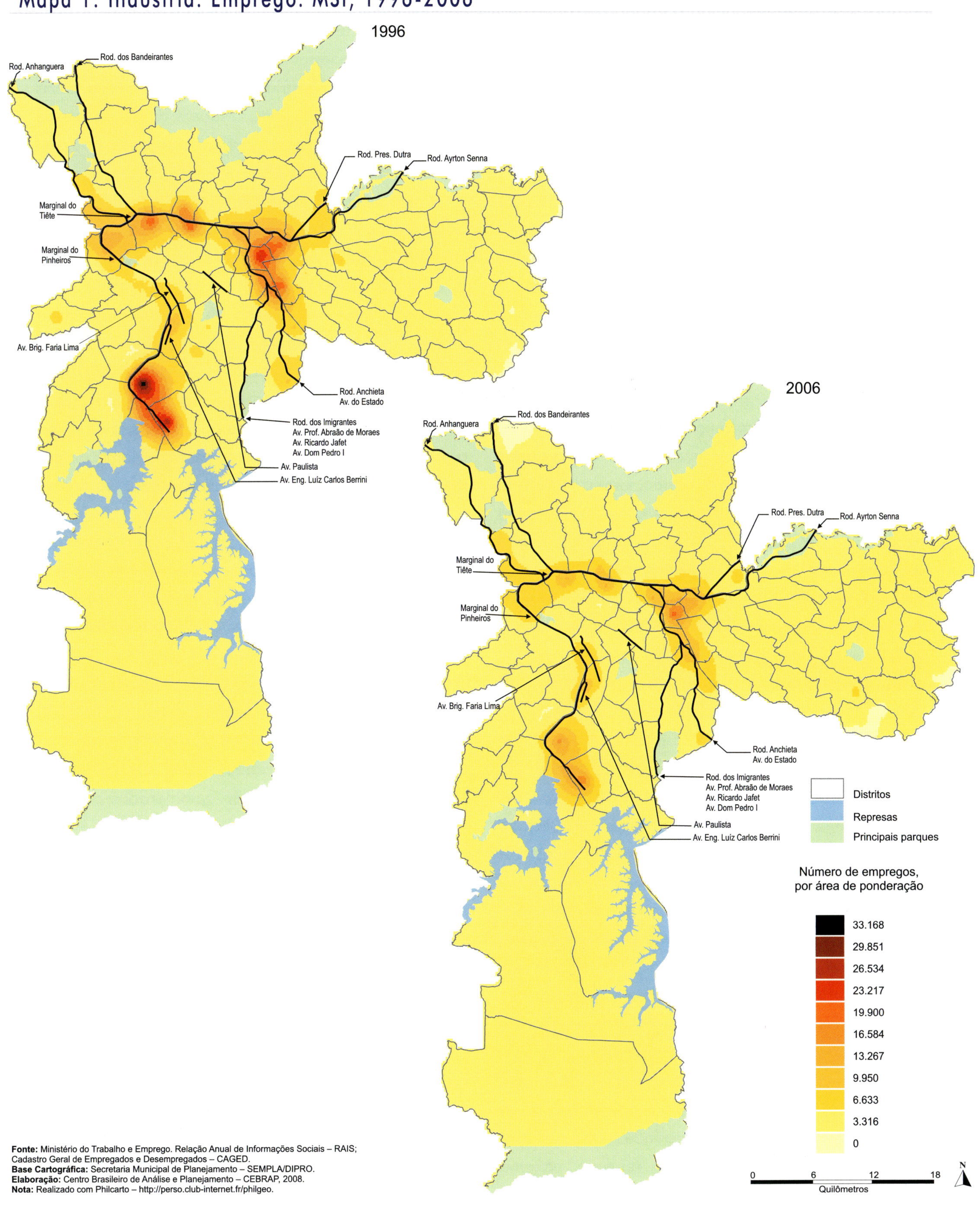

Fonte: Ministério do Trabalho e Emprego. Relação Anual de Informações Sociais – RAIS; Cadastro Geral de Empregados e Desempregados – CAGED.
Base Cartográfica: Secretaria Municipal de Planejamento – SEMPLA/DIPRO.
Elaboração: Centro Brasileiro de Análise e Planejamento – CEBRAP, 2008.
Nota: Realizado com Philcarto – http://perso.club-internet.fr/philgeo.

vidades característico dos municípios vizinhos, onde se localizam historicamente tanto as grandes montadoras de automóveis (São Bernardo e São Caetano) quanto o polo petroquímico de Mauá/Santo André. Esta região se destacou pelo expressivo encolhimento dos empregos, provavelmente como reflexo do fato de que a indústria automobilística foi uma das que mais se desconcentrou regionalmente com a abertura econômica do país. Finalmente, na região noroeste da cidade, que faz fronteira com o município de Osasco, recortada pela Vila Leopoldina e Jaguaré, a evolução do emprego industrial foi mais favorável, revelando que esta talvez seja a região de maior potencial para a instalação de atividades deste tipo.

Este padrão de distribuição das atividades industriais revela, sobretudo, a importância das grandes vias de entrada e saída da região, que a conectam ao interior do estado – principal área de interação econômica da cidade; ao porto de Santos – que a interliga com o mercado internacional; e com o restante do país – cujas conexões econômicas com o município são intensas. Dessa forma, as atividades industriais – e em grande medida também as atividades comerciais de maior escala – projetam-se, no que diz respeito a suas conexões econômicas, para "fora" do município. Esta disposição "centrífuga" das atividades industriais parece bastante consistente com as tendências de desconcentração das atividades produtivas e de concentração relativa das atividades de comando, já discutidas anteriormente, bem como a enorme concentração do mercado consumidor brasileiro na região. O caráter centrífugo dessas atividades não tem a ver com o fato de que elas tendem a se retirar do município, mas, sim, com o fato de que elas dependem de intensos fluxos de bens materiais e se destinam em grande medida ao mercado nacional, suprarregional (Mercosul) e internacional.

O encolhimento das atividades industriais, sem uma alteração muito significativa na sua distribuição espacial, deixa como legado para a cidade o esvaziamento relativo de áreas que compõem a "periferia" próxima do centro histórico da cidade, como a Barra Funda, o Brás e o Bom Retiro. A queda na taxa de ocupação dessas áreas representa desafios, mas também oportunidades valiosas para a administração pública. Essas regiões próximas ao centro dispõem das melhores infraestruturas urbanas da cidade, notadamente no que diz respeito aos transportes públicos, o que recomenda fortemente políticas de requalificação e reocupação desses espaços. O relativo deslocamento das atividades industriais para fora dessas áreas favorece uma maior diversidade no uso desses espaços, permitindo a combinação de zonas residenciais, de comércio e escritórios de serviços e de cultura, entretenimento e educação.[16] O fato de que os estabelecimentos industriais ocupem glebas relativamente grandes oferece maior flexibilidade na sua reapropriação para outros usos, permitindo a introdução de equipamentos públicos como praças e parques, por exemplo, bastante escassos na área e fator importante de requalificação urbana.

O grande setor de serviços, notadamente os nichos de maior especialização,[17] apresenta padrões de localização quase oposto ao da indústria, como se pode ver pelo Mapa 2. Estas atividades estão intensamente concentradas no chamado centro expandido da cidade que é "abraçado" pelo cinturão industrial que percorre os grandes rios que cruzam a cidade. A comparação entre os anos 1996 e 2006 revela claramente a tendência de adensamento das atividades, conformando pelo menos três aglomerados com características próprias.

As áreas que compõem o centro histórico de São Paulo – Sé, República e imediações – concentram especialmente atividades ligadas ao setor financeiro e das bolsas de valores (processamento e armazenagem de dados, corretoras de seguros, bancos de investimento, empresas de crédito pessoal); empresas de serviços mais padronizados, como recrutamento de pessoal, segurança e limpeza; serviços ligados ao aparato jurídico; serviços gráficos e de impressão; turismo e parte de informática. Essa região concentra ainda grande quantidade de equipamentos culturais, educacionais e de saúde.

[16] Para um estudo detalhado sobre as mudanças econômicas e urbanas do centro histórico de São Paulo, ver *Caminhos para o centro*. Estratégias de desenvolvimento para a região central de São Paulo. 1.ed. São Paulo: Emurb/CEM/Cebrap, 2004.
[17] Ver capítulo 2 deste livro.

Mapa 2: Serviço. Emprego. MSP, 1996-2006

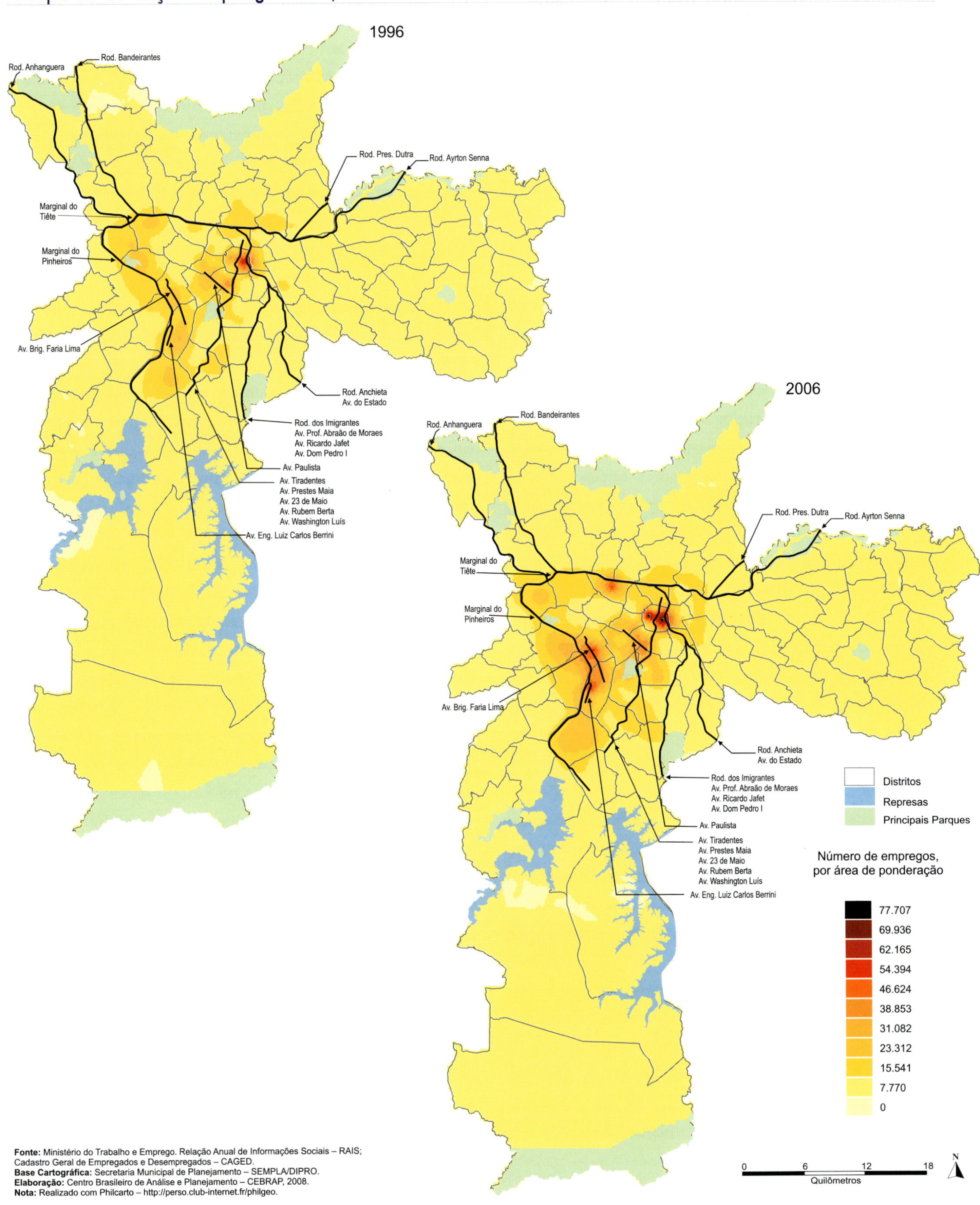

Fonte: Ministério do Trabalho e Emprego. Relação Anual de Informações Sociais – RAIS; Cadastro Geral de Empregados e Desempregados – CAGED.
Base Cartográfica: Secretaria Municipal de Planejamento – SEMPLA/DIPRO.
Elaboração: Centro Brasileiro de Análise e Planejamento – CEBRAP, 2008.
Nota: Realizado com Philcarto – http://perso.club-internet.fr/philgeo.

A região da Avenida Paulista concentra as sedes e os escritórios dos grandes bancos nacionais e muitas atividades ligadas a esse setor. Finalmente o chamado vetor sudoeste, que engloba o Itaim Bibi, a Vila Nova Conceição, a parte baixa do Brooklin e a Granja Julieta, que constituíram a fronteira de expansão imobiliária da cidade nestas últimas décadas, abriga as sedes corporativas das grandes empresas multinacionais e boa parte dos serviços mais intensivos em conhecimento, como informática, telecomunicações e mídia.[18]

A indústria, de um modo geral, tende a "especializar" os espaços que ocupa, atraindo atividades aparentadas e repelindo outras formas de ocupação, seja para a residência seja para os serviços mais especializados ou sofisticados. As atividades de serviços, ao contrário, implicam uma maior proximidade entre prestadores e usuários/consumidores finais e favorecem uma maior diversidade de formas de ocupação. De fato, o centro expandido e especialmente o vetor sudoeste da cidade apresentam uma intensa combinação de atividades bastante variadas de serviços e zonas residenciais de alto a médio poder aquisitivo. No que diz respeito a estes estratos de renda, a região representa uma combinação "ótima" – não fossem os graves problemas de trânsito – entre morar, trabalhar e consumir.

Segregação espacial

A concentração espacial das atividades econômicas dentro da cidade favorece a conexão entre a demanda e a oferta de força de trabalho nos estratos médios e altos, mas segrega intensamente os estratos mais baixos que habitam as zonas periféricas mais distantes, especialmente nos extremos Leste e Sul. O Mapa 3 revela o contraste agudo entre a densidade das oportunidades de trabalho no chamado centro expandido e a enorme concentração populacional nos bairros periféricos. No capítulo 5 deste livro, Bessa, Colli e Paula demonstram, por exemplo, que o chamado "Complexo Corporativo Metropolitano", composto pela área central da cidade e seus prolongamentos em direção a Oeste e Sul, corresponde a apenas 7% do território municipal e concentra nada menos que 66% do emprego em serviços.

Os dados censitários revelam ainda a enorme discrepância entre o perfil demográfico dos grupos sociais que habitam o centro expandido (onde se concentra a maior parte da população com nível superior de instrução e renda mais elevada) e as regiões periféricas, onde se concentram famílias de baixa renda e instrução, em áreas urbanas mais precárias do ponto de vista de infraestrutura e acesso a serviços e onde vigoram taxas de desemprego bem mais elevadas do que a média da cidade.[19] A esse quadro se poderia acrescentar os demais municípios da Região Metropolitana e mesmo cidades mais distantes, cujas taxas de crescimento populacional são bem superiores à da capital e que funcionam na prática como parte do mercado de trabalho paulistano.

Esse padrão de segregação espacial é sustentado e impulsionado por diversos fatores. Devido ao perfil muito concentrado da renda no Brasil, o mercado imobiliário, bastante aquecido nos últimos anos, opera preferencialmente visando estratos de renda elevada, que se concentram numa faixa limitada do território, basicamente inserida no centro expandido, com transbordamentos para as zonas Sul e Oeste. Somados todos os lançamentos imobiliários residenciais verticais realizados na cidade entre 1992 e 2007 (cerca de 4.500), apenas cinco das 31 subprefeituras da cidade (Vila Mariana, Pinheiros, Lapa, Campo Limpo e Butantã) concentraram cerca de 50% deles. O perfil dos imóveis lançados também confirma a inclinação "natural" do mercado imobiliário para os estratos de renda mais elevada: em média, cerca de 60% dos imóveis possuíam três ou mais dormitórios.[20]

Paradoxalmente, as iniciativas do poder público no sentido de ampliar o acesso das populações residentes nas áreas mais periféricas aos serviços urbanos – como transporte, pavimentação, parques, hospitais e

[18] Ver capítulos 2 e 5 deste livro.

[19] Uma análise mais completa dos indicadores de mercado de trabalho se encontra no capítulo 3 deste livro. Mapas e indicadores sociais para o município e para a região metropolitana de São Paulo podem ser encontrados no site do Centro de Estudos da Metrópole, do Cebrap (www.centrodametropole.org.br).

[20] Estes indicadores do mercado imobiliário são do Secovi, sindicato do setor imobiliário (www.secovi.com.br). Ver também Capítulo 8 deste livro.

Mapa 3: População e emprego. MSP, 2006

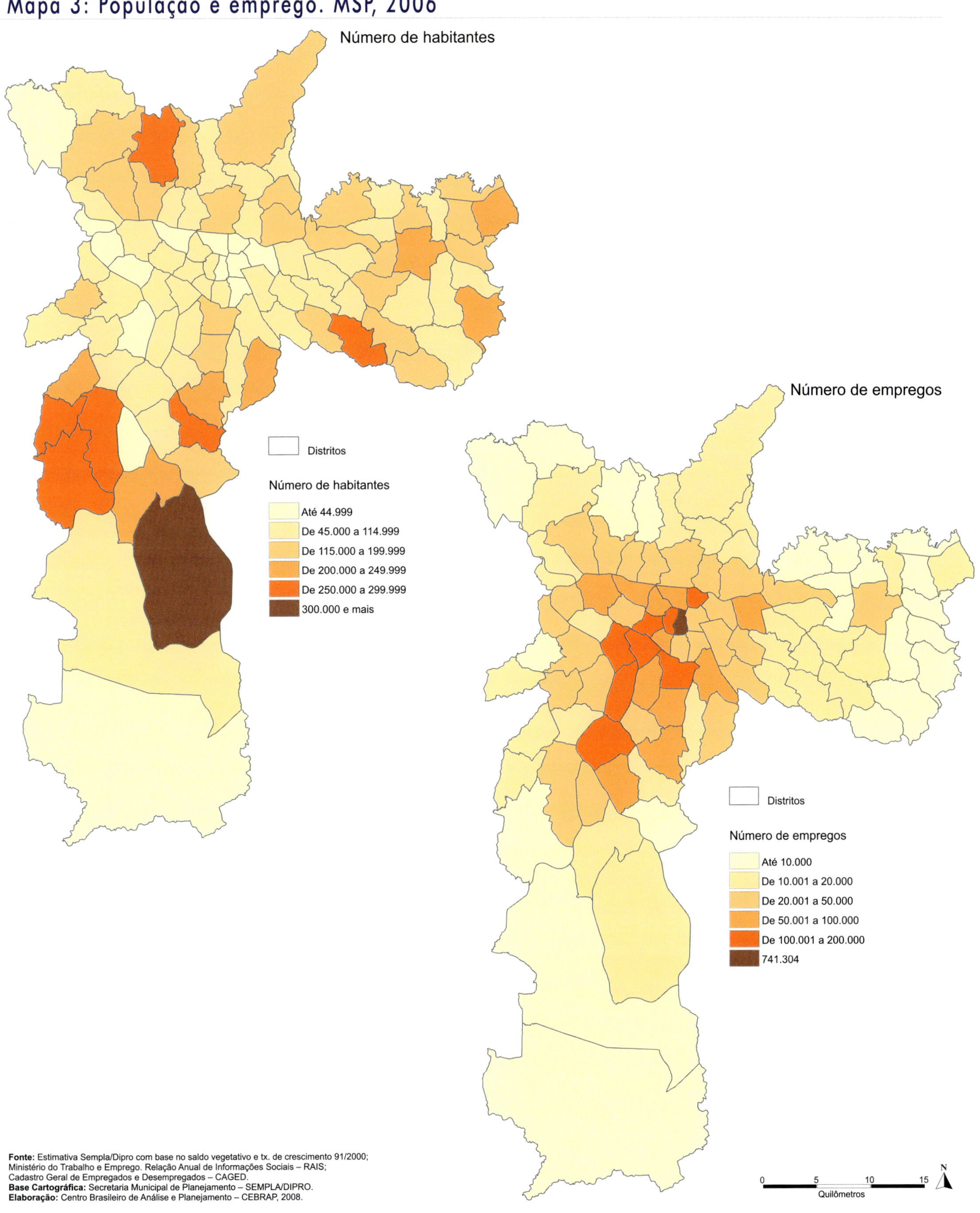

Fonte: Estimativa Sempla/Dipro com base no saldo vegetativo e tx. de crescimento 91/2000; Ministério do Trabalho e Emprego. Relação Anual de Informações Sociais – RAIS; Cadastro Geral de Empregados e Desempregados – CAGED.
Base Cartográfica: Secretaria Municipal de Planejamento – SEMPLA/DIPRO.
Elaboração: Centro Brasileiro de Análise e Planejamento – CEBRAP, 2008.

escolas – produzem a valorização imobiliária dessas áreas, o que acaba por expulsar os estratos mais vulneráveis, que se deslocam para novas áreas de ocupação, frequentemente já fora do perímetro do município. A dinâmica do mercado imobiliário e as ações do poder público estão envoltas num típico dilema de coordenação, na medida em que as empresas se baseiam nos investimentos que a prefeitura e o governo do estado realizam na cidade (como a construção de linhas e estações de metrô, novas avenidas, parques e grandes equipamentos públicos) para definir seus investimentos, de forma a se beneficiar desses atrativos urbanos, capturando a valorização imobiliária deles decorrentes; e o poder público, por sua vez, é responsável por solucionar os novos problemas gerados pelo adensamento causado pelos lançamentos imobiliários (como a expansão das vias de acesso, o ordenamento do trânsito, a coleta do lixo, a fiscalização das atividades comerciais etc.). Historicamente, a resultante tem sido muito pouco favorável aos mais pobres.

Assim, a desejada compatibilização espacial do trinômio trabalho-moradia-consumo, razoavelmente possível para os estratos de renda média e alta da população, representa um sonho distante para os segmentos de baixa renda, que devem arcar com os custos (não apenas financeiros) dos longos e morosos deslocamentos dos bairros periféricos para as áreas mais centrais da cidade, onde se localizam as oportunidades de emprego. Os capítulos 7 e 9 deste livro, de Nakano, examinam em detalhes os fatores propriamente urbanos que colaboram para a manutenção deste padrão de segregação, como, por exemplo, o fato de que importantes soluções para mobilidade de longo alcance, como as grandes avenidas e viadutos, podem produzir obstáculos à mobilidade de curto alcance, fraturando bairros e aumentando as distâncias dos deslocamentos das populações isoladas pelas grandes intervenções urbanas. O capítulo 8, de Vasconcellos, por sua vez, analisa as consequências práticas desse padrão de segregação urbana, do ponto de vista da mobilidade e dos sistemas de transporte, revelando que o custo e o tempo despendido nos deslocamentos intraurbanos são inversamente proporcionais à renda dos habitantes, reforçando os efeitos da segregação espacial.

Encontrar soluções que revertam esse padrão urbano polarizado são tão urgentes quanto difíceis, porque envolvem a mobilização de diversas esferas de ação do poder público: política habitacional, de transportes, de infraestrutura viária, de tributação e de uso do solo. E envolvem não apenas decisões de ordem técnica, mas a compatibilização de interesses conflitantes de atores com posições de poder muito assimétricas. Este debate tampouco é novo e iniciativas do poder público já foram implementadas com esse propósito. Vale mencionar a construção da Avenida Jacu-Pêssego, que corta a Zona Leste no sentido Norte-Sul, ligando Guarulhos ao ABC, dois grandes polos industriais, por meio da qual se espera induzir o desenvolvimento desta que é uma das mais pobres e isoladas regiões do município. A região possui uma zona definida com distrito industrial já há décadas, mas que até hoje não se mostrou muito frutífera e muitos apostam que, com a nova ligação viária, o distrito possa deslanchar. Com efeito, os dados apresentados no capítulo 7 deste livro para a região da Jacu-Pêssego revelam que ela foi uma das poucas em que tanto o número de estabelecimentos quanto o número de empregos industriais cresceram, em alguns casos a taxas relativas elevadas. Contudo, em termos absolutos, os resultados são bastante modestos, em vista do tamanho da população residente nesta área e da enorme taxa de desemprego estrutural ali observada.[21]

A ideia de se atrair investimentos industriais para as regiões periféricas da cidade acompanha a necessidade de se compatibilizar o perfil dos empregos gerados ao perfil da oferta de força de trabalho – neste caso, de baixa instrução formal. Por mais que a lógica do raciocínio esteja correta, ela esbarra em dificuldades. Em primeiro lugar, porque as exigências de qualificação formal se elevaram muito também para as ocupações manuais, em função mesmo do aumento da oferta de trabalhadores com diplomação mais elevada (em geral o segundo grau para atividades ma-

[21] Segundo os microdados do Censo 2000, a maioria dos distritos localizados no extremo Leste da capital apresentava, naquele ano, taxas de desemprego superiores a 50% da população economicamente ativa (www.centrodametropole.org.br).

nuais e o terceiro para funções de escritório, mesmo que de menor complexidade). Em segundo, porque o novo padrão de organização das firmas industriais reduz bastante a demanda por força de trabalho, em geral, e de menor qualificação, em particular. Em terceiro, porque, há muito, o município deixou de ser um grande receptor de investimentos em novas plantas industriais, por razões já conhecidas. Por fim, os instrumentos disponíveis ao gestor municipal são muito limitados no que diz respeito a políticas com este fim específico. Dessa forma, caberia aos governos do Estado e da União a implementação de ações desta natureza, mas considerando que as desigualdades regionais no Brasil são imensas e que a cidade de São Paulo se encontra exatamente no topo nacional em termos de desenvolvimento econômico, opções que reforcem esta concentração exigiriam justificativas ausentes no debate.

Não sendo nosso objetivo aqui aprofundar essa discussão, vale anotar, porém, que as mudanças no perfil sociodemográfico da população paulistana, em especial a evolução do nível médio de instrução, que começa a atingir também os estratos mais pobres, podem ampliar o leque de possibilidades de redução destas desigualdades à disposição dos gestores públicos. No médio prazo, essa tendência deve levar a uma maior homogeneização do perfil da força de trabalho, reduzindo as resistências para que as empresas se desloquem para estas regiões. Considerando a tendência histórica de aproximação das áreas de trabalho e moradia dos setores médios da população na cidade, o deslocamento de atividades com perfil mais sofisticado para as regiões periféricas pode ser facilitado se a diversidade social destes territórios for ampliada, aproximando fisicamente os diferentes estratos de renda e qualificação profissional. A distância física que hoje separa estes estratos é definida fundamentalmente pelas desigualdades dos atributos dos diferentes territórios. Os mecanismos próprios de mercado, especialmente do mercado de terras, operam no sentido de ampliar estas distâncias, posto que a valorização imobiliária repele os grupos sociais de menor renda e, por esta razão, políticas de incentivo à mistura social dependem de iniciativas de fixação destes grupos à terra.

4. Considerações finais

Dadas as características do ciclo de desenvolvimento que atravessamos, cada vez mais calcado em elementos ligados ao conhecimento e à inovação tecnológica, um dos principais ativos de uma região – senão o principal – é a qualificação de sua força de trabalho. São bem conhecidos os esforços extraordinários que países como Coreia do Sul, Taiwan, China e Índia vêm realizando há décadas com o objetivo de elevar a produtividade de suas economias, capacitando-se para absorver investimentos em áreas de maior *expertise* tecnológica – seja em manufaturas, seja em serviços – com resultados bastante positivos. O Brasil, como se sabe, carrega um profundo atraso no que diz respeito à escolarização de sua população. Como já se argumentou neste artigo, embora os indicadores de educação venham exibindo progressos admiráveis em termos da inclusão formal das crianças e jovens no sistema de ensino, os obstáculos relativos à qualidade da educação são gigantescos. A baixa qualidade do ensino oferecido no primeiro e segundo graus, por sua vez, bloqueia as possibilidades de acesso dos jovens mais pobres ao circuito mais nobre de instituições de ensino superior, deixando-lhes como opção as faculdades e os cursos de menor prestígio e qualidade, o que se refletirá negativamente depois em suas chances de emprego. Vale notar que com isto não são apenas os jovens mais pobres que perdem, mas também o mercado de trabalho e a economia do país, na medida em que muitos jovens talentosos são impedidos de ingressar nos nichos mais disputados de ensino, por força de sua origem social.

Considerando os instrumentos de política disponíveis para os gestores municipais, um choque de qualidade no ensino fundamental poderia, a médio prazo, infletir positivamente sobre todo o sistema de ensino, por carregar para os graus superiores um alunado mais preparado para disputar as melhores posições educacionais e no mercado de trabalho, gerando um novo tipo de pressão sobre as instituições de ensino superior. O caráter hoje extremamente mutável das carreiras profissionais, que já não se alinham estritamente com as carreiras universitárias, tende a valorizar ainda mais a formação geral, por oposição à formação meramente técnica, por que esta define o potencial de aprendizado contínuo dos indivíduos. Neste sentido, a qualidade do ensino básico e fundamental pode ser considerada tão ou mais importante, do ponto de vista das trajetórias ocupacionais dos indivíduos, do que o ensino superior, porque define de maneira mais ampla as suas chances futuras de ascensão profissional.[22]

Do lado do investimento, várias frentes de atração podem ser consideradas numa estratégia de mais longo prazo. Uma delas, já mencionada neste artigo, se refere às novas oportunidades criadas pelos deslocamentos dos investimentos em P&D das grandes transnacionais para países em desenvolvimento. A estrutura de conhecimento já existente na cidade a capacita a disputar este tipo de investimento, mas isso pressupõe, mais do que instrumentos fiscais ou de crédito, a criação de mecanismos institucionais e a capacitação de gestores públicos para uma atuação internacional mais sistemática com grandes empresas privadas, fundos de investimento, agências multilaterais de desenvolvimento e governos. Vale lembrar que boa parte das grandes empresas multinacionais possuem filiais no Brasil, o que favorece a aproximação com suas matrizes, responsáveis pelas decisões de investimentos.

Incrementar a participação dos investimentos estrangeiros em atividades ligadas a conhecimento, tecnologia e inovação pressupõe, por sua vez, o desenvolvimento local de redes de pequenas e médias empresas de prestação de serviços com capacidade de complementar as ações das grandes empresas. Políticas com esse objetivo dependem da criação de mecanismos institucionais focados na ampliação da integração de instituições de ensino e pesquisa e empresas. Há um repertório razoavelmente variado de modelos institucionais já experimentados por diversos países e regiões, como as agências de desenvolvimento local, os parques tecnológicos, as incubadoras de empresas, os fundos de investimentos, além do enorme potencial representado pelas compras públicas como estímulo ao desenvolvimento de novas áreas de atividades e empresas. Porém, modelos institucionais não são fórmulas prontas a serem replicadas; dependem da capacidade dos agentes públicos de definirem com clareza objetivos de longo prazo, que estabeleçam relações de confiança e laços de parceria com os demais atores e interesses envolvidos. Como sempre, a definição de políticas públicas começa e termina na Política, com P maiúsculo.

Bibliografia

Abdal, Alexandre (2008). Dissertação de mestrado *Desenvolvimento e espaço:* da hierarquia da desconcentração industrial da Região Metropolitana de São Paulo à formação da Macrometrópole Paulista, Departamento de Sociologia, FFLCH-USP.

Daniels, Peter (1991). Producer services and the development of the space economy. In: Peter Daniels and Frank Moulaert (eds.). *The Changing Geography of Advanced Producer Services: theoretical and empirical perspectives.* London: Belhaven Press.

Dubar, Claude (2005). *A socialização: construção das identidades sociais e profissionais.* Martins Fontes.

Evans, Peter (1995). *Embedded Autonomy: States & Industrial Transformation.* Princeton, NJ, USA: Princeton University Press.

Moulaert, Frank; Scott, Allen J. e Farcy, Hélène (1997). Producer services and the formation of urban space. *In:* Frank Moulaert & Allen J. Scott (eds.). *Cities, Enterprises and Society on the Eve of the 21st Century.* London: Pinter.

Jannuzzi, Paulo de Martino (2000). *Migração e mobilidade social:* migrantes no mercado de trabalho paulista. Campinas, SP: Autores Associados.

[22] Para uma discussão aprofundada sobre a dinâmica das relações entre sistema de ensino e mercado de trabalho, veja-se Dubar (2005), *A socialização:* construção das identidades sociais e profissionais. Martins Fontes.

Kontic, Branislav (2007). *Inovação e redes sociais: a indústria de moda em São Paulo*. Tese de doutorado. Departamento de Sociologia, FFLCH-USP.

Puga, Diego e Duraton, Gilles (2001). *From sectoral to functional urban specialisation*. Department of Geography and Environment, London School of Economics, mimeo. Disponível em: http://cep.lse.ac.uk/~duranton.

Sassen, Saskia (1994). *Cities in a World Economy*. Thousand Oaks: Pine Forge Press.

Scott, Allen J. & Storper, Michael (2003). *Regions, Globalization, Development*. Regional Studies.

SPC&VB (2008). São Paulo Convention & Visitors Bureau. Disponível em: http://www.jornaldeturismo.com.br.

SPTuris (2008). Disponível em: http://www.cidadedesaopaulo.com/pesquisa/pdf/indicadores_turismo_sp_1sem_2007.pdf.

UNCTAD (2005). *United Nations Conference on Trade and Development - World Investment Report*, 2005. Transnational Corporations and the Internationalization of R&D, United Nations, New York and Geneva, 2005.

Veltz, Pierre (1997). *Dynamics of production systems, territories, cities*. In: Scott, Allen e Moulaert. Cities, Enterprises and Society on the Eve of the 21st Century. Londres.

Viotti, Eduardo e Baessa, Adriano. (2008) *Características do emprego dos doutores brasileiros:* características do emprego formal no ano de 2004 das pessoas que obtiveram título de doutorado no Brasil no período 1996-2003. Brasília: CGEE.

2. Conhecimento e tecnologia: atividades industriais e de serviços para uma São Paulo competitiva

Carlos Torres Freire, Alexandre Abdal e Vagner Bessa

Apresentação[1]

A reestruturação nas formas de produção que ocorreu nas últimas duas décadas exige um novo modo de olhar a estrutura produtiva. O objetivo deste capítulo é analisar a estrutura produtiva do município de São Paulo (MSP) sob a ótica da tecnologia e do conhecimento. Tal diagnóstico se propõe a auxiliar uma análise prospectiva, focada na competitividade de São Paulo – que pode se apoiar em atividades intensivas em conhecimento e em tecnologia – e na evidência de que tais atividades apresentam uma intensa concentração espacial na cidade.

Para dar conta deste objetivo, o capítulo terá o seguinte conteúdo, estruturado em cinco partes:

1) Introdução: apresentação do debate sobre atividades intensivas em conhecimento e em tecnologia e principais questões de pesquisa.

2) Discussão metodológica acerca da classificação de atividades baseada na diversidade tecnológica e de conhecimento, desenvolvida especialmente para este trabalho.

3) Análise da estrutura produtiva do MSP a partir da classificação de atividades desenvolvida. Estaremos atentos às atividades que possuem segmentos e nichos que se encaixem no espectro da competitividade e a outras já apontadas na literatura como relevantes para um momento pós-reestruturação produtiva.

4) Discussão do potencial de desenvolvimento de algumas dessas atividades mais intensivas em tecnologia e em conhecimento no MSP. Isso será feito abordando temas como tendências de crescimento, diversificação, mudança tecnológica, criação de novos nichos de mercado e geração de emprego e renda. Teremos como fonte tanto a caracterização precedente como entrevistas realizadas com atores relevantes, literatura específica e produção cartográfica própria.

5) Considerações finais.

1. Introdução: por um olhar transversal da estrutura produtiva

A criação e a difusão de conhecimento, a mudança tecnológica e os processos de inovação são determinantes para a competitividade e para o crescimento de longo prazo. São Paulo é uma cidade altamente concentradora de atividades econômicas relacionadas a esses determinantes. Tais segmentos constituíram o núcleo estratégico do processo de reestruturação produtiva nos países desenvolvidos ao terem se

[1] Gostaríamos de agradecer a Aline Borghi, pela ajuda com a tabulação dos dados, Bruno Komatsu, pelo modelo de regressão, Juliana Colli, pela elaboração dos mapas, e Joana Ferraz, pelo agendamento das entrevistas e por ter nos acompanhado em algumas delas.

qualificado como fornecedores de insumos para a modernização das cadeias produtivas, como portadores e difusores de conhecimento e como peça fundamental dos sistemas de inovação.

A discussão sobre a estrutura produtiva após as transformações ocorridas nos anos 1980 e 1990 sugere a necessidade de um novo olhar, que contemple conhecimento, tecnologia e inovação, ao mesmo tempo que explicite os segmentos portadores de competitividade nesses termos.

Trata-se de atividades tanto industriais como de serviços, as quais, em geral, constituem-se como as mais geradoras de valor, as que pagam os melhores salários e as que empregam mão de obra mais qualificada. Podemos citar alguns setores e atividades que se enquadram totalmente ou parcialmente nessa caracterização: microeletrônica, automação industrial, fabricação de equipamentos ópticos, equipamentos de informática, equipamentos médico-hospitalares e odontológicos (EMHO) e fármacos, desenvolvimento de *software* e consultoria em sistemas de informática, telecomunicações, engenharia, publicidade, pesquisa, atividades financeiras, atividades de mídia, de educação e de saúde.

No caso do MSP, a despeito de alguns estudos exploratórios sobre o tema, ainda não há um quadro claro acerca do peso dos segmentos mais intensivos em conhecimento e em tecnologia na estrutura produtiva. Nem sobre a concentração dessas atividades na capital ou sobre sua distribuição geográfica e suas conexões com a estrutura urbana do município.

O presente estudo tratará dessas atividades no MSP, com o objetivo de qualificar sua estrutura produtiva e identificar a distribuição espacial de algumas dessas atividades.[2] Isso será realizado segundo um arcabouço conceitual específico, ou seja, observando a estrutura econômica a partir do prisma da tecnologia e do conhecimento.

Essa tarefa se justifica por outros dois motivos. Primeiro, ao se observar a estrutura produtiva classificando-a em termos de tecnologia e conhecimento, pretende-se tratar da competitividade do município independentemente de ela estar ancorada em atividades industriais ou de serviços. Segundo, percebe-se que um desejado ciclo de crescimento do país, intensivo nessas atividades, tende a concentrá-las ainda mais no MSP – ou, pelo menos, não desconcentrá-las.

Esses dois pontos abrem caminho para avançarmos no debate. É possível tanto superar a oposição indústria *versus* serviços quanto apontar para um diagnóstico da configuração territorial da estrutura produtiva do município, considerando um renovado contexto de crescimento econômico.

Cidades com características como as de São Paulo sofreram, ao longo das últimas décadas, um profundo processo de transformação da estrutura produtiva. Em muitos casos, com enfraquecimento do setor industrial. Esse resultado não foi homogêneo: em algumas delas, houve um adensamento das cadeias produtivas ligadas aos novos paradigmas produtivos, como o forte desenvolvimento dos segmentos ligados às Tecnologias da Informação e Comunicação (TICs) e serviços correlatos; em outras, houve uma especialização voltada para os serviços de consultoria, financeiros ou centros de decisão de grandes empresas.

A própria transformação da estrutura produtiva do município é parte de um processo mais amplo de mudanças na economia mundial, em que conhecimento, aprendizado e inovação passam a ser fatores estratégicos para o crescimento econômico. Fluxos de recursos de conhecimento e a coprodução de conhecimento em redes, que alimentam processos de inovação via aprendizado, tornaram-se fundamentais para a competitividade na economia atual (Miles, 1995; Boden e Miles, 2000; Lundvall, 1996; Torres Freire, 2006a). Nesse contexto, algumas atividades industriais e de serviços ganham força.

Os *chamados knowledge-intensive business services* (KIBS) ou serviços intensivos em conhecimento (SIC)[3] são um bom exemplo de atividades que ganharam e/ou criaram novas funções. É apontado na literatura que os SIC: (i) contribuem diretamente ou indiretamente em

[2] O capítulo 5 deste livro, "Território e Desenvolvimento Econômico", de Bessa, Colli e Paula, tratará da distribuição espacial das atividades intensivas em conhecimento e em tecnologia no MSP. Aqui nos limitaremos a ressaltar, na seção 4, certos setores que consideramos relevantes para o desenvolvimento econômico do MSP.
[3] Neste estudo, utilizaremos a nomenclatura KIS (Knowledge-intensive Services) ou SIC (Serviços Intensivos em Conhecimento). A explicação será feita mais adiante no item 2, sobre a classificação de atividade econômica.

processos de inovação por conta de criação de conhecimento novo, como é o caso de atividades como informática, P&D e *design*; (ii) atuam como portadores de conhecimento e informação – não só tecnológicos –, como no caso de consultorias profissionais diversas e de treinamento de recursos humanos; (iii) fornecem, aos seus clientes, produtos novos que permitem a criação de novas atividades, como as empresas de telecomunicações e de desenvolvimento de *software* e de sistemas; e (iv) facilitam fluxos de conhecimento e de *expertise* entre diferentes setores, como ocorre na prestação de serviços para a indústria (Boden e Miles, 2000; Tomlinson, 2002; Muller e Zenker, 2001; Torres Freire, 2006a).

No caso do MSP, os mancos debates sobre se São Paulo é ou não uma cidade mundial e sobre industrialização *versus* terciarização foram incapazes de apontar a natureza da transformação na dinâmica produtiva. A capital do estado dispõe de uma estrutura produtiva altamente diversificada, que se mostrou competente para assimilar parte da reestruturação em segmentos estratégicos, como os chamados intensivos em conhecimento e tecnologia. Cabe aqui caracterizar tais setores e discutir sua real importância para pensar a economia paulistana no futuro.

Em vez de simplesmente dizer que no MSP houve uma "desindustrialização" ou o oposto, que a indústria aqui ainda é forte e força-motriz da dinâmica econômica, entendemos que seja mais profícua uma discussão acerca de qual indústria fica no MSP após as transformações das últimas décadas. Do mesmo modo, em vez de alimentar um argumento simplório de que o MSP compõe a tal "metrópole de serviços", cabe analisar quais são os serviços criados ou que se fortalecem no MSP. Para complementar a análise sobre a estrutura produtiva a partir do prisma da tecnologia e do conhecimento, trataremos de forma pontual, em diferentes momentos do texto, da questão da concentração dessas atividades no MSP.

Em que pese o fato de tais atividades serem intensivas em conhecimento e informação e com alto potencial de mobilidade territorial em função de uma infraestrutura de telecomunicações de abrangência global, seus requisitos locacionais estariam calcados em fatores relativamente escassos, espacialmente concentrados e não transferíveis das grandes áreas metropolitanas. Tais fatores variam e abrangem desde infraestrutura adequada, passando por um mercado de trabalho especializado, até relações de proximidade com fornecedores, com usuários, com instituições de ciência e tecnologia e com serviços especializados.

A densidade dessas atividades no MSP o aproxima de processos observados em países desenvolvidos, ao mesmo tempo em que apresenta certas especificidades. Uma delas é o fato de que ainda não há evidência empírica a respeito do peso de certos requisitos locacionais – especialmente os ditos modernos – para a concentração dessas atividades na capital. Ao analisarmos a lógica locacional das empresas mais intensivas em conhecimento, a partir dos dados existentes, ainda constatamos grande destaque para as vantagens decorrentes das "tradicionais economias de aglomeração", como mercado consumidor e acessibilidade (Torres Freire, 2006a). De qualquer forma, persiste a necessidade de aprimoramento dos mecanismos e dos instrumentos de produção de dados que elucidem os fatores locacionais da atividade econômica.

Ainda do ponto de vista territorial – agora observando a lógica intramunicipal –, parece que as opções locacionais dos segmentos mais modernos produtores de bens e de serviços não são idênticas, mas apresentam preferências que não são aleatórias. Para a manufatura, os segmentos tendem a não extrapolar os eixos tradicionais de localização, sobretudo aqueles situados ao longo dos corredores viários estruturais – marginais Pinheiros e Tietê, avenida do Estado, eixo do Tamanduateí e área do polígono do Jurubatuba.

No que tange aos segmentos voltados para a produção de serviços, as empresas mostram preferência pelo chamado "centro expandido". Contudo, apresentam estratégias variadas de acordo com a natureza dos serviços oferecidos: para os SIC de natureza profissional ou não tecnológica, as empresas preferem o centro histórico; já aquelas empresas relacionadas com suporte tecnológico ou serviços especializados, como propaganda, marketing e engenharia, parecem optar pelo chamado "vetor sudoeste".[4]

[4] Para uma análise mais pormenorizada, ver o capítulo 5 deste livro.

A breve apresentação dos temas da competitividade do município e da localização das atividades nos permite, assim, encaminhar algumas perguntas que motivam este trabalho e que norteiam o seu desenvolvimento:

(i) Este rol de atividades mais intensivas em conhecimento e tecnologia realmente possui uma inserção de destaque na estrutura produtiva do MSP?

(ii) Qual é a participação dessas atividades em termos de geração emprego, renda e valor?

(iii) Elas são mesmo empregadoras de mão de obra mais qualificada do que a média?

(iv) Um novo ciclo de crescimento tende a concentrá-las, ainda mais, no MSP, em detrimento de outras cidades brasileiras? Ou, pelo menos, não desconcentrá-las?

2. Classificação segundo intensidade de tecnologia e de conhecimento

A construção de uma tipologia de atividades baseada na caracterização dos setores intensivos em tecnologia e em conhecimento é um desafio para as análises setoriais da indústria e dos serviços. Dado que o processo de reestruturação produtiva penetrou a produção de bens e serviços, integrando de forma complementar as suas matrizes tecnológicas e organizacionais, observou-se uma tendência crescente de homogeneização de demandas em termos de serviços especializados, de infraestrutura e de recursos humanos (Boden e Miles, 2000; Bessa, Bernardes e Kalup, 2005).

A homogeneização ocorreu em relação a elementos dos padrões concorrenciais, tecnológicos e organizacionais dos dois grandes setores: o setor de serviços assimilou características tipicamente "industriais", como predominância da grande empresa, produção baseada em economias de escala e altos investimentos de capital físico; a competitividade industrial tem mostrado crescente dependência de mão de obra qualificada, atendimento "otimizado", atuação em nichos específicos e dependência de insumos intangíveis, fornecidos por serviços especializados (Boden e Miles, 2000). Evidentemente, isso não significou a supressão de importantes diferenças no *modus operandi* da produção de bens ou serviços: prevalecem diferenças entre produção de bens tangíveis e intangíveis e na velocidade de assimilação de novos padrões organizacionais e tecnológicos entre os setores.

Todavia, se a literatura especializada avançou quanto ao entendimento das transformações recentes da estrutura produtiva, considerá-las por meio de uma mesma base conceitual para estatísticas comparadas continua a ser um trabalho de difícil construção metodológica. Essa dificuldade emerge do fato de que, apesar de esses dois setores assimilarem determinações produtivas comuns, diferenças operacionais importantes para a construção de bases de dados imediatamente comparadas ainda estão longe de serem suprimidas.

A adoção de taxonomias da Organização para a Cooperação e Desenvolvimento Econômico (OCDE) para a indústria – considerando o esforço tecnológico – e para os serviços – hierarquizando seus segmentos segundo a intensidade de conhecimento – serve de aporte metodológico para este trabalho. Dado que não existe uma normatização internacional e os estudos de caso são relativamente escassos, alterações substanciais na taxonomia serão sugeridas – sobretudo no caso dos serviços. Esse fato confere ao seu emprego um caráter exploratório.

A OCDE utiliza os indicadores de gastos com Pesquisa e Desenvolvimento (P&D) para determinar o conteúdo tecnológico da indústria de transformação. São considerados tantos os gastos diretos em P&D como os indiretos – compra de máquinas, de equipamentos e de insumos intermediários. O ordenamento do conjunto dos gastos segundo segmento de atividade possibilitou uma classificação das atividades industriais, agrupadas em indústrias de alta, média-alta, média-baixa e baixa intensidade tecnológica (Hatzichronoglou, 1997).[5]

Para o Brasil, a taxonomia da OCDE foi adaptada pelo Instituto Brasileiro de Geografia e Estatística (IBGE), a partir da observação dos gastos diretos e indiretos em P&D da indústria de transformação brasileira. As informações da Pesquisa Industrial de Inovação Tecnológica (Pintec) serviram de subsídio para

[5] Para uma crítica da taxonomia elaborada pela OCDE, com destaque para o fato de que os dispêndios em P&D intramuros não captam relações difusas e informais de aprendizagem e inovação nas cadeias produtivas, ver Smith (2000). Sobre as especificidades da taxonomia da OCDE quando utilizadas em países emergentes, ver Furtado e Quadros (2005).

tal tarefa (IBGE, 2003). A composição dos segmentos industriais utilizada no presente artigo é a seguinte:[6]

(i) Alta intensidade tecnológica: setores de máquinas, aparelhos e materiais elétricos, outros equipamentos de transporte, equipamentos médico-hospitalares e odontológicos (EMHO), instrumentos de medição, equipamentos para automação industrial, material eletrônico e de aparelhos de comunicação, máquinas e equipamentos, veículos automotores.

(ii) Média-alta intensidade tecnológica: setores de material eletrônico básico, produtos químicos e fármacos, peças e acessórios para veículos, celulose e outras pastas para fabricação de papel.

(iii) Média-baixa intensidade tecnológica: setores de siderurgia, artigos de borracha e plástico, produtos de metal, metalurgia de materiais não ferrosos e fundição, papel, embalagens e artefatos de papel, produtos não metálicos, couro, artefatos de couro e calçados.

(iv) Baixa intensidade tecnológica: setores de produtos têxteis e artigos do vestuário, alimentícios, artigos de mobiliário, artigos de madeira, coqueria, produção de álcool e edição e reprodução de gravações.

No caso do setor de serviços, em que pese a convergência dos padrões tecnológicos e organizacionais com a indústria, a existência de configurações técnicas e setoriais muito heterogêneas não permite que os parâmetros da indústria sejam utilizados diretamente para o terciário. Gallouj e Weinstein (1997) advertem que certas classificações se apropriam, sem as devidas mediações, das mesmas bases metodológicas que descrevem o processo de inovação tecnológica na indústria. Já Marklund (2000), mais preciso, destaca que grande parte das empresas de serviços inovadoras não realiza esforços de P&D com regularidade e nelas a inovação tem origem em outros departamentos das empresas.

As dificuldades para distinguir inovações de produto e processo, a natureza intangível dos serviços e a importância mais acentuada dos recursos humanos e organizacionais para o incremento da produtividade do setor são outros elementos a ser considerados para se estabelecer uma metodologia de mensuração convergente entre indústria e serviços. Na ausência de um consenso normativo, há uma pluralidade de perspectivas que proporcionam recortes diversos sobre o segmento, dificultando a realização de estudos comparativos internacionais.

Neste trabalho, a escolha da classificação para o setor de serviços se baseia na proposta da OCDE para os segmentos intensivos em conhecimento – KIS, *knowledge-intensive services* (os KIBS sem a palavra "business") (Eurostat, 2007a, Eurostat, 2007b, e Eurostat, 2007c). Segundo essa classificação, o setor de serviços pode ser hierarquizado por grupos de atividades com características relativamente homogêneas, sendo que os mais intensivos em conhecimento apresentam maior esforço na área de P&D, são usuários de TICs e recrutam trabalhadores de alta qualificação. Essa nomenclatura organiza os serviços da seguinte forma: *Knowledge-intensive high-tech services* (correio e telecomunicações, atividades de informática e relacionadas e P&D); *Knowledge-intensive market* services (transporte de água, transporte aéreo, atividades imobiliárias, aluguéis de máquinas e outras atividades empresariais); *Knowledge-intensive financial services* (bancos e atividades financeiras); *Other knowledge-intensive services* (educação, saúde, recreação, cultura e esportes); *Less knowledge-intensive services* (hotéis e restaurantes, transporte terrestre, agências de turismo, administração pública e defesa, emprego doméstico).

No âmbito deste trabalho, propomos um aperfeiçoamento na proposta de classificação da OCDE, com a estruturação de outros subgrupos e um rearranjo das atividades entre eles. Essas alterações se justificam por motivações analíticas, enquanto outras decorrem da necessidade de ajustes para a obtenção de informações regionalizadas para o MSP:

1) A criação de três novos grupos na classificação: SIC Mídia, SIC Sociais e SIC Profissionais:

- O primeiro (SIC Mídia) resulta da necessidade de reconhecer o profundo processo de reestruturação que atinge os segmentos ligados à produção e circulação de informações (rádio, televisão, jornais e cinema), tendo forte interação com o que tem se chamado de economia criativa.

[6] A classificação aqui adotada, tanto para a indústria como para os serviços, é apresentada com os códigos da Classificação Nacional de Atividade Econômica (CNAE 1.0) no Anexo 1 do livro.

- Os SIC Sociais resultam de uma reorganização dos chamados *other knowledge-intensive services*. Dada a ênfase no processo de produção de conhecimento especializado e no uso de tecnologias, optou-se por considerar, na área da saúde, os hospitais e laboratórios e, na área da educação, as atividades relacionadas ao ensino superior.
- Os SIC Profissionais expressam uma tentativa de criar um grupo análogo ao chamado *professional-KIBS*, corrente na literatura internacional e que caracteriza os fornecedores de recursos de conhecimento essenciais para a organização e a administração da empresas.

2) Os chamados SIC Tecnológicos passaram por um ajuste. A eles foram agregadas as atividades de serviços de arquitetura e ensaios de materiais, enquanto os segmentos de comunicações e P&D foram depurados, preservando-se apenas o segmento de telecomunicações no primeiro caso e as atividades de desenvolvimento das ciências físicas e exatas no segundo.

3) Os *less knowledge-intensive services* passam a ser denominados "Demais Serviços", mas com as seguintes alterações: algumas atividades alocadas originalmente na categoria *knowledge-intensive market services* (que deixa de existir) foram agregados a esse segmento, dado que boa parte dos serviços ali descritos é prestada por empresas públicas ou atividades que não têm características de SIC.

Como resultado, temos:

(i) SIC Tecnológicos (SIC-T): atividades de informática, telecomunicações, P&D das ciências físicas e exatas, serviços de arquitetura e ensaios de materiais.

(ii) SIC Profissionais (SIC-P): atividades de P&D das ciências sociais e humanas, atividades jurídicas, contábeis e de assessoria empresarial, publicidade, seleção, agenciamento e locação de mão de obra.

(iii) SIC Financeiros (SIC-F): atividades de intermediação financeira, seguros e previdência complementar.

(iv) SIC Sociais (SIC-S): atividades ligadas à educação superior e as de atendimento hospitalar e de complementação diagnóstica e terapêutica.

(v) SIC Mídia (SIC-M): atividades cinematográficas e de vídeo, de rádio e televisão e de agências de notícias.

(vi) Demais Serviços: atividades de alojamento e alimentação, transportes (terrestre, aéreo, atividades auxiliares aos transportes e agências de viagem), correio, aluguel de máquinas e equipamentos e objetos pessoais e domésticos, limpeza urbana, atividades associativas, salas de espetáculos, serviços pessoais e domésticos.

3. Estrutura produtiva do MSP segundo tecnologia e conhecimento

A partir da classificação das atividades econômicas segundo intensidade tecnológica e de conhecimento, o objetivo desta seção é fazer uma breve análise da estrutura produtiva do MSP e identificar as atividades especialmente relevantes em termos de conhecimento e de tecnologia, no município, para uma investigação mais pormenorizada na parte 4 do texto.

No exercício que apresentamos a seguir, a principal base de dados utilizada foi a Relação Anual de Informações Sociais (RAIS). Embora não seja o mais adequado utilizar uma base de emprego para análises acerca da configuração produtiva de um agregado econômico, uma vez que descompassos setoriais entre intensidade da utilização de mão de obra e produção, geração de valor e de renda são comumente encontrados, o seu uso se justifica por: (i) disponibilidade de ampla série histórica; (ii) representatividade para o nível municipal – grande vantagem em relação a bases amostrais; e (iii) abertura setorial em um nível suficientemente desagregado, o que viabiliza uma classificação de atividades tal qual a aqui empregada.

A seleção do período de análise – entre 1997 e 2005[7] – pretende dar conta das transformações pelas quais a estrutura produtiva do MSP passou nos últimos anos, incluindo, portanto, os fenômenos de reestruturação produtiva – mais forte nos anos 1990 – e a retomada do dinamismo da indústria – a partir do início da atual década.

A própria reestruturação produtiva é um primeiro dado a ser observado. A estrutura produtiva do MSP, vista tanto pela perspectiva dos estabelecimentos como por aquela da mão de obra, experimenta ten-

[7] O fim da série em 2005 se deve ao fato da adoção, pela RAIS, em 2006, da CNAE 2.0, o que dificulta a construção de uma série histórica para a classificação de atividades aqui adotada.

dência de diminuição da participação da indústria de transformação e de aumento da participação dos serviços e do comércio.

A predominância dos serviços na estrutura ocupacional formal paulistana é acachapante – em 2005, computavam cerca de 56% dos empregos, enquanto, em 1997, a participação era de 51%. Já a indústria aparece com 16,3% das ocupações, tendo perdido seis pontos percentuais em relação a 1997.[8]

Tal percepção, entretanto, não autoriza conclusões de que o MSP estaria em transição rumo a uma metrópole de serviços. Primeiro porque parte da diminuição dos postos de trabalho industriais, durante a década de 1990, pode ser atribuída a efeitos da reestruturação produtiva, como a transferência de atividades e de ocupações para o terciário (Amitrano, 2004; Diniz e Diniz, 2004). Em segundo lugar, e talvez mais importante, porque a indústria, apesar de ter, sim, perdido musculatura, não desapareceu do MSP. Há setores industriais que permanecem fortes no município, o que indica que São Paulo deverá manter uma atividade industrial relevante, pelo menos no curto e no médio prazos.

Chama a atenção o fato de a indústria de transformação paulistana, entre 2001 e 2005, voltar a contar com saldo positivo de empregados. Mais precisamente, o ponto de inflexão da tendência de diminuição do contingente de ocupados na indústria do MSP foi o ano de 2003. Com tal inflexão, a indústria do município embarca em movimento similar ao da indústria da RMSP e do estado de São Paulo (Abdal, 2008). Tal fato é importante, pois aponta para uma nova dinâmica no município, na qual a perda de participação da indústria não se deve mais ao fechamento de postos de trabalho, mas à expansão, em menor intensidade, é verdade, dos postos de trabalho industriais vis-à-vis os de serviços e de comércio. Entretanto, essa evidência não credencia o argumento de que tenha sido iniciado um novo surto de desenvolvimento industrial no MSP. Talvez a interpretação mais adequada seja a de que, em um novo contexto de crescimento econômico, a indústria esteja apenas reutilizando capacidade ociosa.

Devido ao fato de ser o setor com os maiores estabelecimentos, a indústria tem participação ainda mais reduzida no MSP – embora o número absoluto de estabelecimentos industriais indique que o MSP não foi abandonado pela indústria. Sua diminuição, em termos de participação, de novo, deve-se ao fato de a sua expansão relativa ser menor que a dos demais setores.

Indústria mais intensiva em tecnologia e SIC são geradores de valor

Quando examinamos a estrutura produtiva do MSP tendo como referência a classificação segundo intensidade de tecnologia e de conhecimento, ou seja, com um olhar menos atento para a tradicional oposição indústria *versus* serviços e mais para a sua capacidade de gerar valor, emprego qualificado, renda, conhecimento e inovação, os resultados são mais interessantes.

Em função de possuir estabelecimentos médios maiores, as indústrias de alta e média-alta intensidade tecnológica e os cinco segmentos de SIC (SIC-T, SIC-P, SIC-F,

Tabela 1: Estabelecimento, emprego e massa salarial segundo grandes setores econômicos. MSP, 1997 e 200

Setores de atividade	1997					2005			
	Estabelecimento		Emprego		Massa	Estabelecimento		Emprego	
	Abs	%	Abs	%	%	Abs	%	Abs	%
Indústria de transformação	74.286	14,0	549.050	22,4	23,7	80.314	11,8	459.761	16,3
Serviços	219.241	41,2	1.250.324	51,0	57,8	277.766	40,7	1.578.478	55,9
Comércio	216.020	40,6	470.691	19,2	13,4	302.147	44,3	641.834	22,7
Construção civil	22.463	4,2	179.471	7,3	5,2	21.689	3,2	143.174	5,1
Total	532.010	100,0	2.449.536	100,0	100,0	681.916	100,0	2.823.247	100,0

Fonte: RAIS/MTE. Elaboração CEBRAP. *Em reais de 12/2006. Inflator: INPC/IBGE.

[8] O segmento de administração pública – divisão 75 da CNAE 1.0 – foi retirado da análise. Além de neste texto termos maior interesse no setor produtivo privado, há também o problema da impossibilidade de desagregar regionalmente as informações da administração pública, no estado de São Paulo, a partir da RAIS. Como o MSP é a sede do governo do estado, boa parte dos servidores públicos estaduais pode estar alocada formalmente na capital, superestimando esse contingente na cidade. De qualquer forma, verifica-se que o segmento é grande empregador no MSP, com 850 mil empregados, ou 23,1% do total.

Tabela 2: Estabelecimento, emprego e massa salarial segundo classificação por intensidade de tecnologia e conhecimento. MSP, 1997 e 2005*

Setores de atividade	1997					2005				
	Estabelecimento		Emprego		Massa	Estabelecimento		Emprego		Massa
	Abs	%	Abs	%	%	Abs	%	Abs	%	%
Ind. alta	8.242	1,5	93.050	3,8	5,0	10.034	1,5	78.591	2,8	3,6
Ind. média-alta	7.352	1,4	94.587	3,9	5,5	8.101	1,2	83.036	2,9	5,1
Ind. média-baixa	23.971	4,5	152.468	6,2	5,4	26.822	3,9	117.292	4,2	3,8
Ind. baixa	34.721	6,5	208.945	8,5	7,9	35.357	5,2	180.842	6,4	5,9
SIC-T	7.474	1,4	77.558	3,2	5,2	10.521	1,5	91.077	3,2	5,7
SIC-P	19.465	3,7	77.484	3,2	2,9	19.734	2,9	147.805	5,2	4,9
SIC-F	10.835	2,0	142.392	5,8	12,2	12.471	1,8	146.125	5,2	11,8
SIC-S	12.332	2,3	136.431	5,6	6,6	10.361	1,5	184.864	6,5	8,6
SIC-M	2.002	0,4	13.071	0,5	0,9	1.670	0,2	14.141	0,5	0,9
Demais serviços	167.133	31,4	803.388	32,8	29,9	223.009	32,7	994.466	35,2	29,3
Comércio	216.020	40,6	470.691	19,2	13,4	302.147	44,3	641.834	22,7	16,7
Construção civil	22.463	4,2	179.471	7,3	5,2	21.689	3,2	143.174	5,1	3,8
Total	532.010	100,0	2.449.536	100,0	100,0	681.916	100,0	2.823.247	100,0	100,0

Fonte: RAIS/MTE. Elaboração CEBRAP. *Em reais de 12/2006. Inflator: INPC/IBGE.

SIC-S[9] e SIC-M) apresentam baixa participação na estrutura produtiva em termos de estabelecimentos – apenas 10,4%. Entretanto, esses sete segmentos respondiam por 40,6% da massa salarial do MSP em 2005 (Tabela 2).

O dado de valor adicionado pode ser considerado complementar à informação da massa salarial. Esses mesmos setores mais intensivos em conhecimento e tecnologia, excluídos os SIC-F, representavam 43% do valor adicionado do MSP em 2001[10] – comércio, demais serviços e as indústrias de média-baixa e baixa intensidade tecnológica geram o valor restante. Esses dois dados sucintos evidenciam a capacidade dessas atividades na geração de valor e renda.

Além disso, dos seis setores de atividade industrial com maior participação de valor adicionado fiscal no MSP[11] (todos acima de 7% e que, somados, totalizam 53,6%), cinco são das indústrias de alta e média-alta intensidade tecnológica: produtos farmacêuticos (10,2%), máquinas e equipamentos (9,2%), produtos de metal (7,9%), produtos químicos (7,5%), material de transporte (autopeças, 7,3%). Outra informação importante é que esses cinco setores aumentaram sua participação relativa no MSP entre 2002 e 2006. Isso mostra não só a relevância desses segmentos para a composição da indústria paulistana, como também a sua capacidade, ainda que tímida, de se manterem dinâmicos na cidade. Por mais que não possamos afirmar que o MSP esteja no caminho de outras cidades do mundo, nas quais a indústria de alta tecnologia é o ponto forte da pós-reestruturação produtiva, o peso dos segmentos mais intensivos em tecnologia é evidente.

Número de empregados em segmentos intensivos em tecnologia e em conhecimento é alto

A alta representatividade das atividades mais intensivas em tecnologia e em conhecimento, em termos de emprego, é outro dado que chama a atenção. Em 2005, as indústrias de alta e média-alta intensidade tecnológica e os SIC, somados, empregavam 26,4% da força de trabalho formal paulistana – com destaque para os SIC-S, SIC-P e SIC-F, respectivamente, como mostra a Tabela 2 acima.

Boa parte dessa importância dos SIC-S, em termos de emprego, se deve ao setor de saúde. Relembremos que aqui o foco é nos hospitais, nos laboratórios e nas outras atividades da saúde, segmentos que abarcam a

[9] Os SIC-S, compostos tanto pelas instituições privadas quanto pelas públicas, podem estar subestimados na RAIS devido ao fato de parte do pessoal ocupado em hospitais públicos estaduais estar alocado na administração pública. Além disso, por conta de problemas de classificação dos estabelecimentos, optamos por retirar da análise atividades como clínicas e consultórios médicos, pronto-socorros, atividades independentes de enfermagem, fonoaudiologia, psicologia e níveis infantil, fundamental e médio de ensino.
[10] Os dados são de elaboração própria a partir da Pesquisa da Atividade Econômica Paulista (PAEP), da Fundação SEADE, para 1996 e 2001. O setor de serviços como um todo só foi incorporado na pesquisa no ano de 2001, mas, mesmo assim, o indicador de valor adicionado para instituições financeiras não foi calculado. Embora relativamente antigos, tais dados permitem a incorporação na análise do indicador de valor adicionado.
[11] A tabela completa está no capítulo 11, de Matteo, neste livro.

prestação de serviço mais intensiva em conhecimento, pelo peso tanto da pesquisa, como do atendimento de alto nível em hospitais e laboratórios – com destaque para diagnóstico e bancos de sangue, órgãos etc. Essas atividades, tomadas em conjunto, empregam cerca de 170 mil pessoas, representando 4,5% do total da população ocupada formal do MSP. Desses ocupados, cerca de um quarto possui ensino superior completo.[12] A outra parcela dos SIC-S, ensino superior, com quase 2% dos empregados do MSP, completa os ocupados do segmento.

Quem puxa o emprego nos SIC-F é o segmento de intermediação financeira, com seus bancos e corretoras, que ocupam 3,8% do total do MSP, ou seja, 106 mil pessoas. Nos SIC-P, podem ser destacadas como as maiores empregadoras, por um lado, as atividades de agenciamento, seleção e locação de mão de obra, mais intensivas em mão de obra, e, de outro, as de gestão de empresas e de publicidade, com mão de obra mais especializada. Por fim, nos SIC-T, são as telecomunicações e a informática as atividades com maior contingente de empregados – 28 mil e 43 mil, respectivamente.

Em relação à indústria, ressaltemos três divisões da CNAE boas empregadoras segundo os dados de 2005: máquinas e equipamentos (39 mil pessoas empregadas); máquinas aparelhos e materiais elétricos (20 mil); e produtos químicos (41 mil, sendo quase metade no segmento de fármacos).

Concentração dos setores intensivos em tecnologia e conhecimento no MSP é alta

Os segmentos intensivos em tecnologia e em conhecimento não são apenas representativos na estrutura produtiva do MSP, mas são, também, bastante concentrados na cidade, independentemente de a comparação ser feita diretamente com o Brasil ou com outras capitais brasileiras – comparamos as seis mais importantes capitais brasileiras, além de São Paulo: Rio de Janeiro, Belo Horizonte, Curitiba, Salvador, Porto Alegre e Recife.

Para começar, deve-se observar que a escala do MSP, medida por qualquer critério, não encontra correlato em nenhuma outra cidade brasileira. A superioridade do MSP medida em números absolutos é expressiva, mesmo naqueles segmentos que geram relativamente menos empregos e renda.

Em relação ao Brasil (Tabela 3), enquanto o MSP concentra cerca de 12% do emprego formal brasileiro e 18% da massa salarial, os segmentos intensivos em tecnologia e em conhecimento, somados, concentram 16% do emprego e 22% da massa, o que sugere que o grau de concentração dos segmentos em questão é relativamente maior do que o do conjunto da atividade econômica.

Observando-se as atividades separadamente, vale dizer que o MSP é a única capital das aqui analisadas que possui todos os segmentos intensivos em

Tabela 3: Proporção (%) de emprego e massa salarial das indústrias de alta e média-alta intensidade tecnológica e dos SIC em sete capitais brasileiras; 2005

Cidades	Alta		Média-alta		SIC-T		SIC-P		SIC-F		SIC-S		SIC-M		Total	
	Emp.	Massa	Emp.	Massa	Emp.	Massa	Emp.	Massa	Emp.	Massa	Emp.	Massa	Emp.	Massa	Emp.	Massa
São Paulo	10,7	12,1	12,2	17,7	18,0	25,6	20,1	32,8	23,5	27,9	13,9	19,9	14,7	23,3	11,7	18,0
Rio de Janeiro	2,1	2,1	3,0	3,6	12,0	16,4	8,4	10,5	9,7	10,0	7,9	8,6	13,4	26,1	6,2	7,8
Belo Horizonte	0,8	0,6	1,0	0,6	6,3	5,2	3,9	2,9	3,4	3,2	4,1	4,2	2,3	2,4	3,1	3,0
Porto Alegre	1,0	1,0	1,1	1,0	2,5	2,7	2,2	2,0	2,8	3,1	3,1	4,6	3,0	3,2	1,7	2,1
Recife	0,3	0,2	0,6	0,4	1,6	1,4	2,1	1,4	1,5	1,3	1,9	1,4	1,4	1,6	1,4	1,2
Salvador	0,1	0,1	0,2	0,2	1,9	1,6	2,5	2,1	1,7	1,7	3,3	3,5	1,6	1,7	1,8	1,6
Curitiba	3,0	3,5	1,9	1,9	3,9	3,5	2,5	2,5	3,1	3,1	2,3	2,1	2,0	1,9	2,0	2,3
Brasil	100,0	100,0	100,0	100,0	100,0	100,0	100,0	100,0	100,0	100,0	100,0	100,0	100,0	100,0	100,0	100,0

Fonte: RAIS/MTE. Elaboração CEBRAP.

[12] Entretanto, há um ponto que deve ser explicitado em relação à ocupação, sobretudo, dos médicos. É sabido que os médicos, em geral, trabalham em diferentes locais – de hospitais e ambulatórios a universidades –, o que dificulta a precisão na sua contagem. Isso pode subestimar a importância do setor a partir dos dados apresentados.

tecnologia e em conhecimento com concentração do emprego igual ou superior à participação do total de emprego do município no Brasil – grande destaque para os SIC-F, SIC-P e SIC-T, os quais concentram, respectivamente, 23,5%, 20,1% e 18% de sua população empregada no Brasil. Quanto à massa salarial, com exceção da indústria de alta intensidade tecnológica, cuja concentração situa-se abaixo da média do município, todos os demais segmentos intensivos em tecnologia e em conhecimento têm massa congruente ou superior à média – de novo, o destaque fica por conta dos SIC-P, SIC-F e SIC-T, que geram 32,8%, 27,9% e 25,6% da renda nacional em seus segmentos. Esses dados são indicativos da força do MSP nos segmentos de maior conteúdo tecnológico e de conhecimento.

Por fim, cabe fazer uma consideração a respeito das indústrias de alta e média-alta intensidade tecnológica do MSP. Se na comparação com os SICs esses segmentos industriais podem parecer relativamente menos geradores de emprego e de renda no MSP, quando a comparação é feita com as indústrias de alta e média-alta intensidade tecnológica das demais capitais, a história é outra. Conforme pode ser observado na Tabela 3, as relações emprego na indústria intensiva em tecnologia/emprego no município e massa da indústria intensiva em tecnologia/massa do município são significativamente superiores para o MSP – a exceção é Curitiba, cujas relações são similares às de São Paulo.

Indústria intensiva em tecnologia e SIC mostram tendência de crescimento

O acúmulo de empregos nos SIC-P e nos SIC-S parece ter se consolidado nos últimos 10 anos, já que são esses grupos que apresentam as maiores variações positivas em termos de emprego entre 1997 e 2005 no MSP (91% e 35%, respectivamente), com o comércio, que teve 36% de aumento no seu contingente de empregados, como mostra o Gráfico 1.

Em relação aos SIC-P, o crescimento das consultorias em gestão empresarial é expressivo, tanto em emprego (55%) como em massa salarial (147%). Aumentos no número de ocupados e na massa também são verificados para atividades jurídicas e publicidade. No que tange aos SIC-S, tanto ensino superior como hospitais têm dinâmica semelhante. O primeiro tem crescimento de 43% no emprego e 54% na massa salarial, e o segundo de 47% no emprego e 46% na massa.

Nos SIC-T, vale destacar o setor de informática, com 40% de aumento do emprego e 33% da massa salarial. Nos SIC-F, a divisão intermediação financeira, que abarca bancos e corretoras, teve 20% de crescimento de empregados em relação a 1997, o que levou a um aumento de cerca de 14 mil pessoas no setor. No que concerne aos SIC-M, apesar de números absolutos baixos, as atividades de cinema têm crescimento de um quarto do contingente de empregados no período.

Gráfico 1

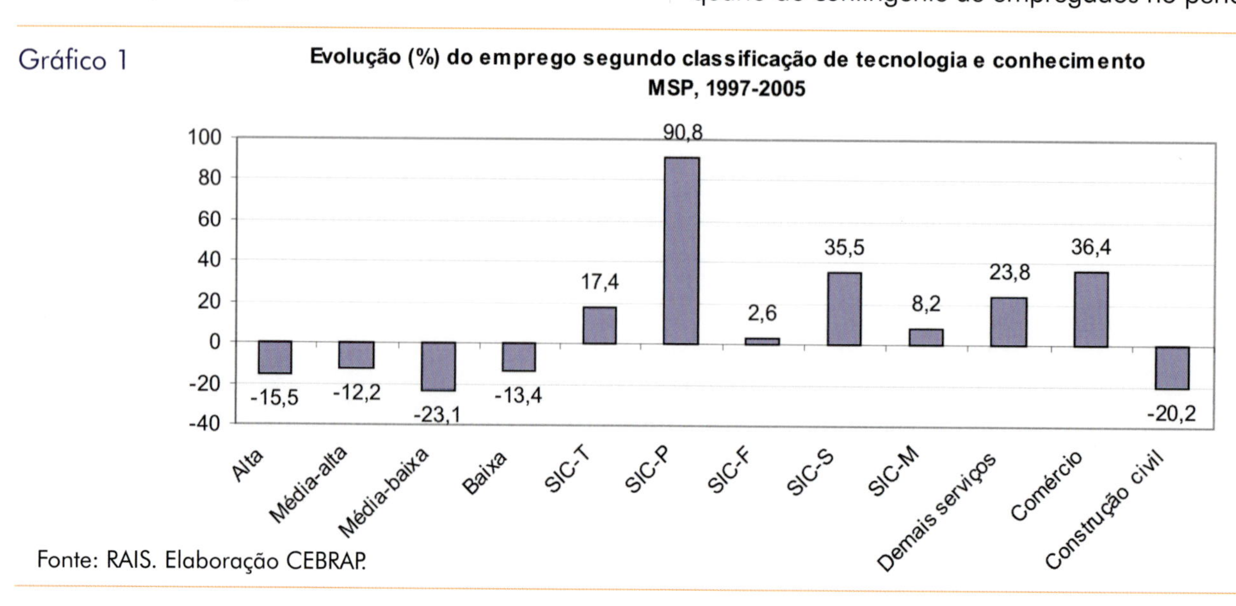

Fonte: RAIS. Elaboração CEBRAP.

O destaque negativo, como já apontado anteriormente a partir dos dados segundo grandes setores, é a indústria, que apresenta redução nos quatro segmentos analisados. É verdade que as indústrias de alta e de média-alta intensidade tecnológica caem bastante entre 1997 e 2005, entretanto, ao observarmos os dados entre 2001 e 2005, são justamente esses dois grupos que puxam o crescimento em termos absolutos. Ainda que de forma tímida – de 1 mil a 5 mil empregos de aumento –, crescem, entre 2001 e 2005, na indústria de alta, os segmentos de máquinas e equipamentos, de material elétrico e de EMHO. Já na de média, o químico e o de autopeças apresentam aumento.

Empregados mais escolarizados e renda acima da média são características da indústria intensiva em tecnologia e dos SIC

A informação de proporção de ocupados com nível superior completo em cada segmento de atividade, aliada aos dados sobre rendimentos médios, pode ser utilizada como *proxy* da capacidade de cada segmento para gerar postos de trabalho de maior qualidade e com geração de renda.[13] Dessa forma, é possível avançar rumo a uma caracterização da estrutura produtiva que vá além da observação de quais atividades empregam mais ou menos.

Tanto a ocupação de pessoal com nível superior como o pagamento de salários mais altos que a média são características dos segmentos intensivos em tecnologia e em conhecimento, destacadas pela literatura internacional e confirmadas no MSP. Em 2005, as indústrias de alta e média-alta intensidade tecnológica e os SIC-T, SIC-P, SIC-F, SIC-S e SIC-M, em conjunto, eram responsáveis por 52,9% dos empregados com nível superior no MSP.

Os SIC-F e SIC-T são os segmentos com mais alta proporção de empregados formais com nível superior – 56,9% e 38,9%, respectivamente – e mais alto padrão de renda – aproximadamente, 127% e 75% maiores do que a renda média do total da economia.

O setor financeiro é um caso ainda mais específico e merecedor de análises mais aprofundadas que, infelizmente, não cabem neste capítulo.[14] Neste momento, destacamos apenas que as atividades de intermediação financeira respondem por três quartos dos SIC-F, tanto em termos de emprego como de massa salarial – a qual representa 10% da massa total do município. Quanto à renda média, o setor financeiro está sempre entre os melhores pagadores – intermediação financeira, por exemplo, tem renda média mensal de R$ 4.109.

O setor de maior destaque nos SIC-T é o de informática: são cerca de 43 mil empregados, representando quase metade dos SIC-T, com uma renda média de R$ 2.773 e uma proporção de ocupados com ensino superior de, aproximadamente, 40%.[15] Ao observarmos as atividades mais especializadas dentro do setor de informática, ou seja, aquelas voltadas à consultoria em sistemas e a desenvolvimento de *software*, verificamos que, nos dois casos, a renda média é de mais que o dobro da renda geral e mais da metade dos ocupados possui ensino superior.

Tabela 4: Proporção (%) de empregados com nível superior, renda média (R$) e proporção (%) da renda na média total segundo intensidade de tecnologia e conhecimento MSP, 1997 e 2005*

Setores de atividade	2005		
	Empregados com nível superior (%)	Renda média (R$)	Renda média na renda total (%)
Ind. alta	14,7	2.119	129,2
Ind. média-alta	20,9	2.844	173,4
Ind. média-baixa	6,4	1.484	90,5
Ind. baixa	10,7	1.520	92,7
SIC-T	38,9	2.877	175,3
SIC-P	18,8	1.524	92,9
SIC-F	56,9	3.733	227,5
SIC-S	37,3	2.160	131,6
SIC-M	27,6	2.919	177,9
Demais serviços	13,6	1.364	83,1
Comércio	7,7	1.208	73,6
Construção civil	6,7	1.223	74,5
Total	16,6	1.640	100,0

Fonte: RAIS/MTE. Elaboração CEBRAP.
*Em reais de 12/2006. Inflator: INPC/IBGE.

[13] Reconhecemos que o nível superior não é a *proxy* ideal para mensurar a capacidade das atividades para lidar com tecnologia e com conhecimento, já que ignora o emprego de pessoal técnico. Entretanto não foi possível utilizar esta informação.
[14] Na parte 4, abordaremos o setor em maior detalhe.
[15] Vale ponderar que esse número de empregados pode estar sub-representado, já que é referente aos empregos formais, e sabe-se que muitas empresas de informática contratam trabalhadores utilizando outros vínculos empregatícios, como autônomo ou pessoa jurídica.

Nos SIC-P, os padrões de ocupação de pessoal com nível superior (18,8%) e de renda (R$ 1.524) são baixos. Tal fato deriva da grande heterogeneidade interna ao segmento, especialmente pelo peso da atividade de seleção, agenciamento e locação de mão de obra. As consultorias em gestão de empresas, segunda maior atividade dos SIC-P, empregam 20 mil pessoas e apresentam renda média e contingente de pessoal com ensino superior expressivos – R$ 3.369 e 44%.

Nos SIC-S, a alta proporção de empregados com nível superior (37,3%) não é diretamente traduzida em rendimentos – apenas 31% acima da média do MSP. É possível perceber o peso das universidades, faculdades e institutos de ensino superior em termos de ocupação – quase 2% do emprego do MSP, sendo dois terços com superior completo – e de renda – R$ 3.023.

Os SIC-M, apesar de seus baixos números em termos absolutos, já que empregam apenas 14 mil pessoas e somam R$ 41 milhões em massa salarial – em ambos os casos, um décimo do que representa o setor financeiro, por exemplo –, a ocupação de pessoal com nível superior acima da média municipal e os altos salários pagos sugerem a importância dos SIC-M. A alta renda média (R$ 3.537) dos ocupados em atividades de televisão e a importante cadeia de prestação de serviços que enreda o segmento de cinema sugerem avaliações futuras mais cuidadosas e com base em outras fontes de informação.

Por fim, as indústrias de alta e média-alta intensidade tecnológica, por um lado, não empregam tantos funcionários com nível superior como os SICs – respectivamente 14,7% e 20,9%. Mas, por outro, geram padrões de renda semelhantes – 29% e 73% maiores que a renda média do município. Além disso, apresentam índice de ocupação de pessoal com nível superior significativamente maior que as indústrias de baixa e de média-baixa intensidade tecnológica.

Cabe destacar o segmento de produtos químicos, no qual se observa a maior renda média de todas as divisões CNAE pertencentes à indústria – R$ 4.122 – e o maior contingente de ocupados com ensino superior – aproximadamente um terço dos empregados. Ao desagregarmos ainda mais o segmento de produtos químicos, percebemos a importância do grupo de fármacos no MSP. Tal grupo emprega cerca de 17 mil pessoas, com renda média de R$ 4.829, sendo 41% dessas com ensino superior.

Menos escolarizados ganham mais nos segmentos intensivos em tecnologia e em conhecimento do que em outros setores

A relevância dos setores de maior intensidade tecnológica e de conhecimento para a estrutura produtiva paulistana aparece, também, no quesito geração de renda para os grupos menos escolarizados. A Tabela 5 mostra a renda média e a comparação desta com a renda média total dos ocupados em três faixas de escolaridade: ensino superior completo, ensino médio completo e outros, que agrega o ensino médio incompleto e o ensino fundamental completo e incompleto.

Os empregados com nível médio e aqueles do grupo "outros" nos setores de baixa intensidade tecnológica e de conhecimento têm, em geral, renda média menor do que o pessoal empregado com a mesma escolaridade nos setores de alta intensidade tecnológica e de conhecimento.

Tabela 5: Renda média e proporção (%) na renda média total por grau de escolaridade segundo a classificação por intensidade de tecnologia e conhecimento. MSP, 2005

Segmento de atividade	Superior		Médio		Outros*	
	Renda	% da renda média	Renda	% da renda média	Renda	% da renda média
Alta	5.814	133,1	1.715	132,5	1.260	138,6
Média-alta	7.250	166,0	2.066	159,7	1.257	138,3
Média-baixa	5.439	124,5	1.470	113,6	1.071	117,8
Baixa	5.091	116,5	1.329	102,7	945	104,0
SIC-T	5.040	115,4	1.615	124,8	1.053	115,8
SIC-P	4.195	96,0	976	75,4	732	80,5
SIC-F	4.894	112,0	2.241	173,2	1.841	202,5
SIC-S	3.644	83,4	1.344	103,8	1.103	121,3
SIC-M	5.204	119,1	2.196	169,7	1.754	192,9
Demais serv.	3.553	81,3	1.201	92,8	875	96,3
Comércio	4.408	100,9	1.076	83,1	806	88,7
Const. civil	4.723	108,1	1.286	99,4	889	97,8
Total	4.368	100,0	1.294	100,0	909	100,0

Fonte: RAIS/MTE. Elaboração CEBRAP. * Corresponde aos níveis: fundamental incompleto e completo e médio incompleto

Os SIC-F e os SIC-M e a indústria de média-alta pagam salários médios de 60% a 70% maiores do que a renda média em se tratando de empregados com ensino médio. Enquanto isso, a indústria de baixa paga, praticamente, o salário médio e os demais serviços pagam quase 10% abaixo da média para o mesmo grupo de ocupados com ensino médio.

Quando tomamos o grupo "outros", que contempla aqueles ocupados com menos do que o ensino médio, a diferença é ainda mais expressiva: SIC-F, SIC-M e SIC-S apresentam renda média muito acima do padrão. As indústrias de alta e média-alta também estão acima (em cerca de 40%). Nesse caso, ressaltamos que os setores de mais baixa intensidade tecnológica e de conhecimento empregam muito mais pessoas com baixa escolaridade do que os de alta.

Mesmo assim, esses dados sugerem que trabalhar nos setores de mais alta intensidade de tecnologia e de conhecimento é melhor em termos de renda não só para quem tem ensino superior, mas, também, para os menos escolarizados – aqueles com nível médio ou menos.

Outros exercícios realizados, a partir de um modelo de regressão logística, corroboram os achados da Tabela 5. Esse modelo permite observar o peso das variáveis isoladamente para a determinação da variável dependente. É importante ressaltar que o modelo não permite dizer quanto cada uma das variáveis independentes escolhidas explica a variação da variável dependente.

Assim, comparamos os segmentos da classificação de intensidade em tecnologia e em conhecimento em relação à possibilidade de o empregado ter renda acima ou abaixo da média do MSP – arredondamos a média para R$ 1.700. Ou seja, o fato de o empregado estar em determinado setor aumenta (ou diminui) as chances de ele estar entre os que têm renda acima da média?

Para compor o modelo,[16] selecionamos as variáveis grau de instrução, idade, porte da empresa e tempo de emprego, todas comumente reconhecidas como elevadoras da renda do indivíduo, além, é claro, da variável segmentos de intensidade tecnológica. Quanto a essa última, optamos por dois modos de comparação. Primeiro, apenas para a indústria, o qual compara o diferencial de chances de recebimento de um salário acima da média municipal para os ocupados formais das indústrias de alta, média-alta e média-baixa intensidade tecnológica em relação à de baixa. E o segundo modo apenas para os serviços, que compara o mesmo diferencial para os cinco segmentos de SIC em relação ao segmento dos demais serviços.

A partir das Tabelas 6 e 7, verifica-se que todas as variáveis selecionadas imprimem uma determinação positiva às chances de o indivíduo obter uma renda acima da média. Porém, o que queremos destacar aqui é que, uma vez tendo controlado os efeitos das variáveis de grau de instrução, idade, porte do estabelecimento e tempo de emprego, chegamos ao resultado de que o componente setorial é bastante importante para a composição da renda.

Em todos os segmentos intensivos em tecnologia e em conhecimento, com exceção dos SIC-S, as chances de os empregados ganharem salários acima da média aumentam pelo fato de estarem em empresas desses setores.

No que se refere à indústria, os empregados nos segmentos de alta e média alta têm aproximadamente 100% a mais de chances de obterem renda acima da média em relação à indústria de baixa intensidade tecnológica. Nos serviços, essas chances dobram ou triplicam, como nos casos dos SIC-T (163%), SIC-F (236%) e SIC-M (323%), em relação aos demais serviços.

Tabela 6: Relação entre renda e segmentos industriais. Total de empregados. MSP, 2005

Variáveis independentes (de controle e setoriais)	Razão de chance (%)
Escolaridade	475,5
Tempo no emprego	35,5
Tamanho do estabelecimento	33,8
Idade	6,4
Ind. baixa	-
Ind. alta	105,5
Ind. média-alta	95,3
Ind. média-baixa	34,6

Obs: Significância estatística para todas as variáveis no nível 0,00. Fonte: RAIS/MTE. Elaboração CEBRAP.

[16] Para detalhes do modelo, ver Anexo 1 deste capítulo.

Tabela 7: Relação entre renda e segmentos de serviços. Total de empregados. MSP, 2005

Variáveis independentes (de controle e setoriais)	Razão de chance (%)
Escolaridade	431,7
Tempo no emprego	38,3
Tamanho do estabelecimento	15,3
Idade	4,4
Demais serviços	-
SIC-T	163,5
SIC-P	28,7
SIC-F	236,1
SIC-S	-19,6
SIC-M	323,3

Obs: Significância estatística para todas as variáveis no nível 0,00. Fonte: RAIS/MTE. Elaboração CEBRAP.

Realizamos, também, o mesmo exercício excluindo todos os empregados com nível superior, a fim de investigar os efeitos das variáveis em questão sobre aqueles de menor qualificação (empregados com ensino fundamental completo ou incompleto e ensino médio completo). Os resultados (Tabelas 8 e 9) foram semelhantes, com o componente setorial tendo se mostrado relevante para definir se o empregado tem mais chances de obter renda superior à média dos trabalhadores formais.

Na indústria, há um interessante "efeito escada", em que a chance de estar entre aqueles que têm renda acima da média cresce à medida que aumenta a intensidade tecnológica do segmento. E no caso dos serviços, os mesmos SIC-T, SIC-F e SIC-M se apresentam como os segmentos em que as chances são maiores, especialmente os dois últimos (acima de 350% a mais de chances em relação ao grupo Demais serviços).

Tabela 8: Relação entre renda e segmentos industriais. Empregados com ensino fundamental completo ou incompleto e médio completo. MSP, 2005

Variáveis independentes (de controle e setoriais)	Razão de chance (%)
Escolaridade	243,4
Tempo no emprego	37,3
Tamanho do estabelecimento	33,8
Idade	5,9
Ind. baixa	-
Ind. alta	112,2
Ind. média-alta	88,2
Ind. média-baixa	33,0

Obs: Significância estatística para todas as variáveis no nível 0,00. Fonte: RAIS/MTE. Elaboração CEBRAP.

Tabela 9: Relação entre renda e segmentos de serviços. Empregados com ensino fundamental completo ou incompleto e médio completo. MSP, 2005

Variáveis independentes (de controle e setoriais)	Razão de chance (%)
Escolaridade	313,7
Tempo no emprego	14,5
Tamanho do estabelecimento	50,3
Idade	4,2
Demais serviços	-
SIC-T	146,6
SIC-P	8,6
SIC-F	354,6
SIC-S	-34,0
SIC-M	366,1

Obs: Significância estatística para todas as variáveis no nível 0,00 (com exceção do SIC-P, que ficou em 0,099). Fonte: RAIS/MTE. Elaboração CEBRAP.

Esses diferentes exercícios estatísticos evidenciam que, ao fazermos uma análise com um recorte transversal de tecnologia e de conhecimento, não estamos simplesmente privilegiando o pessoal dos mais altos estratos de escolaridade. Tais segmentos produtivos, além de empregar relativamente mais as pessoas de maior qualificação e pagar melhores salários, pagam melhores salários, também, para aqueles com qualificações mais baixas.

SIC e indústrias de alta e média-alta intensidade tecnológica são centrais para o futuro da cidade de São Paulo

A caracterização da estrutura produtiva do MSP com ênfase em sua porção mais intensiva em tecnologia e em conhecimento permitiu apontar a importância de certas atividades para a cidade. Argumentamos nesta seção que as atividades intensivas em tecnologia e em conhecimento do MSP, ou seja, as indústrias de alta e média alta intensidade tecnológica e os SIC são: (i) geradoras de valor, de emprego – especialmente de postos que demandam maior qualificação – e de renda – inclusive para as faixas de menor escolarização; (ii) relativamente mais concentradas do que as demais atividades econômicas; e (iii) demonstram tendência de crescimento.

Ponto relevante para a continuidade da análise é o fato de que atividades com essas características se constituem como ativos centrais para a composição da competitividade do MSP. A fim de avançar na análise da estrutura produtiva paulistana, propomos um outro olhar, complementar ao da classificação da intensidade de tecnologia e de conhecimento. Tendo a manutenção e a ampliação da competitividade do município como fundamento, entendemos ser essencial agora investigar mais profundamente algumas áreas de dinamismo econômico e que podem vir a ser importantes vetores do desenvolvimento paulistano nos próximos anos (ou aumentar sua importância).

4. Áreas selecionadas e tendências futuras da competitividade do MSP

Esta seção é dedicada à análise de algumas atividades com potencial de desenvolvimento no MSP do ponto de vista da sua competitividade. Como vimos, o MSP é localidade concentradora de atividades caracterizadas pela intensidade de tecnologia e de conhecimento, independentemente de serem industriais ou de serviços. Em um ambiente de crescimento econômico, a importância dessas atividades no MSP tende a se ampliar, assim como sua concentração na cidade, em detrimento de outras atividades, pode aumentar.

A ideia aqui é aprofundar a análise da parte 3 ao qualificar as possibilidades de algumas atividades em termos de crescimento, de diversificação e mudança tecnológica, de localização, de criação de novos nichos de mercado e de geração de emprego e renda na cidade. Isso será feito por meio da análise de entrevistas com atores relevantes,[17] de dados secundários, de produção cartográfica própria e de literatura específica.

Esta segunda forma de agregar as atividades é complementar à utilizada anteriormente. Apesar de as atividades classificadas em uma mesma área possuírem, em alguns casos, características produtivas, competitivas e locacionais diferentes, elas podem compor um conjunto logicamente integrado e significativo do ponto de vista da competitividade do MSP. Tais áreas já são, ou podem vir a ser, importantes fontes de emprego, renda, valor e inovação para o município.

Uma outra vantagem decorrente desta forma de agrupar as atividades, derivada justamente do seu caráter flexível e qualitativo, é a possibilidade de captar movimentos de modernização de parcelas de setores tidos como tradicionais. Tais setores, na classificação segundo intensidade tecnológica e de conhecimento, não são intensivos em tecnologia nem em conhecimento, como os de têxtil-vestuário e de impressão e gráfica. Entretanto, partes dessas cadeias podem se modernizar e gerar mais valor, como os casos do dinâmico mundo da moda (para o têxtil-vestuário) e da chamada economia criativa (como impressão e gráfica).

As áreas selecionadas que trabalharemos na presente seção são:

(i) Tecnologia da informação (TI): composta pelas atividades de informática dos SIC-T e de fabricação de máquinas para escritório e equipamentos de informática das indústrias de alta e de média-alta intensidade tecnológica.

(ii) Saúde: composta pelas indústrias de fármacos e de equipamentos médico-hospitalares e odontológicos das indústrias de alta e de média-alta intensidade tecnológica e pelas atividades de hospitais e laboratórios dos SIC-S.

(iii) Economia criativa: composta pelas atividades de cinema, rádio, televisão e agência de notícias, dos SIC-M, de publicidade e propaganda dos SIC-P, de *games*, dos SIC-T e do setor de edição e impressão da indústria de baixa intensidade tecnológica.

(iv) Finanças: composta pelas atividades dos SIC-F, com destaque para as atividades de intermediação financeira.

Outras áreas poderiam ser analisadas, como as de bens de capital (máquinas e equipamentos, aparelhos e materiais elétricos), de químicos, telecomunicações, ensino superior e a própria moda e *design*. Deve-se explicitar que, embora representativa do MSP, a seleção feita não esgota o leque de áreas e atividades em que a cidade é competitiva.

[17] A lista de entrevistados está no Anexo 2 deste capítulo.

O setor de tecnologia da informação

A revolução da microeletrônica alterou o sistema produtivo no pós-1970. A tecnologia digital, com a criação de rotinas lógicas e a automação de processos – ou, para simplificarmos, a informática de uma forma geral –, transformou os produtos e os processos produtivos. Com isso, a tecnologia da informação entra na produção e na vida de todos. As transformações nas organizações e na forma de produzir, bem como a própria internacionalização das atividades, fizeram com que se aumentasse a demanda por TI. Nesse contexto, a estrutura produtiva complexa e diversificada do MSP, em um processo de reestruturação que teve início nos anos de 1980, é um polo criador de demandas diversas para o setor de TI.

A transversalidade das atividades intensivas em conhecimento, por sua capacidade de permear diferentes cadeias produtivas, é bem exemplificada por algumas atividades, especialmente aquelas relacionadas ao setor de informática. O *software*, por exemplo, está presente em todas as atividades ou produtos que demandem algum tipo de componente microeletrônico. É um bem intermediário essencial. Ele é transversal tanto na gestão das firmas como na produção de outros bens e serviços. Além disso, está bastante relacionado com a inovação, uma vez que frequentemente é concebido para alterar processos de produção e organização nas firmas ou ainda para criar e transformar produtos.

O *software* pode ser visto como um elemento capaz de promover eficiência e melhorar a qualidade de certas atividades. É definidor em alguns setores que ganham cada vez mais relevância no século XX, como telecomunicações, eletroeletrônica, finanças, automação industrial e comercial (Torres-Freire, 2006b; Roselino, 2008).

O que se convencionou chamar de setor de TI é um aglomerado de atividades distintas em termos do serviço prestado, do trabalhador que executa e da renda gerada. Em geral, aparece dividido entre: *hardware* (produção de computadores, monitores, baterias, roteadores, servidores, entre outros);[18] *software*: programas e soluções (pacotes ou sob encomenda); e serviços associados: terceirização de máquinas, sistemas, bancos de dados, suporte e *call centers*.

As agregações para uma definição mais pormenorizada do setor são um pouco diversas de acordo com a fonte utilizada, porém todas elas mostram a importância da TI. A indústria de *software* no Brasil, excluído *hardware*, movimentou US$ 11,12 bilhões em 2007, segundo dados da Associação Brasileira de Empresas de Software (ABES). Desse total, US$ 4,2 bilhões provêm do segmento de *software* e US$ 6,9 bilhões de serviços relacionados.

Se utilizarmos os dados da Pesquisa Anual de Serviços do IBGE, por exemplo, a divisão informática apresentava R$ 27,9 bilhões de receita líquida em 2006, o que equivale a 7% da receita total do setor de serviços brasileiro.[19] O segmento de *software* – pronto para uso e sob encomenda, desenvolvimento de banco de dados e desenho de páginas para Internet – responde por 65% dessa receita total. Já os outros – consultoria em sistemas, redes e em *hardware*; processamento de dados e hospedagem de página na Internet; atividades de banco de dados; e outras atividades – representam 35% do setor (IBGE, 2007).

A dinâmica do setor também chama a atenção por conta de um crescimento expressivo, ao menos, desde 2002. Entre 2005 e 2006, ele foi de 18% (AIH, 2007).[20] Outro dado interessante é o de crescimento nas compras em TI no Brasil, em 2007, que foi de 15%, estimado no estudo Latin America Black Book 2007 (IDC, 2008). E são aquelas empresas com mais de 500 pessoas ocupadas as responsáveis por cerca de 60% das compras de TI. No entanto, há uma tendência de que médias e pequenas empresas já comecem a adotar soluções mais complexas de TI, o que aumentaria a demanda no setor (AIH, 2007).

Apontados os dados gerais, ao analisarmos o setor de TI, importância especial deve ser dada para o segmento de desenvolvimento de *software*, tanto pelo seu caráter transversal, quanto pelo seu potencial de

[18] Não trataremos aqui do segmento de *hardware*. Composto pela divisão 30 da CNAE, fabricação de máquinas para escritório e equipamentos de informática, tem, no MSP, apenas 4.400 empregados (0,17% do total). Daremos prioridade ao segmento de *software* e serviços correlatos (na divisão 72), já que este agregado é mais importante para a discussão sobre o MSP.
[19] A Pesquisa Anual de Serviços (PAS) engloba os serviços empresariais não financeiros (excluídos, portanto, os públicos e o setor financeiro). Os dados aqui apresentados se referem ao estrato certo da PAS, ou seja, empresas com mais de 20 pessoas ocupadas.
[20] O Anuário Informática Hoje 2007 (AIH, 2007) trabalha com dados de 252 empresas, seleção esta que inclui as maiores do setor de TI no Brasil.

crescimento. Essa atividade inclui etapas de maior valor agregado, mais complexas e mais intensivas em conhecimento – como as de análise e *design* (concepção, arquitetura e especificação do programa) –, e de menor agregação de valor e mais rotineiras – como as de codificação, teste e instalação (Roselino, 2008).

Isso significa que trabalhadores com qualificações distintas também são exigidos: por um lado, aqueles com formação superior, como engenharia da computação ou análise de sistemas; e, por outro, aqueles com nível técnico, para as funções de programação e codificação. Tal diferenciação é essencial para entender o segmento e evidenciar possibilidades para a força de trabalho paulistana, tanto em ocupações com ensino superior como nas de nível técnico (Roselino, 2008).

Em termos das atividades que são apontadas como mais importantes em potencial de crescimento, os aplicativos em gestão empresarial continuam em destaque. São sistemas como os Enterprise Resource Planning (ERP), Business Intelligence (BI), entre outros, que são criados e adaptados para os diversos setores econômicos – agronegócio, saúde, financeiro, telecomunicações, construção etc. (AIH, 2007). São atividades mais complexas e geradoras de valor na cadeia de produção de *software*. Tais sistemas de gestão ganham cada vez mais importância, sendo vistos como sinal de organização das empresas.

As pequenas e médias empresas (PMEs) conformam um mercado crescente para tais produtos. Muitas vezes, a entrada dessas PMEs em determinadas cadeias exige melhorias em processos, adaptações e necessidade de soluções em termos de sistemas e de *software* que vão além daquelas conhecidas como "caseiras", daí ser preciso contratar prestadores de serviços para fornecer sistemas padronizados, conectáveis com outros, bem como mais complexos.

Um outro importante segmento de TI é o de serviços de terceirização ou *outsourcing*, como são conhecidos. São atividades que também crescem e que ganham modalidades distintas: o *full outsourcing,* em que um prestador de serviço é contratado para cuidar de tudo que envolva tecnologia da informação em uma empresa – desde máquinas, sistemas, gerenciamento de aplicativos e suporte até treinamento –, e o *multisourcing*, em que diferentes fornecedores são contratados para as diferentes funções. Isso torna o setor cada vez mais especializado e o mercado interno cada vez mais importante para a receita das empresas de TI.

Cabe destacar que o mercado interno é o principal consumidor dos serviços de TI produzidos no Brasil; e de todos os tipos, desde os mais complexos e de maior valor até os de menor valor, o que é central para o desenvolvimento do setor, com geração de renda e de empregos de diferentes qualificações. Vale destacar que o mercado interno apresenta grande potencial de crescimento, tanto em termos gerais quanto em nichos mais específicos, como no caso das PMEs.

O bom desempenho do mercado interno é, portanto, de suma importância. Soma-se a isso o fato de o Brasil exportar muito pouco – estima-se entre 2% e 5% da produção do setor de *software*. Pesa o fato de o Brasil não contar com condições de concorrer com a Índia e a China pelo mercado mundial de TI no que diz respeito às atividades mais rotineiras, como *outsourcing* ou partes menos complexas da produção de *software*.

Entretanto, o Brasil poderia concorrer nas atividades de maior valor agregado, especialmente na produção de *software* "sob encomenda" ou tipo "solução". Isso porque algumas empresas do país são bastante competentes e especializadas em certos nichos, como automação bancária e comercial, gestão empresarial, governo eletrônico e soluções para setores como saúde e telecomunicações.

Roselino (2006) aponta que a maior especialização e a internacionalização da cadeia de produção da indústria de *software* abrem oportunidades para os países periféricos, já que etapas da cadeia seriam transferidas pelas empresas líderes nos países desenvolvidos para outras empresas em países em desenvolvimento, buscando vantagens competitivas, como mão de obra barata, isenções fiscais e conhecimento específico, em movimento similar ao que ocorreu na indústria nas últimas décadas.

Esse movimento pode beneficiar o desenvolvimento do setor no MSP, que concentra boa parte da produção nacional de *software*. As atividades de mais alto valor e os recursos humanos mais especializados estão no estado de São Paulo, especialmente em Campinas e na capital – o ESP responde por metade da indústria de *software* do Brasil, em receita líquida, e 40% do pessoal ocupado (IBGE, 2007).

Como já mencionado na parte 3 deste texto, a divisão de informática da CNAE compreende, aproximadamente, 43 mil empregados no MSP, em 2005, o que representa um quinto dos empregos e quase um terço da massa salarial do setor no Brasil.[21] Novamente, ressaltemos que pode haver uma sub-representação dessa soma de empregados, pois utilizamos aqui os dados da RAIS, que englobam os empregos formais. No setor de TI é comum a contratação de trabalhadores sem vínculos empregatícios formais, nas formas de autônomo ou pessoa jurídica. A expressiva renda média (R$ 2.773) e o alto contingente de ocupados com ensino superior (40%) são características do setor.

As classes "Desenvolvimento de *software*" e "Consultoria em sistemas e em *hardware*", que compõem a divisão 72 da CNAE, representam as atividades mais complexas do setor. Somadas, elas empregam 0,6% da força de trabalho formal do MSP, mas respondem por cerca de 1,2% da massa salarial paulistana, com uma renda média de R$ 3.498 e 56% de seus ocupados com nível superior. E não estamos falando aqui de um setor exclusivamente *high-tech* e sem possibilidades de expansão, mas, sim, de um setor que demanda mão de obra especializada em nível técnico e superior e que sofre com a escassez de recursos humanos qualificados.

O segmento de desenvolvimento de *software* parece, portanto, um bom canal para a geração de empregos de diversas qualificações no MSP. Da mesma forma, atividades não relacionadas diretamente à produção de *software* – como *call centers* e suporte técnico – são também potenciais geradoras de postos de trabalho para mão de obra com qualificação média.

No que diz respeito à localização das atividades de TI, a sua concentração no MSP parece responder mais à aglomeração da própria estrutura produtiva brasileira e do mercado consumidor do que a requisitos locacionais ditos mais modernos (como infraestrutura de telecomunicações e proximidade de universidades e centros de pesquisa). A proximidade física para soluções de *software* mais complexas é desejável, pois há uma necessidade de interação, especialmente no início do processo, já que o momento de incorporação de inovação ocorre na análise e no *design*, quando há a troca de conhecimento tácito e específico. Não há consenso, entretanto, a respeito dessa proximidade como um fator importante para a localização em São Paulo. Isso varia conforme o tipo da prestação de serviço, a empresa e o seu mercado consumidor.

Interessante notar que já começa a surgir entre empresários e especialistas a ideia de que no MSP pode acabar permanecendo somente a parte de mais alta complexidade e de maior geração de valor da cadeia de TI. Isso por conta da possibilidade de se encontrar mão de obra mais barata para os trabalhos rotineiros – sobretudo codificação, testes, *call center* e suporte técnico – fora do município (no interior próximo à capital e em outros estados brasileiros). Com isso, ficariam na cidade as etapas de concepção, de engenharia e de *design*, bem como as consultorias mais especializadas.

Esse movimento, contudo, não parece ser interessante para o MSP, principalmente, em termos de geração de empregos. Por isso, políticas públicas capazes de fomentar tais segmentos serão determinantes para a sua permanência no município. Por exemplo, políticas destinadas a incrementar a oferta de mão de obra de nível técnico e tecnológico, para responder, por exemplo, à demanda de atividades mais rotineiras do processo desenvolvimento de *software*, as quais poderiam ser pensadas para uma região com população jovem abundante, como a zona Leste.

Quanto à localização das atividades dentro do MSP, vale mencionar o crescimento nas regiões das avenidas Brigadeiro Faria Lima e Luís Carlos Berrini, entre 1996 e 2006, como se verifica no Mapa 1. O centro da cidade se mantém como lócus importante. Ali se concentram as atividades de banco de dados e *call center,* enquanto as consultorias em sistemas e desenvolvimento de *software* se agrupam na Faria Lima, na Vila Olímpia e nas ime-

[21] Os dados são da RAIS. Não foi possível conseguir o dado sobre informática para o MSP pela PAS.

Mapa 1: Informática. Estabelecimentos. MSP, 1996-2006

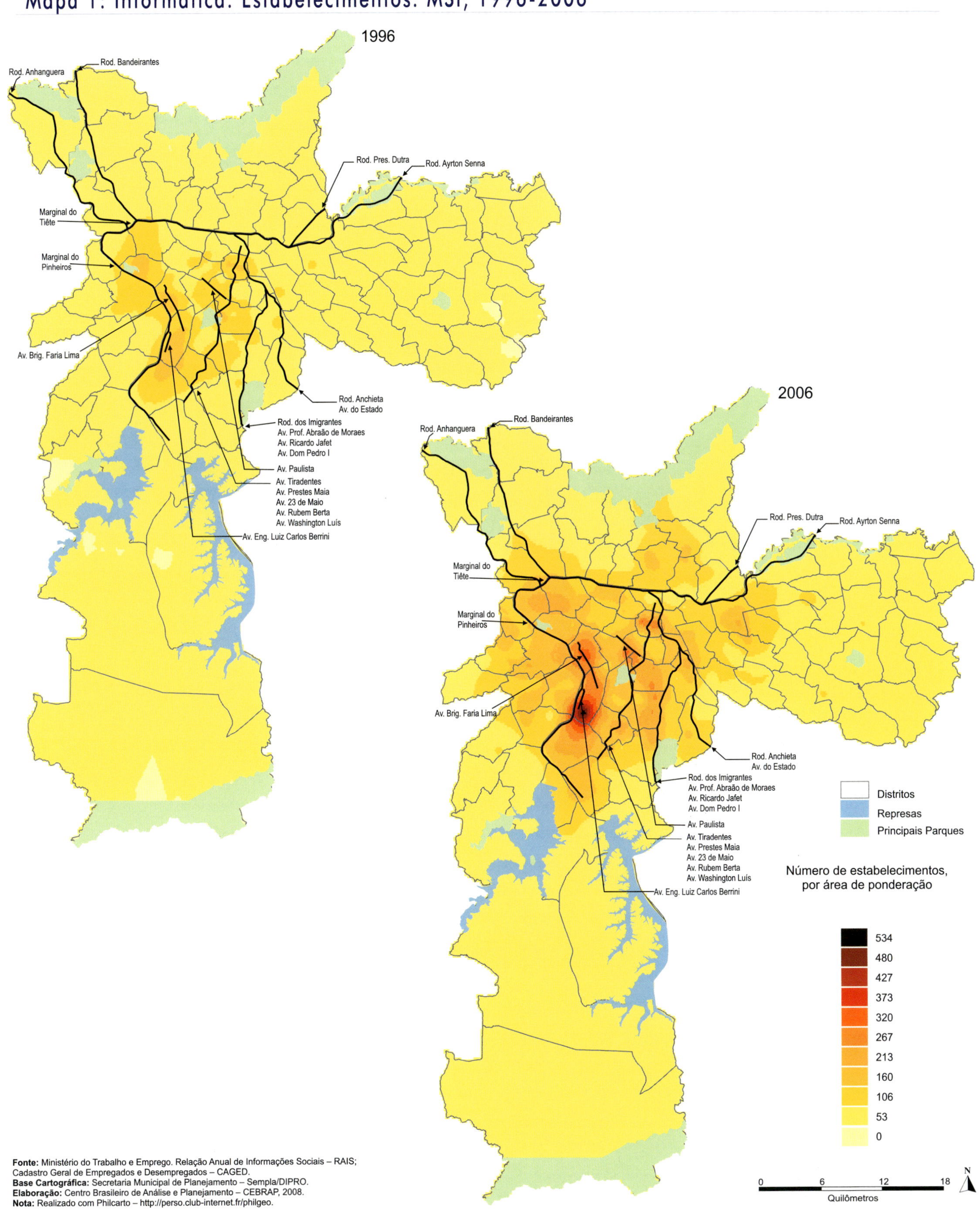

Fonte: Ministério do Trabalho e Emprego. Relação Anual de Informações Sociais – RAIS; Cadastro Geral de Empregados e Desempregados – CAGED.
Base Cartográfica: Secretaria Municipal de Planejamento – Sempla/DIPRO.
Elaboração: Centro Brasileiro de Análise e Planejamento – CEBRAP, 2008.
Nota: Realizado com Philcarto – http://perso.club-internet.fr/philgeo.

Mapa 2: Informática. Empregos. MSP, 2006

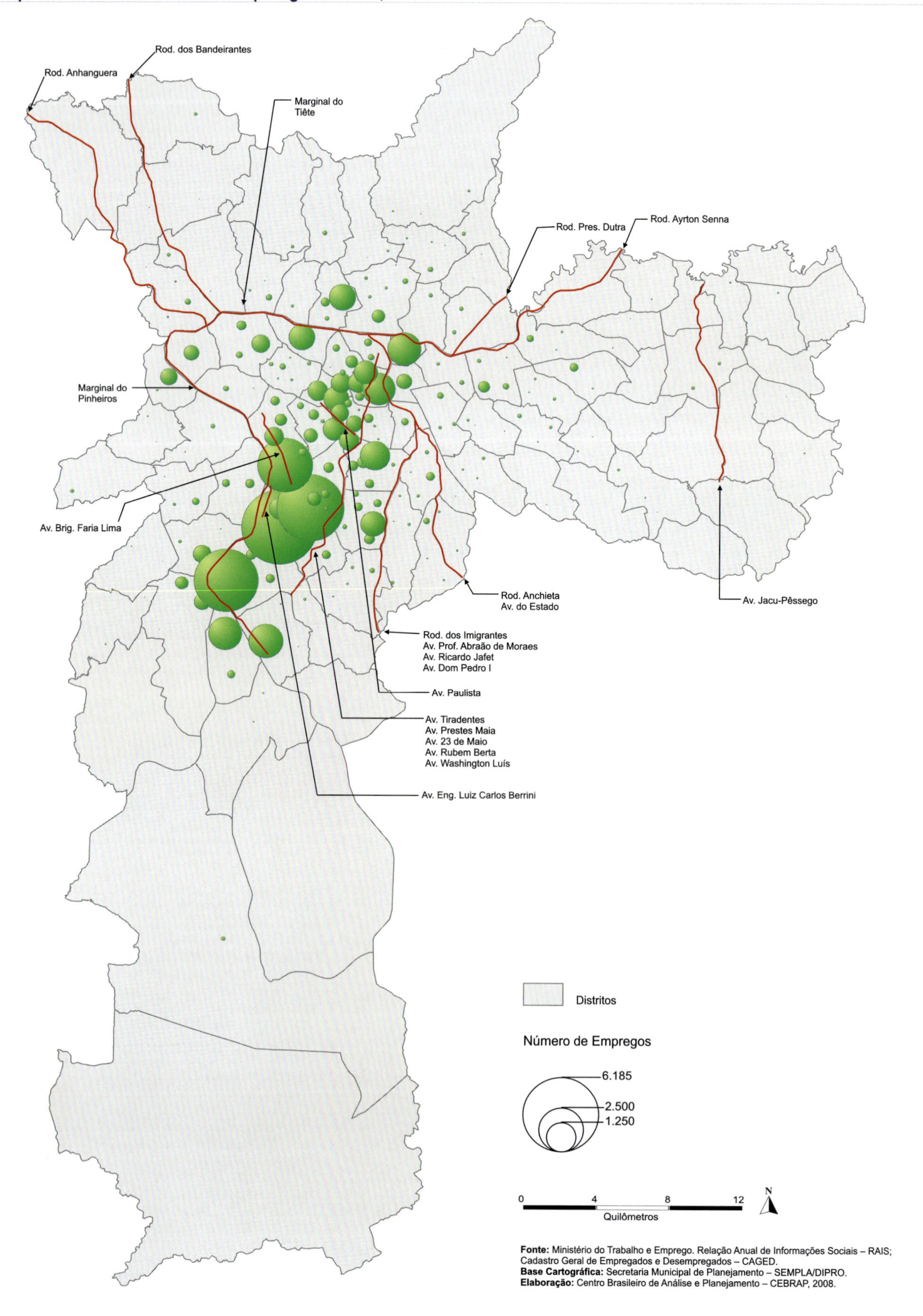

Fonte: Ministério do Trabalho e Emprego. Relação Anual de Informações Sociais – RAIS; Cadastro Geral de Empregados e Desempregados – CAGED.
Base Cartográfica: Secretaria Municipal de Planejamento – SEMPLA/DIPRO.
Elaboração: Centro Brasileiro de Análise e Planejamento – CEBRAP, 2008.

diações da Berrini. Tal tendência já havia sido apontada em Bessa (2004). Vale mencionar, ainda, o projeto Nova Luz como possível indutor do setor de TI para a região da Luz, no centro da cidade.

A área de saúde

Nesta análise, consideramos a área de saúde sendo composta pelas atividades de fabricação de EMHO e de fármacos e por hospitais e laboratórios. O que confere unidade a tais atividades e permite tratá-las como pertencentes a uma mesma área é o fato de que os produtos e serviços que ofertam se voltam para o cuidado com a saúde humana e a preservação da vida. A integração de EMHO e fármacos com hospitais e laboratórios é (quase) evidente, uma vez que os últimos são os principais compradores e utilizadores de EMHO e um dos mais importantes vetores pelo quais os medicamentos chegam à população em geral – seja ministrando e/ou receitando remédios, seja por meio de testes e ensaios de novos produtos.

Com relação à produção de EMHO e de fármacos, é possível identificar um movimento de deslocamento das atividades relacionadas à manufatura e de menor valor adicionado para fora do MSP – como a produção de seringas, preservativos e medicamentos de menor complexidade. Parte considerável desse movimento tem como destino localidades do próprio ESP – como Sorocaba, Campinas, Ribeirão Preto, São José do Rio Preto e Rio Claro –, sendo que muitas delas mantêm relação funcional com o MSP. Nesses casos, apenas a parte de manufatura é transferida do município, com as atividades de sede, marketing, P&D e assistência técnica nele permanecendo. Só para se ter uma ideia do peso do ESP em relação ao Brasil, em 2004, a indústria de EMHO paulista concentrava cerca de 57% do total do pessoal ocupado (Porto et. al., 2008) e a de fármacos, em 2005, cerca de 55% (Gadelha et al., 2008).

Para o setor de EMHO, por um lado, o maior desafio permanece o de avançar na produção de equipamentos de maior valor agregado, como tomografias e outros equipamentos de diagnósticos complexos. Para o setor de fármacos, por outro, apesar de o avanço em segmentos de maior valor também ser um desafio, as janelas abertas pelos medicamentos genéricos e pelo avanço da biotecnologia constituem-se como os dois principais vetores de crescimento (Gadelha et al., 2008).

Entendemos que, devido à sua capacidade de gerar emprego de nível técnico, mesmo a promoção e a manutenção das atividades de manufatura e de menor valor agregado no MSP são desejáveis. Porém, caso políticas específicas não forem levadas a cabo pelo poder público, é quase certo que essas atividades não ficarão no MSP.

Com relação às atividades de maior valor, como as de sede, P&D e marketing, que já tendem a se localizar no MSP, destacamos que políticas específicas de fomento também seriam importantes. Em primeiro lugar, aprofundar as relações e, portanto, a utilização da vasta infraestrutura de ciência, tecnologia e inovação da cidade é mais do que um desafio, mas uma necessidade caso as indústrias de EMHO e de fármacos desejarem subir na cadeia de valor e ampliar a sua competitividade.[22] Em segundo, a utilização, por parte dos três níveis do governo, do recurso às compras públicas, com o Estado assumindo parte dos riscos associados ao desenvolvimento de novos produtos, pode se constituir como um importante meio de indução do desenvolvimento e de aumento da escala e da competitividade.

Apesar do movimento de relocalização de determinadas atividades, tomando-se a área de saúde como um todo, pode-se afirmar que o MSP é o polo de saúde mais importante do Brasil e da América Latina. Tal posição de liderança é expressa em, pelo menos, três aspectos. O primeiro consiste na já citada concentração de sedes, subsedes e centros de P&D de grandes empresas nacionais e multinacionais; e na grande quantidade de pequenas e médias empresas de base tecnológica dos setores de EMHO e de fármacos. O melhor exemplo desse último é a constituição da Incrementha, uma empresa de desenvolvimento de novos produtos e de plataformas tecnológicas. Fruto de parceria entre a

[22] Conforme demonstrado no capítulo 4, de Consoni, a infraestrutura de ciência, tecnologia e inovação do MSP é, apesar de vasta, subutilizada.

Biolab e a Eurofarma, duas das maiores empresas brasileiras de fármacos, a Incrementha está localizada no Centro Incubador de Empresas Tecnológicas (Cietec), na USP. O Cietec, aliás, a maior incubadora de empresas de base tecnológica da América Latina, contava, em 2007, com 77 empresas associadas às redes de biotecnologia e de medicina e saúde (Cietec, 2007).

O segundo aspecto é a alta capacidade de ensino, pesquisa e desenvolvimento do município, fundamentais tanto para a formação de recursos humanos qualificados e de nível médio quanto para a realização de pesquisa, desenvolvimento e inovação. No MSP, por exemplo, encontram-se algumas das melhoras escolas de medicina, de enfermagem e de outras disciplinas relacionadas, bem como alguns dos principais centros de pesquisa – com destaque para a Universidade de São Paulo (USP) e para a Universidade Federal de São Paulo (Unifesp).

Como foi identificado no capítulo 3, de Barbosa e Komatsu, a área de saúde é a única que conta com uma oferta de profissionais que supera a demanda. Tal fato é importante, pois, além de não se configurar como um entrave para o crescimento da área, se constitui como uma vantagem competitiva do município. Entretanto, quantidade não significa qualidade, sendo possível identificar alguns gargalos. O principal refere-se à formação de profissionais de enfermagem, os quais chegam ao mercado com deficiências significativas de formação. Fenômeno semelhante, mas em menor escala, também ocorre em relação aos médicos.

Por fim, o terceiro aspecto relaciona-se à qualidade e à densidade da oferta de serviços de saúde, complexos ou não, oferecidos pelos hospitais e laboratórios paulistanos. Com relação a esse último aspecto, cabe identificar um fenômeno de amplitude internacional, bastante recente, e diretamente ligado à competitividade do município na área de saúde. Já denominado pela imprensa como "Turismo de Saúde", esse fenômeno consiste na emergência de cidades de países em desenvolvimento – como Índia, Tailândia, Malásia e Costa Rica – que se constituem como polos ofertantes de serviços de saúde, em geral daqueles mais complexos, a preços relativamente inferiores aos praticados no mundo desenvolvido e com qualidade similar ou superior (Gazeta Mercantil, 2008). Tais polos, além de atraírem a população de mais alta renda das suas regiões e países de origem, atraem, cada vez mais, estrangeiros dos mais diferentes cantos do mundo. No caso do MSP, destacam-se procedimentos cirúrgicos em geral (principalmente estética) e de alta complexidade (como os metabólicos) e tratamentos nas áreas de cardiologia, odontologia, oncologia e fertilização, entre outros.

Pré-requisito para que o MSP se posicionasse em um circuito mundial de prestação de serviços em saúde foi a obtenção de certificados de qualidade de reconhecimento internacional, por parte de um seleto grupo de hospitais privados ou filantrópicos – entre eles, os hospitais Israelita Albert Einstein, Sírio-Libanês, Alemão Oswaldo Cruz, Samaritano e do Coração (HCor). A obtenção desses certificados, a partir do final da década de 1990, liga-se, diretamente, a um movimento de profissionalização da gestão dos hospitais, iniciado no começo da década de 1990. A acreditação, pela Joint Commission International (JCI), organização não governamental norte-americana, é, certamente, a de maior reconhecimento e mais importante para a atração de pacientes estrangeiros.

À consolidação do MSP como um polo de saúde corresponde um movimento de emergência de empresas que atuam como facilitadoras de serviços para pacientes que fazem procedimentos médicos no MSP – como a Prime International e a Sphera International. Além de todos os cuidados associados ao procedimento e/ou tratamento que o paciente-cliente realiza, como marcação de exames e consultas, busca e entrega de resultados, internação etc., tais empresas oferecem serviços de *home care*, motorista, enfermeiro e babá bilíngue, roteiro cultural pelo MSP e de viagem pelo Brasil. Uma possibilidade de política, e que está ao alcance do poder municipal, refere-se à divulgação do MSP como polo de serviços de saúde, com o intuito de atrair pacientes estrangeiros.

Mapa 3: Setores de fármacos e de equipamentos médico-hospitalares e odontológicos (EMHO). Empregos. MSP, 2006

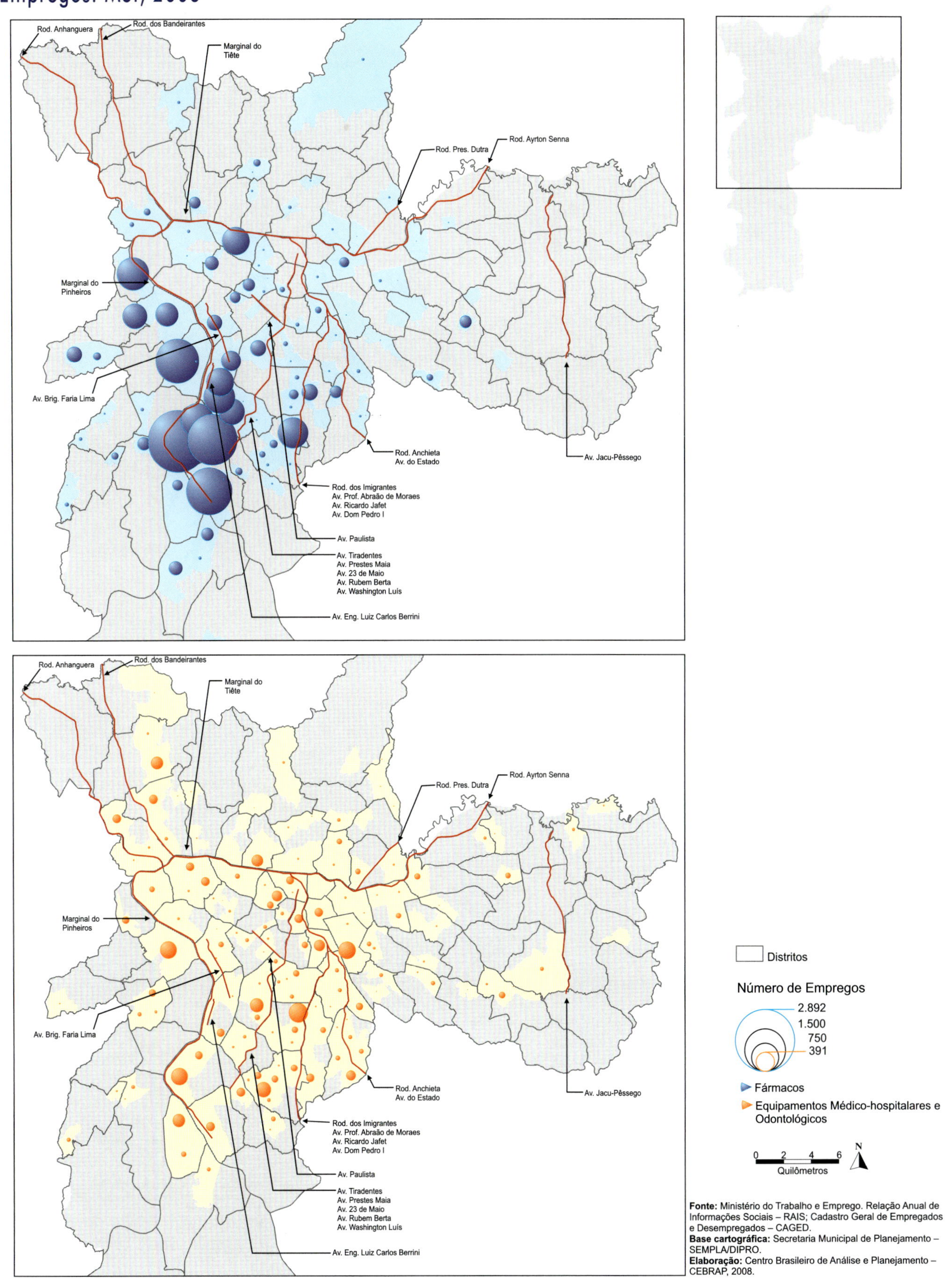

Fonte: Ministério do Trabalho e Emprego. Relação Anual de Informações Sociais – RAIS; Cadastro Geral de Empregados e Desempregados – CAGED.
Base cartográfica: Secretaria Municipal de Planejamento – SEMPLA/DIPRO.
Elaboração: Centro Brasileiro de Análise e Planejamento – CEBRAP, 2008.

Mapa 4: Hospitais e laboratórios. Empregos. MSP, 2006

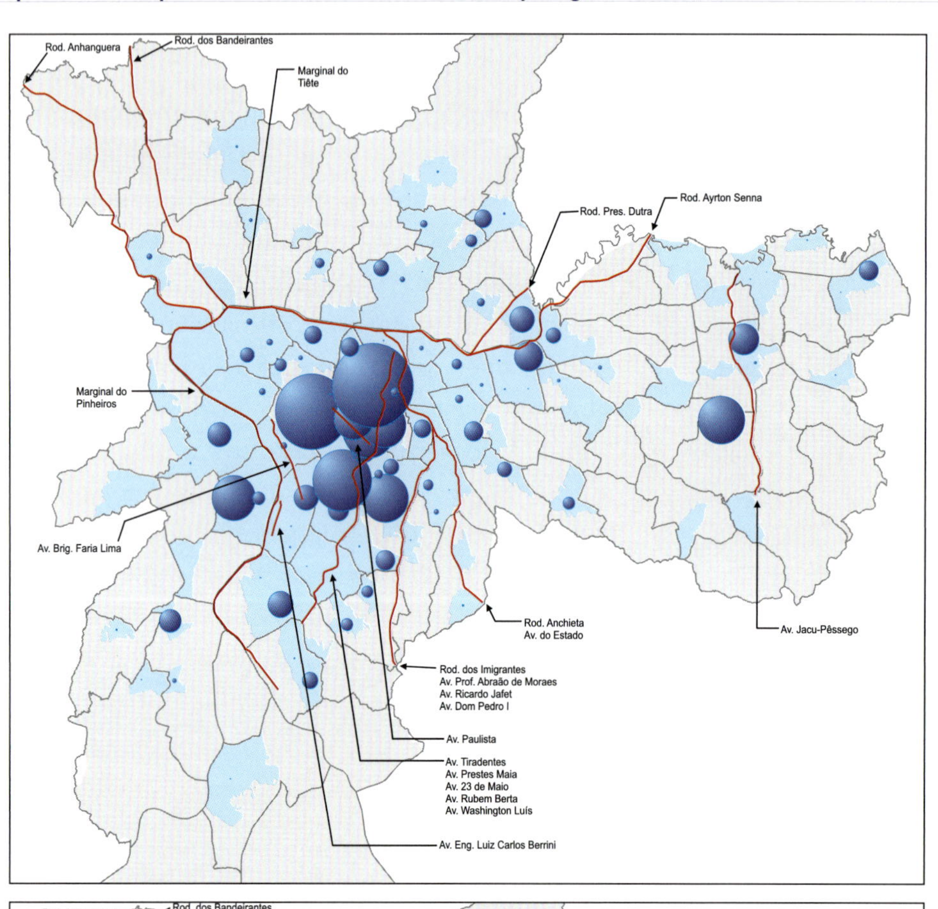

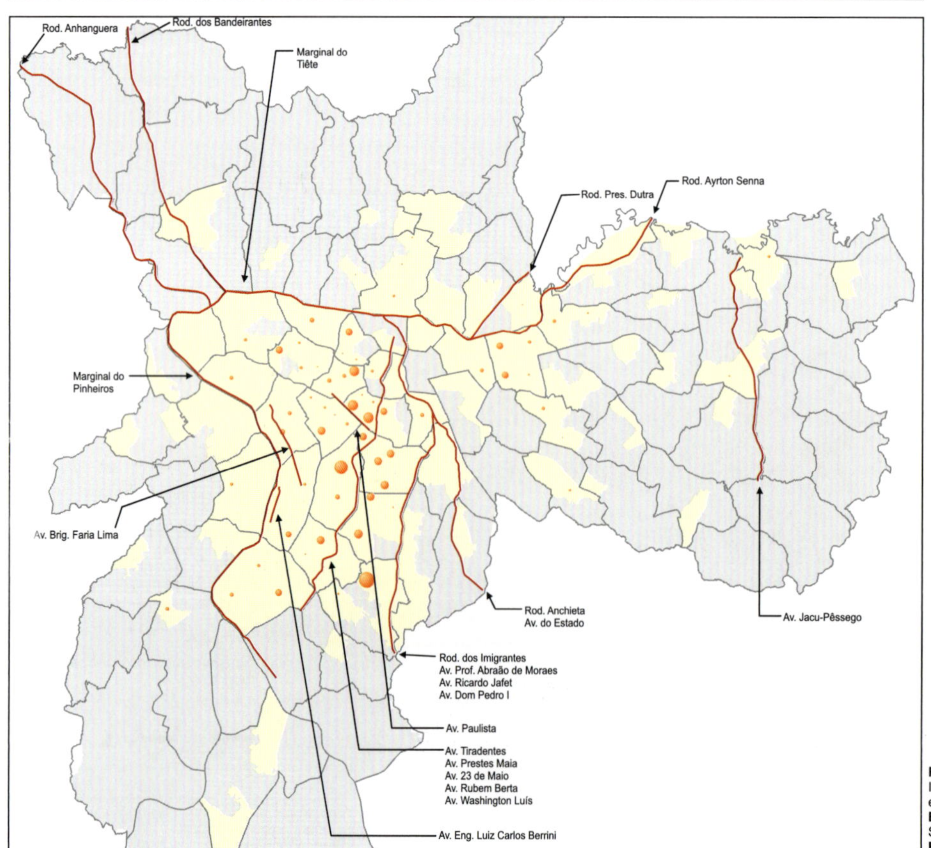

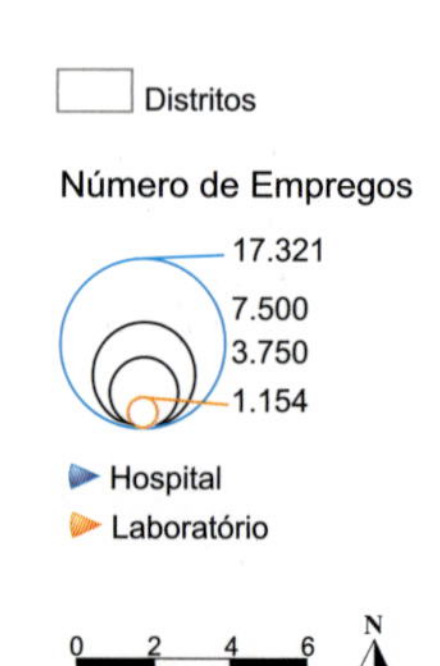

Fonte: Ministério do Trabalho e Emprego. Relação Anual de Informações Sociais – RAIS; Cadastro Geral de Empregados e Desempregados – CAGED.
Base cartográfica: Secretaria Municipal de Planejamento – SEMPLA/DIPRO.
Elaboração: Centro Brasileiro de Análise e Planejamento – CEBRAP, 2008.

Por fim, resta-nos agora explorar o aspecto locacional das atividades da área de saúde. Como pode ser visto nos Mapas 3 e 4, as atividades de EMHO e fármacos e as de hospitais e laboratórios possuem padrões locacionais intramunicipais bastante diferentes. O setor de EMHO tem uma distribuição do emprego relativamente desconcentrada pelo território e o de fármacos a tem concentrada ao longo da marginal do Pinheiros, com elevadíssima aglomeração na região do Jurubatuba. Já os hospitais e laboratórios têm o emprego concentrado no centro expandido, com grande destaque para a região das avenidas Doutor Arnaldo, Paulista e 23 de Maio, onde se encontra o que denominamos de "Corredor da Saúde".

Com relação ao grupo de EMHO, não há um vetor significativo de concentração dos estabelecimentos nem de empregos. Os pontos de maior concentração contam com no máximo 391 empregados. O setor de fármacos, ao contrário, além da grande concentração na região do Jurubatuba, apresenta altos índices de emprego, os quais chegam a 2.892 ocupados em alguns pontos. Tais fatos sugerem que aquele movimento de relocalização das atividades ligadas à manufatura e de menor valor afetou o setor de EMHO de forma mais intensa do que o de fármacos. Assim, justamente por ser mais robusto, o setor de fármacos apresenta um maior potencial (de transferência de postos de trabalho do MSP, o que, do ponto de vista do emprego, é ruim para a cidade.

Os hospitais e laboratórios, por sua vez, encontram-se bastante concentrados na área que aqui se denominou "Corredor da Saúde" (Mapa 5). Há poucos casos de focos de emprego em hospitais na zona Leste, no Morumbi e na zona Sul, e de laboratórios na zona Sul mais distante.

Tomando a localização do emprego da área de saúde como um todo, percebe-se o mesmo desequilíbrio apontado para o emprego geral da indústria e dos serviços no MSP. Ou seja, a quase inexistência das zonas Leste e Norte, áreas bastante populosas da cidade, cujos habitantes são obrigados a realizar grandes deslocamentos casa-trabalho diários.

A economia criativa

O termo "economia criativa" ficou conhecido por designar aquelas atividades econômicas que têm a produção de informação e/ou de conteúdos culturais como fundamento. Essas atividades se caracterizam pela natureza intangível de seus conteúdos, os quais são protegidos por direitos autorais, e pelo importante papel que a criatividade ocupa em seu processo produtivo. No momento da comercialização, assumem a forma de bens ou serviços (Unesco, 2003).

Não pretendemos aqui realizar uma definição rígida do que é economia criativa e de quais atividades engloba, mas apenas apontar que certas atividades, normalmente alocadas sob o guarda-chuva da economia criativa e, em geral, direta ou indiretamente relacionadas à cultura, constituem-se como um importante foco de competitividade do MSP e apresentam possibilidades de ampliação na cidade. Falamos, assim, das atividades de cinema, de rádio, de televisão, de publicidade e propaganda, de agências de notícias ou jornalismo, de *games* (jogos eletrônicos) e da indústria de edição e impressão.[23]

Os principais fatores de competitividade do MSP são: (i) a elevada aglomeração das atividades que compõem as cadeias de geração de valor da economia criativa e a possibilidade de integração de tais atividades; (ii) a concentração de profissionais qualificados; e, claro, (iii) o fato de o município com seu entorno constituir o maior mercado consumidor de cultura e de informação do país.

As atividades da economia criativa estão ligadas tanto ao entretenimento como à produção e à transmissão de informações e conteúdos. Pelo fato de os promoverem em um mesmo bem ou serviço, criam bases para a interação de atividades. Exemplos são muitos e variados: filmes e programas televisivos ou radiofônicos, ao fazerem propaganda de certos produtos, integram audiovisual e publicidade; os chamados *advergames* (jogos eletrônicos produzidos com fins publicitários) e *business games* (jogos de simula-

[23] Poderíamos ter incluído outras atividades ligadas à cultura, como teatro, artes plásticas, dança, circo e *performances* em geral. Apesar de reconhecermos que o MSP é líder e concentrador da produção dessas atividades, preferimos não analisá-las pela dificuldade em coletar dados econômicos referentes a elas. Para uma delimitação mais rígida das atividades que compõem a economia criativa, ver Sistema de informações e indicadores culturais (IBGE, 2006).

Mapa 5: Hospitais. Área selecionada do MSP: Corredor da Saúde, 2006

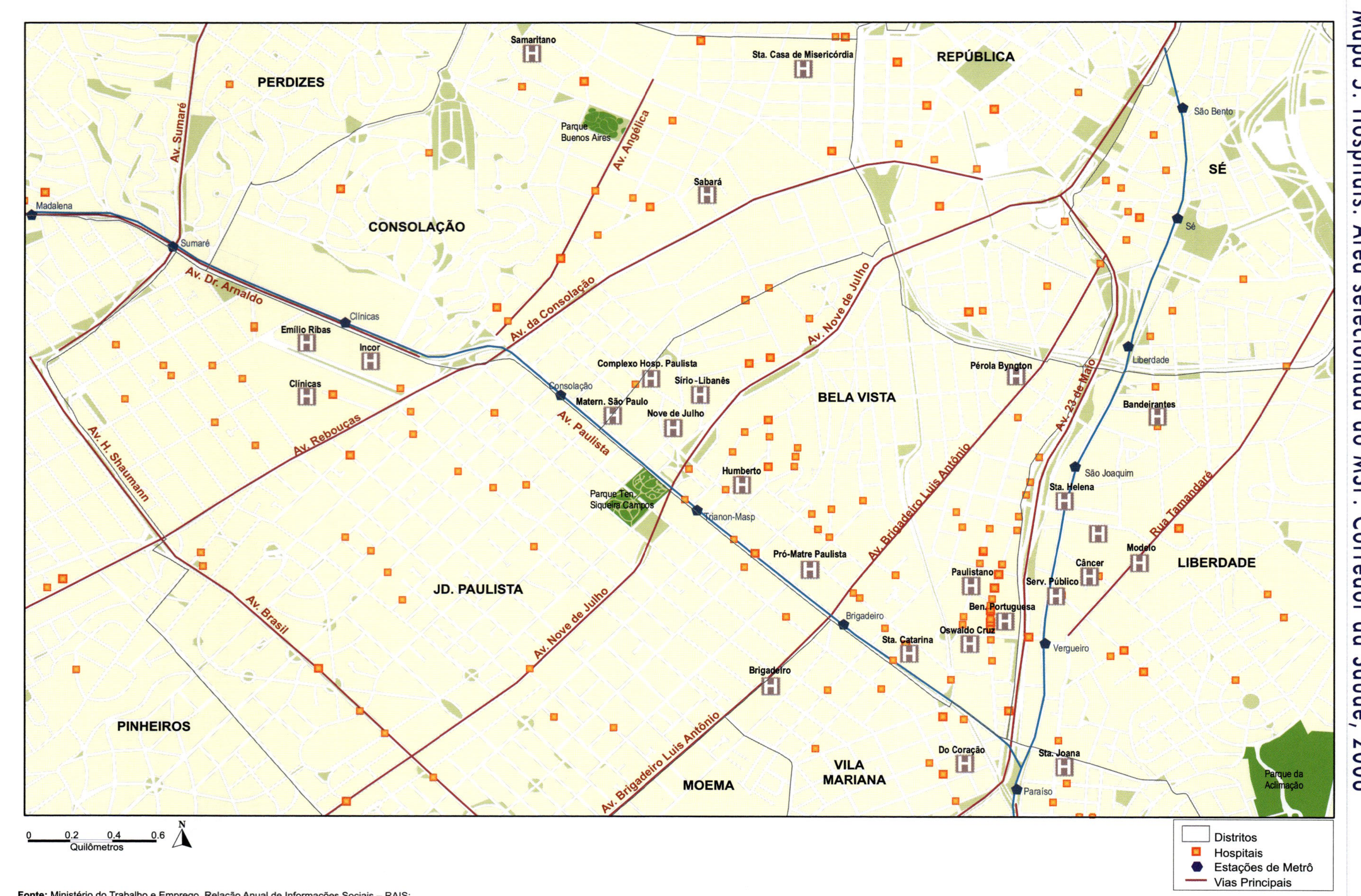

Fonte: Ministério do Trabalho e Emprego. Relação Anual de Informações Sociais – RAIS; Cadastro Geral de Empregados e Desempregados – CAGED.
Base Cartográfica: Secretaria Municipal de Planejamento – SEMPLA/DIPRO.
Elaboração: Centro Brasileiro de Análise e Planejamento – CEBRAP, 2008.

ção virtual de determinadas atividades, como voos, sistema financeiro e bolsa de valores, cirurgias etc.) fundem os *games*, e portanto a diversão, na publicidade e em atividades não ligadas à economia criativa; as agências de notícias, ao coletarem, sintetizarem e disseminarem conteúdos, alimentam as atividades de audiovisual e de publicidade.

E o processo de produção de alguns desses bens e serviços envolve trabalhadores com ocupações variadas e de áreas diversas. O audiovisual, por exemplo, envolve profissionais das áreas de fotografia, áudio, vídeo, texto (roteiro), cenário, figurino e a própria atuação. Sem falar no pós-produção, que abre o leque para todo o trabalho de distribuição, comercialização e divulgação, como no caso de um filme.

Descrições similares podem ser feitas para diversas atividades da economia criativa ou da cultura: "*No caso da música, esse universo inclui desde músicos e compositores ao comércio de discos e de material de áudio, passando pela fabricação e comercialização de instrumentos, de* hardware e software *(para audição, composição, reprodução), e pela indústria fonográfica (estúdios, reprodução, fabrico de suportes etc.), bem como edição e comercialização de partituras, livros e material didático. Quanto ao livro/imprensa, o espectro inclui desde escritores e jornalistas às livrarias, bancas de jornal (pontos de venda em geral), bem como indústria de impressão e edição. As artes plásticas incluem desde pintores, escultores, artesãos, gravadores, restauradores, passa por arquivos e museus e vai até a criação e comercialização de obras de arte (galerias e espaços de exposição) e de materiais e equipamentos, como papéis, tintas, pincéis, bem como o restauro de obras, que exige, também, equipamentos sofisticados e específicos. (...) Quanto às artes do espetáculo, o universo inclui os artistas, profissionais de cena, afinadores de instrumentos, coreógrafos, bailarinos, maestros, instrumentistas, cantores etc., até a gestão de espaços e agências de comercialização*" (Botelho e Torres Freire, 2004).

Menos do que fazer uma extensa análise da economia criativa ou da cultura, a intenção aqui é chamar a atenção para as inúmeras possibilidades de encadeamentos dessas atividades e para o fato de o MSP ser o lócus privilegiado para isso.

Um setor vinculado a essa economia é a indústria de impressão e gráfica. Ele é um caso típico de setor considerado tradicional pela literatura e que, ao menos em parte, pode se modernizar por conta de encadeamentos com atividades mais intensivas em conhecimento. Para se ter uma ideia de seu peso, o setor de edição, impressão e reprodução de gravações (divisão 22 da CNAE) no MSP é composto por cerca de 40 mil empregados (20% do total do Brasil), que respondem por 30% da massa salarial do segmento no país. Além disso, é a divisão mais importante da indústria em termos de participação no valor adicionado fiscal do MSP (11%).[24] No que se refere à sua localização dentro do município, como se vê no Mapa 6, o setor está distribuído nos eixos tradicionais da indústria – marginais do Tietê e do Pinheiros, além do centro em direção à avenida do Estado, nos quais apresenta um leve enfraquecimento do emprego.

Ainda em relação à possibilidade de interação das atividades, deve-se mencionar o processo de convergência tecnológica, o qual se caracteriza pela crescente digitalização do conteúdo produzido pelos segmentos da economia criativa (NOIE, 2002). Esse processo, que passa a veicular os conteúdos produzidos em um mesmo e novo suporte, tende a diminuir ainda mais as diferenças existentes entre essas atividades, o que se reflete em seus respectivos processos produtivos e na composição de sua demanda por mão de obra. Tanto porque atividades de TI passam a ser centrais para os seus respectivos processos produtivos quanto porque profissionais como *web designers*, desenvolvedores de *software* e outros que vão surgindo passam a ser determinantes. Um possível problema, neste caso, pode ser a competição por essa mão de obra entre as atividades da economia criativa e a própria área de TI, em um contexto no qual a demanda por trabalhadores qualificados tende a se ampliar.

No Mapa 7, com os estabelecimentos de cinema, rádio, televisão, agências de notícia e publicidade no MSP, é possível observar tanto o crescimento dessas

[24] A tabela completa está no capítulo 11 deste livro.

Mapa 6: Setor de edição, impressão e reprodução. Empregos. MSP, 1996-2006

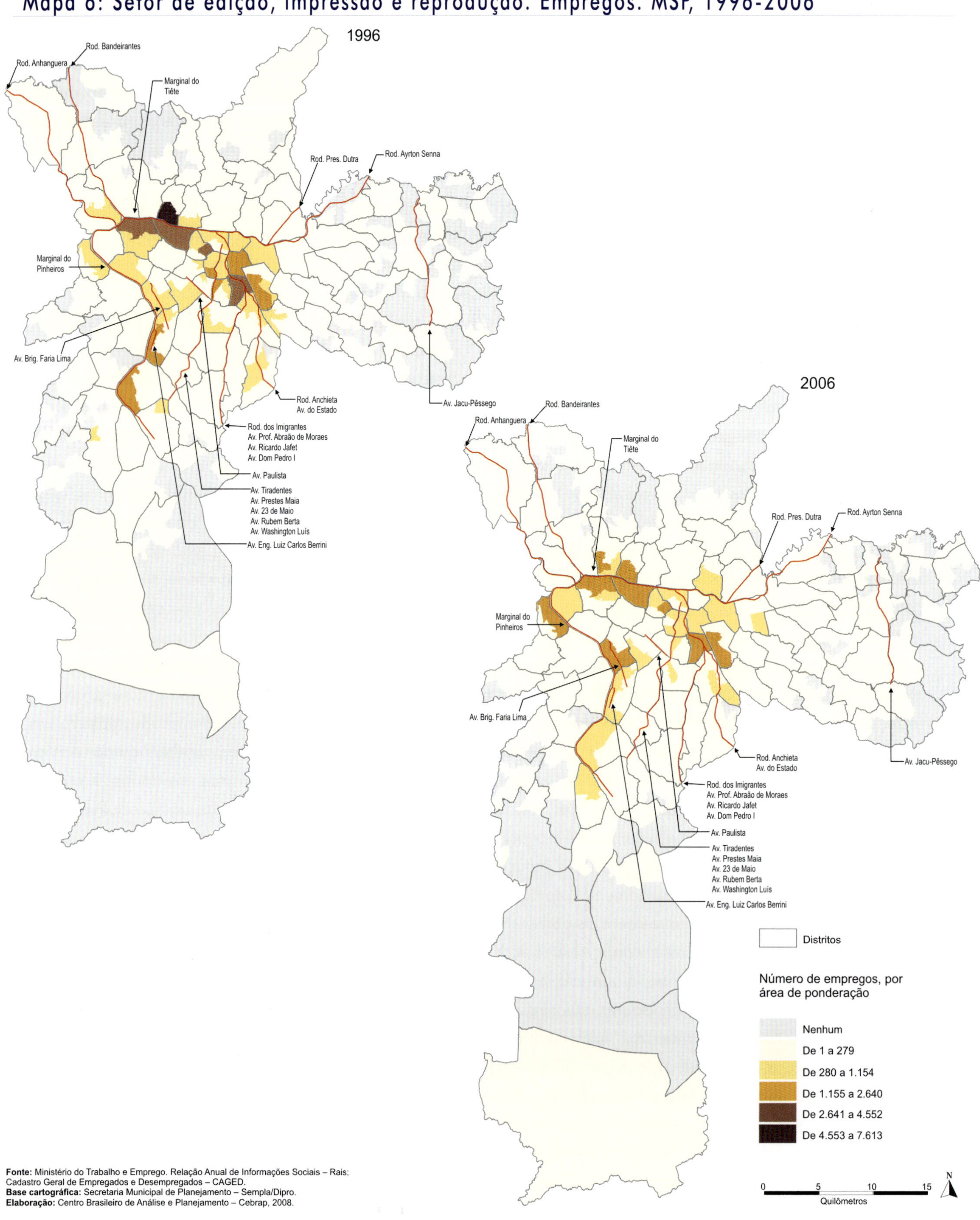

Fonte: Ministério do Trabalho e Emprego. Relação Anual de Informações Sociais – Rais; Cadastro Geral de Empregados e Desempregados – CAGED.
Base cartográfica: Secretaria Municipal de Planejamento – Sempla/Dipro.
Elaboração: Centro Brasileiro de Análise e Planejamento – Cebrap, 2008.

Mapa 7: Cinema, TV, rádio, jornalismo e publicidade. Estabelecimentos. MSP, 1996-2006

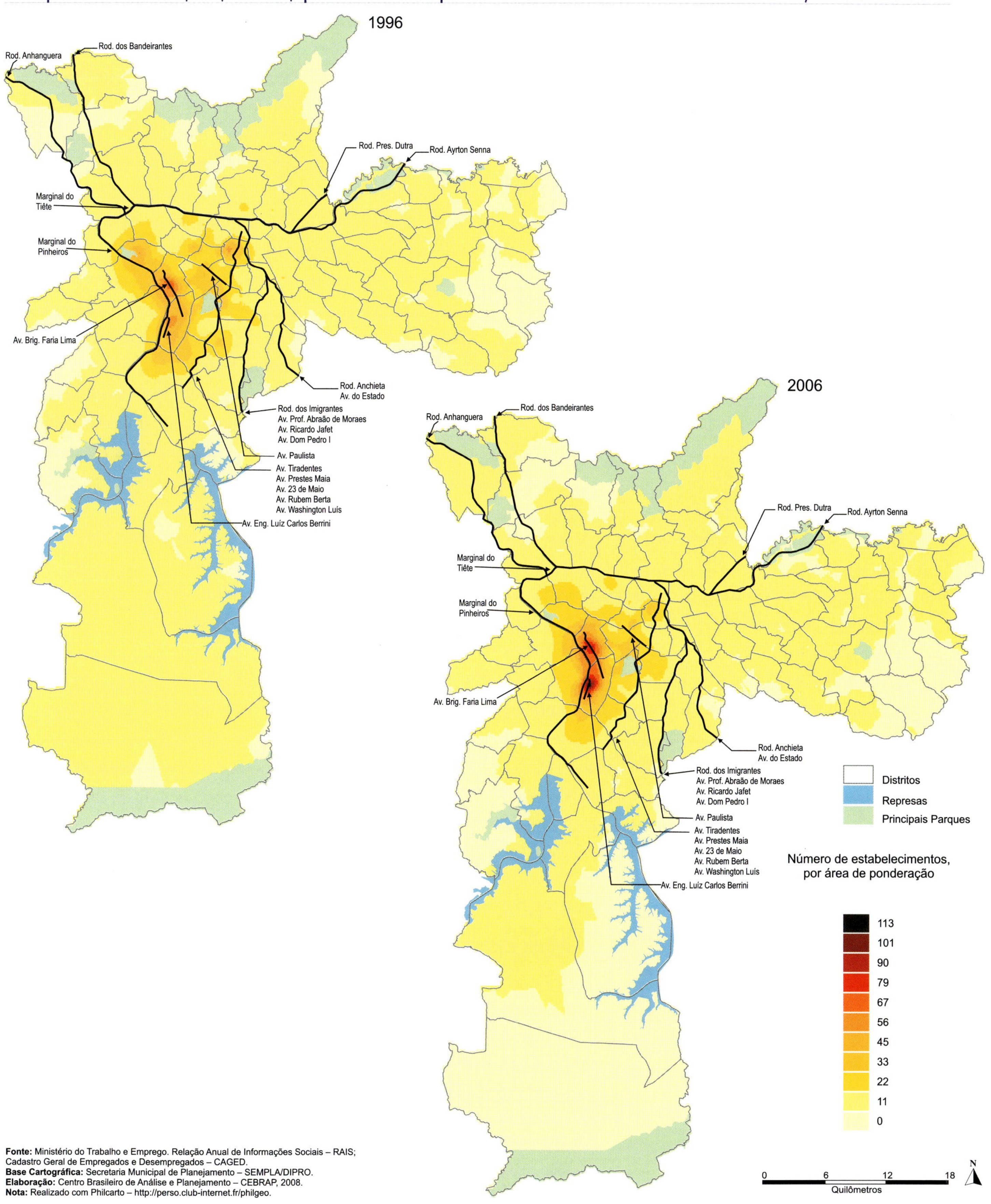

Fonte: Ministério do Trabalho e Emprego. Relação Anual de Informações Sociais – RAIS; Cadastro Geral de Empregados e Desempregados – CAGED.
Base Cartográfica: Secretaria Municipal de Planejamento – SEMPLA/DIPRO.
Elaboração: Centro Brasileiro de Análise e Planejamento – CEBRAP, 2008.
Nota: Realizado com Philcarto – http://perso.club-internet.fr/philgeo.

atividades entre 1996 e 2006[25] como a concentração intramunicipal nas regiões das avenidas Brigadeiro Faria Lima e Luís Carlos Berrini. Embora o número absoluto de estabelecimentos ainda seja baixo, tais regiões parecem se constituir como o vetor mais dinâmico de crescimento da área de economia criativa no MSP, com a região da Vila Leopoldina, mais ao norte da marginal do Pinheiros.

O setor financeiro[26]

A concentração do setor financeiro em São Paulo é expressiva. Estão aqui as principais sedes de bancos nacionais e internacionais, a principal bolsa da América Latina – bolsas de valores e de mercadorias e futuros agora juntas em uma empresa (BM&FBovespa) –, sedes e escritórios de comando de empresas de diversos setores.

Além de sua importância pelo contingente de empregados (boa parte com nível superior), pelos altos salários e pelo incentivo ao desenvolvimento tecnológico que induz em outros setores, por conta de suas demandas, a atividade de intermediação financeira, em si mesma, é central para a capacidade de irrigar o desenvolvimento econômico da cidade.

O processo de concentração do setor já vem ocorrendo há décadas. Nos anos 1960, os estados de São Paulo, Rio de Janeiro e Minas Gerais eram sedes de grandes e importantes bancos, especialmente, em uma época em que o caráter regional ainda era muito forte. Mas, desde os anos 1980, as sedes dos principais bancos comerciais já haviam migrado para São Paulo. E, na década de 1990, com o Plano Real, a abertura da economia, as privatizações e a liberalização do setor financeiro ao capital estrangeiro, ocorre uma forte reestruturação do setor financeiro e uma concentração ainda maior no MSP – bancos com sede em São Paulo incorporam bancos regionais e iniciam processos de fusão (Luna, 2004).

É verdade que o setor financeiro começa a se transformar no mundo todo a partir dos anos 1980. Desde então as instituições geradoras e distribuidoras de ativos aumentam a sua participação no sistema financeiro, como os fundos de investimento e os fundos de pensão, entre outras. No Brasil, embora com alguns anos de atraso, não foi diferente. As empresas do setor financeiro se transformaram com as citadas reformas macroeconômicas da primeira metade da década de 1990, especialmente os bancos comerciais. Destacam-se a forte redução do corpo de funcionários, expressa nas muitas demissões para redução de custos, e o aparecimento de novas atividades e produtos. Com isso, ocorreu um investimento grande em tecnologia, principalmente pelo surgimento de novas tecnologias de informação, que transformaram tanto a própria prestação dos serviços como sua estrutura ocupacional (o aumento da automação facilitou a diminuição de certos postos de trabalho).

No começo dos anos 2000, o resultado é evidente: o sistema bancário brasileiro está concentrado em alguns bancos e regionalmente em São Paulo; houve uma ampliação da participação estrangeira – instituições como Santander e HSBC; e uma redução da participação do setor público – agora centrado no Banco do Brasil e na Caixa Econômica Federal (Luna, 2004).

De fato, essa concentração se consolida e, em 2008, os dez maiores bancos comerciais respondiam por cerca de 81% dos ativos e 84% dos depósitos (BCB, 2008). É provável que tal concentração aumente ainda mais, pois esses dados não contemplam as fusões ou aquisições que ocorreram em 2008, como a incorporação do ABN-Amro pelo Santander, a fusão do Itaú com o Unibanco e a compra da Nossa Caixa pelo Banco do Brasil.

E tal concentração do setor em algumas empresas se reflete também em termos espaciais. Ao observarmos os dados do setor bancário pela localização da sede, verificamos a brutal aglomeração do setor no MSP – mais da metade das sedes está na cidade. Além

[25] Optamos por considerar apenas os estabelecimentos com um ou mais empregados devido ao fato de ser comum, nessas atividades, a existência de estabelecimentos com zero de vínculo empregatício, o que pode ser apenas uma forma de assalariamento como pessoa jurídica (PJ). Isso poderia nos induzir a erro na análise da localização dos estabelecimentos. Ademais, não incluímos as atividades de *games*, pois não há identificação específica para tal atividade. Elas estão distribuídas entre as classes 7221 (desenvolvimento de *software*) e 7240 (atividades de bancos de dados e distribuição *on-line* de conteúdo eletrônico) da CNAE 1.0.

[26] O agendamento das entrevistas com atores do setor financeiro foi bastante difícil por causa do momento de crise financeira mundial. Embora não tenhamos realizado as entrevistas desejadas, decidimos manter o setor e fazer a análise a partir de dados coletados em outras entrevistas, em fontes secundárias e em literatura específica.

disso, entre os *top* 10, seis têm sede no MSP, sendo os outros quatro o Banco do Brasil e a Caixa Econômica Federal, que são públicos e têm sede em Brasília, o HSBC, com sede em Curitiba, e o Bradesco, que está em Osasco, na Região Metropolitana de São Paulo.

A partir dos dados de 101 instituições, o Banco Central divulga uma lista com os 50 maiores bancos no Brasil (múltiplos, comercias e caixas), os quais respondem por 98,5% dos ativos e 98,4% dos depósitos no sistema financeiro nacional. Se retirarmos BB e Caixa, que juntos representam aproximadamente um terço do mercado nacional, a concentração dos bancos com sede no MSP é ainda mais expressiva. Da lista dos 50 bancos, 31 têm sede no MSP e concentram 67% dos ativos e 60% dos depósitos no Brasil (BCB, 2008). Em relação a bancos de investimento, financiamento e crédito e corretoras e distribuidoras de títulos e valores mobiliários, de câmbio e afins, a concentração não é diferente: cerca de metade delas está no MSP (BCB, 2008).

A importância do MSP para o setor financeiro brasileiro aparece também nos dados de emprego e massa salarial. O agregado intermediação financeira, composto por bancos (de todos os tipos), corretoras de valores mobiliários e de câmbio, instituições de crédito e financiamento, fundos de investimento, sociedades de capitalização, entre outros, tinha, em 2005, 23% do emprego e 27% da massa salarial brasileira no MSP. Para o mesmo ano, um quarto do emprego e um terço da massa salarial dos bancos (comerciais e múltiplos) no Brasil estavam em São Paulo.[27] Como se pode ver no Mapa 8, a partir dos dados de emprego, o setor apresenta forte aglomeração em três áreas do território: no centro, nos distritos Sé e República; na região da avenida Paulista; e no aglomerado mais recente, nas imediações da avenida Faria Lima.[28]

Outro elemento que vale destacar no que se refere à relevância de São Paulo como polo financeiro é o crescimento do mercado de capitais no Brasil nos últimos cinco anos. Ainda incipiente, se comparado a outros no mundo, o mercado brasileiro teve um crescimento no número de empresas com capital aberto, no volume de captação de recursos, no valor de mercado e no número de investidores (especialmente por conta da popularização do mercado de ações) (BM&FBovespa, 2008; CVM, 2008).

Por exemplo, o número de ofertas públicas iniciais de ações (*Initial Public Offering – IPOs*) cresceu expressivamente nos últimos quatro anos. Em 2004, foram apenas sete, em 2005, nove, enquanto em 2006 somaram 26. Já em 2007, foram 64 IPOs com um volume de captação da ordem de R$ 55,6 bilhões (contra R$ 25,3 bilhões nos outros três anos somados) (CVM, 2008).

Isso tem reflexo não só na capitalização do sistema financeiro e do produtivo, mas, também, nas atividades auxiliares ao mercado de capitais, seja nas consultorias que prestam serviços para empresas que vão abrir capital ou lançar títulos de diferentes complexidades, seja nos serviços de bancos e corretoras para auxiliar os pequenos investidores.

A criação da BM&FBovespa S.A. (Bolsa de Valores, Mercadorias e Futuros) em 2008, a partir da união da BM&F com a Bovespa, é parte desse movimento de concentração do setor e torna a bolsa paulistana a maior da América Latina, reforçando a centralidade do MSP no continente.

Vale mencionar, ainda, o movimento incipiente, mas representativo, que é a recente atuação do Banco Nacional de Desenvolvimento Econômico e Social (BNDES) como investidor com caráter de tomador de risco. Via seu braço para investimentos, a BNDESpar, o banco entra no mercado de *private equity*, e concede também capital de risco ou semente (*venture* ou *seed capital*) – acumula US$ 50 bilhões investidos até agosto de 2008.[29] Apesar de boa parte desse investimento se direcionar a empresas grandes, como algumas dos setores de petróleo e gás, energia e mineração, o banco tem aumentado sua participação no investimento de caráter empreendedor, para pequenas e médias empresas inovadoras, e de suporte a empresas que buscam

[27] O mercado de administração de recursos de terceiros, especialmente a gestão de fundos, está concentrado no MSP, mas tem participação de BB e Caixa Econômica, com atividades no Rio e em Brasília. Já o setor de seguros, que não está sendo analisado aqui e que corresponde à divisão 66 da CNAE, divide-se entre São Paulo e Rio de Janeiro.

[28] O capítulo 5 aprofunda essa análise espacial ao tratar dos SIC-F.

[29] Segundo entrevista com Paulo Todescan Mattos, chefe de gabinete da presidência do BNDES.

Mapa 8: Intermediação financeira. Empregos. MSP, 2006

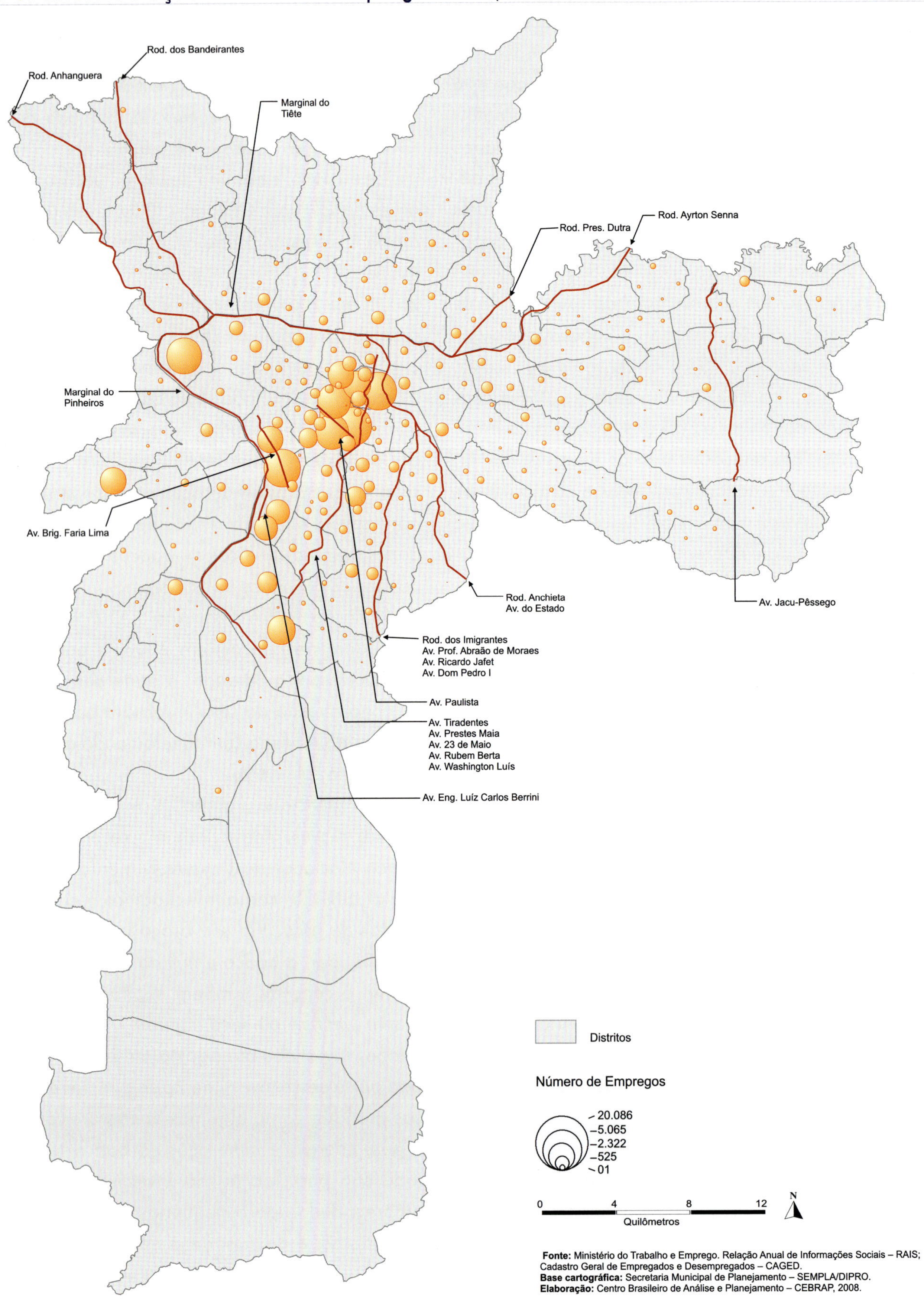

Fonte: Ministério do Trabalho e Emprego. Relação Anual de Informações Sociais – RAIS; Cadastro Geral de Empregados e Desempregados – CAGED.
Base cartográfica: Secretaria Municipal de Planejamento – SEMPLA/DIPRO.
Elaboração: Centro Brasileiro de Análise e Planejamento – CEBRAP, 2008.

fazer P&D e inovação. Um exemplo é a Totvs, que após a compra da Datasul se tornou uma das dez maiores empresas em sistema de gestão empresarial (ERP) do mundo. Para realizar a compra, ela recebeu investimento do BNDES.

5. Considerações finais

Independentemente de serem industriais ou de serviços, as atividades intensivas em tecnologia e em conhecimento se caracterizam por uma atuação transversal na economia. São, ao mesmo tempo, produtoras, fornecedoras e disseminadoras de insumos e de conhecimento para processos de inovação e de aprendizagem em todos os setores.

Como a análise demonstrou, as indústrias intensivas em tecnologia e os serviços intensivos em conhecimento, além de serem geradores de valor e de renda, geram postos de trabalho de alta qualidade, tanto para a mão de obra mais qualificada quanto para a menos qualificada. Isso ocorre porque não congregam somente atividades *high-tech,* como quer o senso comum. Há uma série de atividades mais rotineiras – como *call centers;* codificação de *software*; assistência básica de saúde; fabricação de seringas, de preservativos e de medicamentos menos complexos; montagem de equipamento eletrônico; seleção, agenciamento e locação de mão de obra – que são diretamente relacionadas às propriamente mais complexas – como concepção e *design* de *software*; produção de roteiros para cinema, rádio, televisão e *games*; ensino superior; P&D; assessoria e gestão de empresas; atendimento médico especializado; produção de fármacos, de material elétrico e de bens de capital – e que integram os segmentos intensivos em tecnologia e conhecimento.

Esse é um ponto importante da análise, pois a identificação desses segmentos como geradores de postos de trabalho de alta qualidade, além de sua transversalidade, evidencia que investimentos e políticas públicas específicas não tendem a favorecer apenas uma elite do mercado de trabalho ou uma parcela da economia. Em outras palavras, o que argumentamos é que o desenvolvimento de tais setores é bom para o desenvolvimento econômico de forma geral.

Do ponto de vista do MSP, deve-se explicitar que as atividades das quais estamos falando nem sempre existiram, ou tiveram o mesmo conteúdo que têm hoje. As transformações econômicas e políticas das duas últimas décadas foram especialmente fortes e tiveram grandes implicações para a estrutura produtiva paulistana. Destacam-se o processo de reestruturação produtiva, as reformas macroeconômicas do início dos anos 1990 e o início de um novo ciclo de crescimento econômico e de expansão do emprego, a partir do início dos anos 2000. Nessa conjuntura, uma série de atividades se manteve em São Paulo, enquanto um conjunto significativo foi criado e/ou renovado.

Por um lado, temos certas atividades industriais, como os setores de máquinas e equipamentos, de produção de material elétrico e eletrônico e de produtos químicos e fármacos. A indústria viável atualmente para o MSP possui características distintas da indústria de 20 anos atrás. Embora sejam necessárias novas pesquisas acerca dessa nova indústria, lançamos como hipótese que ela é marcada: (i) pela relativamente baixa intensidade de utilização de mão de obra, mas, mesmo assim, relevante para a geração de empregos no município; (ii) pela utilização de espaços cada vez menores; (iii) pelo crescente recurso à externalização de atividades, sejam elas de baixa ou de alta complexidade; e (iv) pela potencialidade de utilizar conhecimento e gerar inovação. E mesmo setores tradicionais, como a indústria têxtil e de vestuário e a de edição e impressão, se requalificam, desenvolvendo partes de maior valor agregado na cadeia, como o *design* e a moda para as roupas e acessórios.

Além de contar com essa indústria que emerge da reestruturação produtiva, deve-se salientar que o MSP permanece como localidade concentradora de sedes, subsedes, centros de P&D e de serviços de assistência técnica de uma série de empresas industriais que relocalizaram suas plantas produtivas.

Por outro lado, atividades se renovaram, ganharam novos formatos ou mesmo surgiram. Há aquelas de telecomunicações, de informática, de gestão de empresas e consultorias em geral, as financeiras, de educação em ensino superior e saúde (hospitais e laboratórios), de publicidade e de audiovisual. Algumas ganharam forte impulso com o processo de reestruturação produtiva e a externalização de atividades dela decorrente, como vigilância e segurança, alimentação, limpeza, parte da informática e contabilidade. Uma vez expostas à dinâmica concorrencial do mercado, diversificaram a pauta de serviços ofertados bem como a de clientes.

Outras atividades, que simplesmente não existiam, foram criadas, gerando uma complexa teia de subcontratações, como é o caso de certos nichos das telecomunicações, do setor de informática e de consultorias especializadas. A criação de novas demandas e atividades, com a reestruturação produtiva, a internacionalização e a maior importância do conhecimento e da informação para as redes produtivas, forma o centro do processo de desenvolvimento de novos segmentos de serviços. Estes se consolidam como atividades promotoras da circulação de conhecimento e formam novas cadeias de valor.

O setor de serviços em geral e os segmentos de SIC em particular adquiriram dinâmica própria nas últimas duas décadas. Tal fato não implicou que a indústria deixou de fazer parte da sua lista de clientes, mas, sim, que se tornou um cliente entre outros bem importantes, como o setor financeiro, governos e o próprio setor de serviços.

Contrariando as interpretações mais simplistas da estrutura produtiva do MSP, entendemos que ela se complexificou nos últimos anos. É, ao mesmo tempo, imensamente diversificada e especializada. Diversificada porque contempla praticamente todas as cadeias produtivas. A maior parte da sua competitividade deriva dessa diversidade. E especializada no sentido de ser o principal polo de produção brasileiro de uma série de atividades – inclusive industriais. Essa especialização em uma diversidade de segmentos explicita a força e o potencial competitivo de uma cidade como São Paulo, o qual, se relacionado a políticas públicas bem feitas, tem tudo para se ampliar.

Bibliografia

Abdal, Alexandre (2008). Desenvolvimento e espaço: da hierarquia da desconcentração industrial da Região Metropolitana de São Paulo à formação da Macrometrópole Paulista. Dissertação de mestrado. Departamento de Sociologia da Faculdade de Filosofia, Letras e Ciências Humanas da Universidade de São Paulo. Disponível em: http://www.teses.usp.br/teses/disponiveis/8/8132/tde-04072008-095824/.

AIH (2007). *Anuário Informática Hoje*. Disponível em: http://www.anuarioih.com.br/anuih/index.html

Amitrano, Cláudio (2004). "A região metropolitana e a área central da cidade de São Paulo nos anos 90: estagnação ou adaptação". In Comin, A. (Coordenação), *Caminhos para o Centro: estratégias de desenvolvimento para a região central de São Paulo. São Paulo: Convênio Emurb/Cebrap/Cem.*

Arbix, Glauco. (2007) *Inovar ou inovar. A indústria brasileira entre o passado e o futuro*. Editora Papagaio, São Paulo.

BCB (2008). Banco Central do Brasil. Disponível em: http://www.bcb.gov.br/.

Bessa, Vagner (2004). "O setor de serviços às empresas". In Comin, A. (coord.), *Caminhos para o Centro: estratégias de desenvolvimento para a região central de São Paulo*. São Paulo: Convênio Emurb/Cebrap/CEM.

Bessa, Vagner; Bernardes, Roberto; Kalup, André (2005). "Serviços na PAEP 2001: reconfigurando a agenda de pesquisas estatísticas de inovação". *Revista São Paulo em Perspectiva,* São Paulo, 19(2), abr.-jun, pp. 115-134.

BM&FBOVESPA (2008). http://www.bovespa.com.br.

Boden, Mark e Miles, Ian (2000). *Services and the*

knowledge-based economy. London and New York: Ed. Continuum.

Botelho, Isaura e Torres Freire, Carlos (2004). "Equipamentos e serviços culturais na região central da cidade de São Paulo". In: Comin, A. (coord.), *Caminhos para o Centro: estratégias de desenvolvimento para a região central de São Paulo*. São Paulo: Convênio Emurb/Cebrap/CEM.

CIETEC (2007). Relatório Anual. São Paulo.

CVM (2008). Comissão de Valores Mobiliários. Disponível em: http://www.cvm.gov.br/.

Diniz, Clélio Campolina e Diniz, Bernardo Campolina (2004). *"A região metropolitana de São Paulo: reestruturação, re-espacialização e novas funções". In Comin, A. (coord.), Caminhos para o Centro: estratégias de desenvolvimento para a região central de São Paulo*. São Paulo: Convênio Emurb/Cebrap/CEM.

Eurostat (2007a). High-tech industry and knowledge-intensive services. Eurostat Metadata in SDDS format: Base Page. Disponível em: http://europa.eu.int/estatref/info/sdds/en/htec/htec_base.htm.

______ (2007b). High-tech industry and knowledge--intensive services. Eurostat Metadata in SDDS format: Summary Methodology. Disponível em: http://epp.eurostat.ec.europa.eu/cache/ITY_SDDS/EN/htec_sm1.htm.

______ (2007c). Sectoral Approach. Disponível em: http://europa.eu.int/estatref/info/sdds/en/htec/htec_agg_nace.pdf.

______ (2008). Science, technology and innovation in Europe. Disponível em: http://epp.eurostat.ec.europa.eu/cache/ITY_OFFPUB/KS-EM-08-001/EN/KS-EM-08-001-EN.PDF.

Furtado, André e Quadros, Ruy. (2005). "Padrões de intensidade tecnológica da indústria brasileira: um estudo comparativo com os países centrais". Revista São Paulo em Perspectiva, São Paulo, 19(1): jan-mar, pp. 70-84.

Gadelha et. al. (2008). *Uma agenda para a competitividade da indústria paulista: indústria farmacêutica*. IPT, São Paulo.

Gallouj, F. e Weinstein, O. (1997). *"Innovation in services"*. Research Policy, n. 26, pp. 537-556.

Gazeta Mercantil (2008). "Demanda brasileira ainda é incipiente perto do mercado que movimenta US$ 60 bi". Regiane de Oliveira, 10 de fevereiro. Disponível em: www.primeintl.com.br/pt/midia_imprensa_02.php.

Hatzichronoglou, T. (1997). "Revision of the high-technology sector and product classification". Paris, OECD, STI Working Papers.

IBGE (2007). "Pesquisa Anual de Serviços, 2006. Disponível em: www.ibge.gov.br.

____ (2006). "Sistema de informações e indicadores culturais". *Série Estudos e Pesquisas: Informação demografia e socioeconômica*. Nº 18, Rio de Janeiro.

____ (2003). "Análise dos resultados". *Pesquisa industrial*. Vol. 22, nº 1, Empresas.

IDC (2008). Latin América Black Book, 2007.

Luna, Francisco (2004). "A capital financeira do país". In Tamás Szmrecsányi (org.), *História Econômica da Cidade de São Paulo*. São Paulo, Globo.

Lundvall, Bengt-Ake (1996). "The Social Dimension of The Learning Economy". Danish Research Unit for Industrial Dynamics – DRUID Working Paper n. 96-1. Disponível em: http://www.druid.dk/uploads/tx_picturedb/wp96-1.pdf.

Marklund, G. (2000). "Indicators of innovation activities in services". In Bonden, M.; Miles, I. *Services and the knowledge-based economy*. London and New York: Ed. Continuum.

Miles, I.; Kastrinos, N.; Flanagan, K.; Bilderbeek, R.; Hertog, B.; Huntink, W. e Bouman, M. (1995). *Knowledge-Intensive Business Services: Users, Carriers and Sources of Innovation*. Luxembourg: European Innovation Monitoring System (EIMS), EIMS Publication n. 15.

Muller, Emmanuel e Zenker, Andréa (2001). Business services as actors of knowledge transformation and diffusion: some empirical findings on the role of KIBS in regional and national innovation systems. Institute for systems and innovation research. Department: Innovation Services and Regional Development, Karlshure. Disponível em: http://www.isi.fraunhofer.de/r/download/ap_r2_2001.pdf.

NOIE (2002). "Creative industries cluster study: stage one report". Disponível em http://www.cultureandrecreation.gov.au/cics.

OCDE (2003). *The Science, Technology and Industry (STI) Scoreboard 2003*. http://www.oecd.org/document/21/0,3343,en_2649_33703_16683413_1_1_1_1,00.html.

_____ (2007). *The Science, Technology and Industry (STI) Scoreboard 2007*. Disponível em: www.oecd.org/sti/scoreboard.

Porto, Geciane et. al. (2008). *Uma agenda para a competitividade da indústria paulista: equipamentos médico-hospitalares e odontológicos*. IPT, São Paulo.

Roselino, José Eduardo (2008). *Uma agenda de competitividade para a indústria paulista: a indústria brasileira e paulista de software*. IPT, São Paulo.

_____ (2006). "Panorama da Indústria Brasileira de Software: considerações sobre a política industrial". In De Negri, J. A. e Kubota, L. C. (org.), *Estrutura e Dinâmica do Setor de Serviços no Brasil*. IPEA, Brasília.

Salerno, Mario e Kubota, Luis (2008). "Estado e inovação". In De Negri, J. A. e Kubota, L. C. (org.), *Políticas de incentivo à inovação tecnológica no Brasil*. IPEA. Brasília.

Salerno, Mario e De Negri, João (coords.) (2005). *Inovação, padrões tecnológicos e desempenho das firmas industriais brasileiras*. IPEA, Brasília.

Smith, Keith. (2000). "What is the knowledge economy? Knowledge-intensive industries, and distributed knowledge bases". Oslo, DRUID Summer Conference on The Learning Economy – Firms, Regions and Nation Specific Institutions, June 15-17.

Tomlinson, Mark (2002). "A New Role for Business Services in Economic Growth", In Archibugi e Lundvall: *The Globalizing Learning Economy*. Nova York, Oxford.

Torres Freire, Carlos (2006a). *KIBS no Brasil: Um estudo sobre os serviços empresariais intensivos em conhecimento na região metropolitana de São Paulo*. Dissertação de Mestrado. Departamento de Sociologia. Universidade de São Paulo. Disponível em: http://www.teses.usp.br/teses/disponiveis/8/8132/tde-12032007-235033/.

_____ (2006b). "Um estudo sobre os serviços intensivos em conhecimento no Brasil". In De Negri, J. A. e Kubota, L. C. (org.), *Estrutura e Dinâmica do Setor de Serviços no Brasil*. Brasília, IPEA.

UNESCO (2003). *Informe mundial sobre a cultura, 2000: diversidade cultural, conflito e pluralismo*. São Paulo, Editora Moderna.

Anexo 1: Modelo de Regressão Logística – RAIS 2005, MSP

1. Variável dependente: Renda média do MSP: Variável *dummy* com corte pela renda média do MSP para o total de ocupados da RAIS 2005 (R$ 1.700), inflacionada pelo INPC (valores em reais de 12/2006).

2. Variáveis independentes:

A. Variáveis de controle (com efeitos consolidados pela literatura):

1. Grau de instrução: em graus completos. Categorias: Fundamental completo ou incompleto; Médio completo; Superior completo.

2. Tamanho do estabelecimento: com as categorias já presentes na base da RAIS: até 4; de 5 a 9; de 10 a 19; de 20 a 49; de 50 a 99; de 100 a 249; de 250 a 499; de 500 a 999; 1.000 ou mais.

3. Faixas de tempo de emprego: com as categorias já presentes na base da RAIS: até 2,9; de 3 a 5,9; de 6 a 11,9; de 12 a 23,9; de 24 a 35,9; de 36 a 59,9; de 60 a 119,9; 120 ou mais.

4. Idade: em anos completos.

B. Variáveis setoriais: separamos os setores industriais daqueles de serviços para comparar internamente a eles os efeitos da intensidade em conhecimento e tecnologia sobre a variação da renda.

1. Indústria (variável categórica ordinal): mantivemos as 4 categorias: alta, média-alta, média-baixa e baixa.

2. Serviços (variável categórica nominal): mantivemos separados os SICs e os demais serviços.

Anexo 2: Entrevistados

Bento C. Santos, Coordenador do Centro de Diálise e da área de Gestão da Informação do Hospital Israelita Albert Einstein; Carlos Henrique Brito Cruz, Diretor Científico da Fundação de Amparo à Pesquisa do Estado de São Paulo (FAPESP); Claudio Bessa, Diretor Coorporativo de Marketing e Negócios da TOTVS; Eduardo Giacomazzi, Diretor do Centro Incubador de Empresas Tecnológicas (CIETEC); Fábio Pagani, Membro do Conselho Curador do Núcleo Campinas da Associação para Exportação de Software (Núcleo Softex Campinas); José Antonio de Lima, Presidente da Associação Nacional dos Hospitais Privados (ANAHP) e Superintendente do Hospital Samaritano; José Vidal Bellinetti, Diretor da Associação Instituto de Tecnologia de Software de São Paulo (ITS); Nelson Henrique Franco de Oliveira, Gerente de Operações do Núcleo Campinas da Associação para Exportação de Software (Núcleo Softex Campinas); Paulo Todescan Lessa Mattos, Chefe do Gabinete da Presidência do Banco Nacional de Desenvolvimento Econômico e Social (BNDES); Ricardo Camargo Mendes, Diretor Executivo da Prospectiva: Consultoria Brasileira de Assuntos Internacionais; Ruy Baumer, Presidente do Sindicato da Indústria de Artigos e Equipamentos Odontológicos, Médicos e Hospitalares do Estado de São Paulo (SINAEMO); e Winston George Petty, Vice-Presidente Administrativo e Financeiro da Associação Brasileira de Games (ABRAGAMES).

3. Altos estratos ocupacionais no mercado de trabalho paulistano: evolução recente, potencialidades e análise prospectiva

Alexandre de Freitas Barbosa e Bruno Komatsu

Apresentação[1]

Este texto procura analisar a evolução e o papel dos altos estratos ocupacionais no mercado de trabalho paulistano. Tais estratos caracterizam-se pelo alto grau de escolaridade – geralmente curso superior, mas muitos possuem formação técnica –, desempenho de funções de comando ou gestão e execução de atividades não manuais com certo nível de especialização, as quais geralmente estão associadas a patamares salariais superiores à média dos trabalhadores paulistanos.

A partir de uma análise de alguns subgrupos ocupacionais que compõem esses altos estratos, avaliamos o perfil da demanda de trabalho em termos de qualificação e renda, contrastando-a com a oferta de trabalho. O intuito é apontar os principais desafios a serem enfrentados no curto e no médio prazo para que a cidade aproveite todo o potencial de que dispõe nas atividades econômicas e sociais intensivas em conhecimento, por meio de uma compreensão do modo de inserção ocupacional desses estratos específicos e de seu papel na estrutura socioeconômica do município de São Paulo (MSP).

Como o próprio texto cuidará de apontar, a População Economicamente Ativa (PEA) de alta qualificação tem crescido a taxas expressivas, enquanto a força de trabalho de baixa escolaridade decresce em termos absolutos. Esse rápido crescimento da força de trabalho mais qualificada vem acompanhado de ambiguidades. Observam-se, assim, tanto um excedente de trabalhadores qualificados que não se encontram inseridos no mercado de trabalho, como um quadro de escassez de mão de obra que se faz sentir num número importante de atividades.

A compreensão do comportamento das ocupações de alta qualificação faz-se importante não apenas para se buscar uma maior sintonia quantitativa entre postos de trabalho, ocupações e indivíduos, mas também para se promover uma elevação estrutural, em termos quantitativos e qualitativos, dos empregos gerados nos setores mais intensivos em conhecimento.

De modo a viabilizar essa transformação, o setor público pode cumprir um papel de destaque, desenhando políticas para ativar esses setores; qualificar e reinserir a força de trabalho nos novos nichos detectados; e reforçar a capacidade de atendimento e a qualidade dos serviços fornecidos pelas instituições de ensino superior e técnico, as quais possuem uma presença de destaque no município de São Paulo.

Ressalte-se, ademais, que ao focar nos segmentos da atividade econômica e da força de trabalho mais capazes de dinamizar a geração de empregos e de renda no município, abre-se espaço para se pensar em políticas complementares de elevação da escolari-

[1] Os autores agradecem a Alvaro Comin por suas sugestões, que se revelaram valiosas para a construção da metodologia utilizada no presente texto.

dade e de estímulo às atividades tradicionais de serviços e indústria, ainda importantes na cidade, especialmente em termos do número de empregos gerados. Paralelamente, a aposta no dinamismo das atividades mais intensivas em conhecimento deve levar em conta a necessidade de redistribuí-las, na medida do possível, pelo tecido urbano do município.

Em síntese, em vez de simplesmente travar os mecanismos de expulsão de algumas empresas e atividades, o poder público pode desenvolver novos mecanismos de atração, fazendo do MSP epicentro nacional e internacional de localização de novos nichos e segmentos produtivos da indústria e dos serviços de maior valor agregado. A existência de um mercado de trabalho diversificado e especializado passa a ser encarada não apenas como insumo às empresas, mas como um vetor estratégico para o desenvolvimento da cidade. Esta é, aliás, uma das condições para se pensar a superação da polarização territorial e social que acomete boa parte dos paulistanos.

O presente texto está estruturado da seguinte forma. A primeira parte resgata o debate teórico recente sobre o mercado de trabalho dos segmentos de alta qualificação nas grandes metrópoles, tendo como referência a produção da geografia econômica, da economia do trabalho e da sociologia dos campos profissionais.

A segunda parte do texto acompanha de forma sumária a evolução do mercado de trabalho paulistano nos últimos dez anos, para então se deter no comportamento da PEA, na ocupação e no desemprego dos segmentos de maior escolaridade, assim como na sua distribuição por setor de atividade, estratos ocupacionais e regiões da cidade.

Na terceira parte, acompanha-se a evolução do perfil da demanda de trabalho dos subgrupos ocupacionais pertencentes aos altos estratos em dois períodos, 1994-2002 e 2003-2006. Num segundo momento, definem-se campos profissionais relacionados a essas ocupações, de modo a se estimar a evolução da oferta e seu perfil.

Na quarta parte, trata-se de apontar para os principais gargalos em termos de oferta/demanda no mercado de trabalho para esses agrupamentos ocupacionais. A partir desse diagnóstico e de algumas projeções de expansão da demanda e da oferta, será possível uma aferição indicativa das necessidades mais prementes de qualificação nas ocupações analisadas.[2] Ao final do texto, apresentamos sob a forma de anexo os passos metodológicos que viabilizaram a realização da pesquisa.

1. O debate teórico: qualificação profissional e mercado de trabalho em metrópoles multifuncionais

Este texto situa-se no cruzamento de dois debates teóricos. De um lado, faz uso da literatura que encara a existência de um mercado de trabalho diversificado – capaz de agrupar num mesmo ambiente socioeconômico várias especializações e qualificações – como um elemento estratégico para o dinamismo dos espaços metropolitanos. De outro lado, discute a relação entre qualificação e inserção no mercado de trabalho, encarando o primeiro elemento como condição importante, ainda que não suficiente, para a obtenção de um emprego, especialmente no segmento dos altos estratos ocupacionais.

O primeiro debate parte da concepção de que um mercado de trabalho diversificado funciona como um dos componentes das economias externas locais de um espaço urbano. Como se fosse um bem público a que todas as empresas tivessem acesso pelo simples fato de se localizarem em metrópoles multifiuncionais como São Paulo. Essa noção de um mercado de trabalho denso como economia externa está presente nos textos do economista inglês Alfred Marshall e foi, dentre outros, recuperada por Krugman (1995).

Mais recentemente, essa interpretação foi aprofundada a partir de uma discussão da economia da proximidade (Pecqueur e Zimmermann, 2005). Em cenários de rápida mudança tecnológica e de reestruturação produtiva das empresas, algumas atividades estratégicas não poderiam ser simplesmente deslocalizadas, já que exigem um aprendizado constante entre produtores e fornecedores e uma circulação dos trabalhadores

[2] Infelizmente, não foi possível espacializar tanto a demanda de trabalho por subgrupos ocupacionais, como a oferta de trabalho por tipos de curso, em virtude das limitações das bases de dados, RAIS e INEP, respectivamente.

de alto nível de qualificação por atividades correlatas, universidades, centros de pesquisa e formação profissional, geralmente concentrados territorialmente.

Em síntese, para além da mera dotação de fatores produtivos, parte-se para uma análise de como são criados os recursos por meio da ancoragem territorial das atividades produtivas. O espaço agora aparece como ativo, e, ao invés de se caracterizarem como redes a-espacializadas, as aglomerações urbanas se destacam por conjugar o efeito de diversidade com o efeito de densidade.

O mercado de trabalho revela-se estratégico, na medida em que seu diferencial não consiste apenas em proporcionar menores custos de transação às empresas, mas, essencialmente, no seu potencial de engendrar interdependências intangíveis, relacionadas ao processo de aprendizado e coordenação organizacional (Storper, 1997), que se dá tanto nas empresas de atividades correlatas, como a partir de um conjunto de instituições de produção de conhecimento e de qualificação profissional.

Adicionalmente, o diferencial do mercado de trabalho nos espaços metropolitanos multifuncionais parece advir da busca de garantias com relação a um futuro incerto. O importante é, portanto, não o mercado de trabalho atual, mas o potencial futuro de mão de obra qualificada (Veltz, 1999).

Ou seja, tudo indica que as economias externas não são acidentais, podendo se originar de uma ação coletiva eficiente, em que tanto os ofertantes de serviços como os seus recipientes são positivamente afetados pela própria ampliação do mercado e pela circulação de informações não precificadas (Schmitz, 1997). Essa afirmação leva à concepção de que não são tanto as empresas os agentes inovadores, mas antes os ambientes que as fecundam (Aydalot e Keeble, 1988).

Obviamente nem todas as atividades produtivas podem ser incentivadas num determinado espaço urbano, como tampouco ambientes inovadores são facilmente multiplicáveis. É importante que se "descubra" quais segmentos produtivos são os portadores de uma ação econômica inovadora e reflexiva, e a partir de que convenções e incentivos (Storper, 1997). Também aqui o perfil e a estrutura da força de trabalho de alta qualificação – com as respectivas instituições de socialização profissional – podem exercer um papel decisivo para se pensar no que é "localizado" e "específico", de forma que, se fomentado, possa diferenciar o MSP no território nacional e internacional.

Trata-se de pensar não apenas nos requisitos da demanda colocados para a oferta de trabalho, mas também em como a oferta de trabalho, existente e potencial, pode alavancar atividades produtivas adormecidas.

Dessa forma, se São Paulo torna-se "o lugar de todos os capitais e de todos os trabalhos", como afirmou certa feita Milton Santos (2005), ela é o único espaço onde podem se soldar dinâmicas relacionais fecundas numa constelação ampla de setores e atividades. Nesse aspecto, ela se torna "metrópole onipresente", atuando em todos os pontos do território brasileiro. Essa afirmação, em vez de dar vazão a um jogo de ganha-perde, pode acionar – num quadro de desenvolvimento dinâmico e sustentável da economia brasileira – novos nichos de inserção para os demais espaços urbanos brasileiros.

O outro problema da inserção produtiva paulistana no contexto nacional, também sob a perspectiva do mercado de trabalho – e talvez mais importante, mas que não se resolve se não for atacado de frente o primeiro – é a tendência já presente no nosso tecido urbano – e recém-descoberta nas cidades globais das nações avançadas – que Sassen (1991) chama de nova polarização social. De fato, muitos dos setores de serviços intensivos em conhecimento congregam empregos nas duas pontas da estrutura ocupacional e da escala de remuneração, especialmente quando sua expansão se encontra associada a baixos níveis crescimento econômico e desindustrialização dos espaços urbanos.

O segundo debate teórico que informa o presente artigo diz respeito à relação entre oferta e demanda de trabalho num quadro em que predominam novas configurações das carreiras profissionais.

De um lado, para a teoria do capital humano, assume-se que os investimentos em educação são realizados pelos trabalhadores a partir de uma análise custo-benefício. Dessa forma, os diferenciais salariais por nível de educação representam a taxa de retorno dos investimentos. Paralelamente, se os trabalhadores mais qualificados tendem a receber maiores salários, em virtude da sua maior produtividade, o nível dos mesmos é definido pelo confronto entre oferta e demanda. Em tese, quanto maior o retorno dos investimentos em educação, puxado pela demanda, maior o estímulo para o aumento da oferta. O salário desses trabalhadores se estabiliza no nível em que as taxas de retorno se igualam às demais alternativas de investimento (Mincer, 1994).

Uma outra suposição da teoria é que os investimentos em capital humano não terminam na fase escolar, continuando, mas a uma taxa decrescente, entre a entrada no mercado de trabalho e a aposentadoria. Os salários então crescem a taxas decrescentes até chegar a um pico. Adicionalmente, verifica-se que a curva de salários se mostra tanto mais acentuada quanto maior é o volume de investimento inicial.

Já para os teóricos institucionalistas, a estrutura das taxas de salário seria apenas parcialmente explicada pelas qualificações, já que fatores institucionais contam, assim como o nível tecnológico e a estrutura de mercado, além das características do mercado de trabalho em que a mão de obra é recrutada. Segundo essa concepção, a qualificação pode, no máximo, definir quem vai preencher as vagas abertas de acordo com a estrutura organizacional preexistente das empresas (Baltar, 2003). Isso, aliás, explicaria a existência, assim como a permanência, de diferenciais salariais inter e intraindustriais e também inter-regionais (Kerr, 1994).

Daí a importância do conceito de hierarquia das taxas salariais de acordo com as ocupações, que determinam as qualificações necessárias. Conformam-se "contornos salariais" no seio de cada um dos vários grupos ocupacionais que compõem a estrutura de cargos e salários de uma empresa.

Mais recentemente, o debate entre essas duas correntes tem sido recolocado a partir de novas contribuições. Granovetter (1988), por exemplo, aponta que a produtividade não depende apenas das características dos indivíduos ou das ocupações para as quais eles foram contratados. O processo revela-se mais complexo, havendo uma interação desses dois fatores, já que, a depender do perfil dos trabalhadores contratados, pode-se promover uma readequação da própria estrutura ocupacional.

Essa maior fluidez da estrutura ocupacional encontra-se relacionada ao próprio fato de que se torna mais complexa a antiga relação direta entre nível de formação e o degrau ocupado na carreira profissional. No dizer de Dubar (2005), também não faz sentido tratar de forma dissociada a qualificação do cargo e quem o ocupa, ou a estrutura de qualificações e a estrutura do diploma, especialmente no caso dos assalariados das profissões liberais ou científicas.

Nesse sentido, a construção dos espaços de qualificação depende de três processos articulados: formação inicial e contínua das competências (saberes formalizados, habilidade e experiência), evolução e dinâmica dos empregos; e o processo de reconhecimento das competências (Dubar, 2005). Trata-se, ao menos se o objetivo é o de desenvolver relações duradouras nos segmentos dinâmicos do mercado de trabalho, de estruturar um processo conjunto de socialização profissional com a participação do Estado, dos empregadores e dos trabalhadores.

2. Mercado de trabalho no município de São Paulo: tendências recentes

O presente tópico procura, num primeiro momento, apresentar um panorama da evolução do mercado de trabalho nos últimos dez anos. Posteriormente, a análise concentra-se nos segmentos da mão de obra com curso superior, destacando sua distribuição entre os diversos estratos ocupacionais, ramos de atividade, posições por ocupação e regiões da cidade. Todos os dados utilizados nesta seção foram tabulados a partir da Pesquisa de Emprego e Desemprego (PED) e referem-se ao MSP.[3]

[3] Dessa forma, utilizamos os conceitos de desemprego, taxas de participação e de ocupação conforme definidos pela PED. O conceito de desemprego utilizado na elaboração das tabelas a seguir é o de desemprego total, que engloba os três tipos de desemprego tratados por aquela pesquisa: desemprego aberto, desemprego oculto pelo desalento e desemprego oculto pelo trabalho precário.

Desemprego em queda e emprego formal em alta no MSP

Entre 1997 e 2007, observa-se uma importante redistribuição da PEA por faixa etária no MSP, no sentido de sua maior concentração nos grupos de maior idade. Em 2006, a faixa etária de 41 a 50 anos "encosta" na de 18 a 24 anos em termos de participação na PEA total, ambas situando-se num patamar pouco inferior a 20%. Adicionalmente, a participação da população de 14 a 17 anos e da de 51 anos ou mais na PEA seguem tendências opostas: a primeira decresce até atingir 3,4% em 2007, metade do percentual obtido em 1997, enquanto a segunda eleva-se de maneira constante, superando o nível de 14% já em 2006.

Essa evolução reflete um envelhecimento da PEA da cidade, o que se deve a fatores demográficos, mas também ao próprio funcionamento do mercado de trabalho, haja vista a queda da taxa de participação da população mais jovem – de 43% para 31% na faixa de 14 a 17 anos no período analisado –, ocorrendo o inverso no caso da população mais idosa (51 anos ou mais).

Gráfico 1

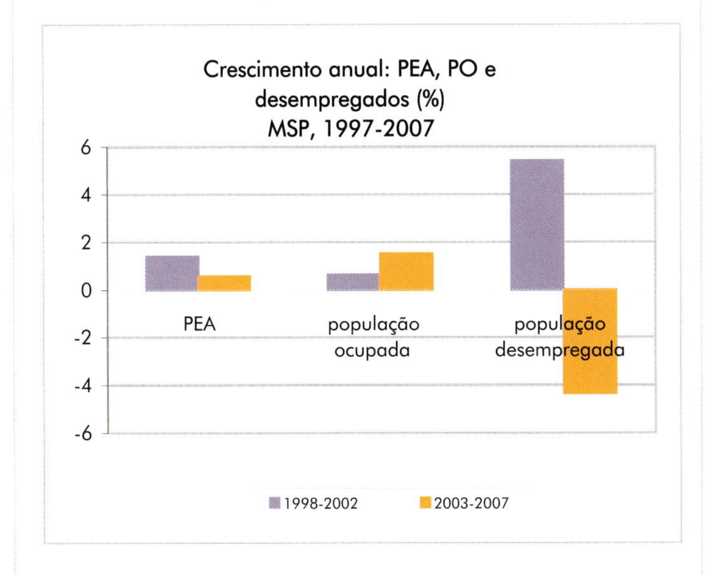

Fonte: Microdados da PED; Fundação SEADE.
Elaboração própria.

Fato é que quando se analisa a taxa de crescimento anual da PEA total para o município, esta sofre uma desaceleração entre os períodos 1998-2002 e 2003-2007, passando de um crescimento de 1,4% para 0,6% ao ano, ou seja, reduzindo-se em mais da metade num curto período de tempo. Para tanto, contribuem a redução da taxa de fecundidade ocorrida nos últimos vinte anos; a evolução global da taxa de participação, que tem se comportado de forma anticíclica, acenando para uma trajetória de queda no período pós-2003; e as recentes tendências migratórias.

A menor expansão da PEA tem levado a uma redução da pressão sobre o mercado de trabalho, contribuindo para que a recuperação dos níveis de ocupação se reflita diretamente no nível de desemprego.

De fato, a PEA cresce bem abaixo da população ocupada no período 2003-2007 – a qual apresenta uma expansão anual de 1,5% –, levando a uma redução do volume de desempregados superior a 4% ao ano (Gráfico 1). Como resultado, 200 mil pessoas saíram da condição de desemprego entre 2003 e 2007, chegando a taxa de desemprego a 14% neste último ano.

O melhor desempenho do mercado de trabalho no período recente também pode ser verificado em termos qualitativos. Entre os anos 2002 e 2007, a taxa de formalização[4] do emprego elevou-se de forma substantiva, saltando de 46,2% para 51,6%. Chega a ser supreendente a taxa de ampliação dos empregos com carteira assinada do setor privado no período 2003-2007, de 4,15% ao ano (Gráfico 2).

Com a forte elevação do emprego com carteira assinada no setor privado, observa-se um crescimento mais expressivo dos postos de trabalho para os segmentos profissionais da estratificação ocupacional, de 4,6% ao ano.[5] Estes trabalhadores passariam, em 2007, a responder por 7% dos empregos paulistanos, tendo representado cerca de 20% dos empregos gerados entre 2003 e 2007.

Ressalte-se ainda que os segmentos de trabalhadores manuais qualificados e não manuais de rotina expandiram seu nível de ocupação em 2,0% e 1,6%,

[4] Emprego formal entendido como assalariados com carteira do setor privado, estatutários e celetistas do setor público.
[5] A classificação dos ocupados por estratos sócio-ocupacionais utilizada neste tópico segue aquela empregada por Comin (2003). Essa classificação distingue segundo critérios diversos três estratos não manuais (profissionais, administradores e de trabalhadores não manuais de rotina) e dois estratos manuais (qualificado e não qualificado).

Gráfico 2

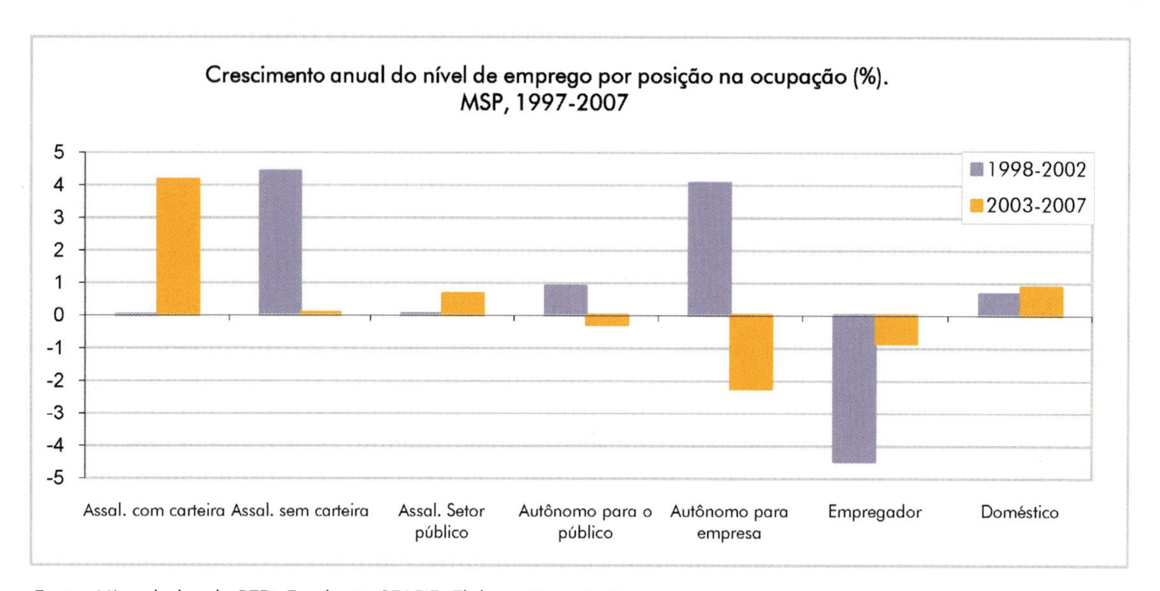

Fonte: Microdados da PED; Fundação SEADE. Elaboração própria.

respectivamente, participando com 56% dos empregos paulistanos gerados entre 2003 e 2007. Já no caso dos manuais não qualificados, estes se expandiram a uma taxa anual pouco superior a 1%, superior à verificada no período 1998-2002. O aumento da taxa de crescimento anual dos estratos manuais no período mais recente parece indicar que as atividades cuja exigência é menor em termos de escolaridade também tendem a se recuperar num contexto de expansão econômica.

Gráfico 3

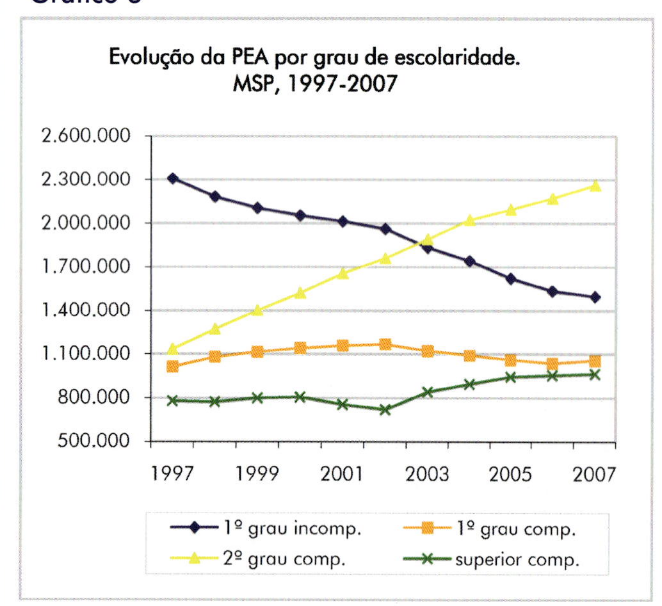

Fonte: Microdados da PED e estimativas populacionais da Fundação SEADE. Elaboração própria.

Mudança estrutural: aumento do nível de escolaridade da PEA paulistana

Outra mudança importante está relacionada ao perfil da força de trabalho paulistana. O Gráfico 3 – que apresenta a evolução da PEA em termos absolutos por grau de escolaridade – é elucidativo a esse respeito.

Verifica-se uma redução pronunciada do estoque de força de trabalho que não terminou o ensino fundamental. Entre 1997 e 2007, esse grupo sofreu um encolhimento de 35%, "perdendo" cerca de 800 mil pessoas, para o que contribuíram tanto a maior escolarização como a queda expressiva da taxa de participação desse segmento. Ao contrário, o segmento educacional que compreende as pessoas com ensino médio completo expandiu-se de forma constante ao longo do período, tendo sido acrescidas mais de 1,1 milhão de pessoas a esse estrato entre 1997 e 2007, representando um incremento de 100% (Gráfico 3).

O estrato educacional com ensino fundamental completo, por sua vez, apresentou uma inflexão negativa a partir de 2002, chegando a 2007 com um contingente pouco superior a 1 milhão de pessoas, nível próximo ao existente em 1997. Já a PEA com curso superior elevou-se de forma mais expressiva justamente a partir de 2002. No período 2003-2007, ela ampliou-se em 35%, recebendo 250 mil novos integrantes (Gráfico 3). Tal desempenho positivo da PEA com curso superior explica-se em grande medida pelo número de formandos, já que a taxa de participação desse segmento manteve-se em grande medida estável ao longo do período analisado.[6] Uma parcela desse incremento provavelmente também se deve ao fato de a cidade de São Paulo ser a maior importadora líquida de mão de obra qualificada do país (Da Mata et al., 2007).

Caso prossigam essas tendências em termos de redistribuição da força de trabalho por grau de escolaridade na cidade de São Paulo – as quais possuem um forte componente estrutural –, é muito provável que, no limiar da segunda década do século XXI, o contingente da força de trabalho com curso superior venha a ultrapassar o número de pessoas que contam apenas com o ensino fundamental completo.

Essa mudança no perfil da oferta deve ser vista como um ativo fundamental para a inserção da economia paulistana em termos nacionais e internacionais.[7]

Entre os ocupados, seguindo tendências semelhantes à da PEA, aqueles com curso superior aumentaram sua participação e já representam 16,3% dos empregos masculinos e 20,3% dos femininos em 2007.

Gráfico 4

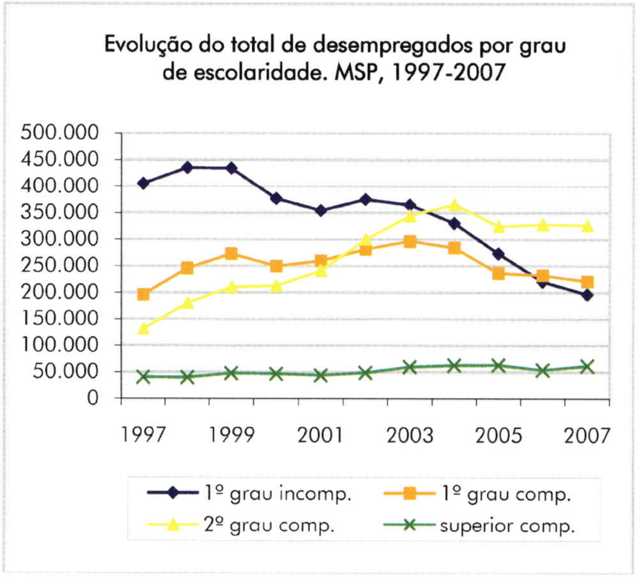

Evolução do total de desempregados por grau de escolaridade. MSP, 1997-2007

Fonte: Microdados da PED e estimativas populacionais da Fundação SEADE. Elaboração própria.

Tabela 1: Crescimento anual da PEA, população ocupada e desempregados por grau de escolaridade (%). MSP, 1997-2007

	1º grau incomp.	1º grau comp.	2º grau comp.	Superior comp.
PEA				
1998-2002	-3,2	2,9	9,2	-1,6
2003-2007	-5,3	-2	5,2	6,1
Ocupados				
1998-2002	-3,6	1,7	7,8	-1,9
2003-2007	-3,9	-1,2	5,8	6,1
Desempregados				
1998-2002	-1,5	7,5	17,9	3,8
2003-2007	-12,2	-4,7	1,7	5

Fonte: Microdados da PED; Fundação SEADE. Elaboração CEBRAP.

Portanto, cerca de 60% das pessoas que possuíam um emprego no município de São Paulo naquele ano tinham ao menos o ensino médio completo. Tal fato, entretanto, não deve ocultar que ¼ dos empregos masculinos e femininos ainda era preenchido por pessoas sem o ensino fundamental completo.

A redução relativa da oferta de trabalho com baixa escolaridade, assim como a existência de um importante setor da economia paulistana caracterizado por níveis baixos de remuneração, nos auxiliam a compreender o porquê da queda mais pronunciada do total de desempregados com 1º grau incompleto e completo, especialmente a partir de 2003 (Gráfico 4).

Da mesma forma, a rápida expansão da oferta com maior escolaridade, somada à incapacidade de gerar postos de trabalho intermediários no mesmo montante, é o que explica a estabilização do total de desempregados com 2º grau completo em torno de 320 mil pessoas a partir de 2005 (Gráfico 4), representando este grupo 40% do estoque de desocupados da cidade no ano passado.

A Tabela 1 permite apontar que a demanda de trabalho (total de ocupados) para pessoas com o 2º grau completo expandiu-se a um ritmo expressivo de 5,8% entre 2003 e 2007, inclusive superior à oferta, que cresceu 5,2%. Contudo, se a taxa de desemprego caiu, o mesmo não se pode dizer do total de desempregados, que continuou se elevando, ainda que a um ritmo substancialmente inferior ao verificado entre 1998 e 2002.

[6] Esse crescimento é resultado da expansão do ensino superior, confirmada no tópico 3.

[7] Supomos a manutenção e o incremento dos atuais padrões de qualidade da educação formal, principalmente dos ensinos fundamental e médio; caso a educação passe por uma maior precarização (além de todas as consequências negativas para a qualidade de vida individual), a consequência imediata do ponto de vista da competitividade do município é o simples aumento das exigências de grau escolar, sem contrapartida substantiva em termos de produtividade.

No caso dos desocupados com curso superior, merece destaque o alto dinamismo na expansão tanto do emprego como da força de trabalho, ambos avançando a uma taxa de 6,1% ao ano no período 2003-2007 (Tabela 1).

Percebe-se ainda que a taxa de desemprego das pessoas com curso superior foi aquela que manifestou maior resistência à queda: tendo se reduzido nos anos de 2005 e 2006, voltou a se elevar no ano de 2007, para se situar na casa de 6,4%.

A evolução das taxas de desemprego por grau de escolaridade ao longo dos últimos dez anos revela apenas um lado da realidade. Isso porque, em virtude da própria redistribuição da PEA em direção aos segmentos de maior escolaridade (secundário e superior completo), estes passaram a concentrar metade do total de desempregados da cidade no ano de 2007, contra cerca de ¼ em 1997.

Quem são e onde estão os trabalhadores com curso superior?

Procuramos, agora, apresentar a participação dos trabalhadores com curso superior nos vários estratos ocupacionais,[8] posições na ocupação e ramos de atividade,[9] com o intuito de ilustrar, em linhas gerais, a forma como estão distribuídos pela estrutura do mercado de trabalho da cidade.

Observa-se que os trabalhadores dos estratos profissionais – com alto nível de qualificação, desempenhando funções não manuais e não exercendo funções de gerência – possuem, na sua grande maioria, curso superior (cerca de 97% do total). Essa mesma qualificação está presente em quase 44% dos ocupados em cargo de gerência e em aproximadamente 21% dos não manuais de rotina (Tabela 2).

Entre 1997 e 2007, a única tendência relevante percebida é o pequeno aumento da participação dos trabalhadores com curso superior nos estratos de administradores e não manuais de rotina, o que pode se dever tanto a uma tendência de sobre-escolarização da mão de obra para algumas ocupações quanto a uma transformação dos próprios requisitos ocupacionais, de modo a se exigir maior escolaridade para o desempenho de algumas funções.

Tabela 2: Distribuição dos ocupados dos vários estratos ocupacionais por grau de escolaridade (em %) MSP, 2007

Estratos	1º grau incomp.	1º grau comp.	2º grau comp.	Sup. comp.	Total
Profissionais	-	-	-	96,6	100
Administradores	8,0	8,3	39,8	43,9	100
Não manual de rotina	6,5	11,9	60,8	20,8	100
Manual qualificado	35,3	26,1	36,6	-	100
Manual não qualificado	49,9	21,2	26,8	2,1	100
Total	27,4	17,0	38,7	16,9	100

Obs.: Nas células sem dados não houve a quantidade mínima de casos que garantisse o erro amostral menor do que o recomendado pela Fundação SEADE.

Fonte: Pesquisa de Emprego e Desemprego; Fundação SEADE. Elaboração CEBRAP.

Quando se toma apenas o conjunto dos trabalhadores com curso superior, verifica-se que cerca de 37% destes desempenham atividades não manuais de rotina, aproximadamente 34% pertencem aos estratos profissionais e quase 23% exercem atividades de administração e gerência.

A análise por posição na ocupação revela que quase ²/₃ dos trabalhadores com curso superior estão inseridos como assalariados do setor privado com carteira e do setor público na média do período 2006-2007. Em relação a 1997, a principal mudança se refere ao aumento da taxa de assalariamento para os ocupados com curso superior, que saltou em dez anos de 64,5% para 72%.

Quanto à distribuição dos ocupados com curso superior por ramo de atividade para a média dos anos 2006-2007, observa-se que cerca de 80% estão concentrados em quatro setores: serviços produtivos (37,8%), serviços sociais (28,4%), indústria moderna (7,6%) e governo (6,6%). Na comparação com 1996-1997, tanto os serviços produtivos como os sociais têm se destacado pela crescente capacidade de incorporação de trabalhadores com curso superior.

Finalmente, detecta-se que ²/₃ dos ocupados, mas também dos desempregados, com curso su-

[8] A utilização dessa metodologia de estratificação ocupacional apresenta algumas diferenças, quando aplicada às bases de dados da PED e da RAIS (tópico 3 deste texto), as quais, entretanto, não alteram os resultados da presente análise.

[9] A classificação por ramos de atividade econômica agrega as classes de atividade econômica segundo critério de similaridade duplo: para os ramos industriais, as características dos processos produtivos; para os ramos de serviços, a natureza do serviço prestado. Essa classificação também foi utilizada em Comin (2003).

Mapa 1: População e emprego. MSP, 2006

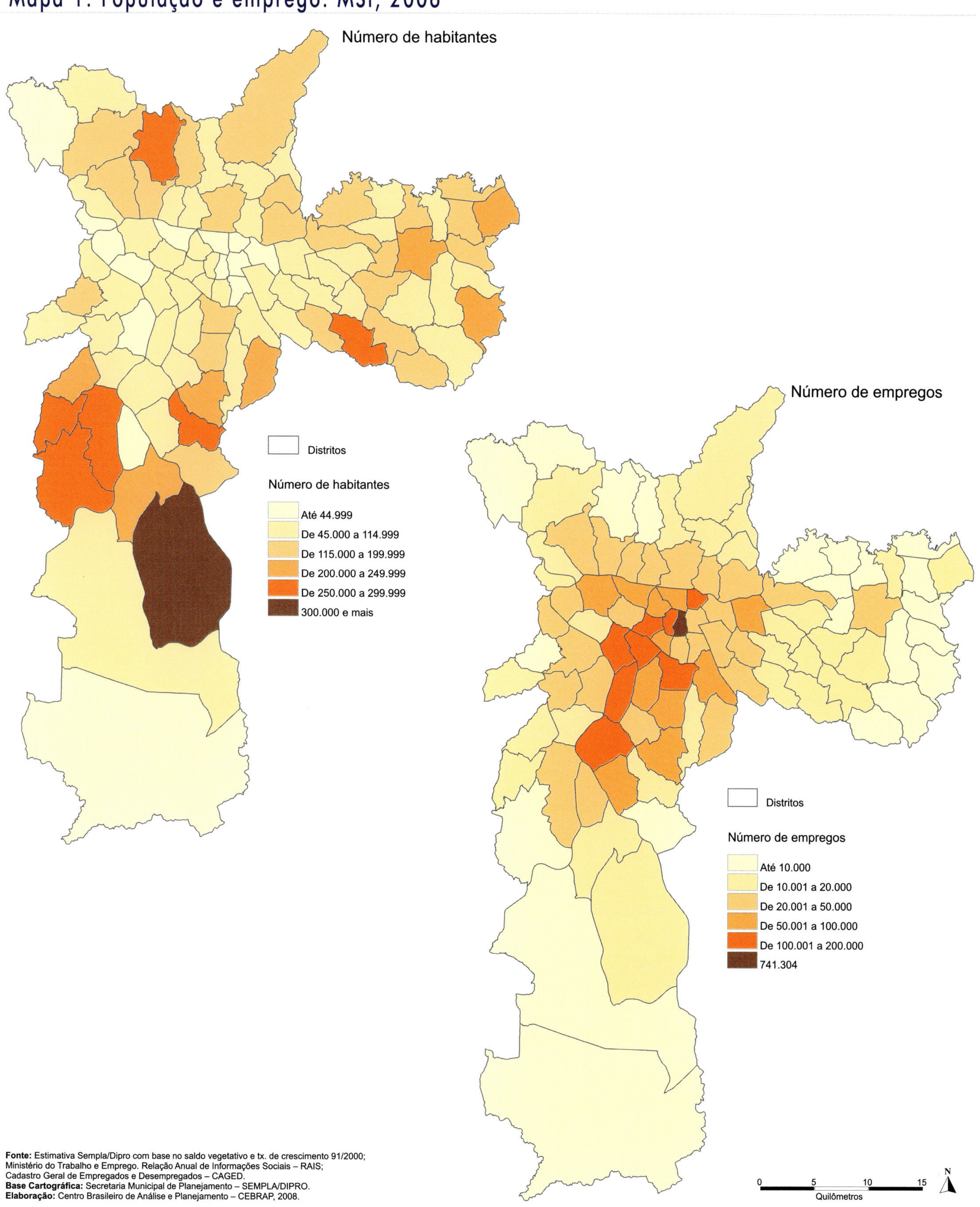

Fonte: Estimativa Sempla/Dipro com base no saldo vegetativo e tx. de crescimento 91/2000; Ministério do Trabalho e Emprego. Relação Anual de Informações Sociais – RAIS; Cadastro Geral de Empregados e Desempregados – CAGED.
Base Cartográfica: Secretaria Municipal de Planejamento – SEMPLA/DIPRO.
Elaboração: Centro Brasileiro de Análise e Planejamento – CEBRAP, 2008.

Tabela 3: Proporção e distribuição de ocupados com nível superior por regiões (%). MSP, 2003-2007

	Zona Leste 1	Zona Leste 2	Zona Sul 1	Zona Sul 2	Zona Oeste	Zona Norte 1	Zona Norte 2	Zona Central	MSP
Ocupados	17,7	7,4	35,4	5,3	46,9	19,6	12,6	28,5	17,8
Desocupados	7,3	1,8	18,4	-	26,1	7,4	4,3	17,5	6,4
Ocupados	14,0	8,3	20,7	5,9	25,2	10,2	8,7	6,8	100,0
Desocupados	14,2	6,9	22,6	-	24,4	10,1	8,4	7,4	100,0

Fonte: Pesquisa de Emprego e Desemprego; estimativas populacionais da Fundação SEADE.
Elaboração CEBRAP.

perior residem nas regiões Oeste, Central, Sul 1 e Leste 1 da cidade de São Paulo (Tabela 3). À medida que há um afastamento em direção à periferia, a PEA com curso superior se torna mais rarefeita.[10]

Nas regiões mais centrais, Oeste, Centro e Sul 1, percebe-se também que ao menos ⅓ dos moradores ocupados possuem curso superior, bastante acima, portanto, dos 18% apurados para a média da cidade. Essa proporção chega a quase 50% dos ocupados e a 26% dos desempregados que moram na zona Oeste. A zona Leste 1, por sua vez, possui uma proporção de residentes ocupados com curso superior próxima à média da cidade, enquanto o percentual de graduados no total de desocupados mostra-se bem inferior, de cerca de 7,0%, próximo ao verificado na zona Norte 1 (Tabela 6).

Tudo indica, portanto, que o excedente de mão de obra com curso superior também está concentrado no centro expandido, ainda que se espalhe para algumas zonas periféricas. Nesse sentido, vale lembrar que de cada dez desempregados com curso superior da cidade quatro vivem nas zonas Sul 1 e Leste 1.

Existe, pois, a possibilidade concreta de migração de atividades produtivas e de postos de trabalho para áreas que se situam próximas ao centro expandido da cidade, ao menos para alguns tipos de atividade e de ocupação.

Desenvolvimento econômico, empregos de qualidade e descentralização territorial

Depreende-se desta análise que o segmento dos trabalhadores com curso superior já representa 18% dos ocupados no município de São Paulo. Adicionalmente, as taxas de desemprego para esse estrato educacional, apesar de inferiores à média, têm se mostrado mais refratárias à queda mesmo num momento de recuperação econômica, em virtude da rápida expansão da oferta de trabalho desse estrato para o conjunto do período 2003-2007.

Esses trabalhadores geralmente estão inseridos nos estratos profissionais e de gerência, mas também nos empregos não manuais de rotina, e ¾ deles são assalariados do setor privado ou público. Além disso, concentram-se nos serviços produtivos, sociais e governamentais e na indústria moderna. Finalmente, se, de um lado, ⅔ da PEA com curso superior vive nas regiões Oeste, Centro, Sul 1 e Leste 1, de outro, verifica-se algum espaço para uma maior desconcentração do emprego.

Um dos grandes desafios da cidade é gerar empregos para essa população economicamente ativa com curso superior, que vem crescendo a uma média de 6,1% ao ano entre 2003 e 2007 — dez vezes à frente do crescimento médio da PEA paulistana. Trata-se de incentivar as atividades de maior produtividade e mais intensivas em conhecimento, as únicas capazes de alavancar o crescimento da cidade em termos sustentáveis, permitindo inclusive um novo tipo de inserção produtiva no âmbito da economia brasileira.

De forma complementar, e não menos importante, deve-se incentivar que a geração desse fluxo de renda nos setores dinâmicos ocorra da forma mais descentralizada possível, a partir da criação de novos polos econômicos no tecido urbano. Essas atividades poderiam estruturar novos encadeamentos setoriais, tanto entre si como também com relação ao restante da cidade – por meio dos circuitos da produção e da renda –, criando uma maior demanda de serviços e indústrias tradicionais e ampliando assim o emprego e a renda dos grupos de menor escolaridade.

[10] Lembremos que a PED é uma pesquisa domiciliar, de modo que as referências espaciais utilizadas no texto são relativas à residência dos entrevistados e não aos seus locais de trabalho. Dada a pequena quantidade de casos por região intramunicipal, agregamos dados das pesquisas entre 2003 e 2007 para obter a quantidade mínima de casos que garantisse o erro amostral máximo recomendado pela Fundação SEADE.

3. Os altos estratos ocupacionais: evolução recente da oferta e da demanda de trabalho

Nesta seção, examinaremos o mercado de trabalho formal paulistano com ênfase nos altos estratos ocupacionais. Para o lado da demanda de trabalho, faremos a análise com base em classificação de subgrupos ocupacionais criada especialmente para este estudo; ela organiza as ocupações não manuais (dos estratos profissionais, de administradores e não manuais de rotina) em subgrupos, de modo a possibilitar uma análise mais detalhada das tendências internas àqueles estratos, as quais não se detectam numa análise mais agregada. Depois da apresentação da metodologia, analisamos os seus resultados para os períodos 1994-2002 e 2003-2006. Na última parte do tópico, discutimos as tendências recentes dos formandos de nível superior por tipos de curso.

Construindo uma metodologia para os altos estratos ocupacionais

Tomando como base a CBO (Classificação Brasileira de Ocupações) e os dados da RAIS (Relação Anual de Informações Sociais) do Ministério do Trabalho e Emprego, constituímos 12 subgrupos ocupacionais relativamente homogêneos quanto aos seguintes critérios:[11] proporção de ocupados com nível superior; tendências de variação dessa proporção ao longo do tempo; semelhança da natureza das ocupações; e renda média. Tivemos sempre em vista a comparação das tendências da demanda de mão de obra com aquelas da oferta, de modo que levamos em consideração também a classificação de cursos superiores do Inep, apresentada ao final deste tópico.

A RAIS, uma fonte de informações cadastrais, possui conhecidas limitações, já que cobre apenas o setor formalizado e contabiliza os registros de emprego das empresas na localização de sua sede. No entanto, sua escolha se justifica pelos seguintes fatores: a abertura para o nível municipal e a desagregação para variáveis diversas, como subgrupos ocupacionais e setores de atividade.

Os subgrupos ocupacionais para os dois períodos são os seguintes:

1. Engenheiros e assemelhados;
2. Médicos, profissionais da área da saúde, biologistas e assemelhados;
3. Profissionais e especialistas das áreas das ciências humanas e sociais e do direito;
4. Profissionais e especialistas das áreas de gestão e ciências exatas e assemelhados;
5. Professores de ensino superior e de 2º grau;[12]
6. Profissionais e trabalhadores das áreas da cultura, esportes e difusão de informações;
7. Diretores de empresa;
8. Gerentes, administradores, chefes intermediários e assemelhados;
9. Técnicos e assemelhados;
10. Professores de primário e 1º grau, educação profissional, educação especial e assemelhados;[13]
11. Trabalhadores da área administrativa;
12. Trabalhadores dos estratos intermediários do comércio e assemelhados.

Quanto ao foco dessa classificação, é importante ressaltar, em primeiro lugar, que não se trata de uma elite restrita do mercado de trabalho, mas de trabalhadores não manuais que se destacam por seus maiores níveis de renda e posição intermediária na estrutura ocupacional.

Os altos estratos, em 2002, abrangiam 90% dos ocupados formais com curso superior. Por outro lado, os trabalhadores com curso secundário ou técnico perfaziam ⅔ dos postos de trabalho alocados para esses estratos.

Procedemos a uma agregação adicional, na tentativa de organizar melhor os subgrupos ocupacionais

[11] Por conta da adoção da CBO 2002 pela RAIS a partir de 2003, fomos obrigados a adaptar nossa classificação de subgrupos ocupacionais à nova metodologia; existe, portanto, uma pequena "quebra" na série histórica no ano de 2003, o que limita a plena comparabilidade entre os dois períodos. Os indicadores são, ainda assim, convergentes, enquanto a diferença de trajetória entre os dois períodos pode ser explicada a partir de mudanças na dinâmica do mercado de trabalho e de sua estrutura ocupacional. Para mais informações, ver o Anexo Metodológico.

[12] Pela alteração do critério de agregação da CBO, a partir de 2003 a categoria inclui somente ocupações em diversos níveis educacionais com a exigência de nível superior e passa a ser classificada como "Professores de nível superior".

[13] Em correspondência com a categoria 5 (nota anterior), esse subgrupo passa a agregar ocupações em vários níveis escolares com exigência de nível médio e a ser classificada como "Professores de nível médio" (para mais detalhes, ver o Anexo Metodológico).

e especificá-los com maior precisão analítica. Partimos, para isso, da metodologia de Kate Purcell e Peter Elias (2004), que definiram categorias básicas para o mercado de trabalho britânico com base nos requisitos de qualificação exigidos para ocupações específicas. A transposição para o caso brasileiro exige a consideração de duas diferenças: a participação de trabalhadores com curso superior na estrutura ocupacional paulistana é quase a metade daquela do Reino Unido; além disso, em parte como decorrência dessa diferença, os requisitos de qualificação para cada ocupação são muito diferenciados nos dois casos. Com isso, nossa agregação ficou com a seguinte configuração:

1. Subgrupos que tradicionalmente exigem curso superior: ocupações historicamente associadas à obtenção de diploma;
2. Subgrupos com a presença de novos nichos: ocupações com novos nichos se destacando, levando à organização de cursos específicos;
3. Subgrupos com crescente exigência de nível superior: ocupações modernas com demanda cada vez maior de empregados com nível superior;
4. Subgrupos com reduzida exigência de curso superior.

Tabela 4: Altos estratos – Percentual médio, variação percentual e número absoluto de graduados por categorias e subgrupos ocupacionais. MSP, 1994-2002

Subgrupos	% méd.	1994-2002 (pp)	Quantidade de casos (sup. completo)			
			1994	1998	2000	2002
A- Subgrupos ocupacionais que tradicionalmente exigem curso superior						
1. Engenheiros e assemelhados	86,7	3,5	22.372	18.966	19.678	20.902
2. Profissionais e especialistas da área das ciências humanas e sociais	83,2	1,6	11.666	11.530	13.935	15.755
3. Professores de ensino superior e de 2º grau	80,8	-7,5	182.423	142.734	130.333	135.140
4. Diretores de empresas	81,0	4,6	7.989	7.530	8.599	8.484
B- Subgrupos ocupacionais com a presença de novos nichos						
5. Médicos, profissionais da saúde, biologistas e assemelhados	87,0	4,9	50.660	36.397	46.888	70.972
6. Trabalhadores e profissionais das áreas da cultura, esporte e difusão da informação	61,0	9,3	8.822	11.105	10.609	10.991
C- Subgrupos ocupacionais com crescente exigência de curso superior						
7. Profissionais e especialistas da área de gestão, ciências exatas e assemelhados	62,2	9,6	19.948	20179	25410	27932
8. Gerentes, administradores e chefes intermediários	46,5	13,1	56.843	57.957	66.105	74.526
D- Subgrupos ocupacionais com reduzida exigência de curso superior						
9. Técnicos e assemelhados	16,3	1,2	12.903	12.114	14.702	16.232
10. Professores do 1º grau e assemelhados	39,2	8,6	79.868	101.436	89.151	100.153
11. Trabalhadores da área administrativa (baixo % graduados)	12,1	4,2	81.275	82.447	82.481	104.099
12. Trabalhadores dos estratos intermediários do comércio e assemelhados	18,9	5,5	12.257	14.075	16.220	17.361
Total - Altos estratos ocupacionais	34,0	14,9	547.026	516.470	524.111	602.547

Fonte: RAIS/MTE. Elaboração CEBRAP.

O período 1994-2002: estagnação do setor formal e incremento da qualificação por substituição

No primeiro período analisado, de 1994 a 2002, registra-se uma tendência geral de retração do emprego formal (de 4%), porém com uma expansão dos ocupados com nível superior (de 10%), o que configura substituição da mão de obra com nível médio. Essa expansão dos graduados ocorreu, ao contrário das expectativas, mais acentuadamente naquelas ocupações com menor exigência de ensino superior. Em adição, justamente essas ocupações apresentaram uma estagnação da renda média no período, ainda que nele se verificassem os maiores diferenciais de renda entre graduados e não graduados.

Destaca-se ainda o dinamismo das ocupações da área das ciências humanas e sociais e dos professores no ensino superior (pela expressiva expansão de postos de trabalho e da renda); profissionais da saúde e especialistas de gestão e ciências exatas (pela expansão também significativa de postos de trabalho, porém sem o incremento acentuado da renda); e daquelas de gerentes, administradores e chefes intermediários (com aumento na renda, porém sem a expansão do número de vagas).

A Tabela 4 apresenta os resultados detalhados da aplicação de nossa metodologia, fazendo uso das quatro categorias adaptadas ao caso paulistano no período 1994-2002. A primeira corresponde às ocupações de nível superior tradicionais, que respondem por 30% dos trabalhadores com curso superior da cidade. Outros 14% dos ocupados com curso superior estão em subgrupos ocupacionais que se destacam pela emergência de alguns novos nichos. No âmbito das ocupações da área da saúde, destaca-se a crescente exigência de curso superior para farmacêuticos, nutricionistas e enfermeiros. Esse subgrupo apresenta demais ocupações tradicionais de nível superior, tais como médicos e cirurgiões-dentistas (mais de 90% dos ocupados com curso superior). Já no caso das ocupações dos profissionais da área da cultura, esporte e difusão de informações merecem destaque os jornalistas, atores, produtores de espetáculos e técnicos esportivos.

A terceira categoria engloba subgrupos ocupacionais em que quase todas as ocupações têm exigido crescentemente o diploma de graduação; ela abarca 17% dos empregados com curso superior. Finalmente, a quarta categoria engloba os subgrupos com reduzida exigência de curso superior, representando um montante não desprezível de 40% dos ocupados com curso superior da cidade.

Acompanhamos agora a evolução do emprego para as pessoas com curso superior desses subgrupos ocupacionais entre 1994 e 2002. O objetivo é produzir um retrato para avaliar com maior detalhamento as mudanças verificadas no período que nos interessa, o pós-2003.

Se tomarmos como referência apenas os subgrupos ocupacionais com mais de 20 mil empregos alocados para pessoas com curso superior, podemos perceber as seguintes tendências. Em primeiro lugar, observa-se uma forte queda do emprego no subgrupo de professores de ensino superior e de 2º grau, de 26%, que na realidade se restringe àqueles vinculados ao ensino secundário, e atinge principalmente os graduados (redução de 33% dos empregos). Em contraste, o nível de emprego dos professores para o ensino superior se elevou no período em quase 50%, chegando a representar, em 2002, 18% dos empregos do professorado desses dois níveis de ensino.

Todos os demais subgrupos ocupacionais apresentaram crescimento expressivo no período, à exceção das ocupações para engenheiros, que se mantiveram estagnadas, num quadro marcado pelo ajuste defensivo das empresas, em que a terceirização jogou papel de destaque.

Entre os professores do 1º grau e os trabalhadores administrativos, houve uma elevação do nível de emprego com curso superior de mais de 25% no período. Trata-se de um dado relevante, especialmente quando se considera que nesses subgrupos a presença do diploma não é generalizada.

As ocupações modernas – ou seja, que exigem crescentemente a posse do diploma – cresceram ainda mais rapidamente, cerca de 30% no município de São Paulo, mesmo num período de baixo dinamismo econômico.

Foram, entretanto, as ocupações dos profissionais da área de saúde que apresentaram o maior crescimento relativo e em termos absolutos: expansão do emprego de 40% e 20 mil novos empregos com curso superior no período.

Paralelamente, em termos de renda, verifica-se que as categorias que se destacaram por redução ou estagnação do salário real geralmente se encontram nos subgrupos ocupacionais com reduzida participação de trabalhadores com curso superior. A maior queda registrada foi a da renda dos professores do 1° grau com curso superior. Adicionalmente, o subgrupo dos engenheiros, que também se caracterizou por uma demanda pouco dinâmica, apesar dos altos salários em termos relativos, sofreu uma queda da renda de 3% entre 1994 e 2002.

Dentre os demais subgrupos ocupacionais, merece destaque a evolução dos salários dos diretores de empresa (expansão de 124%), dos profissionais da área de ciências humanas e sociais (expansão de 45%) e dos gerentes e administradores (expansão de 18%). Esse resultado refere-se à média das ocupações que compõem os subgrupos, podendo levar a distorções. No caso dos profissionais da área de ciências humanas e sociais, por exemplo, esse aumento deve-se especialmente aos advogados e juristas, ainda que todas as ocupações tenham experimentado elevação. Já os baixos níveis relativos de renda média dos profissionais das áreas de educação e saúde se explicam pela grande participação dos empregos públicos.

Portanto, a partir da fotografia de 2002, pode-se dizer que existem quatro patamares básicos em termos de renda para os trabalhadores dos altos estratos ocupacionais do município de São Paulo: o dos diretores de empresa no topo; seguido dos gerentes e administradores, engenheiros, profissionais da área de gestão e de ciências exatas e das ciências sociais e humanas com renda pelo menos 40% superior à média dos ocupados com curso superior; e, em terceiro lugar, pelos trabalhadores dos estratos intermediários do comércio, trabalhadores e profissionais da área da cultura e outros, e técnicos e assemelhados; finalmente, na base da pirâmide salarial dos empregados com curso superior, encontram-se os trabalhadores da área administrativa, da área da saúde e da educação.

O mais surpreendente, contudo, é que os subgrupos ocupacionais que apresentam reduzida exigência de curso superior, e que se destacaram pelo comportamento estagnado ou decrescente da renda, responderam por 93% dos novos empregos com curso superior para os altos estratos ocupacionais. Conforme veremos adiante, essa evolução mostra-se, em grande medida conjuntural, refletindo o comportamento de um mercado de trabalho retraído e incapaz de absorver de forma dinâmica os trabalhadores com curso superior.

O período 2003-2006: recuperação do setor formal privado e dinamismo nos altos estratos

A partir de 2003, verifica-se um crescimento mais acelerado do nível de emprego com curso superior das ocupações dos altos estratos do mercado de trabalho paulistano. Num período de apenas três anos (2003 a 2006), o incremento desse nível de ocupação mostrou-se mais rápido do que o verificado para o período de oito anos analisado anteriormente. Os empregos com curso superior passaram a representar 42% do total dessas ocupações no município de São Paulo, com níveis ainda bastante distintos para cada subgrupo ocupacional (Tabela 5).

Outra particularidade do período mais recente é que a participação das ocupações dos altos estratos no emprego formal total reduziu-se de 53,5% para 49,3%, o que se deve ao crescimento ainda mais pronunciado das ocupações dos estratos manuais da força de trabalho, fortemente puxado pela recuperação da economia brasileira e do emprego formal em geral.

De qualquer maneira, os empregos com curso superior dos altos estratos ocupacionais respondiam por um em cada cinco empregos do mercado de trabalho formal paulistano. Entre 2003 e 2006, a expansão da demanda de trabalho para essas ocupações com curso superior foi de 3,7% ao ano, levando a uma geração de 84 mil novos empregos.

Para o período 2003-2006, há evidências de que houve de fato a criação de novos postos de trabalho para ocupados com nível superior. Não podemos ignorar, obviamente, a hipótese de que uma parcela dos empregados com nível superior no período tenha se constituído de empregados que anteriormente tinham ensino médio completo e, mantendo seu posto de trabalho, incrementaram sua escolaridade – o que pode resultar, em tese, na ampliação do repertório de habilidades e, em consequência, no aumento da produtividade ou na maior adequação entre a ocupação e o posto de trabalho.

No entanto, o forte crescimento do emprego para graduados no subgrupo de ocupações tradicionais (com percentual de graduados próximo a 100%) indica a criação de novos postos de trabalho. As ocupações de gestão e ciências exatas apresentam um quadro contrastante, já que nesse caso se verificou uma redução da proporção de graduados; isso porque se os níveis absolutos de ocupados com nível superior aumentam, aqueles de não graduados aumentam ainda mais, apontando para um possível gargalo na oferta de trabalho mais qualificado deste subgrupo.[14]

Tabela 5: Evolução dos trabalhadores com curso superior por categorias e subgrupos ocupacionais. MSP, 2003-2006

Subgrupos	Superior completo				Setor público		Variação da Renda		
	% médio	Variação (pp)	Absoluto 2003	Absoluto 2006	% médio	Variação (pp)	Médio comp.	Superior comp.	Total
A- Subgrupos ocupacionais que tradicionalmente exigem curso superior	91,1	4,9	158.428	180.272	44,3	0,4	20,1	10,7	13,6
Engenheiros e assemelhados	98,6	0,1	21.663	24.788	15,5	-2,0	-12,9	8,5	8,3
Profissionais ciências humanas e sociais	97,4	-2,9	21.548	25.072	43,1	-5,6	-52,2	10,3	7,5
Professores de nível superior	89,7	8,0	90.844	105.993	51,5	2,1	6,8	11,9	15,7
Diretores de empresas	85,3	2,1	24.373	24.419	41,6	2,6	10,4	20,2	20,5
B- Subgrupos ocupacionais com a presença de novos nichos	94,1	-0,7	90.280	99.374	57,0	-5,9	-0,3	14,0	13,1
Profissionais saúde, médicos e assemelhados	99,2	0,0	84.428	91.482	63,8	-5,1	-3,4	15,9	15,9
Profissionais e trabalhadores cultura, esportes e difusão de informação	56,8	1,4	5.852	7.892	6,8	-2,0	-1,1	-7,6	-5,0
C- Subgrupos ocupacionais com crescente exigência de curso superior	61,3	-3,0	138.896	158.733	3,1	-0,3	7,2	7,9	5,3
Profissionais gestão, ciências exatas e assemelhados	83,3	-19,9	71.032	77.745	3,4	-1,0	-11,1	9,7	-0,8
Gerentes e administradores	48,8	4,0	67.864	80.988	3,0	0,1	4,7	5,1	9,6
D- Subgrupos ocupacionais com reduzida exigência de curso superior	27,5	1,3	349.229	382.954	41,0	-6,5	15,6	7,4	13,2
Técnicos	13,9	2,1	36.933	46.904	27,6	-1,0	6,4	1,9	7,3
Professores de nível médio	64,8	14,4	200.529	221.703	92,2	-2,3	12,2	23,6	29,0
Trabalhadores administração	15,4	-1,6	99.529	98.890	24,6	-5,7	18,6	-3,7	9,2
Profis. e trab. comércio e mercado financeiro	24,5	1,0	12.238	15.457	0,7	-0,1	-7,6	7,1	0,3

[14] A título de ilustração, ressalte-se que houve quedas expressivas do percentual de pessoas com curso superior entre 2003 e 2006 nas seguintes ocupações deste subgrupo: administradores de redes, sistemas e banco de dados (99,5% para 64,8%), analistas de sistemas computacionais (de 98,9% para 71,3%), profissionais de recursos humanos (de 99,3% para 73,9%), profissionais de administração econômico-financeira (88,4% para 71,7%), profissionais de relações públicas, publicidade, mercado e negócios (de 99,4% para 75,2%).

Nos subgrupos ocupacionais com a presença de novos nichos, pode-se dizer que a área de profissionais de saúde converte-se em uma área tradicional de curso superior. Na grande maioria das ocupações, 100% dos empregados já possuíam curso superior em 2006, o que significa que a utilização de trabalhadores com ensino secundário figura como estratégia do passado.

No caso dos profissionais da cultura, esportes e difusão de informações, o número de empregos para os altos estratos continua a se ampliar de modo significativo nas diferentes ocupações, com crescimento total de 31,5%, mostrando-se mais acentuado entre aqueles com nível superior, com 34,9%.[15]

Vale apontar também para o aumento do percentual de trabalhadores com curso superior nos subgrupos ocupacionais em que este não é um requisito generalizado. No caso dos professores para os quais se exige nível médio, esse percentual se elevou de 57,6% para 72,0% entre 2003 e 2006, o mesmo acontecendo para os profissionais e trabalhadores do comércio e do mercado financeiro e para os trabalhadores de nível técnico, ainda que nesses casos os patamares de exigência de diploma se mostrem bem inferiores. Essas transformações entre profissionais do ensino já eram verificadas no período anteriormente analisado e parecem expressar uma reestruturação no mercado de trabalho do setor de educação, em que os profissionais com até ensino médio completo são gradativamente substituídos por aqueles com ensino superior completo.

Em contraste com o período 1994-2002, em que os subgrupos com reduzida exigência de curso superior representaram cerca de 90% do crescimento do emprego para graduados, entre os maiores responsáveis pela elevação absoluta do estoque de empregos com curso superior para os altos estratos, há agora subgrupos de ocupações tradicionais de graduados e de ocupações modernas – professores de nível superior e gerentes e administradores. Já em termos de expansão percentual, os profissionais de cultura, esportes e difusão de informações aparecem em primeiro lugar (expansão acumulada do emprego de 35%). Mais uma vez, destacam-se os gerentes e administradores e os professores de nível superior, além dos profissionais das ciências humanas e sociais e dos engenheiros, todos com uma expansão superior à média dos altos estratos.

Continua havendo uma elevação do emprego com diploma para os trabalhadores dos subgrupos ocupacionais com baixa exigência de curso superior, porém verifica-se que essa categoria responde por apenas 40% dos novos empregos graduados gerados nos altos estratos. Tal fato revela o dinamismo, após 2003, das ocupações que pagam maiores salários e estão relacionadas a elevados níveis de produtividade, as quais tendem também a se expandir mais rapidamente em São Paulo durante a recuperação econômica do país.

De modo a enriquecer esta análise da evolução do nível de emprego com curso superior por subgrupos ocupacionais, vale a pena destacar a participação diferenciada dos estabelecimentos públicos e privados[16] na geração dos respectivos postos de trabalho.

Para o conjunto dos altos estratos ocupacionais, a participação do setor público no total de empregos paulistanos com curso superior decresce de 48,7% para 46,7% entre 2003 e 2006, indicando que a recente expansão desses postos de trabalho está, em boa parte, relacionada com a dinâmica do setor privado. No período analisado, o crescimento do emprego privado para os altos estratos foi de 16%, contra 7% no caso do emprego público. Ou, dito de outra forma, 70% dos empregos com curso superior "gerados" nesse período estiveram alocados no setor privado.

Mais uma vez, percebe-se que a expansão do emprego com curso superior nos altos estratos ocupacionais, quando se analisa apenas o setor privado, também aparece dividida entre dois extremos de renda e qualificação. De um lado, estão os gerentes e administradores (19,1%), os profissionais de gestão e ciências exatas (9,7%) e de ciências humanas e sociais (26%), mais os profissionais da área da saúde

[15] Isso não significa, como se verá na parte de comparação da oferta com a demanda, que haja escassez de mão de obra com nível superior em média no setor (apesar de poder haver escassez em nichos específicos); ao contrário, se verificará que de fato há um grande contingente de mão de obra com nível superior sendo formado a cada ano no MSP, que excede a demanda em números absolutos e que provavelmente justifica este crescimento acentuado do setor.

[16] A administração pública foi definida com base na variável de natureza jurídica do estabelecimento e inclui órgãos públicos, autarquias e fundações dos três níveis do poder público; o restante dos estabelecimentos foi considerado como pertencente ao setor privado: entidades empresariais, entidades sem fins lucrativos, pessoas físicas e outras formas de organização legal.

(25,2%). Apesar de gerarem menos empregos em termos absolutos, observa-se uma recuperação forte do emprego dos engenheiros no setor privado (17,2%), e, mais surpreendente ainda, dos profissionais da cultura, esportes e difusão de informações (36,9%).

No outro extremo, merece destaque a expansão do emprego no setor privado de trabalhadores com curso superior nos subgrupos ocupacionais de técnicos (25,3%), profissionais e trabalhadores do comércio e do setor financeiro (27,6%), além dos trabalhadores da área administrativa (17,0%).

A participação do setor público no emprego mostra-se essencialmente elevada para os professores para os quais se exige nível secundário (cerca de 95%), concentrados na rede escolar do 1º grau. Já para os professores de nível superior – concentrados nas universidades –, o setor privado responde por menos de 50% das vagas. Para os profissionais da área da saúde, essa participação revela-se elevada, mas decrescente – passa de 67% para 62% entre 2003 e 2006 –, evidenciando a crescente importância do setor privado para essas ocupações.

Quanto à dinâmica da renda, observa-se no município de São Paulo uma elevação da renda média dos altos estratos de 13,6%, e de 9,9% para aqueles que possuem curso superior. Ora, como a renda dos altos estratos que possuíam curso superior (R$ 3.124) se mostrava 143% superior à renda dos "sem diploma" (R$ 1.284), o dado acima quer dizer apenas que houve uma pequena redução do diferencial.

Os dados de 2006 revelam que o fator decisivo para essa elevação mais acentuada da renda dos grupos sem nível superior dentre os pertencentes aos altos estratos está relacionado ao papel ainda importante do setor público. Essa importância pode ser observada com o seguinte dado: entre os não graduados dos altos estratos, a renda média no setor público apresenta-se em torno de 10% superior àquela no setor privado; em contraste, a renda média dos graduados dos altos estratos no setor privado é 115% maior do que aquela dos graduados no setor público.

Em adição, parte da redução da desigualdade de renda entre graus de escolaridade pode estar refletindo também a existência de gargalos mais ou menos disseminados nos empregos de alta qualificação, que fariam as empresas pagarem um prêmio para os trabalhadores que exercem determinadas funções mesmo que não disponham das credenciais necessárias.

Com isso, fica evidente que a tendência de ampliação da desigualdade da renda interna aos altos estratos foi contida no presente período de maior dinamismo econômico e maior complexidade social e produtiva do mercado de trabalho paulistano.

Altos estratos do mercado de trabalho e atividades intensivas em tecnologia e conhecimento

Podemos agora cruzar os 12 subgrupos ocupacionais selecionados com os setores intensivos em conhecimento, tal como classificados no capítulo 2, de Torres Freire, Abdal e Bessa, deste livro. No caso dos segmentos de serviços, a participação dos altos estratos ocupacionais na estrutura do emprego supera a média do setor formal, de 50%. Já no caso da indústria de alta e

Gráfico 5

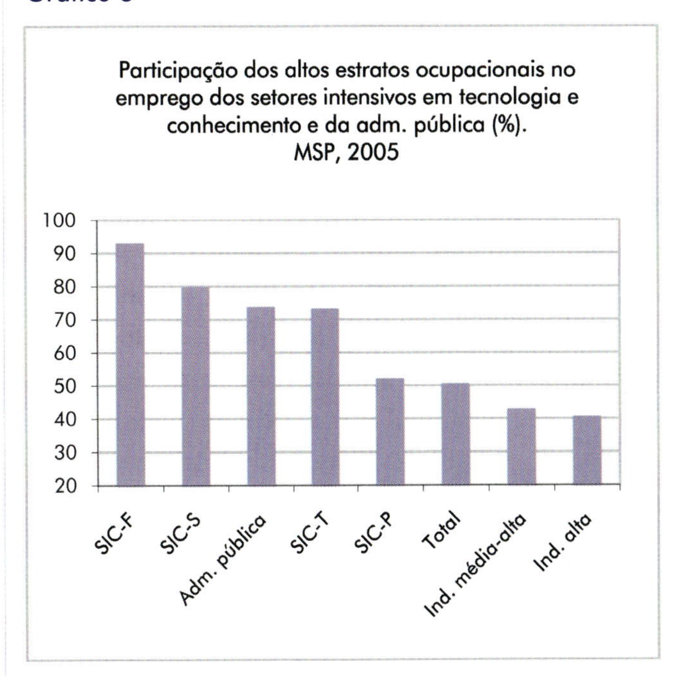

Fonte: RAIS/MTE. Elaboração própria.

de média-alta tecnologia, essa participação situa-se em torno de 40%. Ressalta-se ainda a posição da administração pública, em que ¾ dos empregos encontram-se nos altos estratos ocupacionais (Gráfico 5).

Nos setores de serviços financeiros e sociais, ao menos 8 em cada 10 trabalhadores empregados pertencem aos altos estratos. Essa proporção é de 7 para cada 10 postos de trabalho no setor de serviços tecnológicos e de 5 para 10 nos serviços profissionais. Neste último segmento e nos segmentos da indústria moderna, o potencial de geração de empregos nos altos estratos é acompanhado pela expansão bastante acentuada das ocupações manuais.

Esses dados apontam para o fato de que a expansão dos setores intensivos em conhecimento gera empregos mais qualificados, mas também afeta os segmentos de menor qualificação da força de trabalho, ainda que em magnitudes diferenciadas.

Pode-se agora intentar uma análise da distribuição dos empregos com curso superior dos sete segmentos intensivos em conhecimento por subgrupos ocupacionais dos altos estratos (mais uma vez de acordo com a metodologia do capítulo 2), isolando-se apenas os estabelecimentos privados. São cerca de 230 mil empregos no MSP, com os cinco segmentos de serviços representando 90% do emprego total.

No caso dos engenheiros, observa-se que estes respondem por uma importante participação no emprego na indústria de alta tecnologia e nos serviços tecnológicos. Já os profissionais de gestão e de ciências exatas representam entre ¼ e ⅓ dos empregos com curso superior nos serviços tecnológicos, profissionais e financeiros. Os profissionais de saúde e os professores com curso superior respondem por ¾ dos empregos dos serviços sociais. Gerentes e administradores possuem uma participação elevada na indústria e nos serviços tecnológicos, profissionais e financeiros.

Vale enfatizar a importante participação dos técnicos e dos trabalhadores de administração em vários dos setores intensivos em conhecimento. No caso dos técnicos, estes respondem por 10% dos empregos com curso superior na indústria de alta e média tecnologia e no segmento de serviços tecnológicos. Os trabalhadores administrativos, por sua vez, participam com ⅕ dos empregos nos serviços produtivos e ⅓ dos empregos nos serviços financeiros. Tal constatação indica que o potencial de geração de empregos nos serviços intensivos em conhecimento não se restringe aos segmentos mais qualificados da força de trabalho.

Do ponto de vista da demanda de trabalho, observa-se, portanto, uma expansão pronunciada do emprego com nível superior para os altos estratos ocupacionais entre 2003 e 2006, puxada especialmente pelo setor privado. Nesse período, verificou-se uma recuperação do emprego para os engenheiros e uma importante expansão para gerentes e administradores e profissionais da área da saúde. Os empregos para os profissionais das ciências humanas e sociais e de profissionais da cultura, esportes e difusão de informação expandiram-se mais rapidamente em termos relativos, enquanto para os profissionais de gestão e ciências exatas, verificou-se uma importante elevação no total de postos de trabalho gerados. Também se verificou uma expansão, no caso do setor privado, de empregos para trabalhadores com curso superior nas ocupações de técnicos, trabalhadores administrativos e profissionais e trabalhadores do comércio e do setor financeiro.

Alto dinamismo na oferta de trabalhadores qualificados

Do lado da oferta de trabalho, procuramos apresentar algumas tendências recentes que apontam para novidades importantes para a formulação de políticas públicas. Utilizamos aqui basicamente as informações do Censo da Educação Superior do Inep (Instituto Nacional de Estudos e Pesquisas Educacionais Anísio Teixeira) para o MSP, concentrando a análise nos dados de total de candidatos, vagas, alunos novos e concluintes durante o período 2000-2005.

Os cursos foram agrupados nas seguintes categorias: engenharia e arquitetura; ciências humanas e sociais; ciências exatas, analistas de sistemas e administração; medicina e saúde; artes e cultura; e educação.[17]

[17] As agregações referem-se às áreas específicas, uma classificação do próprio Inep organizada com dois dígitos. As agregações que realizamos foram criadas com o fito de compatibilizar os dados da oferta de mão de obra com a demanda, organizada a partir dos subgrupos ocupacionais. Por isso, diferencia-se da classificação desenvolvida no capítulo 4, de Consoni, no presente livro. Os resultados, contudo, mostram-se convergentes.

Gráfico 6

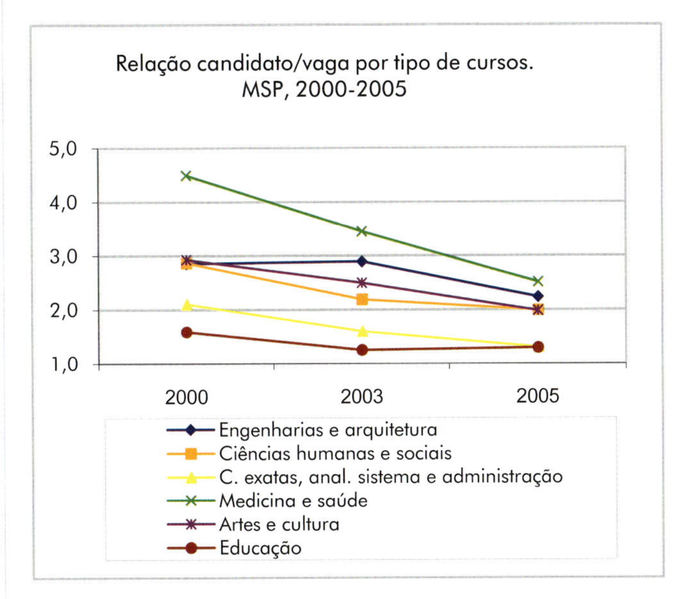

Fonte: Inep/MEC. Elaboração própria.

Em primeiro lugar, observa-se que a oferta de vagas tem se expandido bem à frente do total de candidatos. Para o período 2000-2005, as vagas cresceram 72%, contra 9% no caso do número de candidatos. Essa expansão das vagas ofertadas deve-se, em grande medida, às universidades privadas, que incrementaram em 74% o número de vagas no município de São Paulo, contra 29% no caso das universidades públicas.

A continuar essa expansão do número de vagas, e tendo em vista as tendências demográficas do MSP, o problema da educação superior na cidade passa a ser o de assegurar uma melhor qualidade de ensino e uma maior sintonia entre a oferta de cursos e o perfil do emprego, já que a demanda por curso superior tende a se estabilizar em níveis elevados, em virtude inclusive do expressivo número de pessoas cursando o ensino secundário.

Tal tendência pode ser comprovada a partir da relação candidato/vaga por tipos de curso. Todos os cursos experimentaram uma redução da relação candidato-vaga. Essa queda foi especialmente forte na área de medicina e saúde, em que a relação se reduziu de 4,5 para 2,5 no período. Entretanto, essa área continua apresentando a maior relação candidato/vaga do município, sendo seguida por engenharia e arquitetura, ciências humanas e sociais e artes e cultura, com uma relação candidato/vaga próxima de 2. Nas áreas de educação e ciências exatas, análise de sistemas e administração, essa relação já se encontra na casa de 1,3, tendo sofrido uma queda substantiva especialmente na área de administração (Gráfico 6).

Para o conjunto do MSP, a relação candidato/vaga regrediu de 2,7 para 1,7 no período analisado. Em 2005, eram cerca de 490 mil candidatos para 287 mil vagas. O fato de alguns dos cursos mais requisitados terem sofrido uma redução em sua relação candidato/vaga indica que, ao menos no que diz respeito a fornecer o tipo de curso que o mercado demanda, as universidades estão bem posicionadas.[18] Mais uma vez, isso não revela nada sobre a formação obtida pelos alunos, especialmente quando se levam em consideração as tendências de crescente mercantilização do ensino, aguçadas pela baixa capacidade de regulação por parte do setor público.

Podemos destacar outras duas tendências sobre as mudanças no perfil da força de trabalho com curso superior que está ingressando no mercado de trabalho. Tal como no caso da relação candidato/vaga, verifica-se que o número de alunos concluintes tem crescido mais rapidamente que o de alunos novos ingressando nas universidades. Enquanto entre 2000 e 2005 o número de alunos recém-ingressos nas universidades paulistanos incrementou-se em 25,6%, o número de concluintes elevou-se em 82,2%. Essa diferença pode estar relacionada a uma menor taxa de evasão ou a uma concentração de formandos oriundos do período de forte elevação de matrículas e que se encontravam defasados. Novamente temos um indício de que o total de concluintes deve ao menos se estabilizar no médio prazo. No ano de 2005, a cidade de São Paulo contou com cerca de 80 mil concluintes de curso superior, 90% dos quais provenientes de universidades privadas.

Em segundo lugar, quando se desagregam os dados por tipos de curso, percebe-se que pelo menos três áreas dobraram o número de alunos concluintes entre 2000 e 2005: medicina e saúde (138,4%), arte

[18] Conforme o padrão de "divisão do trabalho" indicado no capítulo 4, de Consoni, a universidade pública conta com maior capacidade de investimento, apresentando importância significativa na expansão de cursos das áreas de exatas e engenharia; já o setor privado, por possuir maior flexibilidade administrativa, consegue atender às demandas mais urgentes de cursos mais generalistas.

Gráfico 7

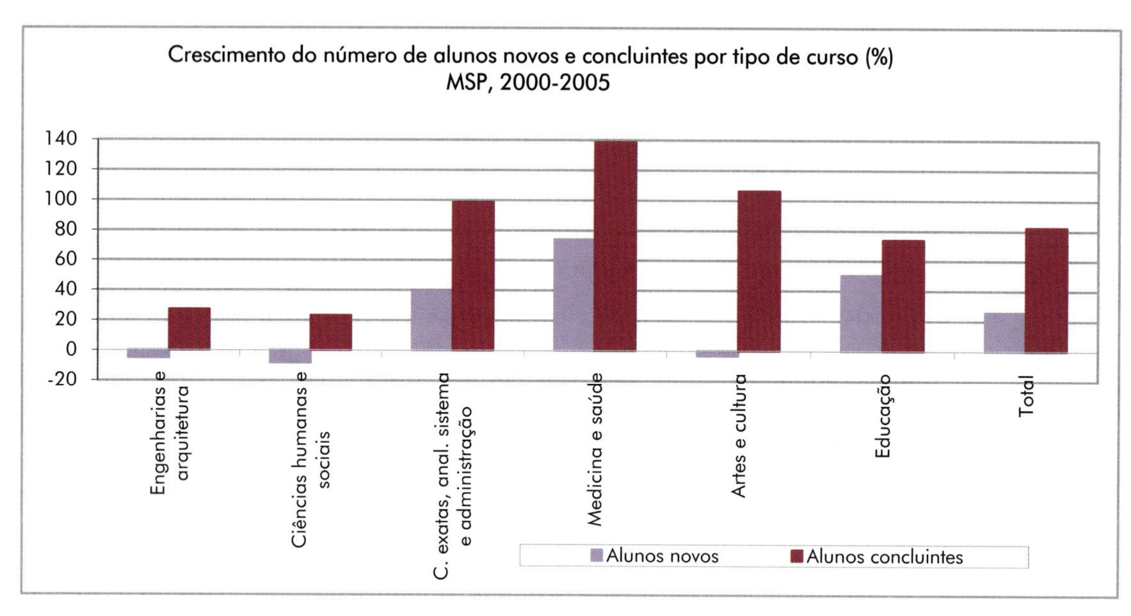

Fonte: Inep/MEC. Elaboração própria.

e cultura (106,2%) e ciências exatas, análise de sistemas e administração (98,5%) (Gráfico 7). O primeiro e o terceiro casos destacam-se por terem sido aqueles tipos de curso que, com o de educação, elevaram o número de alunos novos no período, o que coincide com a forte elevação da demanda de trabalho, como veremos no próximo tópico.

Na área de artes e cultura, o descompasso entre alunos novos e concluintes indica um excesso de oferta de vagas, o que também parece ser o caso da área de ciências sociais e humanas. Já no caso de engenharia e arquitetura, o crescimento dos alunos concluintes e a queda dos novos alunos no período podem revelar uma defasagem com relação às tendências do mercado; ou então indicar a prevalência de fatores como o alto custo destes cursos para as universidades privadas, havendo assim uma maior dependência com relação à universidade pública, especialmente no caso dos engenheiros, em que a oferta de cursos se mostra mais inelástica.

Quando se analisa a distribuição dos alunos concluintes por tipos de curso em 2005, observa-se que os cursos mais voltados para o "mercado" – ciências exatas, analistas de sistemas e administração mais os engenheiros e arquitetos (estes últimos com uma participação de apenas 6,5% do total) – possuem a maior participação e representam 43% dos concluintes, enquanto as três áreas de ciências humanas e sociais, arte e cultura e medicina e saúde possuem, cada uma, uma participação de cerca de 15%; além disso, os profissionais das ciências da educação abarcam cerca de 10% dos formandos.

Um olhar para a distribuição dos alunos novos em 2005 confirma essa tendência de participação crescente dos formandos nas áreas de ciências exatas, análise de sistemas e administração e medicina e saúde, justamente onde a demanda de trabalho tem se revelado mais pujante. Esse também é o caso da área da educação, o que se explica seja pela pressão para a obtenção do curso superior no caso dos professores do ensino secundário, seja pela crescente necessidade de profissionais por parte das universidades.

4. Gargalos de qualificação nos altos estratos ocupacionais

No tópico anterior, apresentamos as principais tendências da oferta e da demanda de trabalho dos altos estratos ocupacionais do mercado de trabalho paulistano. Em linhas gerais, chegou-se à conclusão de que a oferta de trabalhadores com curso superior tende a se estabilizar no médio prazo, ainda que em níveis elevados, e de que a evolução da oferta de cursos de nível superior tem acompanhado em linhas gerais as tendências do mercado, o que não quer dizer que a formação obtida seja adequada e de qualidade, ou que não existam gargalos ou excedente de trabalhadores qualificados em áreas e ocupações específicas.

Procuramos agora acompanhar a evolução casada da oferta e da demanda de trabalho entre 2003 e 2005. Para esse exercício comparativo, no caso da oferta, partimos dos seis tipos de curso de nível superior analisados anteriormente; no lado da demanda, convertemos os 12 subgrupos ocupacionais em 6, de modo a permitir uma comparação mais precisa com a oferta; além disso, consideramos como *proxy* da demanda a quantidade de contratações realizadas em um ano, e não a variação do estoque, como foi feito no tópico anterior. Num momento posterior, estimamos a demanda e a oferta referentes aos seis tipos de curso e ocupação para os anos de 2007 e 2009, já que os dados disponíveis do Inep para os alunos novos vão até 2005. Utilizamos para fins de cálculo uma duração média de curso de 4 anos e extrapolamos a taxa de evasão encontrada para o ano de 2005. Adicionalmente, supusemos que a demanda cresce entre 2005 e 2009 a um ritmo equivalente a 80% do verificado entre 2003 e 2005.

É importante destacar que o presente exercício de análise conjunta da oferta e da demanda de trabalho dos altos estratos ocupacionais não pretende indicar números exatos de escassez ou excesso de mão de obra; nosso objetivo é ressaltar as tendências de longo prazo relevantes, além de indícios de desajuste no mercado de trabalho, para a elaboração de políticas públicas. Nesse sentido, é necessário considerarmos algumas premissas:

- Desconsideração da situação inicial de escassez: não foi possível determinar a mão de obra qualificada desocupada.
- Correspondência razoável entre a formação nos cursos superiores e o exercício de ocupações: uma hipótese de fato irrealista, em virtude da tendência atual de interpenetração entre os campos profissionais; no entanto, não se dispõe de base de dados quantitativa que permita cruzar as informações sobre as áreas da formação superior e aquelas referentes às ocupações.
- Expansão da oferta de trabalho dos altos estratos relacionada somente à expansão do nível superior: uma limitação, tendo em vista a presença também importante de trabalhadores provenientes

Gráfico 8

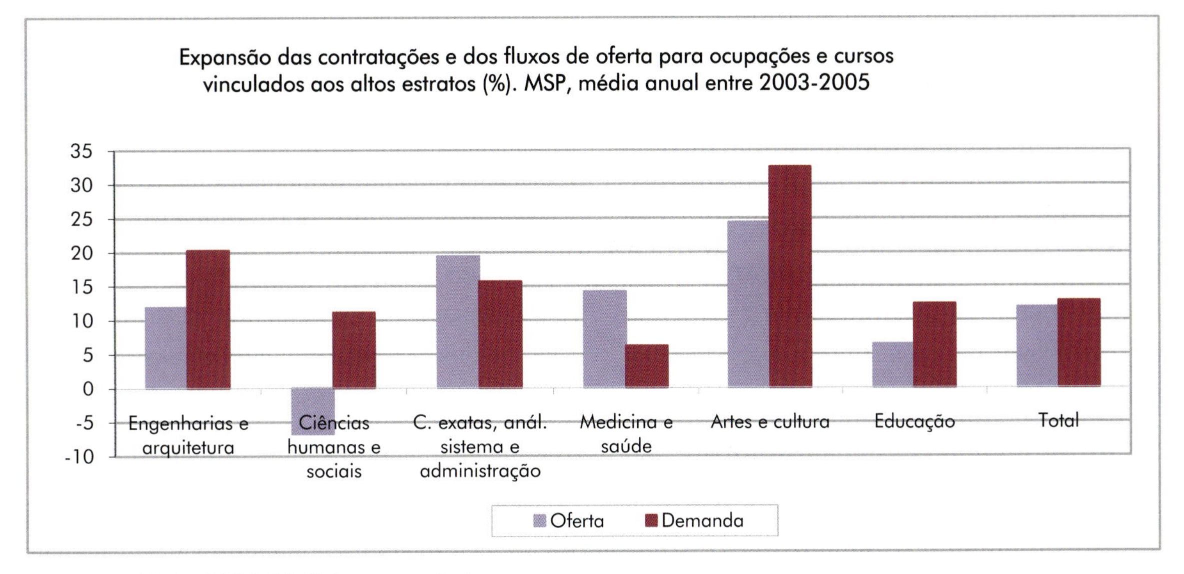

Fonte: Inep/MEC e RAIS/MTE. Elaboração própria.

do ensino técnico em algumas das ocupações analisadas.[19] Estudos futuros poderiam casar esta base de dados com outras existentes para o município de São Paulo (Sistema S, FATECs e SINE).

- A estimativa da oferta se encontra superestimada, na medida em que uma parcela dos concluintes já se encontra inserida no mercado formal.[20]
- Reconhecemos o fato de que muitos dos formandos trabalham fora do município de São Paulo, que cumpre papel estratégico ao qualificar a oferta de trabalho de vários municípios da RMSP; no entanto, não pudemos considerá-lo em nossa análise.

Podemos observar que a demanda por trabalho se expandiu em todos os subgrupos, e na maioria deles (com a exceção daqueles de medicina e saúde e de comércio e administração) esse crescimento se fez acima daquele apresentado pela oferta (Gráfico 8). O que esses dados mostram é que há uma tendência ao desajuste entre a oferta e a demanda por força de trabalho com ensino superior, no sentido da escassez da oferta. Isso significa que num cenário hipotético de excesso inicial de oferta de graduados no mercado de trabalho (considerando os ocupados no mercado de trabalho não formal; e desocupados, inclusive por desalento), a tendência seria de redução do desemprego e da mão de obra excedente, com alguma parcela de troca de pessoas entre postos de trabalho diferentes; em caso de escassez atual de oferta, a tendência seria a de aprofundamento da falta de mão de obra.

No caso dos médicos e profissionais da saúde, observa-se uma diferença de 8 pontos percentuais em favor da oferta, o que aponta para um potencial expressivo de expansão do setor no futuro. Como mencionado anteriormente, há indícios de que o mercado de trabalho configurado pelos estabelecimentos do setor privado apresenta crescimento consistente: aumento do estoque de profissionais da área (de 25%) e expansão do número de contratações (de cerca de 24%), além de aumento da renda média (em 6,8%) acima daquela do total de ocupados com nível superior do setor privado (de cerca de 3,8%). Em contraste, o setor público apresentou retração do volume de contratações (de cerce de 2,5%). Mesmo que haja um aumento acentuado na renda média, este se dá a partir de um patamar muito inferior àquele do setor público.

Observa-se ainda que o adicional de força de trabalho com nível superior se expande de forma expressiva para as áreas de ciências exatas, análise de sistemas e administração (em cerca de 64% entre 2005 e 2009) e para medicina e saúde (em cerca de 83%). Essas são de fato as áreas com maior expansão de novas contratações, com educação, em que o setor público joga um papel relevante e nem todos os empregos exigem curso superior.

Para a comparação direta entre o volume da expansão da oferta de força de trabalho com nível superior e o da demanda por esses trabalhadores em termos absolutos, construímos o Gráfico 9, que nos mostra a razão entre essas duas variáveis. O gráfico sugere quatro tendências diferenciadas no funcionamento do mercado de trabalho para graduados:

1) Patamar elevado, porém com queda acentuada: os tipos de ocupação/curso de ciências humanas e sociais e de artes e cultura apresentam esse padrão; ele indica um excesso de oferta de graduados, que vai sendo reduzido em virtude do volume de contratações anuais, mas sem eliminar a defasagem. A dinâmica da renda reforça esse diagnóstico, com uma redução de cerca de 5% entre 2003 e 2005 (em comparação com o aumento de 6% para o total de graduados).

A área de ciências humanas e sociais apresenta também uma demanda acentuada e crescente, porém nesse caso há indícios nos dois sentidos: de que parte das ocupações apresenta excesso de mão de obra e de que em alguns nichos a oferta de trabalho já começa a se tornar relativamente escassa. Entre os profissionais da área de direito já se apresenta redução na oferta, entre 2003 e 2005, de 22%; do lado da demanda, no caso específico dos advogados, há uma estabilização da renda entre 2003 e 2005, que indica excesso de oferta de mão de obra.

Por outro lado, a oferta de força de trabalho pro-

[19] Pesquisa recente revela que as matrículas nas escolas técnicas e nas faculdades de tecnologia expandiram-se em 25% em termos acumulados no estado de São Paulo para o período 2001-2007, seguindo tendência semelhante à verificada no ensino superior (Cebrap/Fundap, 2008).
[20] Apesar disso, uma parcela daqueles que já se encontram no mercado de trabalho provavelmente buscará, com a obtenção do novo diploma, uma nova inserção, que poderia ocorrer em subgrupos de profissionais e especialistas ou em cargos administrativos.

veniente dos cursos da área de ciências sociais e comportamentais apresenta um pequeno aumento (de 8,5%) entre 2003 e 2005, porém com crescimento nulo na quantidade de novos alunos; a demanda por esses profissionais, porém, não apresenta sinais de crescimento acentuado. A escassez relativa de mão de obra se manifesta mais claramente para os profissionais da área de assistência social.

2) Patamar baixo e decrescente: o único caso que se encaixa nesse padrão é aquele de engenheiros, arquitetos e assemelhados; cabe destacá-lo, porém, por sua importância estratégica com relação à inovação e à competitividade. O patamar inicial da razão oferta/demanda próximo a 1 significaria que a oferta e a demanda estariam hipoteticamente próximas a um equilíbrio. Isso, porém, tenderia a se desfazer ao longo do tempo por conta do aumento mais expressivo da demanda em comparação com o da oferta.

No quesito renda, verifica-se um aumento da renda desse segmento (de cerca de 7,3%), um pouco acima da média dos ocupados com nível superior (de cerca de 6,5%). O que parece ocorrer é que uma parcela desses graduados em engenharia acaba não exercendo cargos de engenheiro; provavelmente o diferencial de renda entre esses cargos profissionais e aqueles de administração e gerência possui alguma influência sobre esse padrão de alocação.

3) Estabilidade em baixos patamares: o terceiro padrão aponta patamares abaixo de 1 – o que representa volume maior de demanda em relação à oferta – e poucas alterações na relação entre os volumes de oferta e demanda. Ou seja, aqui os problemas de escassez de oferta poderiam ser superados no médio prazo, ainda que se mostrem importantes para algumas ocupações. A sua característica está no fato de que os gargalos não se ampliam de forma expressiva, ao menos em termos agregados.

Duas áreas se encaixam nesse padrão: ciências exatas, análise de sistemas e administração; e educação. A primeira, apesar da estabilidade da razão entre a oferta e a demanda, apresenta um crescimento projetado bastante acentuado das duas variáveis, próximo a 100% entre 2003 e 2007; paralelamente, verifica-se um crescimento bastante acentuado dos empregados com até o ensino médio completo nas ocupações de gestão e ciências exatas entre 2003 e 2005, de pouco mais de 400%, porém com um decréscimo correspondente na média da renda (em 8%).[21] Destaca-se que isso ocorre apesar da tendência de crescimento anual ligeiramente maior do lado da oferta de trabalho (Gráfico 9).

A segunda área é aquela de educação. O patamar do indicador é inferior àquele da área anterior, porém há um crescimento bastante acentuado tanto na oferta quanto na demanda. Nesse caso, no entanto, a oferta de força de trabalho se encontra bastante subestimada, porque uma parcela significativa dos profissionais da área provém de graduação em cursos que não aqueles de pedagogia, como os de licenciatura. Podemos destacar ainda que do lado da demanda há uma continuação daquilo que parece ser

Gráfico 9

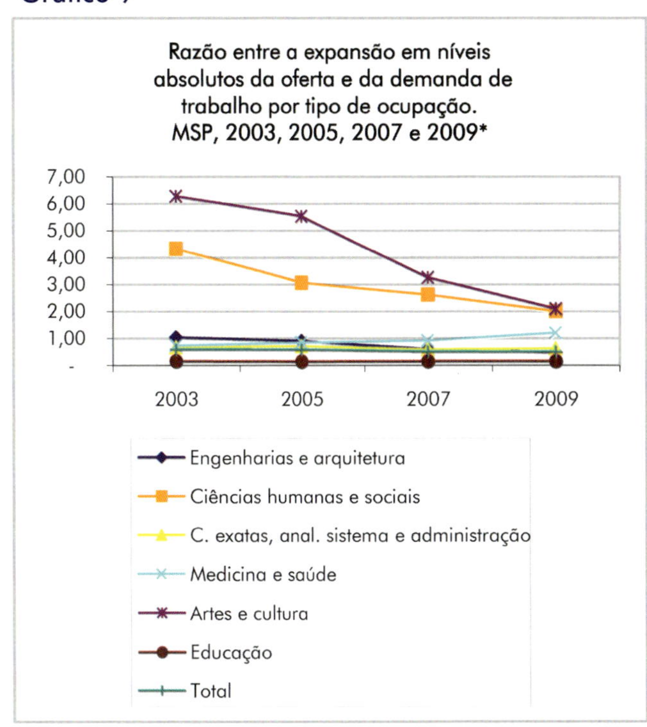

Fonte: Inep/MEC e RAIS/MTE. Elaboração própria.
* Os dados de 2007 e 2009 referem-se a estimativas.

[21] Esse decréscimo indica excesso de oferta de profissionais com ensino médio completo, e seria preciso verificar a origem dessa grande oferta de mão de obra; parece-nos que aqueles mais habilitados para o exercício de ocupações profissionais, que possuiriam maior exigência de conteúdo técnico, provavelmente viriam dos cursos de ensino médio técnico. Apesar da demanda aquecida por técnicos de nível médio, possivelmente os salários relativamente elevados de cargos dessa área poderiam contribuir para atraí-los para as ocupações de gestão e ciências exatas.

uma reestruturação do setor, por meio da substituição dos professores com até o ensino médio completo por aqueles com o superior completo.

4) Ascensão e baixos patamares: o último padrão observado é aquele em que há um baixo patamar inicial da razão oferta/demanda, abaixo de 1, porém com crescimento no período; a única área em que se observa esse padrão é aquela de médicos e profissionais da saúde. A oferta de força de trabalho nessa área passa de uma situação de escassez relativa a outra em que parece haver maior adequação entre as quantidades de graduados e contratações. Como indicado anteriormente, o setor privado é o responsável pela expansão da demanda, com aumento da renda média acima daquela do total para aquele setor.

Esses quatro padrões de interação de oferta e demanda de trabalho em termos de qualificações sugerem diversas frentes de atuação específicas do ponto de vista das políticas públicas.

Para as áreas de artes e cultura e de ciências humanas e sociais, em que predomina o excesso da oferta de trabalho, a estratégia mais adequada parece ser a da ampliação do nível de emprego, por meio do maior financiamento público e privado para o desenvolvimento dessas atividades, que muitas vezes combinam a produção para o mercado e o interesse social. Além disso, os cursos dessa área poderiam primar pelo desenvolvimento de habilidades gerais e cognitivas, tornando os formandos mais capazes de circular por outras ocupações.

No caso de engenheiros e arquitetos, faz-se necessária uma política pública que eleve a oferta de vagas nas universidades públicas; e que viabilize empréstimos para a criação de novos cursos e vagas nas universidades privadas que possam contar com um padrão de alta qualidade.

Nas áreas de ciências exatas e administração[22] e naquela de educação, em que há escassez de oferta e manutenção dessa tendência, tudo indica que o ponto mais importante seria – além da ampliação gradativa da oferta de cursos especialmente naquelas áreas em que os gargalos se mostram mais flagrantes – uma busca pela melhor qualidade do ensino, com foco nas universidades privadas, que respondem por boa parte da oferta.

No caso das áreas de medicina e saúde, cabe manter o padrão de crescimento da oferta; o atual cenário abre inclusive possibilidades de ampliação de hospitais e estabelecimentos de saúde e da oferta de serviços mais qualificados para pacientes do país e do exterior nos serviços mais qualificados fornecidos pelo setor privado.

Em síntese, uma combinação de intervenção ativa do lado da oferta de cursos, especialmente aqueles em que os gargalos se mostram mais prementes, com regulação dos padrões de qualidade, renovação das grades curriculares, incentivo à expansão de cursos em novos nichos de mercado, além de políticas de estímulo à expansão de empresas e instituições sem fins lucrativos nas áreas que contam com "excesso" de trabalhadores.

Os desafios não são de pouca monta, haja vista que qualquer política territorializada para a formação e qualificação da força de trabalho, não apenas dos altos estratos ocupacionais – foco do presente texto –, exige uma complexa articulação entre o setor privado, o governo estadual (universidades públicas e FATECs) e o governo federal (MEC).

O papel do governo municipal parece consistir na articulação dessas instituições públicas e privadas de modo a engendrar uma maior coordenação entre os espaços de qualificação e permitir a elevação da eficiência econômica e dos investimentos nos setores mais intensivos em conhecimento, capazes de viabilizar uma inserção diferenciada do MSP no quadro da economia nacional.

Considerações finais

Este texto procurou avaliar a participação dos altos estratos ocupacionais no mercado de trabalho paulistano e os desafios a serem enfrentados para que a

[22] É importante notar que há nesse ponto um contraste aparente em relação às conclusões desenvolvidas entre o presente texto e o capítulo 4 desta publicação, principalmente por conta de nossa agregação de áreas (que une as ciências exatas com administração e comércio), diferenciando-se daquela utilizada por Flávia Consoni (a agregação padronizada do Inep, que junta administração e comércio às ciências humanas e comportamentais). Para avaliarmos esse contraste, realizamos o mesmo exercício com a área de ciências exatas separada daquela de comércio e administração; como resultado, encontramos que a última mantém tendência de escassez constante (padrão 3) enquanto a primeira apresenta um desenvolvimento próximo ao padrão 2, de redução da escassez.

cidade possa se destacar por uma inserção diferenciada na dinâmica produtiva nacional – condição fundamental para a geração de empregos de qualidade e para a elevação da massa salarial no médio prazo.

Após uma breve discussão teórica, partiu-se, na parte 2, para uma análise agregada, com base nos dados da PED/SP. Constatou-se que o MSP já possui um percentual de 18% dos ocupados com curso superior. Por outro lado, a força de trabalho com esse nível de escolaridade vem se expandindo de forma muito dinâmica, 6% ao ano, dez vezes à frente da PEA total. Um dos desafios da cidade é viabilizar uma expansão da demanda no mesmo ritmo, de modo a reduzir as taxas de desemprego para a população com curso superior (de 6,4% em 2007), as quais se mostram mais refratárias à queda do que as verificadas para os trabalhadores com níveis mais baixos de escolaridade. Observa-se também um potencial de maior espraiamento das atividades mais intensivas em conhecimento para além do centro expandido da cidade, especialmente naquelas regiões que contam com níveis elevados de ocupados e desempregados com curso superior.

Na parte 3, propusemos uma metodologia para avaliar a expansão da demanda de trabalho para 12 subgrupos ocupacionais que congregam os trabalhadores dos altos estratos. Especialmente a partir de 2003, verifica-se que a demanda de trabalho para esses estratos voltou a crescer de forma dinâmica, puxada pelo setor privado, e concentrada nos subgrupos de medicina e saúde, gerentes e administradores e de profissionais de ciências exatas e gestão. Esses segmentos também se destacam pela elevação da renda. Houve também uma recuperação do nível de emprego para os engenheiros e arquitetos e para os profissionais de ciências humanas e sociais. Paralelamente, algumas ocupações (técnicos e trabalhadores do setor financeiro e comércio) dos altos estratos – com baixa incidência de pessoas com curso superior no total do emprego – se mostraram bastante dinâmicas. Para o conjunto desses subgrupos ocupacionais, cerca de 42% dos empregos eram preenchidos por trabalhadores com curso superior.

Comprovou-se, também, especialmente no caso da indústria de alta e média-alta tecnologia e dos serviços profissionais, a existência de um grande percentual de empregos pertencentes a trabalhadores manuais.

No que diz respeito à oferta de trabalho, esta incrementou-se também de forma bastante dinâmica no período 2003-2005, respondendo à elevação da demanda, e geralmente em áreas correlatas àquelas em que o emprego se incrementava. A relação candidato/vaga caiu para todos os tipos de curso analisados. Tudo indica que, ao menos em termos quantitativos, a oferta de trabalho com curso superior tende a se estabilizar até o final da presente década em níveis elevados.

Na parte 4, foram encontrados quatro padrões de interação de expansão da oferta e da demanda. Nas áreas de arte e cultura e de profissionais de ciências humanas e sociais, observa-se um excedente de oferta de força de trabalho. Nas áreas de ciências exatas, análise de sistemas e administração, assim como na de educação, em termos gerais caminha-se no sentido de uma redução e/ou estabilização da escassez, com gargalos ocorrendo para algumas ocupações específicas. Na área de engenheiros e arquitetos, observa-se uma situação de escassez de oferta, que pode comprometer a expansão de alguns setores produtivos. Finalmente, para a área de medicina e saúde, a oferta tem se mostrado especialmente dinâmica, podendo no médio prazo superar os gargalos existentes, engendrando inclusive um fortalecimento do potencial de expansão deste setor.

Esses dados devem ser vistos com a devida cautela, já que seu objetivo é apresentar tendências gerais que permitam auxiliar na formulação de políticas públicas. A existência de situações específicas no mercado de trabalho, a depender dos tipos de ocupação e dos cursos correlatos, indica um coquetel de medidas a serem implementadas pelo setor público.

O poder municipal, de modo a viabilizar o desenvolvimento econômico de novas atividades produtivas no MSP, pode coordenar os esforços entre os vários níveis de governo e os representantes do setor privado, viabilizando a criação de espaços de qualificação convergentes e favoráveis ao desenvolvimento econômico com geração de empregos de qualidade e inclusão social.

Anexo Metodológico: Classificação de subgrupos ocupacionais

O presente Anexo Metodológico visa explicitar a construção das classificações de subgrupos ocupacionais e de áreas utilizadas neste capítulo 3.

1. Classificação de áreas específicas do Inep

A classificação de áreas específicas do Inep organiza os cursos do ensino superior em 22 conjuntos, com uma codificação em 2 dígitos a partir do Censo da Educação Superior de 2000. Essa classificação apresentava níveis de agregação e detalhamento razoáveis e bastante adequados para a compatibilização com a classificação de subgrupos ocupacionais (para mais informações sobre a classificação, ver www.inep.gov.br). Detalhamos a seguir a composição das áreas para a análise conjunta de oferta e demanda de mão de obra que realizamos na seção 4:

- **Engenharia e arquitetura**: 52. Engenharia e profissões correlatas; 54. Produção e processamento; 58. Arquitetura e construção.
- **Ciências humanas e sociais**: 31. Ciências sociais e comportamentais; 38. Direito; 76. Serviço social.
- **Ciências exatas, análise de sistemas e gestão**: 34. Comércio e administração; 46. Matemática e estatística; 48. Computação.
- **Medicina e saúde**: 42. Ciências; 64. Veterinária; 72. Saúde.
- **Artes e cultura**: 21. Artes; 22. Humanidades e letras; 32. Jornalismo e informação.
- **Educação**: 14. Formação de professor e ciências da educação.

Ressaltamos que, de modo similar à classificação de subgrupos com base na CBO, nem todas as áreas foram incluídas na análise.

2. CBO 1994 e CBO 2002

Quanto à classificação construída com base na RAIS, gostaríamos de ressaltar os seguintes pontos:

- Nem todas as ocupações não manuais foram consideradas entre os altos estratos; incluímos somente aqueles que consideramos mais relevantes para nossa análise.
- A alteração metodológica introduzida com a nova CBO implicou a mudança do critério de agregação das ocupações nos grupos-base (anteriormente relacionado à similaridade das tarefas realizadas nas ocupações) para as habilidades cognitivas necessárias à realização das atividades no emprego. A nova metodologia acaba por reforçar nossa classificação de subgrupos ocupacionais, identificando os níveis de competência e os requisitos em termos de escolaridade exigidos para o exercício de grupo de ocupações. Para mais informações sobre a nova metodologia da CBO, ver www.mtecbo.gov.br.
- Todas as rendas médias foram inflacionadas para valores em reais de dezembro de 2006 segundo o IPCA (Índice de Preços ao Consumidor Amplo), calculado mensalmente pelo Instituto Brasileiro de Geografia e Estatística (IBGE). Para mais informações sobre o índice, ver a página virtual do IBGE: http://www.ibge.gov.br/.

Em seguida explicitamos os grupos-base da CBO que entraram em cada subgrupo ocupacional.

2.1 Classificação de altos estratos para a CBO 2002

Subgrupos ocupacionais que tradicionalmente exigem curso superior

- Engenheiros e assemelhados
  - 2021 – Engenheiros mecatrônicos; 2032 – Pesquisadores de engenharia e tecnologia; 2122 – Engenheiros em computação; 214 – Engenheiros, arquitetos e afins; 2221 – Engenheiros agrossilvipecuários.
- Profissionais e especialistas das áreas de direito, ciências humanas e sociais
  - 2035 – Pesquisadores das ciências sociais e humanas; 2410 – Advogados; 2412 – Procuradores e advogados públicos; 2511 – Profissionais em pes-

quisa e análise antropológica e sociológica; 2513 – Profissionais em pesquisa e análise geográfica; 2515 – Psicólogos e psicanalistas; 2516 – Assistentes sociais e economistas domésticos; 2612 – Profissionais da informação; 2613 – Arquivistas e museólogos.

- Professores de nível superior
  - 2311 – Professores de nível superior na educação infantil; 2312 – Professores de nível superior do ensino fundamental (primeira a quarta séries); 2313 – Professores de nível superior no ensino fundamental de quinta a oitava séries; 2321 – Professores do ensino médio; 2331 – Professores do ensino profissional; 2332 – Instrutores de ensino profissional; 234 – Professores do ensino superior; 2392 – Professores de educação especial; 2394 – Programadores, avaliadores e orientadores de ensino.
- Diretores de empresas
  - 12 – Dirigentes de empresas e organizações (exceto de interesse público); 131 – Diretores e gerentes em empresa de serviços de saúde, da educação, ou de serviços culturais, sociais ou pessoais.

Subgrupos ocupacionais com a presença de novos nichos

- Médicos, profissionais da saúde, biologistas e assemelhados
  - 2011 – Profissionais da biotecnologia; 2030 – Pesquisadores das ciências biológicas; 2033 – Pesquisadores das ciências da saúde; 2211 – Biólogos e afins; 223 – Profissionais da medicina, saúde e afins; 2241 – Profissionais da educação física.
- Trabalhadores e profissionais das áreas de cultura, esportes e difusão de informação
  - 2611 – Profissionais do jornalismo; 2614 – Filólogos, intérpretes e tradutores; 2615 – Profissionais da escrita; 2616 – Editores; 2617 – Locutores, comentaristas e repórteres de rádio e televisão; 2618 – Fotógrafos profissionais; 262 – Profissionais de espetáculos e das artes; 3761 – Dançarinos tradicionais e populares; 3762 – Artistas de circo (circenses); 3763 – Apresentadores de espetáculos, eventos e programas; 377 – Atletas, desportistas e afins.

Subgrupos ocupacionais com crescente exigência de curso superior

- Gerentes, administradores e chefes intermediários
  - 1412 – Gerentes de produção e operações em empresa da indústria extrativa, de transformação e de serviços de utilidade pública; 1413 – Gerentes de obras em empresa de construção; 1414 – Gerentes de operações comerciais e de assistência técnica; 1415 – Gerentes de operações de serviços em empresa de turismo, de alojamento e alimentação; 1416 – Gerentes de operações de serviços em empresa de transporte, de comunicação e de logística (armazenagem e distribuição); 1417 – Gerentes de operações de serviços em instituição de intermediação financeira; 142 – Gerentes de áreas de apoio; 2521 – Administradores; 2523 – Secretárias executivas e bilíngues.
- Profissionais e especialistas das áreas de gestão, ciências exatas e assemelhados
  - 2111 – Profissionais da matemática; 2112 – Profissionais de estatística; 2123 – Administradores de redes, sistemas e banco de dados; 2124 – Analistas de sistemas computacionais; 2512 – Economistas; 2522 – Contadores e afins; 2524 – Profissionais de recursos humanos; 2525 – Profissionais de administração econômico-financeiro; 2531 – Profissionais de relações públicas, publicidade, mercado e negócios; 2532 – Profissionais de comercialização e consultoria de serviços bancários.

Subgrupos ocupacionais com reduzida presença de curso superior

- Técnicos e assemelhados
  - 3001 – Técnicos de nível médio, exceto aqueles presentes nos outros subgrupos ocupacionais, 3514 (serventuários de justiça) e 3764 (Modelos); 9151 – Técnicos em manutenção e reparação de instrumentos de medição e precisão; 9153 – Técnicos em manutenção e reparação de equipamentos biomédicos.
- Professores de nível médio
  - 33 – Professores leigos e de nível médio.
- Trabalhadores da área administrativa
  - 4101 – Supervisores administrativos; 4110 – Es-

criturários em geral, agentes, assistentes e auxiliares administrativos; 4122 – Contínuos; 413 – Escriturários contábeis e de finanças; 414 – Escriturários de controle de materiais e de apoio à produção; 4151 – Auxiliares de serviços de documentação, informação e pesquisa; 4221 – Recepcionistas; 4231 – Despachantes documentalistas.

- Trabalhadores dos estratos intermediários do comércio e do mercado financeiro
  - 2533 – Corretores de valores, ativos financeiros, mercadorias e derivativos; 3541 – Técnicos de vendas especializadas; 3542 – Compradores 3544 – Leiloeiros e avaliadores; 3545 – Corretores de seguros; 3546 – Corretores de imóveis; 4102 – Supervisores de serviços financeiros, de câmbio e de controle.

Bibliografia

Aydalot, Philippe & David Keeble (1988). "High-Technology Industry and Innovative Environments in Europe: an Overview", in *High-Technology Industry and Innovative Environments: the European Experience*, Philippe Aydalot & David Keeble. London, Routledge.

Baltar, Paulo Eduardo de Andrade (2003). *Salários e Preços: Esboço de uma Abordagem Teórica*. Campinas, Instituto de Economia da Unicamp.

Cebrap/Fundap (2008). Políticas Públicas em Foco – Boletim Fundap-Cebrap, nº 1. Disponível em formato eletrônico em: <http://www.boletim-fundap.cebrap.org.br/n1/>. Acesso em outubro de 2008.

Comin, Alvaro (2003). *Mudanças na Estrutura Ocupacional do Mercado de Trabalho em São Paulo*. Tese de Doutorado em Sociologia – Faculdade de Filosofia, Letras e Ciências Humanas, Universidade de São Paulo, São Paulo, 2003.

Da Mata, Daniel et al. (2007). "Migração, Qualificação e Desempenho das Cidades Brasileiras", in *Dinâmica dos Municípios*. Brasília, IPEA.

Dubar, Claude (2005). *A Socialização: Construção das Identidades Sociais e Profissionais*. São Paulo, Martins Fontes.

Granovetter, Mark (1988). "The Sociological and Economic Approaches to Labor Market Analysis: A Social Structural View", in *Industries, Firms and Jobs: Sociological and Economic Approaches*, G Farkas & P England. New York, Plenum Press.

Kerr, Clark (1994b). "The Social Economics Revisionists: The 'Real World' Study of Labor Markets and Institutions", in *Labor Economics and Industrial Relations: Markets and Institutions*, Clark Kerr & Paul Staudohar. Cambridge, Harvard University Press.

Krugman, Paul (1995). *Development, Geography and Economic Theory*. Cambridge, The MIT Press.

Mincer, Jacob (1994). "Human Capital: A Review", in *Labor Economics and Industrial Relations: Markets and Institutions*, Clark Kerr & Paul Staudohar. Cambridge, Harvard University Press.

Pecqueur, Bernard & Jean Benoît Zimmermann (2005). "Fundamentos de uma Economia da Proximidade", in *Economia e Território*, Clélio Campolina Diniz & Mauro Borges Lemos. Belo Horizonte, Editora UFMG.

Purcell, Kate & Peter Elias (2004). *Seven Years On: Graduate Careers in a Changing Labour Market*. Employment Studies Research Unit, University of West of England.

Santos, Milton (2005). *A Urbanização Brasileira*. São Paulo, Edusp, 5a. edição.

Sassen, Saskia (1991). *The Global City: New York, London, Tokyo*. Princeton, Princeton University Press.

Schmitz, Hubert (1997). *Collective Efficiency and Increasing Returns*, IDS Working Paper, n. 50.

Storper, Michael (1997). *The Regional World: Territorial Development in a Global Economy*. New York, The Guilford Press.

Veltz, Pierre (1999). *Mundialización, Ciudades y Territorios: La Economia del Archipélago*. Barcelona, Ariel.

4. Infraestrutura de conhecimento no município de São Paulo

Flávia L. Consoni

Introdução[1]

A discussão apresentada neste capítulo parte da importância do "uso do conhecimento", materializado em serviços e produtos, como fator inovador e de competitividade, que abre novas oportunidades de negócios e de geração de renda para os municípios que conseguem, de forma eficaz, criar as bases que suportem o seu alto desempenho. As condições para isso passam por um adequado planejamento e pela implementação de uma infraestrutura de conhecimento que permita alavancar estratégias de negócio inovadoras.

O caso do município de São Paulo (MSP) é bastante singular nessa discussão, e tanto a implementação quanto a manutenção de uma infraestrutura do conhecimento na região nos remetem a pensar acerca das suas especificidades, sendo as mais relevantes sua dimensão territorial e sua concentração populacional. São Paulo é uma cidade-metrópole que apresenta dinâmica econômica e desenvolvimentista própria. E são exatamente características como essas que impõem uma série de dificuldades para se pensar a cidade como uma totalidade.

Não obstante tais desafios, a proposta deste capítulo é identificar aspectos da infraestrutura de conhecimento do MSP, na expectativa de conseguir mapear algumas das mais importantes características presentes na cidade que lhe capacitam a gerar, sustentar e ampliar as atividades de maior valor agregado na região, ou seja, aquelas de maior intensidade tecnológica e mais intensivas em conhecimento.

Para tanto, selecionamos para análise um conjunto de indicadores de C&T (Ciência e Tecnologia), organizados neste estudo em dois tipos: os indicadores de insumo e os indicadores de resultado. Os indicadores de insumo tendem a descrever as características do MSP que servem de apoio às atividades empresariais intensivas em conhecimento, enquanto os indicadores de resultado nos ajudam a pensar acerca dos ganhos da cidade relacionados a investimentos na área de P&D (Pesquisa e Desenvolvimento).[2]

Começando pelos indicadores de insumo, a primeira abordagem centra-se em mapear a presença de instituições de ensino e o número de profissionais que são formados por elas ano a ano, de modo a

[1] Gostaria de registrar especial agradecimento a pesquisadores que influenciaram diretamente no desenvolvimento deste estudo: a Alexandre Abdal, Bruno Komatsu e Aline Borghi Leite, por terem trabalhado na preparação dos dados; a Aline de Paula e Juliana Colli, pelos mapas; a Joana Ferraz, pelo agendamento das entrevistas; e a Marcela Mazzoni, pelas discussões e dicas sobre o tema de formação de mão de obra. Também estendo os agradecimentos aos colegas de equipe, em especial a Carlos Torres Freire e a Alvaro Comin, pelos comentários sempre pertinentes e que me ajudaram na construção dos argumentos aqui apresentados. Mas claro está que a análise das informações é de inteira responsabilidade da autora.

[2] Seguindo as definições do Manual Frascati (2002), a P&D compreende quatro tipos de atividade: a Pesquisa Básica (trabalho experimental original, sem um objetivo de aplicação comercial específico), a Pesquisa Aplicada (trabalho experimental original, porém com um objetivo de aplicação comercial específico), o Desenvolvimento do Produto (melhoramento dos produtos existentes) e o Desenvolvimento do Processo (criação de novos processos ou melhora dos existentes).

caracterizar a oferta de mão de obra especializada no MSP. O segundo tipo de indicador de insumo analisa a presença e a distribuição geográfica de instituições e laboratórios que prestam serviços de P&D (tais como os institutos de pesquisa) e tecnológicos (organismos e laboratórios de ensaios e testes) e, portanto, servem de suporte para a atividade empresarial. Esse tipo de infraestrutura de serviço e pesquisa tende a facilitar e ao mesmo tempo impulsionar uma diversidade de atividades empresariais, em especial aquelas intensivas em conhecimento.

Os indicadores de insumo aqui analisados podem ser vistos de forma complementar na medida em que se traduzem como atividades de apoio e suporte às empresas. Pelo lado dos indicadores de recursos humanos, as instituições de ensino superior compõem o principal núcleo de formação de pessoal qualificado para as demandas do mercado. A justificativa para esse tipo de análise também encontra respaldo nas afirmações da OCDE (Organização para a Cooperação e Desenvolvimento Econômico), segundo a qual a "existência de uma oferta de recursos humanos altamente qualificados é requisito vital para o avanço da pesquisa, do desenvolvimento e da inovação tecnológica. Há indicações de que padrões de qualificação e alocação de recursos humanos, especialmente do emprego de pós-graduados em ciências naturais e engenharias, possam explicar melhor o desenvolvimento tecnológico de um país do que seus investimentos em P&D" (OCDE apud Viotti & Baessa, 2008). Mas a contribuição das instituições de ensino superior vai além da formação de pessoal; elas também cumprem a função de oferecer à sociedade cursos de treinamento, de curta ou longa duração, e consultorias técnicas e especializadas em uma diversidade de áreas do conhecimento, incluindo parcerias em projetos e pesquisas.

Pelo lado da infraestrutura de serviços e pesquisas tecnológicos, as instituições e laboratórios fornecem apoio às atividades inovativas das empresas que a elas recorrem. A justificativa para tal discussão também se baseia na literatura, a qual tem demonstrado, com o suporte de exemplos empíricos, que a proximidade entre empresas, instituições de ensino e pesquisa, laboratórios de ensaios e testes, centros de P&D e prestadores de serviços impulsiona o dinamismo industrial das regiões (Suzigan et al., 2005).

Se os indicadores de insumo nos permitem traçar um panorama da infraestrutura do conhecimento a partir do seu ponto de partida, ou seja, das características do MSP que apoiam e dinamizam as atividades econômicas, os indicadores de resultado se situam no lado oposto, no ponto de chegada, e se referem a resultados de investimentos e investigações na área de P&D. São quatro os tipos de indicadores analisados nesse tópico: tendências dos investimentos produtivos, características das empresas nascentes de base tecnológica, registros de patentes e números da produção científica.

A proposta é que esse conjunto de informações forneça subsídios para compor um cenário sobre os rumos do desenvolvimento produtivo, tecnológico e científico no MSP. As informações sobre intenções de investimento e sobre empresas nascentes serão importantes para observarmos tendências ligadas a especializações setoriais que possam estar emergindo na região. Por sua vez, as informações sobre patentes e dados bibliométricos serão importantes para pensar a capacidade de se fazer tecnologia e ciência no MSP. Isso porque, enquanto as patentes estão ligadas a pesquisa aplicada e desenvolvimento experimental (para posterior produção e comercialização do produto), as publicações científicas geralmente se referem à pesquisa básica e aplicada (OECD, 2004). A apresentação conjunta desses dados encontra respaldo na literatura, na medida em que esta destaca a importância da interação da produção científica e da tecnológica em prol do desenvolvimento econômico e inovativo de uma região (Freeman, 1995).

Para operacionalizar tal estudo, fazemos uso de uma diversidade de informações e base de dados, conforme sua conveniência para a análise. Para o indicador de insumo *oferta de mão de obra*, foi utilizada a base de dados da RAIS/MTE (Relação Anual de Informações Sociais, do Ministério do Trabalho e Emprego) para a obtenção de informações sobre número de empregos e estabelecimentos segundo sua distribuição espacial na cidade de São Paulo; para informações sobre recursos humanos, trabalhamos com as bases do INEP (Instituto Nacional de Estudos e Pesquisas Anísio Teixeira), órgão do MEC (Ministério da Educação) e dados da Capes (Coordenação de Aperfeiçoamento de Pessoal de Nível Superior).

Para se analisar o indicador de insumo *infraestrutura de serviço e pesquisa tecnológica* e, consequentemente, a oferta dessas atividades para o setor produtivo, trabalhou-se com informações da Base Inmetro, que agrega as instituições acreditadas pelo Inmetro até 30/11/2006; e da Base Institutos e Laboratórios, a qual apresenta uma listagem dos institutos e seus respectivos laboratórios que fornecem serviços de P&D e estão presentes no MSP.

Para a investigação acerca das *intenções de investimento produtivo*, acessamos a base da PIESP (Pesquisa de Investimentos do Estado de São Paulo), compilada pela Fundação Seade. O acesso às informações sobre *empresas nascentes* (incubadas ou graduadas) foi possível a partir da base da ANPROTEC (Associação Nacional de Entidades Promotoras de Empreendimentos Inovadores) e do CIETEC (Centro Incubador de Empresas Tecnológicas). A análise também se beneficiou de informações obtidas a partir de entrevistas presenciais realizadas com importantes atores desse processo.[3]

Para analisar o indicador de resultado *registro de patentes*, a fonte de informações deriva de duas bases de dados: o INPI (Instituto Nacional da Propriedade Industrial), que apresenta a relação das patentes requeridas por pessoas físicas e jurídicas no Brasil; e, para a participação brasileira nas patentes requeridas internacionalmente, a base do USPTO (United States Patent and Trademark Office). Para a pesquisa sobre *produção científica*, foram utilizadas informações extraídas do acervo norte-americano do Institute for Scientific Information (ISI), em especial da base de dados do Science Citation Index Expanded (SCIE). Especificamente nessa seção, foi feito um amplo uso de material secundário, organizado nos volumes de indicadores da FAPESP (FAPESP 2002; 2005), por estabelecerem uma discussão abrangente acerca do desempenho de ambos esses indicadores no estado de São Paulo (ESP).

Além desta introdução, o capítulo encontra-se organizado em duas partes, segundo o tipo de indicador analisado. A parte I, relativa aos indicadores de insumo, está dividida em duas seções: a seção 2, sobre força de trabalho, oferece um panorama acerca do ensino superior no MSP, como uma das alternativas para se pensar a dimensão da oferta de mão de obra qualificada; a seção 3 investiga os tipos de instituição tecnológica presentes e a oferta dos serviços oferecidos, e discute a adequação desses serviços segundo a configuração da estrutura produtiva do município.

A parte II, específica sobre os indicadores de resultado, também está organizada em duas seções. A seção 4 combina a discussão sobre tendências dos investimentos produtivos para o MSP, segundo setores econômicos, com um levantamento acerca do número e do perfil das empresas de base tecnológica nascentes na região. A seção 5 analisa, em conjunto, os indicadores de patentes, com destaque para os principais patenteadores e seu perfil econômico, e os indicadores de produção científica, com destaque para o volume e as áreas de conhecimento que mais têm acumulado publicações.

Por fim, a sexta e última seção organiza os principais achados desses diversos levantamentos, estabelece a relação entre eles e finaliza com um ensaio analítico de forma a se pensar a situação atual da infraestrutura de conhecimento do MSP. A ênfase recai nos seus principais pontos fortes e fracos *vis-à-vis* os indicadores estudados (de insumos e de resultados). Em posse dessas informações, o capítulo termina com a apresentação de um cenário prospectivo que considera a evolução desses indicadores e que permite traçar hipóteses sobre o desenvolvimento do município, sobretudo acerca das atividades econômicas intensivas em conhecimento, mantendo o diálogo com as principais recomendações trazidas pelos demais estudos do projeto.

[3] Foram entrevistados o diretor científico da FAPESP, acerca das políticas da instituição no que concerne aos investimentos em P&D para recursos humanos e empresas, e gestores da única incubadora tecnológica presente na cidade de São Paulo, o CIETEC (Centro Incubador de Empresas Nascentes do Estado de São Paulo).

Parte I: Indicadores de insumo

Dois pressupostos orientaram a elaboração desta primeira parte do capítulo: primeiro, que a presença de recursos humanos qualificados preenche uma das condições para o desenvolvimento econômico, suprindo as demandas colocadas pela camada empresarial nos seus diversos setores econômicos (comércio, serviço e indústria). Por definição, recursos humanos qualificados serão tratados, neste texto, como aqueles que possuem formação escolar especificamente ligada a cursos superiores, de graduação e de pós-graduação (*lato sensu* e *stricto sensu*). Trata-se unicamente de um recorte metodológico da pesquisa, embora se reconheça a importância de profissionais técnicos e com formação de segundo grau, para o desenvolvimento da economia do município, sobretudo para a dinamização das atividades intensivas em conhecimento.

O segundo pressuposto é que a presença e, sobretudo, a proximidade física de instituições que ofereçam serviços especializados (análises laboratoriais, testes, contratos de P&D etc.), sejam elas organismos ou laboratórios, públicos ou privados, contribuem para dinamizar as atividades das empresas (industrial ou de serviço), sendo, portanto, importantes veículos para efeito de competitividade.

2. Panorama do ensino superior no município de São Paulo

A presença de uma ampla e eficiente infraestrutura de C&T, entendida como a presença de universidades e institutos de pesquisa, é de importância crítica e, principalmente, estratégica para a dinamização do sistema nacional de inovação dos países. Essa importância se dá em dois sentidos: primeiro, pelo fato de tais instituições serem uma fonte natural de conhecimentos científicos e tecnológicos e, segundo, pelo seu papel na formação educacional, contribuindo para a preparação de profissionais qualificados que atendam às demandas do mercado. Sobre esse segundo aspecto, vale considerar que a conclusão do nível superior (graduação) tem sido cada vez mais um requisito para a entrada de profissionais no mercado de trabalho, ainda que esse atributo não seja uma garantia para que o acesso ocorra.

A importância do tema da oferta de mão de obra qualificada nos remete a outro tipo de discussão: sobre a qualidade dessa formação e a quantidade de profissionais formados ano a ano. A esse respeito, em pesquisa recente com 55 empresas multinacionais de capital estrangeiro instaladas no Brasil, identificamos que um fator de vantagem na disputa pela atração de investimentos diretos estrangeiros (IDE), sobretudo se forem investimentos para P&D, é fundamentalmente a qualidade da mão de obra brasileira, de nível similar àquelas dos países centrais e asiáticos (Queiroz et al., 2007). Nesse estudo, cerca de 60% das empresas entrevistadas afirmaram haver no Brasil mão de obra de qualidade. No entanto, quando as empresas foram questionadas se haveria no Brasil mão de obra em quantidade, cerca de 54% responderam que não. Aliás, a limitação na oferta de mão de obra qualificada, notadamente com formação em engenharia, apareceu nessa pesquisa como sendo o mais sério entrave à expansão das atividades de P&D de empresas multinacionais instaladas no Brasil. Vale acrescentar que mais de 70% das empresas entrevistadas nessa pesquisa estavam localizadas no ESP, e em mais da metade da amostra a sede da empresa estava localizada na capital paulista.

Se as empresas multinacionais têm sinalizado um provável cenário de escassez de mão de obra qualificada, em quantidade insuficiente para suprir as demandas decorrentes do crescimento da economia e da intensificação das atividades de P&D, observamos que empresas de capital nacional já estão empreendendo iniciativas voltadas à formação desses profissionais. É o caso da Embraer, empresa do setor aeronáutico, que tem feito parcerias com universidades visando à formação de profissionais segundo suas demandas. Nessas parcerias são focadas ações para especializar recém-formados e torná-los aptos a integrar o quadro de funcionários da empresa. A Petrobras, por sua vez, antevendo um crescimento significativo no número dos seus funcionários, em decorrência das descobertas recentes de novas jazidas de petróleo, sobretudo na bacia de Santos, está tomando iniciativas para se antecipar a um eventual quadro de escassez de mão de obra qualificada, analisando os procedimentos que poderia adotar para fomentar a formação dos profissionais por ela requeridos.

Em paralelo a tal possibilidade de um cenário de escassez de mão de obra especializada, observamos também algumas iniciativas em curso por parte do poder público no sentido de minimizar o problema. Tanto o governo federal, com o Plano de Desenvolvimento da Educação (Haddad, 2008), quanto o governo estadual de São Paulo, com o plano de expansão das Fatecs e Etecs, têm procurado atacar o problema da oferta de profissionais qualificados no mercado, por meio do aumento das vagas de cursos superiores, tecnológicos e técnicos.

Dada tal contextualização acerca do tema oferta de mão de obra qualificada, o objetivo desta seção é analisar esses números, sobre formação de recursos humanos especializados, para o MSP. Sempre que possível, serão trazidas informações sobre a RMSP, o ESP e o país como um todo de forma a observarmos o posicionamento do MSP *vis-à-vis* outras regiões. E, considerando a representatividade do MSP no Brasil, torna-se imperioso termos comparações internacionais de forma a melhor avaliarmos o caso do MSP, algo que também é contemplado no escopo desta seção.

Para abrir essa discussão, o Mapa 1, construído a partir de consultas à base da RAIS-MTE, mostra de forma comparativa a localização dos estabelecimentos de ensino superior e o respectivo volume de emprego associado a essa atividade no MSP. Especificamente sobre o ano 2006, o mapa revela a presença de cerca de 500 estabelecimentos de ensino superior com dez ou mais empregados presentes na capital paulista. Na comparação com o ano de 1996, esses dados indicam que o número de instituições de ensino presentes na capital paulista simplesmente dobrou; em 1996, foram registrados 246 estabelecimentos do tipo. Em termos do volume do emprego, o crescimento também foi significativo; partindo-se de um total de 32 mil postos de trabalho em 1996, temos em 2006 cerca de 51 mil empregos diretamente ligados ao setor de ensino, representando um aumento superior a 60%. Além disso, sabemos que os números relativos a postos de trabalho tendem a ser bem mais elevados se contabilizarmos os empregos indiretos associados a tais empreendimentos, sobretudo em locais de grande concentração dessas instituições, relação essa que se aplica a todas as regiões aqui analisadas.

A partir desse mapa, é possível identificar a existência de pelo menos três aglomerados de instituições de ensino superior que têm se consolidado no MSP, dada a maior concentração de estabelecimentos e de emprego em determinadas localidades. São elas: zona Oeste, Centro e zona Sul da cidade.

Na região Oeste do MSP, destaca-se o distrito de Butantã, por conta do maior número de empregos vinculados a tais estabelecimentos, cerca de 12 mil no ano de 2006. Ainda com relação à centralidade da região Oeste na geração de empregos vinculados às atividades de ensino, é evidente que a presença da USP nessa localidade explica essa liderança, mas não somente. A região de Pinheiros, sobretudo o distrito do Itaim Bibi, e a da Lapa, com destaque para Perdizes, também contribuem para a magnitude dos números de empregos e estabelecimentos na região Oeste.

A região central da cidade revela números significativos de emprego, em analogia com o que ocorre com a região Oeste. A diferença é que no Centro encontramos o maior número de estabelecimentos de ensino, com um total de 121 unidades. São unidades menores, mas que somadas geram muitos postos de trabalho, confirmando o *status* dessa região como importante polo educacional do MSP. Na região Central, os distritos Consolação (em direção à Avenida Paulista), Bela Vista, Liberdade e Sé apresentam forte dinamismo seja na geração de empregos, seja em

Mapa 1: Estabelecimento e emprego de ensino superior. MSP, 2005

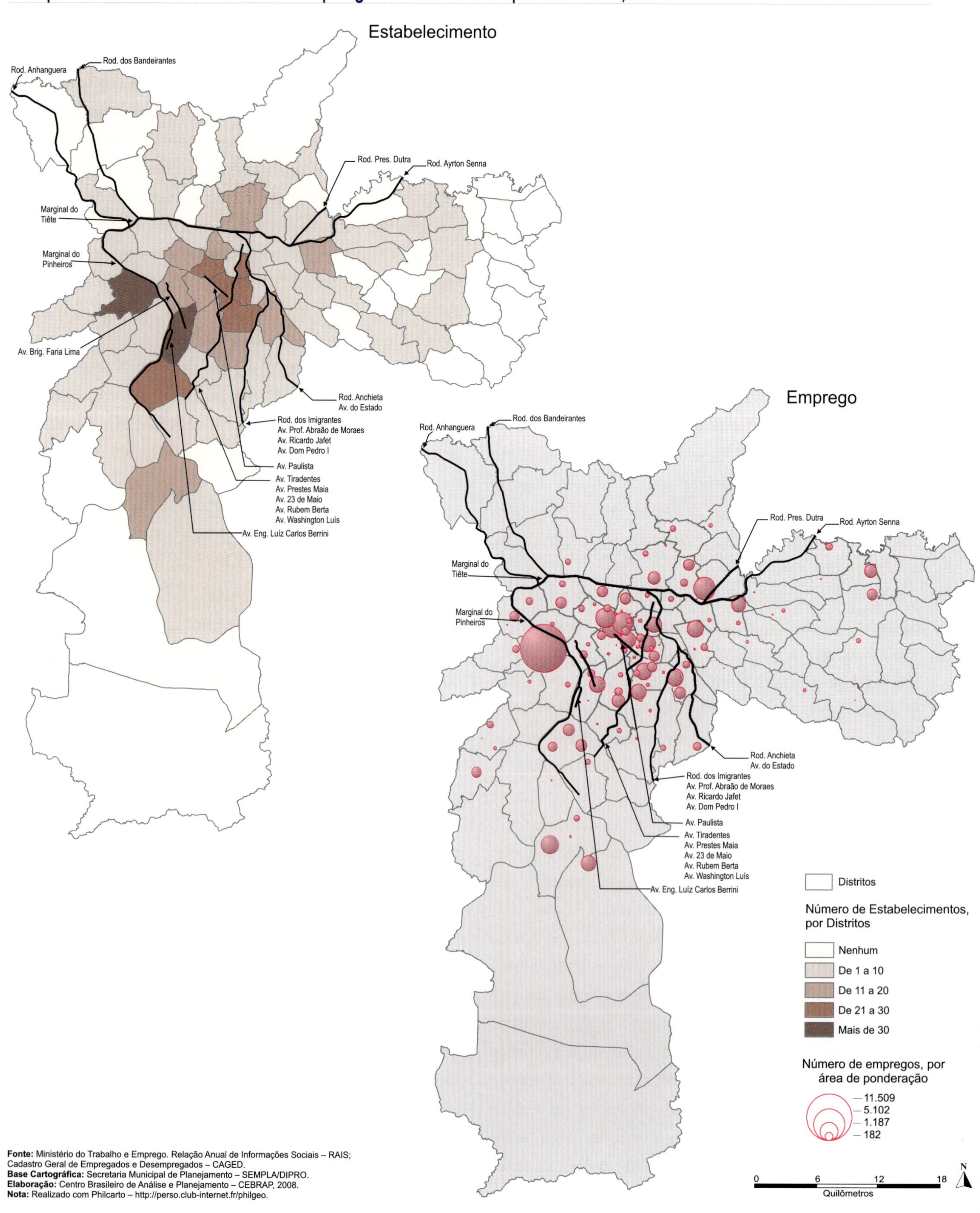

Fonte: Ministério do Trabalho e Emprego. Relação Anual de Informações Sociais – RAIS; Cadastro Geral de Empregados e Desempregados – CAGED.
Base Cartográfica: Secretaria Municipal de Planejamento – SEMPLA/DIPRO.
Elaboração: Centro Brasileiro de Análise e Planejamento – CEBRAP, 2008.
Nota: Realizado com Philcarto – http://perso.club-internet.fr/philgeo.

número de estabelecimentos de ensino superior. Em consonância com as conclusões trazidas pelo capítulo 5, de Bessa, Colli e Paula, deste livro, o Centro histórico tem se configurado como uma área de atração de estabelecimentos de ensino superior, sobretudo instituições privadas, com destaque para o fato de a região abrigar a sede de importantes instituições de ensino.

Na região Sul, a concentração é significativa, porém mais dispersa entre as localidades. Destacam-se três distritos. Em primeiro lugar, Santo Amaro, que, vale lembrar, insere-se no chamado vetor Sudoeste, o qual, conforme mostra o capítulo 5, tem registrado um aumento da densidade das atividades ligadas a serviços, entre os quais se insere o setor da educação. Os outros dois distritos que se destacam na região Sul são Capela do Socorro – em especial Grajaú e Cidade Dutra, com grande concentração de estabelecimentos de ensino e empregos mais localizados – e Vila Mariana, que de certa forma absorve parte da tendência do Centro da cidade a abrigar instituições de ensino superior.

Nas demais regiões, Norte e Leste, é possível identificar algumas localidades com grande presença de instituições de ensino e de postos de trabalho, mas não a ponto de caracterizar uma forte concentração geográfica dessas instituições. A grande maioria dos distritos abriga até dez estabelecimentos de ensino, com volume de emprego que aparece no Mapa 1 de forma bastante dispersa. Merecem destaque duas regiões: Santana-Tucuruvi, na zona Norte, e Tatuapé, na zona Leste, que são exatamente as localidades mais próximas do Centro-Sul da cidade.

Tendo em conta a distribuição geográfica das instituições de ensino superior presentes na cidade de São Paulo, resta-nos qualificar as atividades desempenhadas por elas, especificamente no que tange à função principal desses estabelecimentos, qual seja, de formação e qualificação de recursos humanos. Para tanto, passamos agora a analisar outras fontes de informação, específicas sobre formação de mão de obra, que consistem nos dados do Inep, em especial (ainda que não somente) o Censo da Educação, e nos dados da CAPES, no que tange aos números da pós-graduação.

A primeira constatação corrobora o que já vimos a partir da base da RAIS: a duplicação no número de estabelecimentos do ensino superior e o aumento significativo do número de empregos vinculados diretamente a tais instituições nos últimos onze anos. O reflexo desse movimento pode ser visto no aumento consistente no número de cursos de nível superior, tanto de bacharelado como de licenciatura, existentes no MSP. No ano 2000, havia 844 desses cursos; em 2004, o número salta para praticamente 1.500. Esse salto representou um aumento de 77% no número de cursos existentes na cidade de São Paulo, e o setor privado foi o grande responsável por esse acréscimo, uma vez que 89% dos novos cursos foram gerados pela iniciativa privada. Trata-se, nesse caso, de uma mudança quantitativa bastante significativa, não nos sendo possível fazer a mesma afirmação quanto à questão da qualidade; o que seria um exercício interessante de fazer, mas que foge aos propósitos e limites deste estudo.

A respeito dessa ampliação dos cursos de nível superior, cabe mencionar que as universidades públicas presentes no MSP, representadas por três instituições, a Universidade de São Paulo (USP), a Universidade Federal de São Paulo (UNIFESP) e a Universidade Estadual Paulista (UNESP),[4] ofereciam no ano de 2004 um total de 146 cursos; nesse mesmo ano a iniciativa privada ofertava 1.348 cursos. Além da desproporcionalidade do número de cursos entre instituições de ensino públicas e privadas, identificamos outras di-

Tabela 1 - Distribuição* de cursos por áreas de conhecimento agregadas. MSP, 2000-2004

	2000	2001	2002	2003	2004
Públicas	100%	100%	100%	100%	100%
Humanas	59,5	60,6	58,3	55,3	54,1
Exatas	29	27,3	29,5	33,3	34,9
Biológicas	11,5	12,1	12,1	11,3	11
Privadas	100%	100%	100%	100%	100%
Humanas	63,5	63,2	63	65,1	64,8
Exatas	23,4	24	24,1	23,1	22,8
Biológicas	13	12,8	12,9	11,7	12,3

* Trata-se da proporção em relação ao total em cada categoria administrativa.

Fonte: Censo de Educação Superior; INEP. Elaboração CEBRAP.

[4] O *campus* da UNESP em São Paulo abriga o seu Instituto de Artes, com seis cursos de graduação. O grande alcance dessa universidade ocorre no interior paulista, estando presente em 21 cidades, além de ter um *campus* no litoral (em São Vicente).

ferenças e algumas semelhanças na sua distribuição segundo áreas do conhecimento. Em comum, instituições públicas e privadas ofertam um número consideravelmente maior de cursos nas áreas de humanas, seguidas por exatas e, por último, biológicas. No entanto, notamos que, comparativamente, a iniciativa pública é que oferta o maior percentual de cursos na área de exatas. Essa relação foi intensificada nos últimos anos; enquanto a oferta de cursos nas áreas de humanas e biológicas permaneceu constante, o número de cursos em exatas aumentou progressivamente, conforme mostra a Tabela 1.

Pode-se dizer que o aumento na oferta de cursos em exatas responde a uma demanda colocada pelo segmento empresarial (indústria e serviço), sobretudo em relação a áreas que recrutam pessoal com formação técnica. E aqui se constata um paradoxo: por um lado, a iniciativa privada conta com a vantagem da flexibilidade administrativa na criação de novos cursos, que lhe permite atender com maior rapidez às demandas colocadas pelo setor produtivo. Por outro lado, é o setor público que absorve mais facilmente esse tipo de investimento, uma vez que se trata de cursos em que o montante de recursos necessário é maior, já que requerem equipamentos específicos e infraestrutura laboratorial, o que torna o retorno financeiro mais lento. E, conforme observamos, o ensino privado tem sido mais lento ao ofertar cursos técnicos.

O aumento na oferta de cursos superiores se reflete no número de matriculados e concluintes. A análise acerca desse movimento, com enfoque para o *número de matrículas*, revela taxas de crescimento constantes, que alcançaram na média geral valores superiores a 10% ao ano na última década.[5] Para o caso específico do MSP, no período de 2000 a 2004, seguem três comentários:

1) A taxa de crescimento anual, de 7%, assim como o crescimento no período, de 29%, ficaram abaixo tanto da média anual brasileira, de 12%, quanto da média para regiões selecionadas, tais como RMSP, interior de São Paulo e ESP como um todo (vide Tabela 2).

Tabela 2 - Evolução no número de matrículas em curso superior e crescimento, segundo regiões selecionadas, 2002-2004

	Evolução					Crescimento	
	2000	2001	2002	2003	2004	Anual	Período
MSP	11,7	11,5	10,8	10,1	9,7	6,6	28,8
RMSP*	4,8	4,7	4,5	4,3	4,3	8,4	38,0
ESP*	13,8	13,5	13,0	12,6	12,6	8,9	40,5
Total ESP	30,4	29,6	28,4	27,0	26,6	7,9	35,6
Brasil	100	100	100	100	100	11,5	54,5

* Excluídos valores referentes ao município de São Paulo.
Fonte: Censo de Educação Superior; INEP. Elaboração CEBRAP.

2) Não obstante o crescimento no número de matrículas em cursos superiores no período de 2000 a 2004, o ritmo no MSP foi menor do que o observado em outras regiões. Enquanto no ano 2000 o MSP respondia por 11,7% de todas as matrículas em cursos superiores no Brasil, em 2004 essa participação reduziu-se para 9,7%.

3) Tal movimento, antes de ser visto como algo negativo para o MSP, deve ser interpretado como um resultado do aumento na oferta de cursos superiores em regiões outras, do interior de São Paulo e de outros estados brasileiros, seguindo um claro movimento de interiorização e de busca de novos mercados, por parte das instituições de ensino privadas, conforme já vem sendo sinalizado pelas edições dos indicadores de C,T&I do ESP[6] (Fapesp, 2002; 2005).

Nesse debate, vale a relação entre poder aquisitivo e matrículas em cursos superiores – em fases de crescimento da economia, a tendência é que aumente o número de inscritos em cursos superiores.

Em relação ao *número de concluintes*, outras três observações são pertinentes:

1) Nota-se uma diminuição do peso atribuído ao estado de São Paulo como principal formador de mão de obra de nível superior. No ano 2000, o estado sozinho foi o responsável por cerca de 40% dos profissionais com curso superior formados nesse ano no país; em 2004, essa relação ficou próxima de 31%. O mo-

[5] Cabe considerar que um estudante pode fazer várias matrículas em vários cursos e em várias universidades, ao mesmo tempo, sem que a base de dados que estamos analisando consiga captar situações desse tipo. O que indica que o número de matrículas aqui apresentado está, no mínimo, superestimado.

[6] Trata-se dos "Indicadores de Ciência, Tecnologia e Inovação em São Paulo". A primeira edição do volume de Indicadores ocorreu em 1998, a segunda em 2002, e a terceira e mais recente é de 2005. As edições dos Indicadores podem ser obtidas em formato eletrônico, no site http://www.fapesp.br/indicadores.

Tabela 3 - Evolução no número de concluintes do ensino superior e crescimento, segundo regiões selecionadas, 2000-2004

	Evolução					Crescimento	
	2000	2001	2002	2003	2004	Anual	Período
MSP	14,7	12,9	13,1	11,9	11,8	11,7	54,3
RMSP*	7,0	6,2	5,5	5,6	5,3	9,1	46,5
ESP*	17,6	15,9	15,6	15,2	13,8	10,9	51,2
Total ESP	39,3	34,9	34,3	32,7	30,8	11,0	51,5
Brasil	100	100	100	100	100	17,9	93,0

* Excluídos valores referentes ao município de São Paulo.
Fonte: Censo de Educação Superior; INEP. Elaboração CEBRAP.

vimento de interiorização, com o aumento no número de matrículas em cidades do interior do país, ajuda a explicar esses números (vide Tabela 3).

2) É o MSP que apresenta as maiores taxas de crescimento no número de concluintes na comparação com outras regiões. Elas são maiores tanto se olharmos para a taxa de crescimento anual, que foi de 12%, quanto para a taxa de crescimento do período de 2000 a 2004, de 54%. O que significa que, ao menos no MSP, a tendência do crescimento do número de concluintes do ensino superior tem sido mais forte do que a média para o ESP, ainda que significativamente mais fraca que a média para Brasil.

3) Por fim, cabe destacar o peso do MSP na formação de pessoal de nível superior, que em número absoluto é equivalente ao que forma todo o interior do ESP. Se somarmos a RMSP com a capital, temos mais de 55% do pessoal com nível superior sendo formado nessa região.

Tendo constatado um aumento na formação de pessoal com nível superior, a questão é saber como ele está distribuído segundo as grandes áreas de conhecimento. E não surpreende que a forte concentração dos formandos seja em humanas, reflexo do número de cursos superiores nessa área, conforme já vimos. Entretanto, uma única área de conhecimento, ciências sociais, negócios e direito, responde por mais de 50% do total dos alunos matriculados em cursos superiores no MSP, conforme Tabela 4, o que significa que a cada 100 alunos formados com curso superior, cerca de 50 estão credenciados a seguir carreira como advogados, administradores, cientistas sociais ou profissões correlatas. Ainda que no total agregado a participação percentual dos formandos nessa área tenha se reduzido (de 52% em 2000 para 49% em 2004), trata-se de valores bastante representativos, sobretudo se compararmos com a segunda área que mais forma pessoal de nível superior no MSP, saúde e bem-estar social, que somou 12% dos formandos em 2004.[7]

A Tabela 5 nos permite traçar comparações entre o número de concluintes em cursos de nível superior, por áreas de conhecimento selecionadas, do Brasil e do MSP com diversos outros países, a saber: África do Sul, Chile, Coreia do Sul, Portugal, Espanha, França, Inglaterra, Itália, Alemanha.[8] A escolha desses países obedeceu à combinação de alguns critérios: países com número de formandos equivalentes aos do Brasil; países desenvolvidos com bom desempenho econômico na área de ciências; países da América Latina com recente desempenho econômico de destaque; países que competem diretamente com o Brasil, seja na atração de investimento direto estrangeiro, seja na competitividade de seus produtos e processos.

Tais informações comparadas nos chamam a atenção para alguns pontos. Primeiro, e reforçando tendência que já vínhamos assinalando, merece destaque o baixo percentual de concluintes no Brasil na área de exatas, a qual respondeu por 12,3% dos concluintes do

Tabela 4 - Percentual do número de concluintes do ensino superior por áreas do conhecimento no MSP, 2000-2004

Áreas de Conhecimento	2000	2001	2002	2003	2004
Agricultura e Veterinária	0,4	0,4	0,5	0,6	0,5
Ciências Sociais, Negócios e Direito	52,0	49,6	50,2	50,9	49,0
Ciências, Matemática e Computação	9,0	8,8	7,7	9,6	10,7
Educação	11,3	13,1	13,0	11,3	11,8
Engenharia, Produção e Construção	8,6	8,0	7,5	6,1	6,5
Humanidades e Artes	6,5	6,1	5,7	5,5	5,5
Saúde e Bem-Estar Social	9,5	10,7	11,8	12,0	12,0
Serviços	2,8	3,4	3,6	4,0	3,9
Total	100	100	100	100	100

Fonte: Censo de Educação Superior; INEP. Elaboração CEBRAP.

[7] O Anexo Metodológico traz a relação dessas áreas de conhecimento proposta pelo Inep, e os respectivos cursos compreendidos em cada uma dessas rubricas.
[8] Não foi possível, por limitações da base de dados que consultamos, coletar informações sobre Argentina e México, países que certamente dariam um contraponto interessante em se tratando de análises focadas na América Latina.

ensino superior no Brasil, e por 17% no MSP.[9] Com exceção da África do Sul, que apresenta valores próximos aos do MSP, em todos os demais países aqui comparados notamos que mais de 20% dos concluintes em cursos superiores se formaram na área de exatas; na Coreia do Sul, por exemplo, o percentual chega a 39%.

Esse cenário é mais crítico se focarmos somente a categoria engenharia, produção e construção. Dois exemplos são emblemáticos desse movimento. Na comparação mais geral, temos a França, que, em relação ao número total de concluintes em cursos superiores, apresenta números similares aos do Brasil, ao redor de 660 mil; quase 15% desse total, ou 97.509 estudantes, correspondem aos engenheiros formados no ano de 2004. Nesse mesmo ano, a relação se manteve em 5% no Brasil, ao redor de 33 mil alunos concluintes dos cursos de engenharia.

Na comparação com o MSP notamos, primeiro, que em números absolutos a cidade formou em 2004 mais pessoas de nível superior do que Portugal. No entanto, na distribuição por áreas de conhecimento, em Portugal, 14,6%, ou 10 mil estudantes, concluíram o ensino superior nas áreas de engenharia; no MSP esse percentual se manteve em 6,5%, ou 4.823 mil concluintes.

Pensando o caso brasileiro a partir de uma série histórica, e em termos absolutos, o que se nota é um crescimento no número de formandos em engenharia: estamos falando de cerca de 23 mil engenheiros formados no Brasil no ano 2000, e de 33 mil em 2004; o MSP registrou cerca de 4 mil formandos nessa área no ano 2000 e pouco mais de 4.800 em 2004, conforme dados do Inep. Ainda que se observe um aumento no número de engenheiros formados no Brasil, em termos percentuais, tal crescimento não tem acompanhado a velocidade do que ocorre com outras áreas de conhecimento no país. A contar com esse aumento tímido no número de concluintes na área de exatas no Brasil e, especificamente, no MSP, esse crescimento tende a não acompanhar as demandas colocadas pelo setor produtivo, para vagas de trabalho ligadas aos segmentos de tecnologia e de inovação, sobretudo em cenários de expansão da economia brasileira.

Pensando na competitividade do Brasil e, por extensão, na competitividade do MSP, é certo que, ao se aumentar a disponibilidade e a qualificação de seus recursos humanos, principalmente nas áreas de ciências e engenharias, aumentam-se as chances de as regiões obterem melhor desempenho em setores mais intensivos em tecnologia e conhecimento. Além disso, essas áreas de conhecimento são críticas para o processo de desenvolvimento tecnológico de uma nação. Porém, conforme podemos ver na Tabela 5, o contingente de engenheiros formados anualmente no país tende a se manter abaixo da média de uma série de países, muitos dos quais são concorrentes diretos do Brasil.

Além disso, em pesquisa aqui já mencionada (Queiroz et al., 2007), foi realizado um levantamento que identificou os esforços empreendidos por um

Tabela 5 - Concluintes do ensino superior por áreas de conhecimento, para Brasil, MSP e países selecionados, 2004

Países e MSP	Total	Ciências, matemática e computação		Engenharia, produção e construção		Saúde e bem-estar social		Serviços	
	Abs.	Abs.	%	Abs.	%	Abs.	%	Abs.	%
Brasil	662.659	48.667	7,3	33.148	5,0	77.868	11,8	15.546	2,3
MSP	73.809	7.916	10,7	4.823	6,5	8.832	12,0	2.905	3,9
França	664.711	81.783	12,3	97.509	14,7	80.746	12,1	25.410	3,8
Coreia do Sul	607.605	64.531	10,6	172.703	28,4	54.737	9,0	43.258	7,1
Inglaterra	595.641	86.732	14,6	48.284	8,1	105.860	17,8	4.145	0,7
Itália	324.505	23.871	7,4	49.744	15,3	49.947	15,4	8.004	2,5
Alemanha	319.791	32.178	10,1	53.725	16,8	80.678	25,2	12.429	3,9
Espanha	298.448	32.816	11,0	50.368	16,9	38.421	12,9	21.488	7,2
África do Sul	116.443	11.175	9,6	8.358	7,2	8.179	7,0	1.924	1,7
Chile	106.456	9.457	8,9	17.365	16,3	12.932	12,1	6.724	6,3
Portugal	68.668	7.363	10,7	10.008	14,6	12.320	17,9	4.608	6,7

Fonte: Adaptado da Organização das Nações Unidas para Educação, Ciência e Cultura (UNESCO) e INEP.

[9] Com área de exatas, estamos nos referindo à soma dos concluintes em ciências, matemática e computação mais engenharia, produção e construção; os cursos compreendidos nessas áreas estão no Anexo Metodológico.

conjunto de países no sentido de ampliar a oferta de recursos humanos qualificados e formados na área de exatas. É o caso da China, por exemplo, que somente no ano de 2003 formou aproximadamente 1,9 milhão de estudantes universitários, dos quais mais de 34% nas áreas de ciências e engenharias. Também Índia, Israel, Cingapura, Austrália, Hungria e Taiwan têm sido exemplos de países que, preocupados em oferecer mão de obra qualificada para o segmento mais intensivo em tecnologia, estão empreendendo esforços sistemáticos na ampliação do número de estudantes nessas áreas – engenharias, matemáticas e ciências.

E se, por um lado, o quadro revelado na Tabela 5 não nos parece favorável em relação aos formandos nas áreas de exatas, no que se refere à área de saúde e bem-estar (cursos como medicina, enfermagem, farmácia, entre outros) e de serviços (cursos como hotelaria, recreação e lazer, turismo, saúde e segurança no trabalho), pode-se dizer que o Brasil e o MSP apresentam um número total de concluintes que se mantém na média do que se observa nos países comparados. Por exemplo, com quase 78 mil formandos em 2004 nos cursos correlatos à área da saúde e bem-estar, o Brasil se aproxima em números absolutos do que se vê na França e na Alemanha. Já em relação à área de serviços, a posição do MSP é melhor, com números absolutos (2.906 concluintes) que superam os da África do Sul, com 1.924 formandos nessa área, e se aproximam dos valores da Inglaterra, que formou 4.145 alunos nessa área, no mesmo ano.

E considerando-se a tendência, o número de matrículas e de concluintes em ambas essas áreas de conhecimento, saúde e bem-estar social e serviços no MSP tende a se ampliar. Tal observação deriva da análise das taxas de crescimento anual dos ingressantes e formandos nessas áreas, no período 2000-2004, as quais se mantiveram na ou acima da média do movimento que se observa em outras áreas do conhecimento, conforme pode ser observado na Tabela 6. O caráter estratégico dessas áreas para a dinâmica desenvolvimentista do MSP já está documentado em outros capítulos deste livro (particularmente no capítulo 2, de Torres Freire, Abdal e Bessa), e essa análise mostra que, ao menos no que concerne a recursos humanos especializados, teremos oferta suficiente desses profissionais no mercado. Em oposição a esse cenário, chamamos novamente a atenção para os números que aparecem para engenharia, produção e construção, com taxas de crescimento de matrículas e concluintes, respectivamente, de 3% e 5% no período, as mais baixas entre todas as áreas analisadas.

Tabela 6 - Taxa de crescimento anual no número de matrículas e concluintes em cursos superiores MSP, 2000-2004

Áreas de Conhecimento	Matrículas	Concluintes
Agricultura e Veterinária	5,0	20,0
Ciências Sociais, Negócios e Direito	5,0	10,0
Ciências, Matemática e Computação	10,0	17,0
Educação	6,0	14,0
Engenharia, Produção e Construção	3,0	5,0
Humanidades e Artes	13,0	7,0
Saúde e Bem-Estar Social	11,0	19,0
Serviços	11,0	21,0
Total	7,0	12,0

Fonte: Censo de Educação Superior; INEP.
Elaboração CEBRAP.

Considerando que o propósito desta seção é analisar a oferta de recursos humanos qualificados, tendo discutido o cenário do ensino superior no MSP, cabe-nos agora apresentar alguns dados sobre o contexto da pós-graduação.[10] E o seu crescimento, no Brasil, tem sido surpreendente e serve como exemplo de política pública bem-sucedida. Procedentes principalmente de instituições públicas (universidades federais e estaduais), observamos que o número de titulados, tanto no mestrado quando no doutorado, tem seguido tendência de expansão, de forma contínua. O Gráfico 1, referente ao período de 1996 a 2007, ilustra esse

[10] Para fins deste estudo, não há muita contribuição analítica em se fazer uma análise dos números da pós-graduação brasileira por região, com abertura para o MSP, por conta da mobilidade dos estudantes de pós-graduação, bem mais intensa do que entre o pessoal de cursos superiores. Vide o exemplo dado por Viotti e Baessa (2008), ao mostrarem que, no período de 1996 a 2003, São Paulo formou cerca de 15.711 doutores, o que correspondeu a mais de 60% do total dos titulados no Brasil. Desse total, 43% foram "exportados" para outros estados, o que faz de São Paulo um grande formador de doutores para todo o país.

Gráfico 1

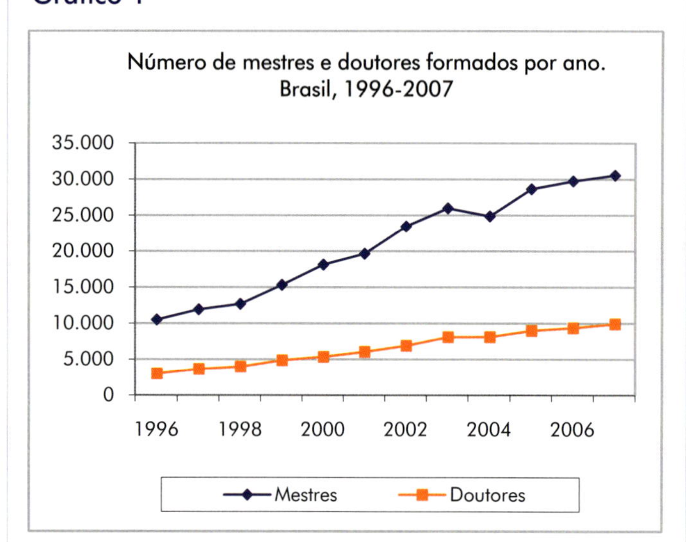

Fonte: CAPES. Elaboração própria.

movimento: no caso dos mestres, o crescimento foi de 190%; para doutores, foi ainda superior, chegando a 230% em relação a 1996. Em números absolutos, o Brasil formou mais de 30.500 mestres e cerca de 9.900 doutores em 2007, distribuídos nos mais de 2 mil programas de pós-graduação existentes no país.

Dois aspectos emergem dessa discussão:

1) A exemplo do que está ocorrendo com o ensino de nível superior, também em relação à pós-graduação notamos uma desconcentração na formação desse tipo de profissional, para outras regiões do país, fora do estado de São Paulo. Ainda assim, São Paulo continua responsável pelo maior percentual de pós-graduandos titulados do país; cerca de 36% no mestrado e 59% no doutorado, para o período de 1998 a 2002 (Castro et al., 2002). Nessa porcentagem, enquanto em outros estados são as universidades federais que mais contribuem para a formação desse tipo de profissional, no ESP são as três universidades estaduais que se destacam – USP, UNESP e UNICAMP.[11]

2) Ao contrário do que ocorre com os concluintes do ensino superior, entre os titulados na pós-graduação nota-se uma distribuição menos heterogênea por áreas de conhecimento, sobretudo daqueles com título de doutorado.

A Tabela 7, sobre a titulação de mestres e doutores por áreas de conhecimento, complementa essa informação. Pode-se ver que a categoria ciências humanas e aplicadas, assim como ocorre com a carreira superior, responde pelo maior percentual de titulados (40% entre os mestres e 32% entre os doutores). Porém a diferença com as demais áreas técnicas é menos pronunciada. Ciências da saúde, por exemplo, respondeu por cerca de 15% dos mestres e por 18% dos doutores titulados no Brasil no ano de 2007. No período 1996-2007, essa área foi responsável pelo maior crescimento, de 218% para mestres e 196% para doutores. As engenharias também apresentam números elevados de titulados, e seu crescimento no período 1996-2007 foi de 160% e 190%, respectivamente, para os titulados no mestrado e no doutorado.

Não obstante o número de titulados na pós-graduação no Brasil ser pujante e seu crescimento significativo, a ponto de colocar o Brasil entre os dez países que mais formam doutores em todas as áreas de conhecimento, observa-se um problema quanto ao destino profissional desses titulados. Estudo realizado por Viotti e Baessa (2008) sobre o emprego de doutores com registro em carteira no Brasil no ano de 2004 mostra que a grande maioria desse pessoal encontrava-se empregada em universidades ou em órgãos do governo. As instituições de ensino foram, então, as maiores absorvedoras de doutores no Brasil, responsáveis pelo emprego de 66% desse pessoal. Juntas, instituições de ensino e administração pública contrataram praticamente 85% desses

Tabela 7 - Mestres e doutores titulados no Brasil por áreas de conhecimento, 2007

Grande Área de Conhecimento	Mestres		Doutores	
	Abs.	%	Abs.	%
Ciências Agrárias	2.995	9,8	1.217	12,3
Ciências da Saúde	4.555	14,9	1.798	18,1
Ciências Biológicas	2.206	7,2	1.158	11,7
Ciências Exatas e da Terra	2.693	8,8	992	10,0
Ciênc. Humanas e Aplicadas	12.108	39,6	3.218	32,4
Engenharias	4.144	13,6	1.178	11,9
Multidisciplinar	1.867	6,1	358	3,6
Total	30.568	100,0	9.919	100,0

Fonte: CAPES. Elaboração CEBRAP.

[11] Como ilustração, USP e Unicamp titulam, sozinhas, mais doutores do que qualquer universidade dos EUA. Por exemplo, a titulação anual da USP, de 2.041 doutores, e a da UNICAMP, com 873, são superiores à da Universidade de Berkeley, primeira colocada entre as universidades norte-americanas em número de pós-graduados, com 769 doutores, seguida pela Universidade de Austin, com 702. Nesse *ranking* com as universidades norte-americanas, a UNESP ocupa a 16º posição, com 522 doutores titulados ao ano. Tais informações foram coletadas em apresentação do diretor científico da FAPESP, Carlos Henrique Brito Cruz, no seminário "O desafio da inovação no Brasil", em 8 de novembro de 2007, em São Paulo.

profissionais, reforçando um peso que parece ser desproporcionalmente elevado. Os autores também mostram que a absorção desse pessoal altamente qualificado pelo setor empresarial é bastante limitada: apenas 1,2% deles encontram-se na indústria de transformação, valor esse que sinaliza a ainda reduzida participação do setor produtivo no esforço de P&D e inovação existente no país em 2004. Dados complementares, coletados a partir da Pesquisa de Inovação Tecnológica (Pintec/IBGE), reforçam essa constatação ao mostrar que as empresas industriais inovadoras brasileiras empregavam menos de 3 mil pós-graduados em atividades de P&D em 2000, ano no qual o Brasil titulou mais de 18 mil mestres e 5 mil doutores (Viotti et al., 2005).

3. Infraestrutura técnica de apoio à inovação

Esta seção analisa um aspecto particular da discussão sobre infraestrutura de conhecimento: a rede de instituições de apoio às empresas no MSP. Vale destacar que essa análise não se presta a avaliar se há ou não número suficiente de institutos e laboratórios de P&D, e de laboratórios e organismos de certificação, na capital paulista, mas, sim, observar a localização dessas instituições. Nesse sentido, há vários estudos que comprovam que espaço e inovação mantêm estreita relação, sendo que a concentração local de insumos próximos às empresas, tais como os institutos de P&D, laboratórios de ensaios e testes, universidades, entre outros, tende a influenciar de forma positiva a atividade inovativa na região.

Segundo resumem Suzigan et al. (2005), "a proximidade geográfica facilita a transmissão de novos conhecimentos, que se caracterizam como complexos, de natureza tácita e específicos a certas atividades e sistemas de produção e inovação". E, muito embora a existência desses organismos não signifique que eles estejam sendo utilizados pelas empresas, trata-se de um indicador importante se pensarmos pelo lado da oferta: a presença física dessas instituições pode impulsionar a sua utilização.

Esta seção analisa dois grupos de instituição presentes no MSP.[12] Um primeiro grupo agrega as instituições públicas ligadas à área de C&T, tais como os centros tecnológicos, institutos de pesquisa e seus respectivos laboratórios. Tais instituições tanto podem prestar serviços tecnológicos às empresas como desenvolver projetos de pesquisa e de desenvolvimento tecnológico em temas específicos. E, levando em conta esse grupo de instituições, vemos que o MSP abriga em torno de 200 laboratórios públicos de P&D, que prestam serviços e estão vinculados a cerca de 18 institutos localizados na capital. Esse número representa quase 40% do total de institutos públicos de pesquisa presentes no ESP. Olhando para a distribuição regional dessas instituições, fica evidente a sua concentração geográfica, com destaque para a região Oeste, que abriga 112 laboratórios públicos (56% do total). Claro está que a presença na região Oeste da Universidade de São Paulo, e dos vários institutos ligados a ela, além do IPEN (Instituto de Pesquisas Energéticas e Nucleares), do IPT (Instituto de Pesquisas Tecnológicas) e Instituto Butantã, contribui para esse aglomerado, ainda que não exclusivamente. A região Sul vem em seguida, com 65 laboratórios, ou 32% do total, seguida pelo Centro, com 20 laboratórios (10% do total).

Não foi localizado nenhum laboratório público de P&D nas regiões Norte e Leste. No entanto, a base de dados que estamos trabalhando fez o mapeamento dos institutos e laboratórios presentes no MSP até o ano 2004. Certamente um trabalho de atualização dos dados sobre essas instituições deverá apontar para o surgimento de alguns laboratórios de P&D na região Leste, em decorrência da recente instalação aí de um *campus* da USP.

O segundo grupo de instituições abarca os organismos acreditados pelo Inmetro (Instituto Nacional de Metrologia, Normalização e Qualidade Industrial)[13]

[12] As bases são distintas e, por isso mesmo, tendem a trazer sobreposição de informações. Por exemplo, alguns laboratórios vinculados aos institutos de P&D por vezes também são acreditados pelo Inmetro para a realização de testes e ensaios. Nossa opção metodológica foi manter essa sobreposição, porém recomendar cautela na interpretação das informações, evitando que se faça a somatória dos estabelecimentos, mas, sim, uma análise qualitativa.

[13] O INMETRO, órgão vinculado ao Ministério do Desenvolvimento, Indústria e Comércio Exterior, é o único organismo de acreditação brasileiro reconhecido internacionalmente. Entre suas funções, ele objetiva fortalecer as empresas situadas no território nacional, aumentando a sua produtividade por meio da adoção de mecanismos destinados à melhoria da qualidade de produtos e serviços. Em sua fase inicial, as certificações eram conduzidas apenas pelo Inmetro; a partir de 1992, passaram a ser conduzidas por organismos e laboratórios acreditados por ele (www.inmetro.gov.br).

presentes no MSP, os quais atuam como suporte e apoio à atividade produtiva, uma vez que sua função é atestar a adequação de produtos, processos e serviços aos requisitos mínimos de qualidade e segurança, em consonância com as práticas e padrões internacionais. São quatro os tipos de organismo aqui analisados: os laboratórios de ensaio e os de calibração, e os organismos de inspeção e os de certificação, todos atuando na avaliação da conformidade.[14]

Vemos que o MSP conta com pelo menos 250 estabelecimentos que prestam serviços certificados pelo Inmetro. Esse número significa que mais da metade dos organismos e laboratórios acreditados pelo Inmetro presentes no estado de São Paulo está na capital paulista. Se contabilizarmos a RMSP, o percentual salta para cerca de 70%, consolidando uma extensa rede de estabelecimentos voltados à prestação desse tipo de serviço técnico, conforme ilustra o Mapa 2.

Em relação aos serviços oferecidos por tais instituições, fazemos duas observações:

1) Os laboratórios de calibração são maioria, com 98 unidades apenas no MSP (em um total de 170 presentes no ESP), sendo os serviços mais frequentes os voltados à análise dimensional (17 laboratórios) e de pressão (16 laboratórios).

2) Os organismos voltados à certificação estão presentes praticamente apenas na cidade de São Paulo. O MSP abriga 76 postos, enquanto o resto do estado contabiliza outras 13 unidades. Dentre os organismos certificadores que podem ser encontrados somente no MSP estão os que certificam Sistemas de Gestão da Qualidade (NBR 15000); Gestão da Responsabilidade Social; Verificação de Desempenho; Certificação de Pessoas; e Certificação de Manejo de Florestas. Os demais certificadores (de Produtos, de Qualidade e de Gestão Ambiental) são encontrados em outras regiões além da capital. Essa concentração reforça a ideia de que o MSP é um centro prestador de serviços, com grande diversificação de atividades econômicas.

Assim como ocorre com os institutos de pesquisa, os órgãos acreditados pelo Inmetro também estão concentrados em duas regiões: a Sul e a Oeste. E ambas se destacam pela presença de pelo menos duas atividades: a região Sul abriga o maior número de laboratórios de calibração e organismos de certificação, enquanto a região Oeste se caracteriza pela maior presença de laboratórios de calibração e ensaio. A esse respeito, novamente, a presença da USP e do IPT (Instituto de Pesquisas Tecnológicas) nessa região responde por número significativo dessas atividades.[15] Já os organismos de inspeção, que atestam a segurança veicular e os produtos perigosos, são em menor número (25 postos) e estão distribuídos de forma mais homogênea pelo MSP.

Por fim, cabe dizer que tanto a capacidade quanto a credibilidade de uma região em fornecer infraestrutura técnica voltada à normalização, metrologia e avaliação da conformidade estão diretamente correlacionadas ao sucesso na exportação de produtos em diversos mercados, bem como a sua consolidação no mercado interno (Canongia, 2007). Do que se constata que a oferta de serviços especializados, reconhecidos por órgãos credenciados pelo governo, e, portanto, legítimos, comporta-se como uma questão estratégica, por ser um componente essencial para a competitividade das empresas na medida em que legitima o acesso dos seus produtos e serviços ao mercado.

A proximidade física dessas unidades de serviço é fator que contribui ainda mais para a competitividade, por trazer benefícios tais como facilidade de logística e menores prazos e custos. E, nesse aspecto, as regiões Oeste e Sul encontram-se bem posicionadas, tendo à disposição uma ampla oferta de instituições especializadas no oferecimento de serviços técnicos diversos. Conforme vimos, a concentração dos laboratórios de P&D nessas duas regiões é ainda mais intensa, reforçando sua centralidade na capital paulista. E, a considerar tendências apontadas pela literatura, de que a concentração local desses serviços especializados tende a impulsionar atividades inovativas na região, há de se pensar em estratégias que minimizem a desvantagem de acesso de empresas instaladas em regiões menos favorecidas com a oferta desse tipo de serviço.

[14] Metrologia é a ciência que abrange todos os aspectos teóricos e práticos relativos às medições, qualquer que seja a incerteza, em quaisquer campos da ciência ou tecnologia; já a Avaliação da Conformidade atesta, com adequado grau de confiança, que um produto, processo, serviço ou mesmo um profissional atende a requisitos pré-estabelecidos por normas e regulamentos (Inmetro, apud Canongia, 2007).

[15] Conforme já mencionamos, nota-se aqui um exemplo de sobreposição de informações, sendo que o IPT e a USP aparecem classificados em ambas as bases de dados analisadas nesta seção.

Mapa 2: Distribuição de laboratórios e organismos certificados pelo Inmetro por número de estabelecimentos

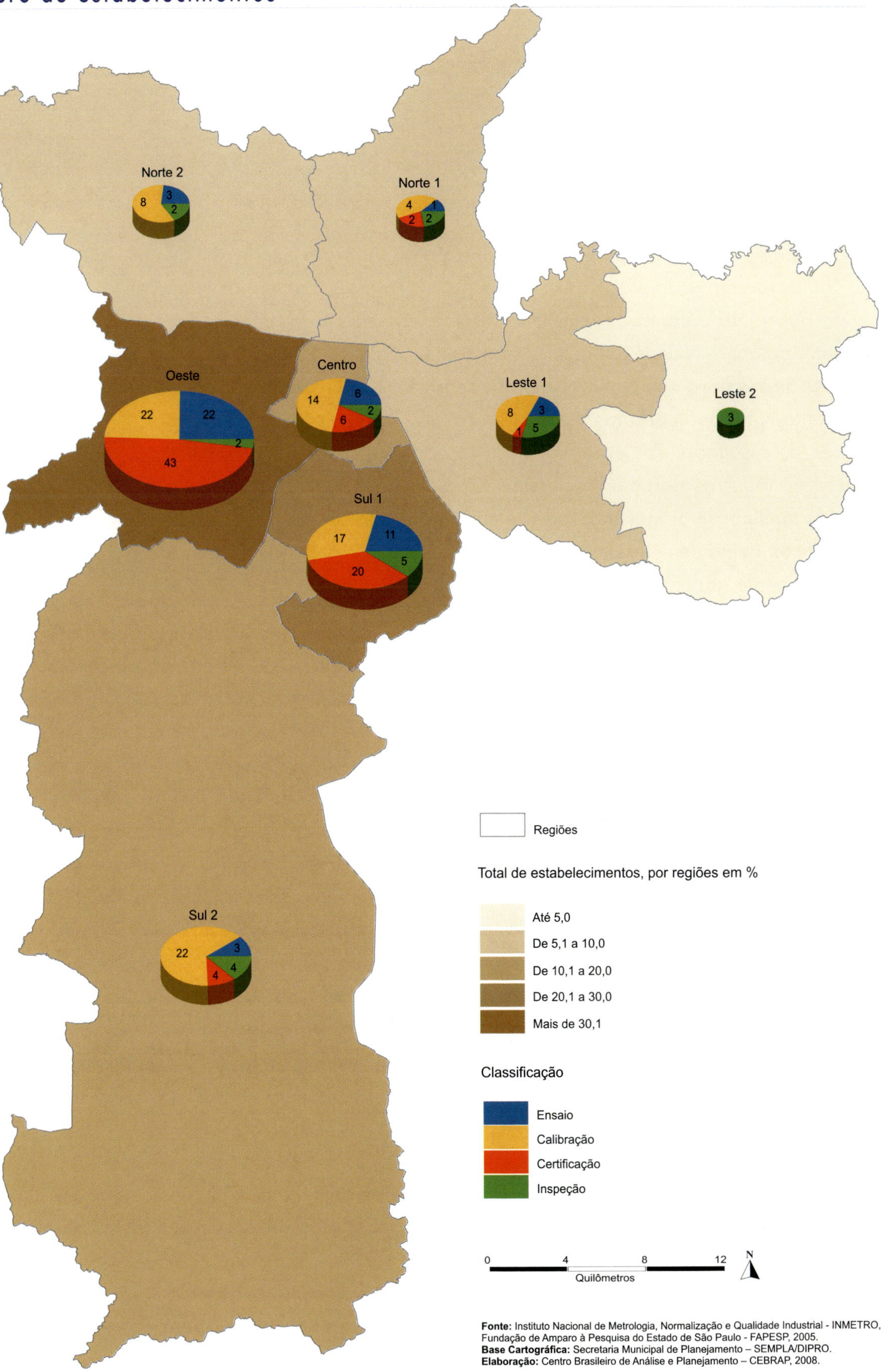

Norte 2
8 3 2

Norte 1
4 1 2 2

Oeste
22 22 2 43

Centro
14 6 2 6

Leste 1
8 3 1 5

Leste 2
3

Sul 1
17 11 5 20

Sul 2
22 3 4 4

Regiões

Total de estabelecimentos, por regiões em %

Até 5,0
De 5,1 a 10,0
De 10,1 a 20,0
De 20,1 a 30,0
Mais de 30,1

Classificação

Ensaio
Calibração
Certificação
Inspeção

0 4 8 12
Quilômetros
N

Fonte: Instituto Nacional de Metrologia, Normalização e Qualidade Industrial - INMETRO, 2005. Fundação de Amparo à Pesquisa do Estado de São Paulo - FAPESP, 2005.
Base Cartográfica: Secretaria Municipal de Planejamento – SEMPLA/DIPRO.
Elaboração: Centro Brasileiro de Análise e Planejamento – CEBRAP, 2008.

Parte II – Indicadores de resultado

Esta segunda parte do capítulo, organizada em duas seções, tem por meta analisar os produtos, ou seja, os resultados dos investimentos produtivos, tecnológicos e das investigações na área científica verificados no MSP.

Deve ficar claro que os indicadores de resultado aqui analisados não são uma decorrência direta dos indicadores de insumo apresentados na parte I deste capítulo. O que significa que o bom desempenho em um dos indicadores não implica a existência automática do outro. No entanto, prevalece uma clara relação entre ambos, e os indicadores de insumo são uma das condições para que tenhamos bons produtos e, portanto, uma boa *performance* em termos de indicadores de resultado. Por exemplo, a elevação do número de registros de patentes, assim como o aumento no número de artigos indexados em periódicos científicos dependem diretamente, ainda que não exclusivamente, da presença de recursos humanos qualificados e engajados em inovação e no desenvolvimento científico, esteja esse pessoal inserido em universidades, instituições de pesquisa ou empresas. Da mesma forma, a presença de instituições de pesquisa e de suporte ao desenvolvimento tecnológico é um insumo importante para atrair investimentos para determinadas localidades, dinamizando a atividade das empresas.

4. Investimentos produtivos e novos empreendimentos: pensando horizontes para o MSP

Esta seção tem um caráter essencialmente exploratório, propondo-se a dar os primeiros passos na seleção de indicadores que nos capacitem a pensar tendências do desenvolvimento econômico, segundo grandes ramos de atividade no MSP. Para tanto, ela se apoia em consultas a duas bases de dados: a PIESP e a base da ANPROTEC.[16]

A Piesp, compilada pela Fundação Seade, é uma base de informações sobre intenções de investimento produtivo em municípios do estado de São Paulo. Sua metodologia consiste na coleta diária de anúncios de investimentos privados publicados na grande imprensa que, depois de checada a veracidade dessas informações junto às próprias empresas que declararam tais investimentos, irão compor a base de dados. Em termos temporais, a Piesp que analisamos neste texto agrega todos os investimentos declarados até 31/12/2005 e com início previsto a partir do ano 2000. Portanto, trata-se de intenções de investimento que, uma vez organizadas de forma setorial e por tipo de investimento (ampliação, implantação, modernização e P&D), dão-nos subsídios para pensar tendências do desenvolvimento econômico do MSP.[17]

E a Piesp mostra que a "implantação de novos negócios" no MSP domina as intenções de investimento. Do total de 1.924 anúncios declarados no período de 2000 a 2005, 1.245 revelam intenção de implantar negócios na cidade de São Paulo. Esse valor, que corresponde a 64% do total, é significativamente superior ao segundo tipo de negócio mais citado, a ampliação das instalações, que registrou 340 anúncios (18% do total), seguido por modernização, com 300 anúncios (16%). Apenas 39 empresas declararam investimentos em atividade de P&D, o que representou 2% do total das intenções. Vale considerar que os baixos números de intenções de investimento direcionado às atividades de P&D não é uma característica do MSP. Ao contrário, os baixos investimentos em P&D têm sido uma constante entre empresas instaladas no Brasil. Como ilustração, e ainda com base na Piesp, foram encontrados 51 anúncios de investimentos direcionados a P&D para o ESP, de um total de 5.486 anúncios, o que significa que a P&D respondeu por 0,9% desse total, percentual abaixo do evidenciado para a capital.

[16] A ANPROTEC, fundada em 30 de outubro de 1987, é uma entidade sem fins lucrativos que representa não só as incubadoras de empresas, mas todo e qualquer empreendimento que utilize o processo de incubação para gerar inovação no Brasil. Seu papel é criar mecanismos de apoio a incubadoras de empresas, parques tecnológicos, polos, tecnopolos e outras entidades promotoras de empreendimentos inovadores (ver www.anprotec.org.br).

[17] Claro está que essas informações obtidas a partir da PIESP estão, no mínimo, bastante subestimadas, uma vez que nem todos os investimentos realizados ou intencionados são anunciados na grande imprensa. Aspecto esse que não invalida a função dessa base de se traduzir como ferramenta para pensar as tendências de investimentos para as regiões.

Haja vista que os novos empreendimentos (implantação do negócio) dominam as intenções de investimento no MSP, resta-nos qualificar melhor essas informações com abertura: para os tipos de investimento segundo grandes setores; para o montante dos recursos declarados; e para o montante de recursos *vis-à-vis* a sua distribuição por subsetores econômicos.

Quanto ao número e ao tipo de investimento segundo setores econômicos, quatro pontos merecem atenção:

1) Vemos que o setor de serviços respondeu pelo maior número dos anúncios de investimento no MSP. Foram 1.136 intenções de investimento, ou 59% do total anunciado. Em segundo lugar, vem o comércio, com 555 casos (29%), seguido pela indústria de transformação, com 228 declarações (12%). Os anúncios de investimento por parte de setores como construção civil, agropecuária e administração pública foram irrisórios, com menos de dois casos cada no período 2000-2005.

2) Observa-se que tanto no comércio quanto nos serviços, corroborando a tendência geral de anúncio de investimentos, a atividade de "implantação de novas instalações" respondeu pela maioria das intenções, representando mais de 80% no comércio e 64,5% nos serviços, numa tendência que sinaliza uma expansão das atividades na capital paulista.

3) O movimento é distinto em relação à indústria de transformação, em que as intenções de investimento estão mais uniformemente distribuídas por tipo de atividade. Ainda que a intenção de ampliar as instalações industriais tenha sido maioria, também foram expressivos os anúncios direcionados à implantação do negócio e à modernização.

4) Nota-se também que os investimentos em P&D responderam por 11% do total das intenções advindas da indústria da transformação, um número bem superior ao que ocorre nos outros setores. Foram encontrados 25 anúncios nessa rubrica, contra 12 vindo do setor de serviços. Vale destacar que, embora com números mais modestos e, em termos percentuais, bastante limitados, o setor de serviços também tem empreendido esforços na área de P&D, uma vez que tal tipo de atividade tem, no senso comum, sido bastante associada à indústria de transformação.

Gráfico 2

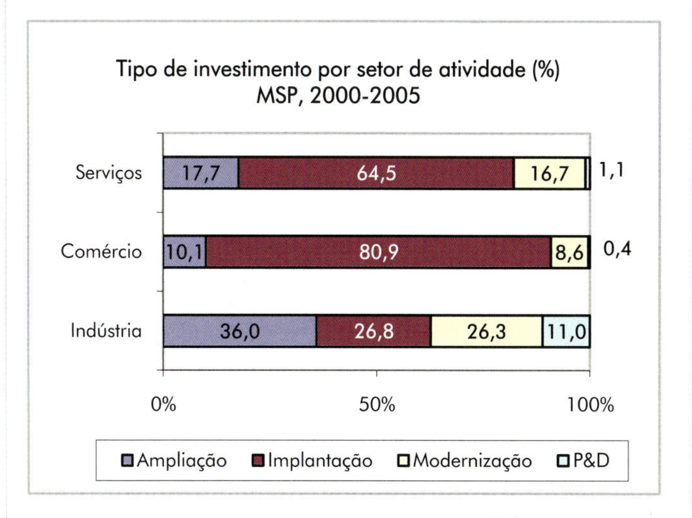

Fonte: PIESP/SEADE. Elaboração própria.

Quanto ao montante dos recursos declarados nas intenções de investimento para o MSP, há duas observações a fazer.

1) Em termos gerais, a grande maioria dos anúncios de investimento (53,1%) refere-se a empreendimentos de até US$ 500 mil. Atividades de "implantação de novos estabelecimentos" puxaram a média para baixo, uma vez que praticamente 58% do montante de recursos declarados consumiram não mais do que US$ 500 mil.

2) Em relação ao tipo de investimento, a P&D foi a atividade que envolveu, percentualmente, montante de recursos mais elevado. No entanto, conforme indica a coluna referente ao gasto total (na Tabela 8), e conforme já discutido neste texto, tivemos somente 39 iniciativas de investimento declaradas nesse campo de atividades.

Por fim, quanto à soma de recursos envolvidos nos anúncios por setores e subsetores econômicos, temos alguns destaques:

1) O peso do setor de serviços é novamente ressaltado. O terciário não apenas respondeu pelo maior número de iniciativas de investimento coletadas pela Piesp, como também foi responsável pelo maior montante de recursos destinados à região, ou seja, praticamente 90% de tudo o que foi declarado de investimentos para o MSP. Em termos monetários, estamos falando de valores superiores a US$ 16,4 bilhões de investimentos declarados até 31/12/2005, com início

Tabela 8 - Número de anúncios de investimento segundo faixas de valor e tipo do investimento para o MSP* (em US$ milhões)

Faixas de Valores	Ampliação		Implantação		Modernização		P&D		Total	
	Abs.	%	Abs.	%	Abs.	%	Abs.	%	Abs.	%
Até 0,5	142	41,8	720	57,8	146	48,7	14	35,9	1.022	53,1
De 0,5 a 2,50	88	25,9	240	19,3	76	25,3	12	30,8	416	21,6
De 2,5 a 15	72	21,2	201	16,1	58	19,3	10	25,6	341	17,7
De 15 a 100	28	8,2	74	5,9	14	4,7	3	7,7	119	6,2
Acima de 100	10	2,9	10	0,8	6	2,0	0	0,0	26	1,4
Total	340	100,0	1.245	100,0	300	100,0	39	100,0	1.924	100,0

* Investimentos declarados até 31/12/2005 e com início previsto de 2000 em diante.

Fonte: PIESP/SEADE. Elaboração CEBRAP.

previsto a partir do ano 2000, de um total superior a US$ 18 bilhões registrado no período.

2) O alto montante de recursos que o setor de serviços registra pode ser mais bem entendido se a análise focar os subsetores econômicos. Abertura especial dos dados da Piesp mostra que a infraestrutura de serviços absorveu cerca de 80% do total das intenções de investimento declaradas, com destaque para atividades como: transporte aéreo, atividades imobiliárias, transporte terrestre e telecomunicações.[18] Portanto, trata-se de volumes elevados para cada um dos anúncios de investimento, o que também explica o fato de o setor de serviços ter destinado os maiores recursos por operação. Do que se extrai a seguinte relação: ainda que o maior número de anúncios de investimentos na implantação de novos negócios direcionados ao MSP tenha advindo do setor de serviços, em valores totais foram "obras de ampliação das suas instalações" as atividades que absorveram um maior volume de investimento (valor médio). O que significa que o MSP tem sido atraente, para o setor de serviços, em ambas as direções: tanto para a implantação de novos negócios como para a ampliação das instalações já existentes no município.

3) A indústria de transformação vem em segundo lugar, com números bem mais modestos, ao redor de US$ 1 bilhão, ou 5,9% do total declarado. O comércio, com 4%, contribuiu com US$ 722,4 mil. Novamente, setores como agropecuária, construção civil e administração pública tiveram pouco impacto no total dos recursos de investimento declarados.

4) As intenções de investimento advindas da indústria da transformação para o MSP destinam-se mais a ampliação e modernização das suas instalações, e menos a implantação de novos empreendimentos. Por sinal, os valores envolvidos na implantação de novos negócios, de US$ 175,9 milhões, foram apenas um pouco superiores aos recursos ligados a P&D, de US$ 148,7 milhões. Percentualmente, em relação ao total, a relação ficou em aproximadamente 16% para novos negócios e 14% para P&D.

Notem que a indústria da transformação tem registrado um número de anúncios de intenção de investimento proporcional entre as modalidades aqui consideradas – novos negócios, modernização e ampliação das instalações, segundo ilustrou o Gráfico 2. Mas, se olharmos para o montante dos recursos envolvidos nessas transações, conforme a Tabela 9, vemos que os novos negócios registram números bem mais modestos. Trata-se aqui de constatações que podem ser interpretadas de forma distinta. Por um lado, esse movimento pode estar ligado às incertezas que caracterizam os novos empreendimentos e que demandam cautela acerca dos recursos investidos. Por outro lado, esses números também podem estar sinalizando um movimento tímido de expansão das atividades industriais na capital paulista. Ou mesmo podemos ter uma combinação entre essas duas hipóteses, como orientadoras dos investimentos na cidade. Independentemente de qual das motivações seja a preponderante, é certo que a indústria da capital paulista requer atenção do poder público, de forma a garantir as condições mínimas para sua expansão e competitividade.

[18] O detalhamento dessas informações da Piesp, que compreendeu uma abertura especial da base de forma a contemplar os subsetores econômicos, encontra-se no capítulo 12, de Matteo. Vale considerar que essa abertura especial compreende o período entre 1998 e o primeiro semestre de 2008. O que significa que os números totais registrados nessa abertura são bastante superiores ao montante que estamos analisando nesse texto, fato esse que não invalida as análises aqui apresentadas, uma vez que as tendências seguem em direções semelhantes.

Tabela 9 - Valor total dos investimentos declarados para o MSP*, segundo grande setor econômico e tipo (em US$ milhões)

Setor de atividade	Ampliação		Implantação		Modernização		P&D		Total	
	Abs.	%	Abs.	%	Abs.	%	Abs.	%	Abs.	%
Indústria	442	5,2	176	2,4	308	14,0	149	64,9	1.075	5,9
Comércio	27	0,3	601	8,2	91	4,1	4	1,5	722	4,0
Serviços	8.007	94,0	6.535	89,3	1.806	81,8	77	33,5	16.424	89,9
Demais**	39	0,5	5	0,1	1	0,1	0	0,0	45	0,2
Total	8.515	100,0	7.316	100,0	2.207	100,0	229	100,0	18.267	100,0

* Investimentos declarados até 31/12/2005 e com início previsto de 2000 em diante.

** Inclui a soma dos setores econômicos: Agropecuária, Construção Civil e Administração Pública.

Fonte: PIESP/SEADE. Elaboração CEBRAP.

A segunda base de dados analisada nesta seção abrange informações obtidas por meio da Anprotec, a qual lista as empresas que constam em seu cadastro e que atuam no estado de São Paulo. Essas empresas são classificadas em: incubadas (empresas que passaram por processo de seleção e se encontram abrigadas em incubadoras, o que lhes permite acesso a suporte técnico, gerencial e financeiro da instituição; tal condição, no entanto, não garante que essas empresas venham a adquirir maturidade financeira suficiente para concretizar seus negócios) e graduadas (empresas que passaram pelo processo de incubação e que alcançaram desenvolvimento suficiente para saírem da incubadora). Há também as empresas associadas, que se encontram fora do ambiente físico da incubadora, mas permanecem com algum tipo de parceria, as quais não iremos discutir. Vale frisar que a proposta com esse tipo de análise não é realizar um estudo quantitativo e representativo acerca do volume de empresas incubadas no MSP, mas, sim, obter informações acerca do perfil setorial dessas empresas, tentando identificar tendências.

Por definição, as incubadoras de empresas são ambientes dotados de capacidade técnica, gerencial, administrativa e infraestrutura para amparar o pequeno empreendedor. E, neste estudo, nos interessam particularmente os empreendimentos de base tecnológica, ou seja, organizações que abrigam empresas cujos produtos, processos ou serviços resultam de pesquisa científica, para os quais a tecnologia representa alto valor agregado. As áreas mais presentes nesse tipo de empreendimento são: informática, biotecnologia, química fina, mecânica de precisão e novos materiais.[19] Há onze incubadoras tecnológicas filiadas à Anprotec no ESP, distribuídas em oito municípios; a cidade de São Paulo é um desses municípios e, não obstante o seu tamanho, abriga apenas uma incubadora tecnológica.

O importante a considerar em relação às empresas ligadas a essa rede de incubadoras é a maior facilidade com podem acessar uma diversidade de serviços tecnológicos, tais como institutos de pesquisa e laboratórios, além de estarem imersas em um ambiente que favorece a inovação e a troca constante de informações entre os membros dessa rede de empreendedores. Não sem razão, a incubadora tecnológica do MSP está localizada no *campus* da USP.

Desde 1998, ano de início do funcionamento da incubadora tecnológica paulistana, cerca de 200 empresas foram constituídas, entre as quais cerca de 70 estão graduadas e 127 encontram-se incubadas. Em termos setoriais, as redes de conhecimento que se destacam estão ligadas diretamente à medicina e saúde (51 empresas), grupo seguido por meio ambiente (47 empresas), tecnologia da informação (40 empresas), eletroeletrônica (30 empresas) e biotecnologia (26 empresas).

Cabe destacar a área de medicina e saúde, que nos últimos anos experimentou um aumento significativo no número de empresas incubadas, segundo entrevista realizada na incubadora. Tal movimento, no entanto, reflete um contexto mais amplo. Indicadores de recursos humanos examinados neste texto, tais como formandos com nível superior e titulados na

[19] Além das incubadoras tecnológicas, também podem se filiar à ANPROTEC incubadoras tradicionais (organizações que abrigam empreendimentos ligados aos setores da economia que detêm tecnologias largamente difundidas) e mistas (organizações que abrigam ao mesmo tempo empresas de base tecnológica e de setores tradicionais).

pós-graduação (seção 2), já dão certo destaque para o número de profissionais formados nessa área. Também indicadores discutidos na próxima seção, sobre produção científica, revelam o destaque que a área da saúde alcançou no MSP no que tange à produção de ciência. Portanto, trata-se de um conjunto de indicadores que confirmam, direta ou indiretamente, uma certa especialização da capital do estado de São Paulo nessa área de conhecimento, seja formando recursos humanos, seja acumulando conhecimento científico, seja promovendo empreendimentos nesse ramo. Não sem razão, no capítulo 2, o polo de saúde aparece como sendo o mais importante do Brasil e da América Latina, devido a um conjunto de fatores tais como: qualidade e densidade dos serviços prestados; alta capacidade de realizar P&D; grande concentração física, das pequenas às grandes empresas dessa área, na capital paulista.

5. Especializações da produção tecnológica e científica no MSP

Esta quinta e última parte faz uma avaliação que combina a análise de dois indicadores, os quais serão tomados como *proxies* para se pensar, respectivamente, a produção tecnológica e sua capacidade inovativa, assim como a produção científica no MSP. São eles:

– Número de patentes depositadas no Brasil (Inpi) e nos EUA (USPTO). Trata-se de um indicador reconhecido internacionalmente para medir a produção e a intensidade tecnológica, sendo que as patentes registradas no competitivo mercado norte-americano apresentam maior conteúdo tecnológico se comparadas com as patentes registradas no escritório nacional.

– Número de artigos científicos indexados nas principais bases internacionais, aqui apresentado como indicador de produção científica.[20]

Em relação aos registros de patentes, notamos a participação consistente e constante do estado de São Paulo, em especial do MSP, no total de patentes depositadas tanto no Brasil, no Inpi, quanto no escritório norte-americano, o USPTO. Entretanto, antes de interpretar essa informação como sendo indicativa de alta produção tecnológica no MSP, algumas observações se fazem necessárias.

Começamos pela análise dos registros efetuados no escritório nacional, o Inpi. Nessa instância, o ESP foi responsável por praticamente metade das patentes depositadas no período 1990-2001 (49,4%). Do total de 13.019 registros de patentes para o Brasil, cerca de 7.143 foram depositadas por residentes do ESP. Esse alto desempenho do estado é puxado pelo movimento que ocorre na capital paulista, região que concentrou mais de 54% das patentes registradas no período (Albuquerque, 2005).

E, se avançarmos temporalmente na análise, olhando para as empresas líderes em patenteamento no ESP no período 2001-2005, observamos a total predominância das três universidades estaduais nesse *ranking*. A UNICAMP lidera, com cerca de 200 patentes, seguida por USP (6º lugar) e UNESP (10º lugar). Ainda que a atividade de patenteamento nas universidades seja um dado importante, esses números podem ser vistos mais como sinais de debilidade do setor produtivo brasileiro do que propriamente de força das universidades, segundo já apontado pela publicação da FAPESP (2005). Deve-se considerar que "patentes são um produto típico do ambiente de P&D empresarial, e não do ambiente acadêmico" (Brito Cruz, 2000). E o caso brasileiro denota uma distorção nessa lógica, já que as empresas registram um número de patentes aquém do que seria de se esperar considerando os investimentos realizados em P&D (op. cit.).

A Tabela 11 é sobre a concentração das patentes segundo o setor de atividade da empresa, a partir da CNAE (Classificação Nacional de Atividades Econômicas, do IBGE). Os dados, agora referentes ao MSP, mostram que 10 classes econômicas (do total de 214 classes com algum registro de patente no MSP) concentravam 48% das patentes no período 2001-2005. A liderança está com a classe sedes de empresas e unidades administrativas locais, com 11,3% dos re-

[20] Não obstante as escolhas feitas nesta seção, de análise dos dados de patentes e bibliométricos como indicadores, respectivamente, do desempenho tecnológico e científico, temos ciência do alcance limitado desses indicadores, inclusive da diversidade de críticas quanto à adequação do seu uso para tais propósitos. Para consulta a algumas dessas críticas, ver: FAPESP 2005, capítulos 5 e 6.

Tabela 11 - Registros de patentes no INPI, por classe da CNAE, para residentes do MSP e no estado de São Paulo (2001-2005)

Descrição do Código CNAE	MSP		Total ESP*	
	Abs.	%	Abs.	%
7415 Sedes de empresas e unidades administrativas locais	181	11,3	188	5
8032 Educação superior – graduação e pós-graduação	142	8,9	349	9,3
2989 Fabricação de outros aparelhos eletrodomésticos	84	5,3	97	2,6
2522 Fabricação de embalagem de plástico	51	3,2	104	2,8
7499 Outras atividades e serviços prestados às empresas	51	3,2	90	2,4
2529 Fabricação de artefatos diversos de plástico	49	3,1	168	4,5
3449 Fab. outras peças e acessórios p/ veículos automotores	49	3,1	117	3,1
5249 Comércio varejista de outros produtos	35	2,2	77	2
2891 Fabricação de embalagens metálicas	29	1,8	39	1
2929 Fabricação de outras máquinas e equip. de uso geral	28	1,8	62	1,6
Demais classes	830	52	1.291	34,3
Total	1.596	100	3.761	100

* Inclui patentes registradas no MSP.

Fonte: INPI e Fundação SEADE. Elaboração CEBRAP.

gistros. Essa CNAE, que mostra uma concentração do número de patentes no MSP, reforça a tendência da capital paulista de abrigar as sedes de empresas, parte das quais empresas multinacionais, enquanto as unidades produtivas encontram-se espalhadas pelo interior do ESP e mesmo em outros estados. Educação Superior, que representa as universidades e institutos de pesquisa, ocupa o segundo lugar entre as classes da Classificação Nacional de Atividade Econômica (CNAE a quatro dígitos) com maior número de patentes, corroborando informação da tabela anterior, referente aos maiores patenteadores do ESP. Juntas, essas duas classes de atividade econômica representam mais de 20% das patentes cujos titulares residem no MSP.

O MSP revela um cenário diferente do que se observa para o Brasil. Informações disponíveis para o período (1990-2001), acessadas em Albuquerque (2005), mostram que a classe fabricação de artefatos diversos de plástico mantém a liderança no *ranking* de patentes para o Brasil; no MSP tal classe ocupa a 6ª posição. Fabricação de Máquinas e Equipamentos para a Agricultura, Avicultura, que para o Brasil está na 2ª posição, nem sequer consta no *ranking* das dez primeiras classes de atividade do MSP. Do que se conclui que, em termos de registros de patentes por classe econômica, o MSP apresenta um padrão que difere da dinâmica observada para o Brasil, na linha de uma especialização setorial diferenciada.

Com relação aos registros de patentes feitos no escritório norte-americano, o USPTO, seguem dois comentários:

Primeiro, o número de patentes que o Brasil, e por extensão o MSP, registra no USPTO é bem inferir ao movimento de registro de patentes nacionais; como consequência, a representação do Brasil no exterior é pouco expressiva. Informações trabalhadas por Albuquerque (2005) mostram a relação das patentes depositadas no USPTO, por residentes no Brasil, e compara esses números com os de outros países em desenvolvimento. O resultado indica que o Brasil responde por menos de 0,07% do total de patentes concedidas pelo USPTO, e tem experimentado uma relativa estagnação ao longo dos últimos anos. Os valores do Brasil são superiores aos do México, semelhantes aos da África do Sul, porém menores do que os de China e Índia, que, nos últimos anos, têm apresentado um crescimento significativo, ultrapassando a marca de 0,10% das patentes. O caso mais interessante é o da Coreia do Sul, que no início dos anos 1980 registrava números de patentes semelhantes aos do Brasil; desde então, o país registrou um crescimento exponencial nesses registros, a ponto de responder, em 2001, por quase 3% do total das patentes registradas no USPTO.

Em segundo lugar, nem todas as empresas que registram patentes no Inpi também o fazem no USPTO. Com exceção da Johnson & Johnson, nenhuma outra entre as dez maiores patenteadoras do Inpi presentes na cidade de SP consta entre as dez maiores do USPTO. A leitura desses dados, na Tabela 12, deve levar em consideração que as informações referentes ao Inpi são específicas para o MSP, enquanto os dados do USPTO são para o ESP. Ainda assim, chama a atenção a completa ausência das instituições de ensino no *ranking* de patentemento internacional.

Nessa análise, fica evidente a maior presença das multinacionais, em comparação com as empresas nacionais, no total dos registros no USPTO. O que nos remete à conclusão de que as atividades tecnológicas das empresas multinacionais presentes no ESP geram mais patentes nos EUA do que as atividades das empresas nacionais (Albuquerque, 2005). Essa observação, no entanto, está longe de afirmar que as multinacionais sejam grandes patenteadores no Brasil; na soma geral, as empresas multinacionais fazem pouca atividade de P&D no Brasil, consequentemente geram poucas patentes, conforme pode ser comprovado em estudo realizado com multinacionais presentes no Brasil (Queiroz et al., 2007; Camillo, Galina e Consoni, 2008).

O segundo indicador analisado nesta seção trata da produção científica paulista, medida a partir da contagem do número de artigos publicados em periódicos científicos, nacionais e internacionais. Esse tipo de informação tem sido utilizado como uma medida indireta da atividade de ciência feita no país.

Tal investigação se desdobra em três análises, relativas, respectivamente: ao posicionamento do Brasil, e particularmente do ESP, na ciência mundial; ao posicionamento em relação aos seus competidores diretos; e às áreas de conhecimento em que se concentram tais publicações.

Quanto à primeira observação, dados do acervo do Institute for Scientific Information (ISI), especificamente da base do Science Citation Index Expanded (SCIE),[21] trabalhados por Gregolin (2005), revelam

Tabela 12 - Registros de patentes no USPTO para residentes do ESP (1981-2001)

Titular	N. patentes
Metagal Indústria & Comércio Ltda.	30
Metal Leve S.A. Indústria e Comércio	29
Indústrias Romi S.A.	13
Johnson & Johnson Indústria e Comércio Ltda.	9
Telecomunicações Brasileiras S.A. Telebras	8
Metalgráfica Rojek Ltda	7
U.S. Phillips Corporation	7
Mercedes Benz do Brasil S.A.	5
The Whitaker Corporation	5
Sabó Indústria e Comércio Ltda.	5
Mc-Neil-PPC, Inc.	5

Fonte: Adaptado de Albuquerque (2005, p.15).

que a ciência no Brasil tem avançado progressivamente, considerando-se o crescimento do número de artigos indexados. No intervalo de 20 anos de 1981 a 2002, o crescimento da participação da ciência brasileira tem sido notável, aumentando a sua penetração internacional. Em 1981, o Brasil respondia por cerca de 0,2% do total de artigos publicados e alcança, em 2002, o patamar histórico de 1,5% da ciência mundial. Em números absolutos, estamos falando em cerca de 2 mil artigos indexados por ano na década de 1980 (Brito Cruz, 2000), para ao redor de 16 mil artigos em 2002 (Gregolin, 2005).

O ESP responde pelo maior número das citações do país, ao redor de 52% do total nacional. Pelo lado das instituições que mais publicam, observamos que das oito universidades que lideram esse *ranking*, cinco são do ESP. A USP respondeu por mais de ¼ das publicações brasileiras desse período. A Unicamp ocupa o segundo lugar, com 11% das publicações, e a Unesp vem em quarto, com 7%. Unifesp e UFSCar, ambas instituições federais, respondem por respectivamente, 4% e 3% das publicações nacionais (Gregolin, 2005).

Essa informação reforça que tanto o número quanto o tamanho e a qualidade das instituições de ensino e pesquisa presentes no ESP são relevantes para explicar o alto desempenho da ciência brasileira no contexto internacional. O fato de tais instituições de pesquisa e ensino encontrarem-se dispersas pelo ESP explica um certo equilíbrio na participação das regiões paulistas

[21] A base de dados mantida pelo ISI, dos EUA, constitui-se no maior acervo bibliográfico mundial, e na fonte mais recomendada para os estudos bibliométricos. A SCIE, que é parte da ISI, reúne mais de 6 mil periódicos, com cerca de 27 milhões de artigos científicos publicados desde 1945, distribuídos em mais de 150 disciplinas (Gregolin, 2005).

em termos do total das publicações, do que advém que o MSP, com 55%, e o interior paulista, com 50%,[22] apresentam percentuais de participação bastante semelhantes, conforme já demonstrado pela Fapesp 2002 e reforçado pela Fapesp 2005. Se retomarmos a discussão apresentada na seção 2, notamos quão significativo é o peso do sistema educacional paulista, e a pujança do sistema de pós-graduação que foi consolidado nessas instituições.

Por outro lado, as empresas no Brasil pouco participam do esforço de fazer e publicar ciência. A ausência de empresas como origem das citações foi comprovada por nós em pesquisa com subsidiárias de multinacionais instaladas no Brasil, já citada neste capítulo (Queiroz et al., 2007). Ainda que o estudo abordasse uma amostra de empresas (55 subsidiárias), foram comparadas informações sobre publicações científicas de Brasil, China e Índia. Os resultados mostraram o Brasil bem atrás desses outros países, em números tanto de citações quanto de registro de patentes.[23]

Em segundo lugar, a participação da produção científica brasileira, de 1,5%, dá ao país posição de destaque em relação aos seus vizinhos da América Latina e lhe assegura posição próxima à da Coreia do Sul, que, assim como o Brasil, apresentou uma tendência forte de crescimento da participação na ciência mundial. Já a capital paulista, com quase 4.700 publicações em 2002, supera a produção científica do Chile e se aproxima da de Argentina e México, conforme pode ser constatado no Gráfico 3.

Finalmente, cabe um comentário sobre as áreas de conhecimento contempladas nessas publicações. O que se nota é que há uma liderança da área de medicina do total das publicações indexadas no período analisado (1998-2002). Sozinha, ela respondeu por cerca de 30% dos artigos paulistas indexados na base SCIE, um percentual maior que o observado para o Brasil, que se manteve em 25%. A taxa de crescimento dessa área na produção paulista, de 95%, também foi superior à taxa brasileira, de 85% (Gregolin, 2005). A esse respeito, o MSP se destaca, pela presença na cidade da Unifesp, especializada no ramo da saúde e que, portanto, direciona as suas publicações para essa área. E, conforme já discutido na seção 2, o número de titulados, mestres e doutores na área das ciências biológicas e da saúde foi bastante acentuado, revelando taxas de crescimento significativas. Além de medicina, seguem-se áreas como física e química, porém com percentuais bem menores, abaixo de 15% do total das publicações paulistas.

Gráfico 3

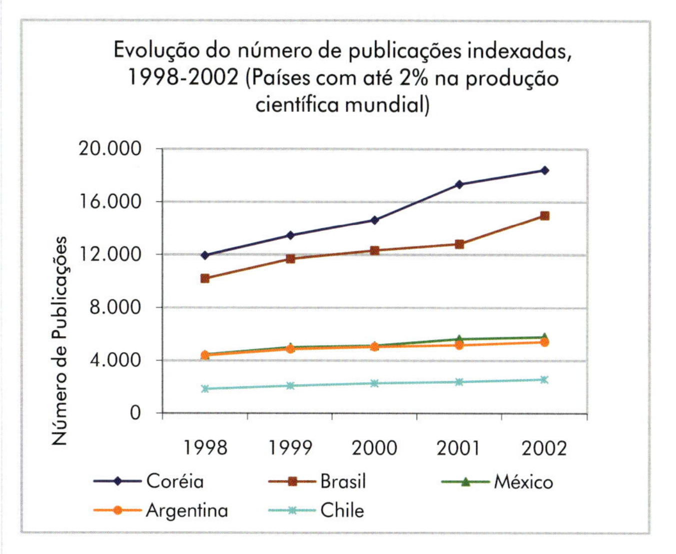

Fonte: SCIE/ISI (apud Gregolin, 2005, p.9)

Sobre tal centralidade da área de saúde, vale dizer que não se trata de uma tendência particular do MSP. Essa área tem alta relevância científica e socioeconômica e está entre as principais áreas de fomento do CNPq (Queiroz et al., 2002). Além disso, as disciplinas correlatas à área da saúde estão entre as líderes em publicação em várias regiões metropolitanas do Brasil (FAPESP, 2002; 2005), o que indica que a força dessa área não é uma especificidade do MSP, mas, sim, uma competência nacional.

Em resumo, a análise apresentada nesta seção, que combina a análise de dois tipos de indicadores,

[22] Segundo Gregolin (2005), esse percentual é superior a 100%, uma vez que agrega informações de publicações em colaboração, com a participação simultânea de autores de diversas regiões.
[23] Como ilustração, o trabalho de Galina (2005), específico sobre os setores de telecomunicações, informática e eletrônicos, apresenta resultados convergentes. A conclusão da autora, no que tange à análise de dados bibliométricos, indica que o envolvimento das subsidiárias brasileiras na publicação científica é praticamente nulo. Ainda que tivessem sido identificadas algumas publicações assinadas por empresas no Brasil, na comparação internacional, esses números foram bem inferiores aos de Israel, Índia e China.

de patentes e bibliométricos, aponta para três conclusões gerais:

Em primeiro lugar, o ESP, especificamente o MSP, mantém um posição sólida e à frente de outras regiões do Brasil, em termos de volume tanto da produção tecnológica (patentes) quanto da científica (artigos). No entanto, na comparação internacional, seu posicionamento é mais tímido, revelando o atraso do estado, e por consequência da cidade, no que tange a tais indicadores.

Em segundo lugar, o setor produtivo do MSP, a exemplo do que ocorre no Brasil como um todo, pouco se apropria dos conhecimentos que a infraestrutura científica e tecnológica brasileira gera. Não obstante o Brasil tenha registrado uma evolução numérica bastante significativa no número de citações em artigos científicos na esfera internacional, o mesmo não ocorreu com o número de patentes, que se mantém em patamares bastante modestos.

Em terceiro lugar, o Brasil aparece no mapa da ciência mundial, vide o número crescente das citações científicas, mas mantém participação praticamente inexpressiva no mapa da tecnologia mundial, vide o baixo número de patentes registradas no USPTO. O contraste mais intrigante e incômodo dessa constatação vem da comparação do Brasil com a Coreia do Sul. Esse país, que nos anos 1980 apresentava indicadores de patentes e bibliométricos bem semelhantes aos do Brasil, conseguiu nos últimos 20 anos alcançar certo destaque internacional não somente em termos científicos (assim como o Brasil), expresso na participação das citações científicas, mas também em termos tecnológicos, com elevado número de patentes no USPTO, conforme já citado nesta seção e demonstrado por Brito Cruz (2000) e Albuquerque (2005).

Nessa perspectiva, o resultado desta seção indica que o grande desafio que se coloca é o de transformar ciência em inovação e em desenvolvimento econômico. Afinal, a tendência, que aponta para uma crescente produção científica brasileira, não tem se traduzido em crescente desenvolvimento tecnológico, seja no Brasil, seja no MSP.

5. Conclusões

As atividades inovativas são essenciais para o desenvolvimento e crescimento econômico. A P&D é somente uma das fontes de inovação, embora seja a mais importante de todas. Todavia, há algumas condições a serem satisfeitas para que a P&D, assim como a inovação de forma geral, possam ser estimuladas e bem-sucedidas, sendo que a existência de uma adequada infraestrutura de conhecimento ocupa papel central nesse processo.

É nessa perspectiva que se inseriu o objetivo deste estudo, guiado pelo fino propósito de despertar a atenção dos gestores públicos para determinados indicadores que nos permitam conhecer e avaliar a infraestrutura de conhecimento da cidade de São Paulo. Ademais, tais indicadores, se bem mobilizados e articulados, podem favorecer a implantação e manutenção de um ambiente favorável ao estabelecimento de atividades intensivas em conhecimento, consequentemente, propícias à inovação e ao desenvolvimento econômico.

Para proceder a esse exercício, de caracterizar a atual infraestrutura de conhecimento do MSP e assim poder oferecer subsídios às ações do poder público, analisamos um conjunto de indicadores, classificados como de insumo (recursos humanos e infraestrutura técnica) e de resultado (investimentos produtivos, empresas nascentes, patentes e produção científica). Tais indicadores, ainda que não esgotem o *ranking* de fatores que podem ser analisados em estudos correlatos, constituem os mais importantes para proceder a análises desse tipo.

Foram vários os pontos fortes identificados neste estudo, que reforçam a centralidade e a pujança da cidade de São Paulo em face de outros municípios do Brasil. O peso do MSP sobressai inclusive em comparações internacionais.

Começamos por chamar a atenção para o crescimento significativo observado no número de estabelecimentos de nível superior presentes no MSP. O reflexo direto desse movimento pode ser visto no maior número de cursos de formação superior existentes na cidade, seguido pelo crescimento nos números de matrículas e de concluintes do ensino superior. Notem, por exemplo, que, no ano de 2004, a cidade de São Paulo formou mais profissionais com nível superior do que o registrado em Portugal.

Os números da capital paulista também são expressivos se olharmos para os formandos segundo algumas áreas do conhecimento. Como ilustração, no MSP o número percentual de formandos, em relação ao total, para a área da saúde e bem-estar (cursos como medicina, enfermagem, farmácia, entre outros), equipara-se aos percentuais de França, Espanha e Chile, e é superior aos de Coreia do Sul e África do Sul. Quanto a serviços (cursos como hotelaria, recreação e lazer, turismo, saúde e segurança no trabalho), também em relação ao percentual do total de formandos, o MSP ultrapassa Inglaterra e Itália, e se iguala a Alemanha e França. Ademais, ambas as áreas do conhecimento registraram no MSP taxas de crescimento dos ingressantes e formandos que se mantiveram na média ou acima dela, na comparação com outras áreas do conhecimento.

Também em relação aos profissionais com título de mestrado e doutorado, os números para o Brasil são surpreendentes, tendo mais do que duplicado o total de titulados no período de 1996 a 2007. E o ESP, sobretudo as instituições sediadas na capital do estado, responderam por parte considerável desse esforço de formação de profissionais, em diversas especialidades e áreas do conhecimento.

O tamanho e a qualidade das instituições de ensino e pesquisa localizadas na capital paulista, acrescidos do elevado número de mestres e doutores titulados ano a ano, deixam reflexos positivos nos indicadores de publicação científica. O crescimento do Brasil no número de artigos indexados na base do SCIE, editada pelo instituto norte-americano ISI, tem sido constante desde a década de 1980, período em que o país respondia por 0,02% da ciência mundial; em 2002 ele alcança 1,5% de participação. O MSP lidera esse alto desempenho, apresentando números da produção científica que são superiores aos do Chile e próximos do que registram Argentina e México.

Com respeito às áreas de conhecimento contempladas nessas publicações, evidencia-se novamente o peso e a centralidade da área de medicina, na liderança entre as publicações brasileiras, com números de artigos indexados e taxas de crescimento que estão acima da média geral.

A importância da área de medicina e saúde pode ser vista inclusive quando se olha para o movimento das empresas de alta tecnologia que estão surgindo na cidade. Os novos empreendimentos, ligados a essa rede de conhecimento, o que inclui também a biotecnologia, têm sido maioria entre as empresas nascentes; e, levando-se em conta a tendência que se desenhou nos últimos anos, de demanda crescente para a implantação de negócios nessa área, pode-se esperar por um adensamento ainda maior nesse tipo de atividade na capital paulista.

Por sinal, a grande maioria das intenções de investimento produtivo direcionada ao MSP diz respeito à instalação de novos empreendimentos, o que reforça o caráter de atratividade da capital paulista em face da implantação de novos negócios. Entre o total das intenções de investimento, destaca-se a força do setor de serviços, seja por concentrar o maior número percentual desses anúncios, seja por envolver o maior montante de recursos.

A presença de uma ampla rede de instituições públicas de apoio à inovação, se não é determinante, não deve ser ignorada nas decisões de investimento na cidade. A esse respeito, o MSP está muito bem posicionado. A cidade concentra quase 40% do total dos institutos públicos de pesquisa, e mais da metade dos laboratórios e organismos vinculados ao Inmetro presentes no ESP, sendo que algumas especialidades, ligadas sobretudo à certificação, estão presentes somente na capital paulista. E ainda que as regiões Sul e Oeste sejam as mais privilegiadas, concentrando a grande maioria dessas instituições, a sua presença na cidade não se torna menos estratégica. Afinal, a importância dessas instituições é significativa, seja pela atuação no desenvolvimento de atividades científicas e tecnológicas, no caso das instituições de C&T, seja dando legitimidade aos produtos, processos e serviços em consonância com os padrões e normas internacionais.

Longe de negligenciar a importância desse conjunto de aspectos positivos relativos à infraestrutura de conhecimento do MSP, chamamos a atenção para algumas deficiências identificadas, as quais certamente podem comprometer o dinamismo da sua estrutura produtiva e de inovação.

Começamos por destacar o que nos parece ser o principal desafio no que tange aos indicadores de recursos humanos, que é conciliar oferta de mão de obra especializada e de qualidade com as demandas do mercado de trabalho. O crescimento desproporcional nos números de matrículas e de concluintes do ensino superior segundo as grandes áreas de conhecimento pode vir a ser um entrave ao crescimento da economia local, vide a grande concentração de concluintes em humanas, especificamente em cursos correlatos a ciências sociais, negócios e direito. O percentual de concluintes da área de exatas, no MSP, ainda que seja maior do que a média para o Brasil, se manteve em torno de 17% no ano de 2004. Média essa bem abaixo da tendência observada em todos os países aqui comparados, a saber, África do Sul, Chile, Coreia do Sul, Portugal, Espanha, França, Inglaterra, Itália, e Alemanha, alguns dos quais são concorrentes do Brasil na atração de investimentos diretos estrangeiros. Nessas localidades, os formandos em exatas representam mais de 20% dos concluintes do ensino superior. Além disso, as taxas de crescimento nos cursos de exatas, no MSP, estão em geral abaixo da média observada em outras carreiras, correlatas às demais áreas do conhecimento.

E, dentre os cursos de exatas, os números inerentes às matrículas e aos concluintes, na carreira de engenharia, fazem com que essa área mereça atenção especial por parte do poder público. Ainda que se note um crescimento no número de formandos em engenharia, tal aumento tem sido tímido, revelando taxas de crescimento bem menores do que as de outras áreas do conhecimento. Esse quadro torna-se mais crítico se olharmos para esses números na perspectiva internacional. A melhor ilustração vem da comparação com Portugal, que em 2004 formou um número de profissionais com curso superior menor do que o MSP; foram cerca de 68,7 mil concluintes contra 73,8 mil do MSP. Todavia, Portugal formou cerca de 10 mil engenheiros, enquanto o MSP titulou cerca de 4,8 mil no mesmo ano.

E, conforme vimos, a maior oferta de cursos em humanas tem sido uma consequência direta da expansão das instituições privadas. Por não terem diretrizes vindas de alguma instância superior acerca de áreas do conhecimento a contemplar, tais instituições acabam se tornando as maiores ofertantes de cursos em humanas, que são menos onerosos quanto à infraestrutura necessária e de implantação mais rápida. A iniciativa pública apresenta uma distribuição mais homogênea entre as áreas de conhecimento; não obstante, o número de vagas para cursos superiores é significativamente menor do que o das instituições privadas.

A pós-graduação apresenta uma distribuição menos heterogênea por áreas de conhecimento. Mas, o que em tese poderia significar uma vantagem para o MSP se revela um problema a ser equacionado, já que para essa parcela da população brasileira, altamente especializada e qualificada, as oportunidades de emprego estão largamente associadas ao setor de ensino e à administração pública. A iniciativa empresarial privada no MSP, a exemplo do que ocorre no Brasil, ainda abre poucas oportunidades de inserção profissional para esse tipo de profissional, egresso da pós-graduação. Essa situação certamente se configura como um problema, sobretudo para a competitividade das empresas, haja vista que é o setor produtivo o grande responsável por transformar inovação tecnológica em retorno econômico e desenvolvimento.

Uma opção que tem se colocado como alternativa profissional para o pessoal com pós-graduação tem sido o engajamento em atividades ligadas ao empreendedorismo. Conforme vimos em entrevistas, várias das empresas de base tecnológica no MSP têm surgido por iniciativa de pesquisadores com pós-graduação. Não subestimando a importância desse movimento, trata-se ainda de números pequenos diante do tamanho da cidade de São Paulo. Além disso, o MSP conta com somente uma incubadora de empresas de base tecnológica, que recentemente completou dez anos de existência e que não consegue responder a toda a demanda de projetos de novos empreendimentos que chega até ela.

Um outro reflexo da concentração de pesquisadores em universidades e institutos de pesquisa tem sido a expressiva produção científica. Ao mesmo tempo em que esses números elevam a capacidade científica do Brasil no exterior, também deixam à mostra uma certa fragilidade do seu sistema de C&T, devido à quase completa ausência das empresas no esforço da produção científica brasileira. Tal fragilidade é mais gritante se a análise se deslocar da produção científica (medida pelo número de artigos científicos) para a produção tecnológica (medida pelo número de patentes).

Na esfera nacional, a posição do MSP, *vis-à-vis* o Brasil, é privilegiada: do total das patentes depositadas no escritório brasileiro (Inpi) no período 1990-2001, a capital paulista respondeu por quase 30%. E a centralidade das instituições de ensino novamente vem à tona também nesse tipo de análise. Tais instituições estão posicionadas entre as principais patenteadoras do MSP, e por extensão do Brasil. O fato de as universidades patentearem mais do que as empresas não representa necessariamente uma força tecnológica dessas instituições, uma vez que esses registros tendem a se concentrar na esfera nacional, ou seja, no Inpi.

Caso a comparação seja internacional, com os depósitos de patentes realizados no escritório norte-americano (USPTO), novas fragilidades do MSP aparecem. Primeiro, por conta da baixa participação nos registros das patentes mundiais, ao redor de 0,07% para o total do Brasil, números que são semelhantes ao da África do Sul, porém bem inferiores aos de China e Índia. Segundo, pela relativa estagnação no movimento dos depósitos evidenciado nesses últimos anos.

Cabe um último comentário a respeito dos anúncios de investimento realizados no MSP. A indústria de transformação mostra sua força no MSP ao revelar um equilíbrio nas suas intenções de investimento. Foram identificadas intenções de investimento nas quatro modalidades analisadas: em P&D (ainda que em menor proporção), na abertura de novos negócios, e na ampliação e modernização das instalações, sendo que essas duas últimas categorias podem ser tomadas como uma *proxy* do incremento das atividades industriais na capital paulista. No entanto, duas observações se fazem necessárias nessa análise: primeiro, em relação ao número de anúncios, identificamos que 12% deles são advindos da indústria, um percentual significativamente menor do que o observado em comércio, com 29% dos anúncios, e serviços, com 59% do total anunciado no período. Em segundo lugar, no que se refere ao montante de recursos envolvidos nessas intenções de investimento, novamente serviços se destaca, por responder por praticamente 90% do total anunciado, seguido por indústria, com 5,9%, e comércio, com 4,1%. E, mesmo separando o percentual dos recursos destinados a obras de infraestrutura, que, conforme vimos, respondem pelo maior percentual das intenções de gastos em serviços, esse setor ainda se mantém à frente nas intenções de investimento para o MSP se comparado com a indústria. Não estamos aqui reforçando a tese de uma "desindustrialização" em curso na cidade de SP, ou, inversamente, enfatizando o *status* da cidade como sendo uma metrópole de serviços, mas antes o que pretendemos é recomendar cautela na leitura desses números e uma atenção toda especial por parte do poder público. O setor da indústria, embora tenha perdido musculatura nos anos recentes, na linha do que discutem outros capítulos deste livro, ainda é uma força econômica importante na cidade de São Paulo, geradora de renda e de empregos. E estabelecer políticas que garantam dinâmica a alguns segmentos desse setor, assegurando a sua competitividade, é uma estratégia que se faz necessária em face de tais tendências.

O conjunto de análises acerca dos indicadores selecionados para este estudo nos remete ao que talvez seja a conclusão mais contundente que essa pesquisa nos traz: de que o MSP pouco tem se apropriado da infraestrutura de conhecimento que existe na cidade. As bases para a formação de recursos humanos – ainda que necessitem privilegiar determinadas áreas de conhecimento, dialogar com as demandas do mercado e priorizar a qualidade do ensino – já se encontram consolidadas. Além disso, a cidade concentra quase a metade dos institutos e laboratórios públicos de pesquisa, e mais da metade dos laboratórios e organismos vinculados ao Inmetro do ESP. Há um movimento importante de intenção de investimento no MSP, que reforça o caráter de atratividade do município, e a tendência crescente de criação de empresas de base tecnológica sugere que uma das apostas repousa em ativos intensivos em conhecimento. Além disso, o grau de amadurecimento da ciência paulista, forte sobretudo na área médica, ficou latente nessas análises. Não obstante, o desafio para manter e ampliar a competitividade da cidade de São Paulo, e sanar as suas deficiências, é grande e certamente demandará tempo, esforço e criatividade por parte do poder público. A análise desses indicadores mostra isso, e deixa evidente que um dos maiores desafios a serem enfrentados pelos gestores consiste em propor políticas adequadas para que a crescente produção científica, expressa no significativo número de artigos, resulte em desenvolvimento tecnológico e em inovação.

Do que se conclui que, se por um lado este estudo chamou a atenção para uma série de fragilidades e deficiências presentes no sistema de inovação do MSP no que concerne ao perfeito casamento entre recursos existentes (leia-se infraestrutura de conhecimento) e resultados econômicos e sociais, por outro lado, também apontou para possibilidades abertas à intervenção pública. Resta saber equacionar as principais prioridades do município a fim de criar um ambiente institucional que faça melhor uso das potencialidades que uma adequada infraestrutura de conhecimento tem a oferecer.

Bibliografia

Albuquerque, E. (2003). "Patentes e atividades inovativas: uma avaliação preliminar do caso brasileiro". In Viotti, E.; Macedo, M. *Indicadores de ciência, tecnologia e inovação no Brasil*. Campinas: Editora Unicamp.

______ (2005). "Atividade de patenteamento no Brasil e no exterior". In LANDI, R. (org.) *Indicadores de ciência, tecnologia e inovação em São Paulo*. São Paulo: Fapesp, Capítulo 6.

Albuquerque, E.; Baessa, A. R.; Kirdeikas, J.C.V. et al. (2005) "Produção científica e tecnológica das regiões metropolitanas brasileiras." *Revista de Economia Contemporânea*, vol. 9, n. 3, set./dez. pp. 615-642.

Bernardes, A., Albuquerque, E (2003). "Cross-over, threshold and interactions between science and technology: lessons for less-developed countries". *Research Policy*, vol. 32, n. 5. pp. 865-885.

Brito Cruz, H.B. (2000). "A universidade, a empresa e a pesquisa que o país precisa". *Parcerias estratégicas*. Brasília: CGEE, n. 8. pp.5-30.

Camillo, E.; Galina, S.; Consoni, F. "FDI in R&D: What the MNC's subsidiaries are doing in Brazil?" GLOBELICS – 6th International Conference, Cidade do México, 2008.

Canongia, C. (2007). "Inovação tecnológica na perspectiva da infraestrutura técnica: metrologia e avaliação da conformidade". *Parcerias Estratégicas*. Brasília: CGEE, n. 25, dez, pp. 67-91.

Capes (2007). Plano Nacional de Pós-Graduação 2005-2010. Brasília: Capes, Ministério da Educação e Cultura.

Castro, M.H. (2005). "Ensino superior: perfil da graduação e da pós-graduação". In LANDI, R. (org.) *Indicadores de ciência, tecnologia e inovação em São Paulo*. São Paulo: Fapesp, Capítulo 3.

Freeman, C. (1995) "The national system of innovation in historical perspective". *Cambridge Journal of Economics*. vol. 19, n. 1, pp. 5-24.

Fundação De Amparo À Pesquisa Do Estado De São Paulo – Fapesp (1998). *Indicadores de ciência e tecnologia em São Paulo*. São Paulo: Fapesp.

_____ (2002). *Indicadores de ciência, tecnologia e inovação em São Paulo*. São Paulo: Fapesp: 2002. São Paulo: Fapesp.

_____ (2005). *Indicadores de ciência, tecnologia e inovação em São Paulo*. São Paulo: Fapesp.

Galina, S.V.R. (2005). "Internacionalização de atividades de P&D: participação de afiliadas brasileiras mensuradas por indicadores de C&T". *São Paulo em Perspectiva*. v. 19, n. 2, pp. 31-40.

Gregolin, J. A. (2005). "Análise da produção científica a partir de indicadores bibliométricos". In LANDI, R. (org.) *Indicadores de ciência, tecnologia e inovação em São Paulo*. São Paulo: Fapesp, Capítulo 5.

Guimarães, R.; Lourenço, R.; Cosac, S. (2001). "O perfil dos doutores ativos em pesquisa no Brasil". *Parcerias Estratégicas*. Brasília: CGEE, n. 13, dez., pp. 122-150.

Haddad, F. (2008). *O Plano de Desenvolvimento da Educação: razões, princípios e programas*. Brasília: MEC e Inep.

Manual Frascati (2002). *Proposed Standard Practice for Surveys on Research and Experimental Development*. OECD, pp. 256.

OECD (1994). *The measure of scientific and technological activities using patent data as S&T indicators*. Paris: OECD. 108 p.

_____ (1999). *Managing National Innovation Systems*. Paris: OECD.

_____ (2004). *International Direct Investment Yearbook*. Paris: OECD.

Queiroz, S. (2002). (coordenador). Capacitação em inovação e prospecção tecnológica: aspectos conceituais e aplicações. *Relatório Técnico*. Unicamp/IGE/DPCT/GEOPI, fev. (mimeo).

_____ (2007). (Coordenador) Atividades Tecnológicas em Filiais Brasileiras de Multinacionais. *Relatório Técnico*. Projeto Fapesp Políticas Públicas: Unicamp, USP e Unesp, agosto (mimeo).

Suzigan, W.; Cerrón, A.P.M.; Junior, A.C.D. (2005) "Localização, inovação e aglomeração: o papel das instituições de apoio às empresas no Estado de São Paulo". *São Paulo em Perspectiva*, v. 19, n. 2, abr. / jun. 2005. pp 86-100.

Velloso, J. (org.) (2002) *A pós-graduação no Brasil: formação e trabalho de mestres e doutores no país*. Brasília: Capes, UNESCO, volumes 1 e 2.

Viotti, E.; Baessa, A. (2008) *Características do emprego dos doutores brasileiros: características do emprego formal no ano de 2004 das pessoas que obtiveram título de doutorado no Brasil no período 1996-2003*. Brasília: CGEE.

Viotti, E.; Baessa, A.; Koeller, P. (2005) "Perfil da Inovação na Indústria Brasileira: uma comparação internacional". In Salerno, M. S.; De Negri, J. (coord.). *Inovação, padrões tecnológicos e desempenho das firmas industriais brasileiras*. Brasília, IPEA.

Anexo: Classificação Inep: área do conhecimento e cursos correlatos

Adotamos neste estudo a classificação de áreas de conhecimento proposta pelo Inep, a qual compreende os seguintes cursos

Educação:

Formação de professor de disciplinas do setor de serviços; ciências da educação; pedagogia; formação de professor do ensino fundamental, normal e superior; formação de professor de disciplinas profissionalizantes do ensino médio.

Humanidades e artes:

Comunicação visual; desenho industrial (artístico); design; moda; museologia; artes e educação, estudos religiosos; teologia; arqueologia; história; filosofia; educação artística; artes plásticas; artes visuais; belas-artes; desenho e plástica; artes cênicas; dança (arte); interpretação teatral; música; artes gráficas; cinematografia; fotografia; decoração de interiores; cerâmica (artesanal); letras; linguística (línguas); tradutor e intérprete.

Ciências sociais, negócios e direito:

Economia; gestão da produção; comunicação social (redação e conteúdo); jornalismo; arquivologia; biblioteconomia; planejamento administrativo; negócios imobiliários; vendas em varejo; marketing e propaganda; mercadologia (marketing); publicidade e propaganda; ciências contábeis; administração; administração de cooperativas; administração de recursos humanos; administração em comércio exterior; administração rural; ciências gerenciais; empreendedorismo; formação de executivos; gestão da informação; gestão do lazer; gestão de negócios; secretariado; secretariado executivo; direito; ciências sociais; psicologia; estudos sociais; ciência política; relações internacionais; produção cultural.

Ciências, matemática e computação:

Ciências; biologia molecular; astronomia; física; química; geofísica; geologia; meteorologia; oceanologia; matemática; matemática computacional (informática), estatística, ciência da computação, informática (ciência da computação); análise de sistemas; processamento de dados; sistemas de informação; ciências biológicas; preservação do meio ambiente; tecnologia ambiental; saneamento ambiental; saneamento básico; química de polímeros; química industrial; topografia; química de alimentos; ciências atuariais; tecnologia da informação; geografia.

Engenharia, produção e construção:

Qualidade total; tecnologia digital; engenharia cartográfica; automação industrial; engenharia; engenharia ambiental; engenharia de produção; processos industriais; produção industrial; manutenção mecânica; mecânica; montagem, torneamento e usinagem de metais; eletricidade; tecnologia em eletrotécnica; transmissão e distribuição de energia elétrica; controle e automação; eletrônica; eletrônica industrial; manutenção de equipamentos eletrônicos; manutenção de máquinas e equipamentos; redes de computadores; sistemas de comunicação sem fio; telecomunicações; tecnologia mecatrônica; telemática; processamento de petróleo, gás e petroquímicos; tecnologia química; indústria têxtil; processamento de couros; fabricação de móveis; projetos de construção; construção civil; engenharia de produção; manutenção de aparelhos médico-hospitalares; engenharia de alimentos; indústrias de laticínios (industriais); tecnologia de alimentos; tecnologia em açúcar e álcool; tecnologia de madeira; agrimensura; irrigação e drenagem (construção); arquitetura e urbanismo; paisagismo; desenho de projetos.

Agricultura e veterinária:

Fruticultura; viticultura; agroindústria; agronomia; ciências agrárias; engenharia agrícola; tecnologia agronômica; zootecnia; horticultura; engenharia florestal; heveicultura; aquicultura; engenharia de pesca; medicina veterinária.

Saúde e bem-estar social:

Educação física; naturologia; medicina; enfermagem e obstetrícia; odontologia; tecnologia em prótese; radiologia; tecnologia de aparelhos auditivos; tecnologia oftálmica; fisioterapia; fonoaudiologia; musicoterapia; nutrição; psicomotricidade; terapia ocupacional; farmácia; serviço social.

Serviços:

Ciências aeronáuticas; navegação fluvial; saúde e segurança no trabalho; hotelaria; recreação e lazer; turismo; turismo e hotelaria; economia doméstica; segurança pública; formação militar.

5. Território e desenvolvimento econômico

Vagner Bessa, Juliana Colli Munhoz, Tomás Cortez Wissenbach e Aline de Paula[1]

Introdução

A reestruturação econômica e produtiva das grandes cidades desde as últimas décadas do século XX e que se mantém neste início de século constitui o grande pano de fundo para o entendimento das transformações territoriais do espaço urbano. Em termos gerais, as forças motrizes dessa transformação estão associadas às diferentes modalidades de inserção externa proporcionadas pelo processo de globalização, às mudanças dos padrões organizacionais e tecnológicos da indústria e dos serviços e a uma profunda reorganização dos mercados de trabalho metropolitanos (Storper, 1997).

Esse processo vem remodelando as configurações urbano-territoriais das grandes cidades mundiais dentro de perspectivas muito heterogêneas. Em algumas cidades, investimentos internacionais no setor imobiliário requalificaram os antigos distritos financeiros, enquanto em outras, redes de prédios inteligentes com funções de coordenação corporativas foram construídas longe dos antigos centros históricos (Sassen,1999; Breitung e Guenter, 2006). Do ponto de vista da manufatura, grandes áreas metropolitanas aprofundaram seu processo de reconversão produtiva em favor do setor de serviços, enquanto outras optaram por um modelo de crescimento econômico baseado em *clusters* de atividades industriais intensivas em tecnologia e conhecimento (Benko, 1996; Nadvi e Schmitz, 1994; Segenberger e Pyke, 1992).

Entretanto, enquanto muitas dessas cidades sustentaram seu processo de reestruturação impulsionadas por fortes taxas de crescimento econômico, derivadas das oportunidades abertas pelos fluxos de capitais e pelas novas ondas de inovações tecnológicas nos setores de ponta, poucas compartilham as particularidades da cidade de São Paulo, na qual a reestruturação assimilou tendências observadas em nível internacional, mas se deu em um período de crescimento errático derivado das variáveis macroeconômicas que restringiram o desempenho da economia brasileira e, consequentemente, imobilizaram o desempenho da principal aglomeração industrial do país durante mais de duas décadas.

Esse processo resultou na transformação da geografia econômica da cidade de São Paulo, reforçando sua heterogeneidade territorial, sendo possível distinguir três grandes tipos de áreas.

O primeiro tipo se refere às áreas que apresentam uma *estrutura econômica territorialmente consolidada,* como aquela composta pelo seu *core business* histórico e pela área contígua a sudoeste e, mais recentemente, a oeste, conhecida genericamente como "centro expandido". Essa área tem mostrado grande

[1] Agradecemos a Edson Capitanio, André de Freitas e Akinori Kawata, que colaboraram para a construção deste estudo. Ressaltemos também que a equipe de cartografia se engajou na produção de mapas para os outros textos do projeto.

dinamismo, impulsionado pela expansão das atividades de serviços na capital e por uma intensa realocação de atividades em seu interior.

O segundo tipo se refere às *áreas em reestruturação*, como aquelas nas quais se concentraram o processo de industrialização do município e estão no perímetro das diagonais norte e sul. As análises a partir das cartografias produzidas mostram que ainda é significativa a importância do emprego industrial nesses eixos em relação ao total do município, embora a atividade manufatureira na capital tenha mostrado capacidade limitada para gerar empregos. Outra questão importante é que a concentração do emprego industrial ainda está nesses eixos, independentemente do nível de intensidade tecnológica da indústria. Isso corrobora hipótese do trabalho, a qual aponta que a reestruturação industrial se dá nas zonas tradicionais da atividade manufatureira no município.

Um terceiro tipo de área é *aquela onde há expansão das atividades econômicas,* como a zona Leste da capital. Os mapas comparativos entre 1996 e 2006 apontam que há uma dinâmica locacional de expansão de atividades econômicas nessas áreas, mas tal dinâmica não se revela eficaz no que tange à desconcentração do emprego.

A análise que será realizada ao longo desse texto tem como pano de fundo esses três tipos de áreas do município de SP. Além disso, vale mencionar que ela se baseia na classificação segundo intensidade de tecnologia e conhecimento apresentada no capítulo 2 (de Torres Freire, Adbal e Bessa) deste livro.[2]

O complexo corporativo metropolitano

As características urbanas das grandes cidades e sua geografia econômica são moldadas por forças dinâmicas de natureza local e global que impulsionam a formação de novas configurações territoriais. Essa expansão decorre de um equilíbrio entre os requisitos presentes no processo de renovação dos paradigmas produtivos e das externalidades econômicas e sociais presentes nas grandes aglomerações urbanas.

Algumas experiências internacionais apontam que parte das cidades que passaram por um processo de reconversão produtiva reconstruiu seu repertório de competências competitivas por meio da expansão do setor de serviços, sobretudo aqueles mais intensivos em conhecimento. Tais segmentos não são tomados apenas como elementos capazes de gerar emprego e renda em escala crescente,[3] mas também como elementos de importância vital em pelo menos dois aspectos: a) como núcleo estratégico que fornece insumos qualificados para a inovação e desenvolvimento tecnológico; e b) como elo pelo qual transitam os fluxos de capitais, mercadorias e informações e que insere as grandes aglomerações nas redes de cidades mundiais (Wood, 2001, 2002, 2003; Bessa, 2007).

Do ponto de vista da sua territorialidade, é o setor de serviços o que mais radicalmente alterou os padrões de uso do solo na cidade de São Paulo. Diferentemente da indústria, a dinâmica de crescimento do setor terciário é portadora de uma nova configuração territorial cujo resultado mais expressivo é uma área chamada "complexo corporativo metropolitano", conforme a sugestiva interpretação de Kohn (1993). Como se vê no Mapa 1, trata-se de uma área que abarca três polos ligados por grandes corredores metropolitanos – o chamado Centro histórico, a avenida Paulista e os eixos do vetor Sudoeste (Faria Lima, Berrini/Verbo Divino e marginal do Pinheiros) – e incorpora o principal centro industrial da cidade, composto por empresas de mais alta intensidade tecnológica, segundo a classificação aqui utilizada, localizadas na região Sul (região do Jurubatuba), além de dispor de um centro de indústrias mais tradicionais na adjacência do Centro histórico (Brás e Bom Retiro).

Essa área da capital tem seu poder de aglomeração vinculado a duas grandes forças. A primeira delas se refere aos encadeamentos intra e intersetoriais das cadeias empresariais que se consolidam em função da necessidade de subsidiar a tomada de decisões nas grandes corporações, o que ampliou a necessidade de serviços ultraespecializados em assessoria empresarial, jurídica e contábil, marketing, informática e

[2] A discussão sobre tal classificação se encontra no capítulo 2. E a lista de atividades de acordo com os códigos da Classificação Nacional de Atividade Econômica (CNAE 1.0) está no Anexo 1 do livro.
[3] Ver capítulo 2, de Torres Freire, Abdal e Bessa neste livro.

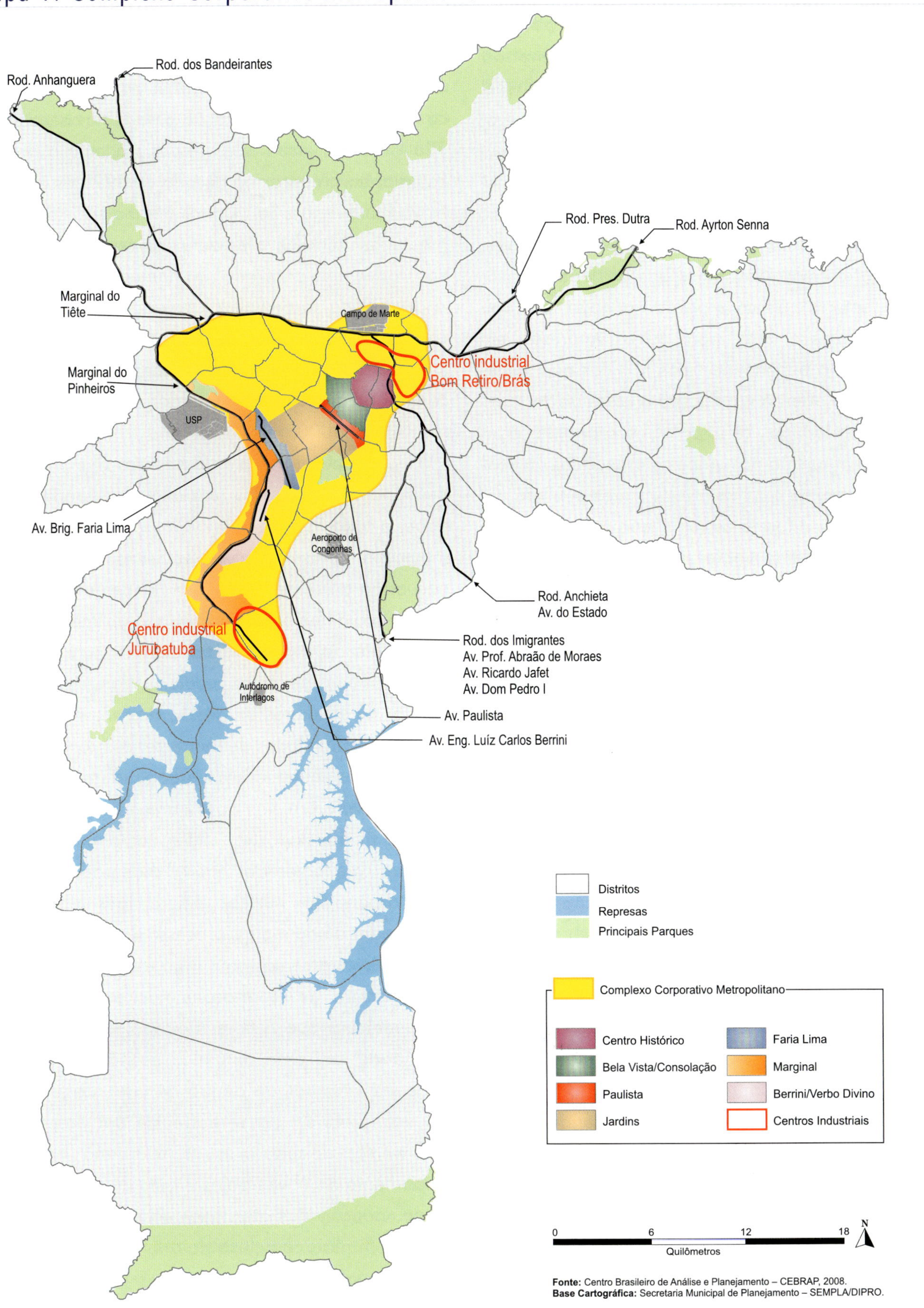

Mapa 1: Complexo Corporativo Metropolitano

Fonte: Centro Brasileiro de Análise e Planejamento – CEBRAP, 2008.
Base Cartográfica: Secretaria Municipal de Planejamento – SEMPLA/DIPRO.

serviços de telecomunicações, entre outros. Ainda que as novas tecnologias de informação e comunicação proporcionem possibilidades de dispersão territorial das atividades econômicas intensivas em informação, as complexas relações técnicas e corporativas entre as empresas ainda são pautadas pelas relações de proximidade física decorrentes dos contatos "face a face" (O'farrel, Wood, Zheng, 1996). Em centros como São Paulo, esse processo tem consequências importantes, pois as estratégias locacionais das unidades decisórias dos setores público e privado acabam por agir como "fator de arrasto" para outras empresas, em função da alta dependência dos serviços que fornecem *expertise* externa em relação a essas unidades.

Em segundo lugar, as empresas são atraídas para essa área em função dos atributos específicos da economia urbana, na qual os investimentos públicos em infraestrutura e a forma de regulação do uso do solo se combinam com a dinâmica do mercado imobiliário, fazendo com que as empresas passem a gravitar em torno do núcleo econômico do município conforme as diversas possibilidades de combinação entre esses fatores. A existência de terrenos próprios, aluguéis baratos, escritórios de alto padrão e proximidade do local de moradia dos proprietários das empresas são fatores importantes nas decisões locacionais, mesmo nos serviços mais intensivos em conhecimento.

Nesse sentido, a forte densidade das atividades do setor terciário atua como atrativo locacional que acaba por reforçar de forma cumulativa os fatores de aglomeração, transformando essa área no "centro gravitacional" da economia da capital, sobretudo para as atividades de serviços – essa área concentra 66% do emprego do setor de serviços do município em apenas 7% do seu território.

Entretanto, se há um consenso sobre o peso dessa área no município, o mesmo não se dá quando se avaliam os processos que ocorrem dentro dela. Segundo as teorias mais convencionais, a formação desses polos guarda vínculos precisos com a evolução da economia do município: enquanto na fase da economia cafeeira e da expansão industrial a área de comércio e negócios do município teve como núcleo o eixo formado pelos triângulos das ruas São Bento, Direita e Quinze de Novembro, na área central, e incorporou progressivamente outras áreas dos distritos da Sé e da República, na fase de industrialização pesada nas décadas de 1950 e 1960, esse núcleo se desloca para a avenida Paulista, até alcançar na década de 1990 as avenidas Nova Faria Lima e Luís Carlos Berrini, cujas áreas são tributárias do desenvolvimento econômico de um novo tipo, fortemente ancorado na chamada economia pós-industrial da fase mais globalizada do capitalismo, como lócus privilegiado de sedes e unidades de planejamento das empresas de tecnologia de informação e comunicação e dos grandes conglomerados financeiros (Nobre, 2000; Frugoli, 2000).

O pressuposto dessa argumentação é que o núcleo decisório das empresas tem alta mobilidade territorial e, a cada fase do desenvolvimento econômico do município, apresenta novos requisitos locacionais que não estão presentes nas centralidades mais antigas. Esse descolamento da centralidade do município daria origem ao sucateamento das estruturas urbanas das áreas centrais, cujos prédios seriam inaptos para abrigar as estruturas de gestão das empresas e com poucas possibilidades de concorrer com os modernos condomínios empresariais e prédios de categoria "AA" que se instalaram nas novas áreas de expansão da cidade. O translado das sedes das empresas e dos grandes conglomerados reforça a degradação do espaço urbano dos núcleos mais antigos e acaba por aprofundar ainda mais o processo de vacância imobiliária e esvaziamento econômico e demográfico.

Entretanto, as informações mostram um processo diferente, em que o *core* metropolitano expandido da cidade tem uma dinâmica econômica que não pode ser interpretada dentro de um enfoque evolucionista. Trata-se, na verdade, de um processo de reconversão de toda a estrutura urbana, no qual o crescimento de novos polos é fruto de uma lógica de reacomodação das atividades econômicas no município, bem mais complexa do que esquemas lineares permitem interpretar.

Mapa 2: Serviço. Emprego. MSP, 1996-2006

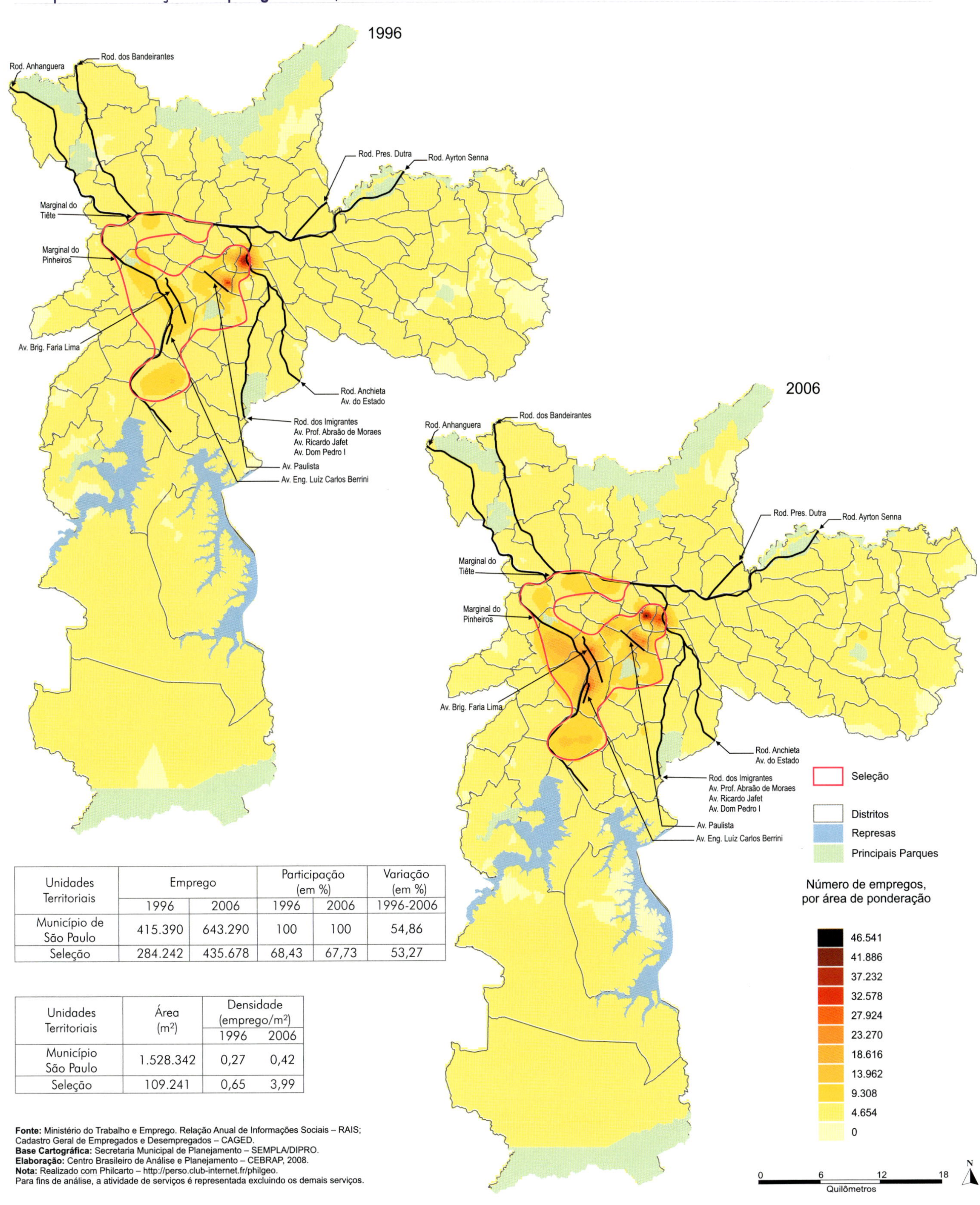

Unidades Territoriais	Emprego		Participação (em %)		Variação (em %)
	1996	2006	1996	2006	1996-2006
Município de São Paulo	415.390	643.290	100	100	54,86
Seleção	284.242	435.678	68,43	67,73	53,27

Unidades Territoriais	Área (m^2)	Densidade (emprego/m^2)	
		1996	2006
Município São Paulo	1.528.342	0,27	0,42
Seleção	109.241	0,65	3,99

Fonte: Ministério do Trabalho e Emprego. Relação Anual de Informações Sociais – RAIS; Cadastro Geral de Empregados e Desempregados – CAGED.
Base Cartográfica: Secretaria Municipal de Planejamento – SEMPLA/DIPRO.
Elaboração: Centro Brasileiro de Análise e Planejamento – CEBRAP, 2008.
Nota: Realizado com Philcarto – http://perso.club-internet.fr/philgeo.
Para fins de análise, a atividade de serviços é representada excluindo os demais serviços.

Ao analisarmos os mapas de concentração das atividades de serviços em 1996 e em 2006, é possível observar o crescimento vertiginoso do setor na direção do chamado vetor Sudoeste, com o aumento da densidade de serviços nas áreas de Pinheiros e da avenida Berrini e desdobramentos nas áreas de Granja Julieta e Santo Amaro (Mapas 2 e 3). Todavia, notam-se também outros dois processos importantes: a retomada do crescimento da área da República, no Centro histórico, com patamares de concentração superiores aos dos polos do vetor Sudoeste tomados isoladamente, bem com uma expansão nas áreas a oeste, nas regiões da Barra Funda, da Lapa e da Vila Leopoldina (Mapa 2 e 3).

O Mapa 3 mostra que a dinâmica entre as áreas "ganhadoras" e "perdedoras" não tem a linearidade dos modelos que tentam explicar a dinâmica territorial do emprego no município de São Paulo. Na região central e em seu entorno, em dez anos há um ganho de 88.967 ocupações, ainda que a área da Santa Ifigênia tenha perdido cerca de 14 mil postos de trabalho. Nas áreas ao redor do Centro, verifica-se um crescimento expressivo, seja a oeste, na área da Barra Funda (52.904 ocupações formais), seja em direção à avenida Paulista, nas áreas da Consolação e do Paraíso (65.515 empregos), tendo como contrapartida a perda de empregos nas áreas de Higienópolis e Consolação (-14.507) e Bela Vista (-11.404). Na região da marginal do Pinheiros, a área leste mostrou forte dinamismo, com 126.256 empregos formais, crescimento bem mais expressivo que o verificado a oeste (27.904 empregos), enquanto o Brooklin perdeu 15.068 empregos.

O que esses dados apontam é que o chamado "maciço terciário" apresenta uma área de forte dinamismo econômico e com tendências de expansão a sudoeste e de crescimento a oeste e norte, vistos a importância e o dinamismo das áreas da Barra Funda, da Lapa e da Vila Leopoldina e conexões importantes com as atividades vinculadas ao turismo de negócios nucleado pelo Complexo do Anhembi e por centros de convenções adjacentes.

O dinamismo da área decorre tanto do crescimento de novas atividades como do reagrupamento de segmentos com requisitos locacionais específicos dentro desse tecido. Apesar de compartilhar lógicas diferenciadas, no cômputo geral a estrutura econômica do centro expandido aparenta um grau de organização e complementaridade maior que as perspectivas que enfatizam a concorrência entre as áreas permitem observar.

O Mapa 4, sobre a distribuição espacial dos estabelecimentos e os empregos dos chamados Serviços Intensivos em Conhecimento Financeiros (SIC-F), mostra que o segmento financeiro se introjeta no Centro expandido como um dos vértices dorsais do corredor metropolitano, estendendo-se entre as áreas da Sé, da avenida Paulista, de Pinheiros, da Berrini/Verbo Divino e da Granja Julieta. Esse processo se constitui a partir da movimentação do emprego do setor financeiro do Centro histórico para essas áreas da cidade. Entre 1996 e 2006, essa região vê a participação do emprego do SIC-F declinar de 33,3% para 20,8%, enquanto a área da Paulista passou de 10,9% para 18,4% e a região da Berrini/Verbo Divino aumentou de 3,6% para 6% no mesmo período.[4]

A desconcentração do emprego, todavia, não subtrai do Centro histórico a condição de maior concentração financeira da capital, com cerca de 20 mil empregos formais, proporção superior à da avenida Paulista (18 mil) e à da Berrini/Verbo Divino (9 mil), o que coloca em questão a tese de uma transferência da centralidade financeira da capital para o quadrante sudoeste, tese essa apoiada na visão do setor financeiro apenas pela ótica exclusiva do mercado bancário. Entretanto, ainda que bancos importantes tenham optado por realocar suas sedes do centro tradicional para a avenida Paulista e, posteriormente, para a região da Berrini/Verbo Divino, esse processo não é incompatível com um centro financeiro multipolarizado, no qual o Centro histórico preserva sua centralidade por meio das recém-unidas Bolsa de Valores e Bolsa de Mercadorias e Futuros, de corretoras, de atividades comple-

[4] Os dados referentes a emprego e estabelecimento, bem como a suas respectivas variações entre 1996 e 2006, em cada um dos trechos intraurbanos analisados, estão nas tabelas nos Anexos 1 e 2 ao final deste capítulo.

Mapa 3: Transição do emprego no Setor de serviços. MSP, 1996-2006

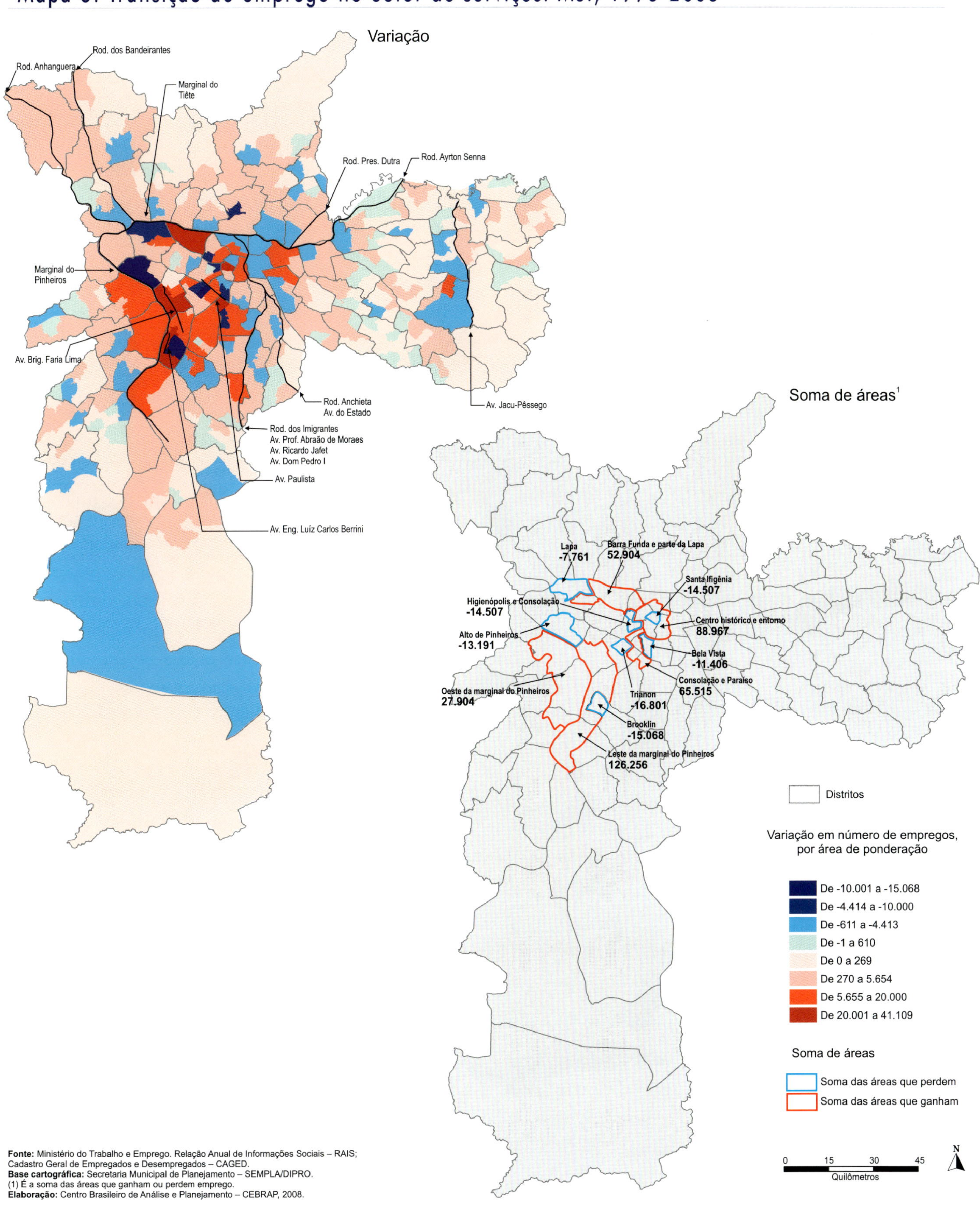

Fonte: Ministério do Trabalho e Emprego. Relação Anual de Informações Sociais – RAIS; Cadastro Geral de Empregados e Desempregados – CAGED.
Base cartográfica: Secretaria Municipal de Planejamento – SEMPLA/DIPRO.
(1) É a soma das áreas que ganham ou perdem emprego.
Elaboração: Centro Brasileiro de Análise e Planejamento – CEBRAP, 2008.

Mapa 4: SICs Financeiros. Emprego. MSP, 1996-2006

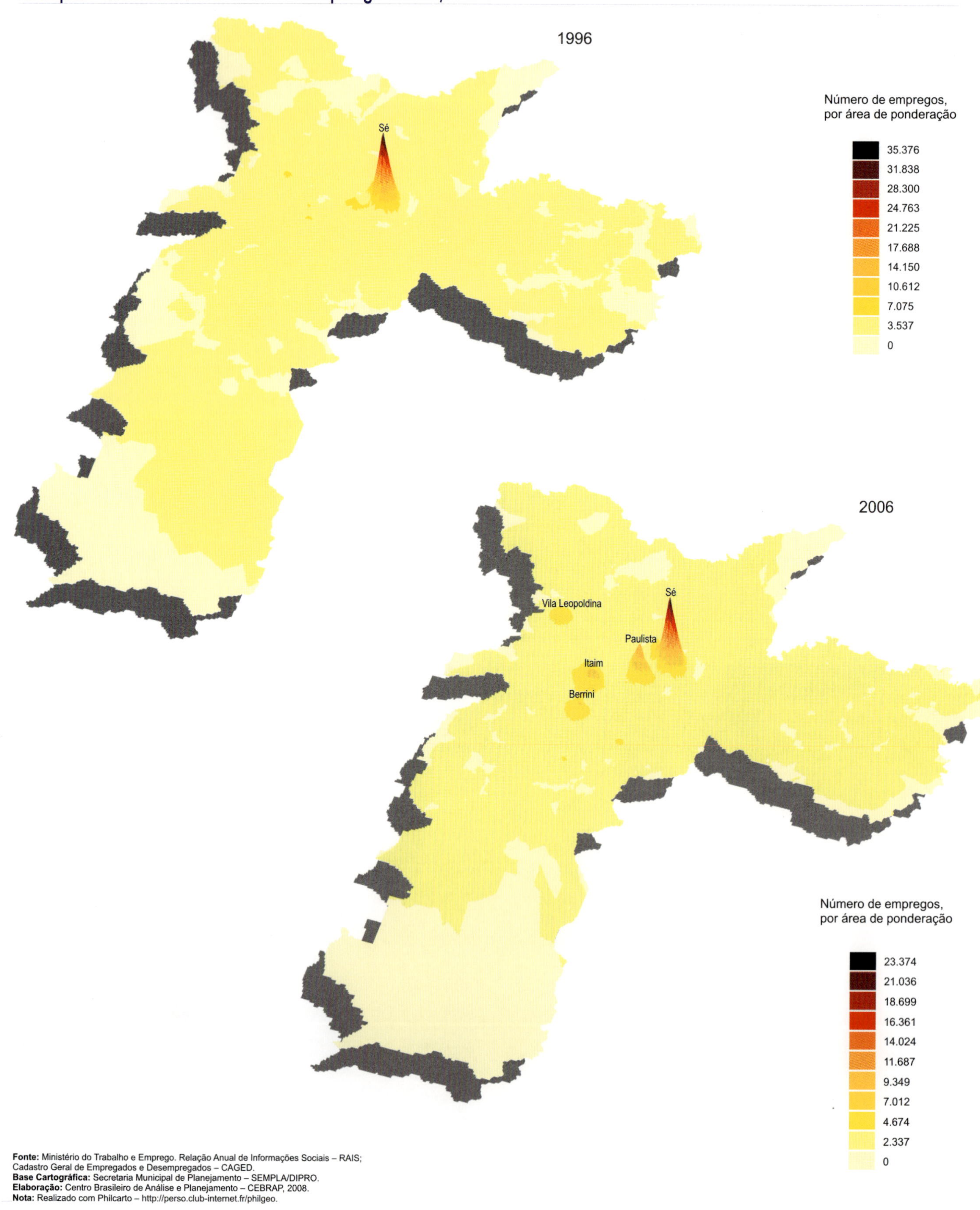

Fonte: Ministério do Trabalho e Emprego. Relação Anual de Informações Sociais – RAIS; Cadastro Geral de Empregados e Desempregados – CAGED.
Base Cartográfica: Secretaria Municipal de Planejamento – SEMPLA/DIPRO.
Elaboração: Centro Brasileiro de Análise e Planejamento – CEBRAP, 2008.
Nota: Realizado com Philcarto – http://perso.club-internet.fr/philgeo.

mentares para o funcionamento dos mercados de capitais e de uma altíssima densidade de agências bancárias e filiais de empresas de concessão de crédito. Enquanto isso, a avenida Paulista e a região da Berrini e da marginal do Pinheiros passam a dividir as opções locacionais de unidades operacionais e de planejamento dos bancos comerciais e sedes de grandes conglomerados financeiros mundiais.

A centralidade do capital financeiro na cidade de São Paulo decorre da reconhecida densidade de serviços empresariais presentes na estrutura econômica da cidade. Do ponto de vista territorial, há uma expressiva correlação espacial entre os SIC-F e os Serviços Intensivos em Conhecimento Profissionais (SIC-P). O Mapa 5 mostra a forte densidade desses últimos no eixo expandido, com o crescimento expressivo no eixo Berrini/Verbo Divino e Faria Lima.

Entretanto, a dinâmica geográfica dos SIC-P apresenta um padrão de expansão territorial diferenciado em relação aos SIC-F. Os dados de emprego desse segmento mostram que os eixos Berrini/Verbo Divino e Faria Lima ganharam expressão significativa na capital, a primeira área passando de 4,2% para 8,8% (acréscimo de 11 mil ocupações) e a segunda, de 3,7% para 6,7% (acréscimo de 8 mil). Todavia, esse processo de crescimento dos SIC-P, diferentemente do que ocorreu entre os SIC-F, não resultou da desconcentração do emprego do Centro histórico – apesar de sua participação na capital ter decrescido de 17,3% para 16,5% nesse segmento, essa área mostrou forte incremento de empregos em termos absolutos, com a incorporação de 14 mil ocupações (ver Anexo 1).

Vale a pena destacar também que os SIC-P tendem a apresentar comportamentos variados conforme a natureza dos arranjos interempresariais em cada localidade. Esses arranjos são altamente dependentes da distribuição diferenciada das estruturas de poder públicas e privadas na cidade (Mapa 6).

Nos eixos Berrini/Verbo Divino e Faria Lima, a realocação de empresas de serviços especializados ocorre entre as atividades cuja distribuição espacial é altamente dependente da localização das sedes corporativas dos grupos empresariais, de infraestrutura de telecomunicações, centros empresariais e escritórios de alto padrão, como as atividades de consultoria e assessoria empresarial, marketing, publicidade e recursos humanos.

No caso do Centro histórico e suas imediações, são as esferas operacionais e do setor público que agem como âncora estratégica para uma gama muito variada de serviços nessa área, indo desde atividades que atendem aos escritórios de advocacia que se relacionam com o aparato público ligado ao aparelho de segurança pública (Secretaria de Segurança Pública, Delegacia Geral de Polícia e Polícia Federal), tribunais civis, trabalhistas e estruturas de arrecadação da máquina municipal (Secretaria Municipal de Finanças), estadual (Secretaria de Estado dos Negócios da Fazenda), federal (Ministério da Fazenda), até cartórios, despachantes e escriturários que se localizam em torno do Tribunal Regional do Trabalho e do Fórum Criminal, no polo de serviços jurídicos ao longo da avenida Marquês de São Vicente.

Outros fatores importantes a serem considerados na área central são: a rede de edificações requalificada, a infraestrutura de telecomunicações e a alta acessibilidade do sistema de transporte e comércio e serviços gerais, pontos fundamentais para a atração de investimentos das empresas intensivas em mão de obra e comunicação, como as empresas de telemarketing (Mapa 7; Freitas, 2008).

Considerando os serviços intensivos em informação e de alto conteúdo tecnológico, os Serviços Intensivos em Conhecimento Tecnológicos (SIC-T) apresentam uma forte concentração geográfica dos estabelecimentos na área adensada do núcleo central do eixo expandido, mas com tendências de espraiamento ao longo das suas imediações (Mapa 8).

A distribuição esparsa dos SIC-T se justifica pelas configurações produtivas e organizacionais desse segmento, no qual se contabilizam milhares de autônomos e microempreendimentos organizados por redes de subcontratação e que não se defrontam com res-

Mapa 5: SICs Profissionais. Emprego. MSP, 1996-2006

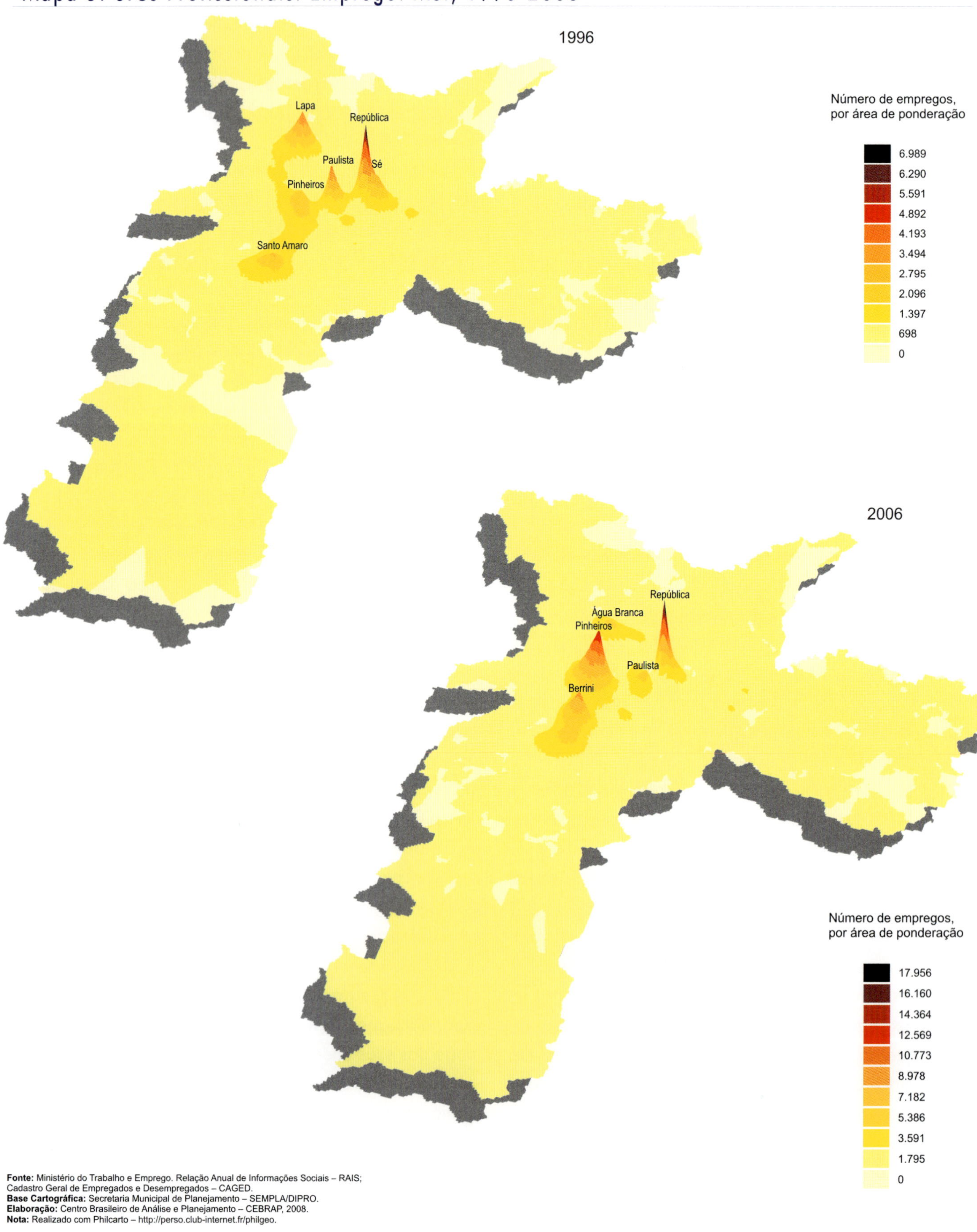

Fonte: Ministério do Trabalho e Emprego. Relação Anual de Informações Sociais – RAIS; Cadastro Geral de Empregados e Desempregados – CAGED.
Base Cartográfica: Secretaria Municipal de Planejamento – SEMPLA/DIPRO.
Elaboração: Centro Brasileiro de Análise e Planejamento – CEBRAP, 2008.
Nota: Realizado com Philcarto – http://perso.club-internet.fr/philgeo.

Mapa 6: Unidades da administração pública, sedes de empresas e *holdings*. MSP, 2006

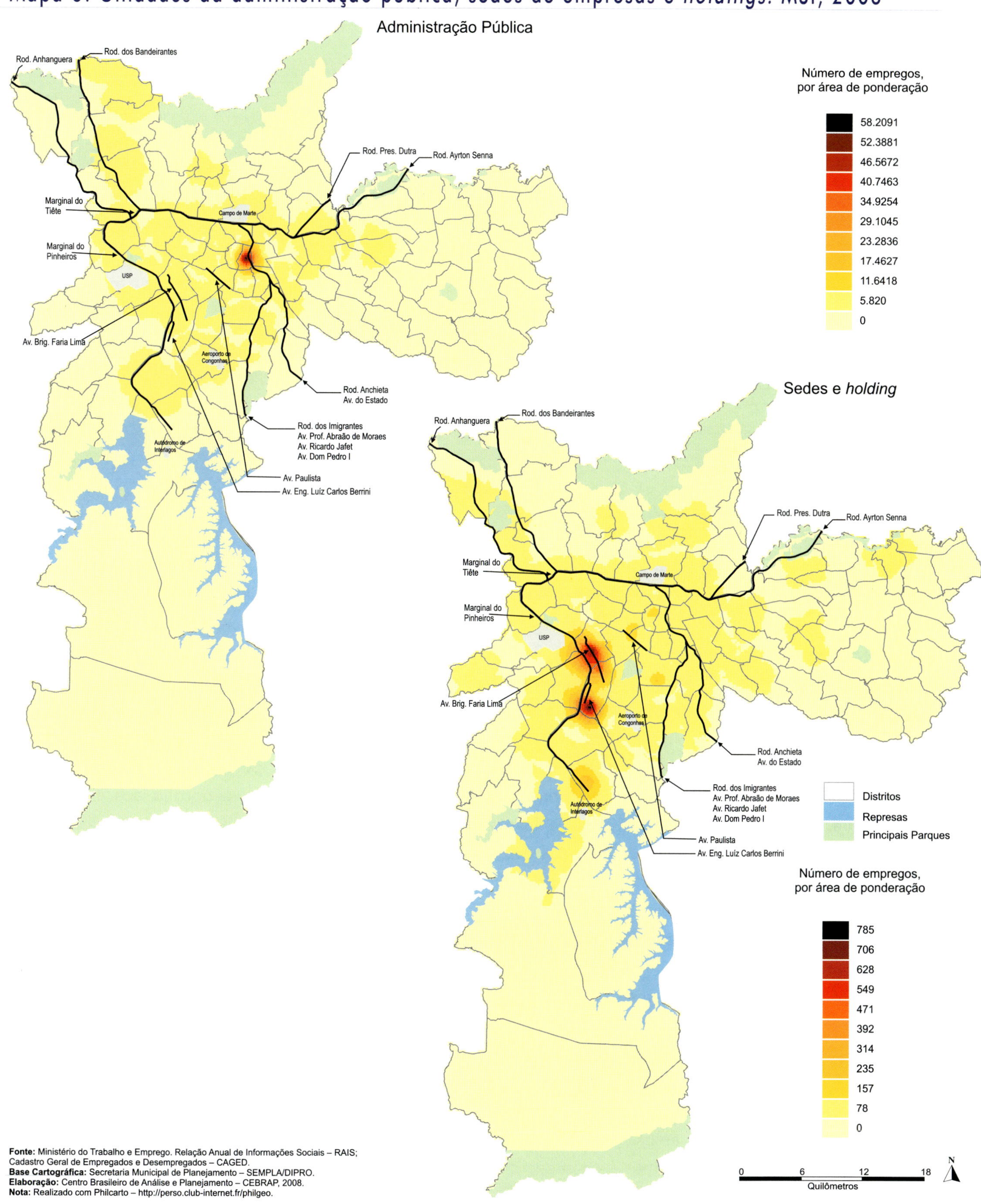

Fonte: Ministério do Trabalho e Emprego. Relação Anual de Informações Sociais – RAIS; Cadastro Geral de Empregados e Desempregados – CAGED.
Base Cartográfica: Secretaria Municipal de Planejamento – SEMPLA/DIPRO.
Elaboração: Centro Brasileiro de Análise e Planejamento – CEBRAP, 2008.
Nota: Realizado com Philcarto – http://perso.club-internet.fr/philgeo.

Mapa 7: Empregos formais nas unidades locais de *contact center*, por setores censitários no MSP, 2005

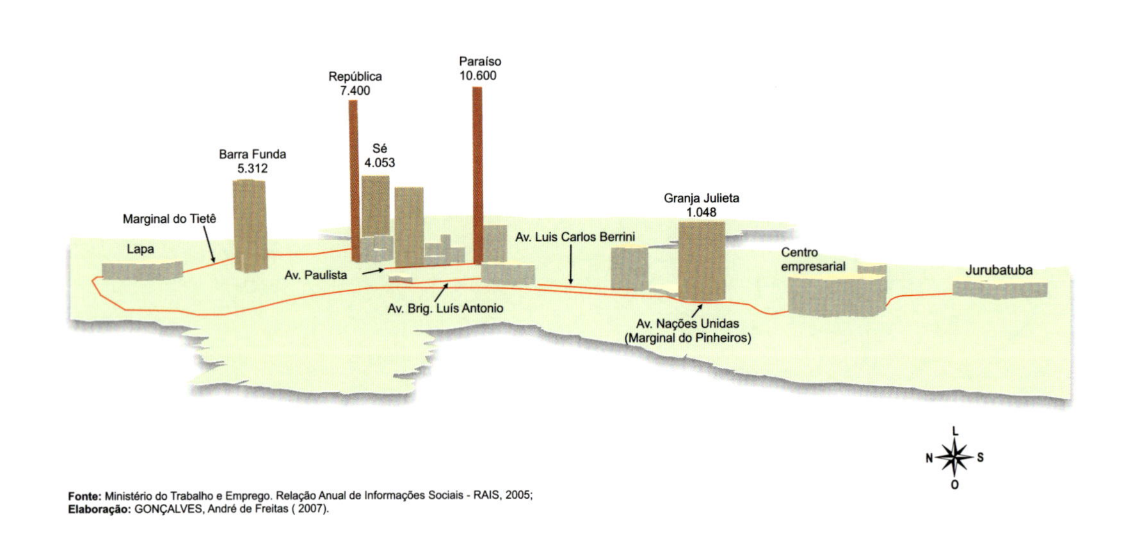

Fonte: Ministério do Trabalho e Emprego. Relação Anual de Informações Sociais - RAIS, 2005;
Elaboração: GONÇALVES, André de Freitas (2007).

trições locacionais em função do baixo investimento em capital fixo, como na área de *software* – segundo dados da Pesquisa da Atividade Econômica Paulista – Paep 2001, mais da metade das empresas de *software* existentes no município tinham como local de trabalho o domicílio de seus proprietários.

Do ponto de vista do emprego, há uma menor participação do Centro histórico, e concentrações importantes nas áreas da avenida Paulista, Pinheiros e Granja Julieta. Entretanto, apesar de todas essas áreas dinâmicas positivas em termos de geração de ocupações, são os eixos da Berrini/Verbo Divino e da marginal do Pinheiros que mostram maior importância entre os SIC-T: entre as 39 mil ocupações criadas entre 1996 e 2006 no município nesse segmento, cerca de 53% foram incorporados nessas áreas, aumentando a participação da Berrini/Verbo Divino na capital de 5,4% para 15% e a da marginal do Pinheiros de 3,6% para 9,6% no mesmo período (ver Anexo 1).

Além das relações entre essas empresas de telecomunicações, *software*, internet e as sedes dos bancos e de empresas industriais e de serviços, e também da existência de um estoque de escritórios de alto padrão, outro elemento a ser considerado como fator locacional que arrasta as empresas de tecnologia é a existência de bairros residenciais de alta renda, como Chácara Flora, Alto da Boa Vista e Brooklin. Isso porque, como é ressaltado pela bibliografia sobre a geografia das empresas de tecnologia, existe um vínculo entre a localização desse segmento e a proximidade de sítios residenciais de alto padrão e infraestrutura para seus executivos e técnicos graduados.

Do ponto de vista dos Serviços Intensivos em Conhecimento Sociais (SIC-S), que abrangem as atividades ligadas ao ensino superior e aquelas de atendimento hospitalar e laboratoriais, há uma notável concentração dos estabelecimentos nos polos mais importantes do Centro expandido metropolitano. O Mapa 9 aponta a forte densidade dessas atividades nas áreas da República, Paulista, Pinheiros, Vila Mariana e Ibirapuera, e Butantã.

Mapa 8: SICs Tecnológicos. Emprego. MSP, 1996-2006

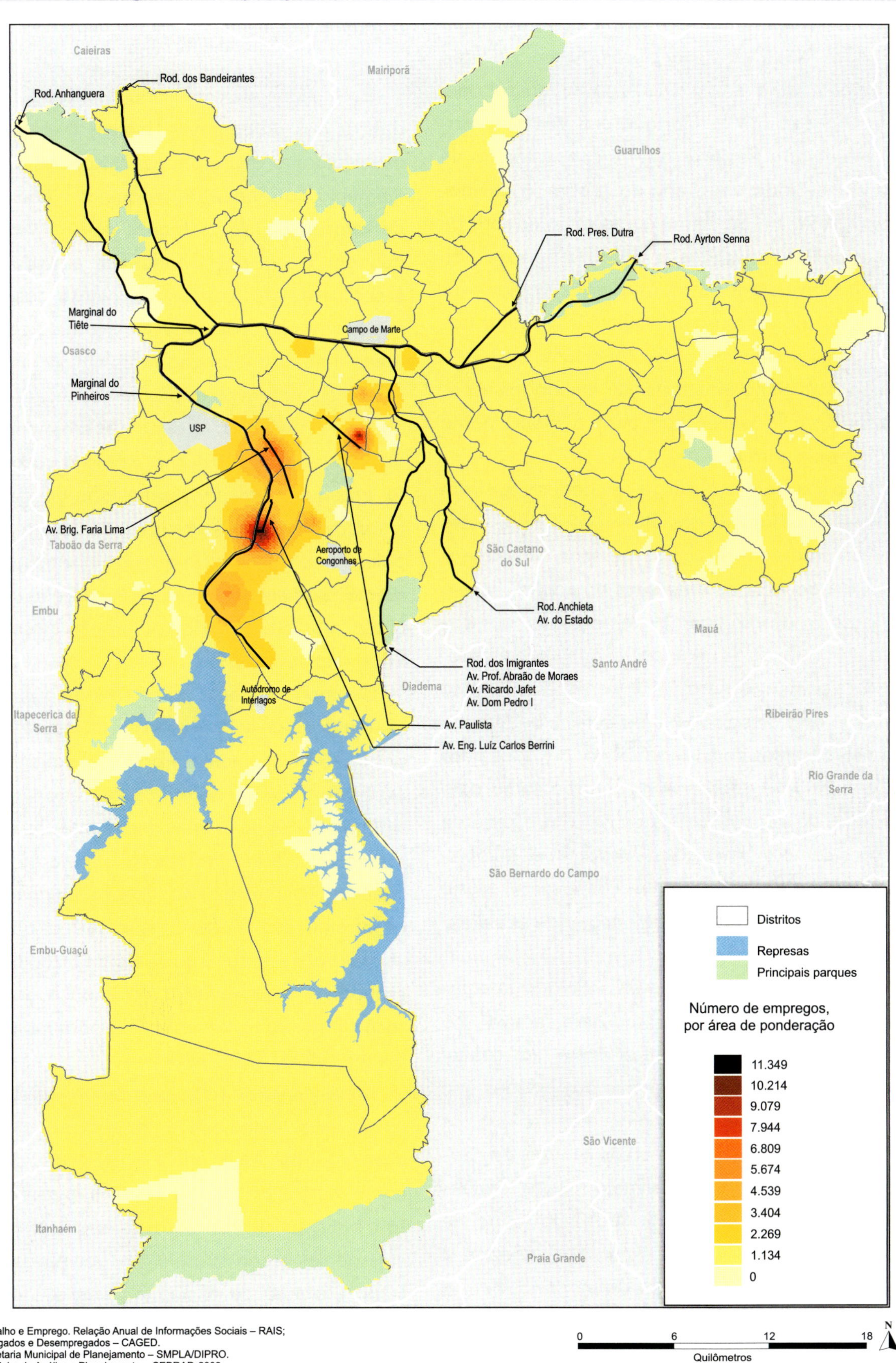

Fonte: Ministério do Trabalho e Emprego. Relação Anual de Informações Sociais – RAIS; Cadastro Geral de Empregados e Desempregados – CAGED.
Base Cartográfica: Secretaria Municipal de Planejamento – SMPLA/DIPRO.
Elaboração: Centro Brasileiro de Análise e Planejamento – CEBRAP, 2008.
Nota: Realizado com Philcarto – http://perso.club-internet.fr/philgeo.

Essa distribuição é relativamente heterogênea em termos setoriais, e sua diferenciação pode ser associada a tendências específicas. Assim, na área que começa na avenida Dr. Arnaldo passa pela Paulista e chega à Vila Mariana e à Vila Clementino, é necessário destacar a forte concentração de hospitais e de toda uma rede de suporte e atividades auxiliares à saúde, assim como as atividades de ensino e pesquisa ligadas à Universidade de São Paulo e à Universidade Federal de São Paulo (Unifesp). A sinergia entre essas instituições, aliada aos investimentos públicos na área hospitalar ao longo do tempo, constituiu um *cluster* de atividades especializadas com forte vocação para o atendimento de alta complexidade.[5]

No caso do Centro histórico, os dados registram um notável crescimento dos SIC-S. Em 1996, esses segmentos empregavam 2.235 pessoas e representavam 1,8% do total de empregos na capital. Já em 2006, passam a empregar 19 mil pessoas, aumentando a participação do centro no cômputo do emprego nesses segmentos para 9,1% (ver Anexo 1). Esse crescimento está associado a uma política de atração de estabelecimentos de ensino superior privados para a região e tende a reforçar sua condição como polo educacional da capital, que já conta com a sede de instituições como a Universidade Mackenzie, a Faculdade de Direito da USP, o Centro Universitário Maria Antônia e os cursos de pós-graduação da Faculdade de Arquitetura e Urbanismo.

Do ponto de vista do grupo SIC-Mídia, que compõe um dos elos da chamada "indústria criativa", há adensamentos econômicos importantes na capital (Mapa 10). Todavia, diferentemente das cidades que dispõem de conglomerados multimídias em distritos especializados ou *clusters* em áreas centrais das zonas urbanas, a cidade de São Paulo mostra tendências de distribuição dessas atividades ao longo de faixas específicas do Centro expandido, ligados a empresas de televisão nas áreas do Morumbi/Berrini e Barra Funda/Lapa, e agências de notícias e rádio na área da Paulista.

[5] Para mais informações sobre o setor da saúde, ver capítulo 2 deste livro.

Eixos produtivos de reestruturação e novos espaços

É relativamente conhecida a influência que as mudanças dos paradigmas técnicos tiveram no parque manufatureiro das grandes metrópoles, com o sucateamento do parque de máquinas e equipamentos e desvalorização dos estoques construtivos que compunham a paisagem industrial erguida durante o processo de industrialização intensa das cidades. O crescimento de polos industriais fora do perímetro das áreas de industrialização mais antiga reforçou o desemprego e agravou os problemas sociais decorrentes da crise econômica. O debate sobre a crise das cidades atreladas ao fordismo, como o caso de Detroit, foi paradigmático para uma parte da literatura, que ressaltava a "desindustrialização" das grandes metrópoles como decorrência de sua vinculação a um paradigma produtivo desatualizado, ao que se somavam ainda seus custos de aglomeração crescentes (Soja, 2000; Harvey, 1989).

Os impactos desse processo ensejaram uma vasta literatura sobre os "novos espaços industriais", baseados tanto em segmentos tradicionais que encontravam espaço em nichos de mercados customizados e que faziam uso das vantagens decorrentes do uso dos processos de "automação flexível", como nos segmentos ligados a microeletrônica, novos materiais, tecnologia de informação e biotecnologia, para os quais também se ordenava um outro conjunto de arranjos territoriais específicos desvinculados do espaço de industrialização fordista, como *clusters* e parques tecnológicos (Benko, 1996; Scott, 1988).

Desse ponto de vista, as simples vantagens econômicas decorrentes das aglomerações marshallianas e os requisitos locacionais tradicionais, como logística, infraestrutura de transporte e mão de obra, não são mais suficientes para os segmentos industriais emergentes e são substituídos por novos elementos, como estrutura de ensino e pesquisa, infraestrutura de telecomunicações, forte adensamento de serviços ultra-especializados voltados para as empresas etc.

Mapa 9: SICs - Sociais. Emprego. MSP, 2006

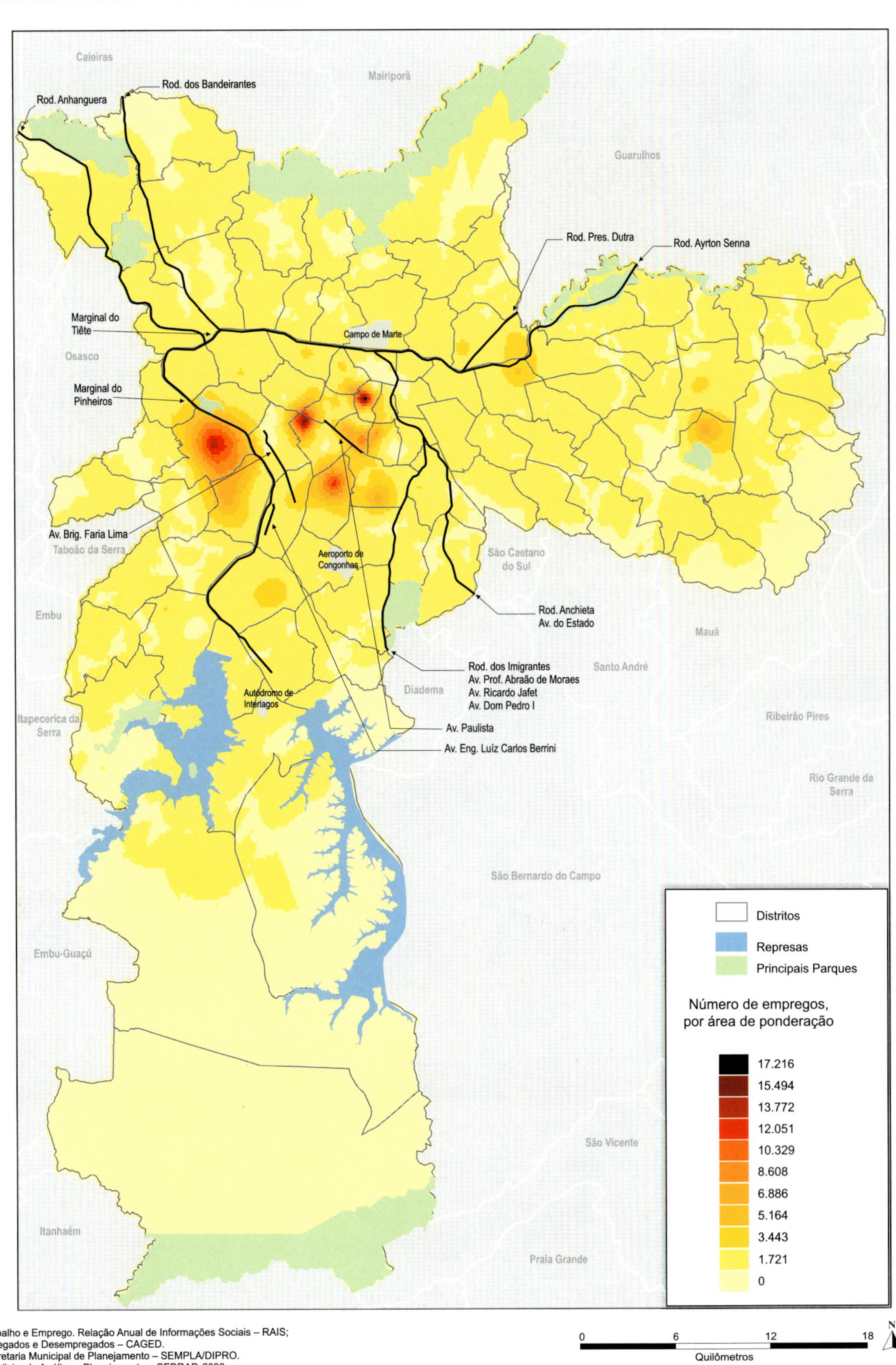

Fonte: Ministério do Trabalho e Emprego. Relação Anual de Informações Sociais – RAIS; Cadastro Geral de Empregados e Desempregados – CAGED.
Base Cartográfica: Secretaria Municipal de Planejamento – SEMPLA/DIPRO.
Elaboração: Centro Brasileiro de Análise e Planejamento – CEBRAP, 2008.
Nota: Realizado com Philcarto – http://perso.club-internet.fr/philgeo.

Mapa 10: SIC - Mídia. Emprego. MSP, 1996-2006

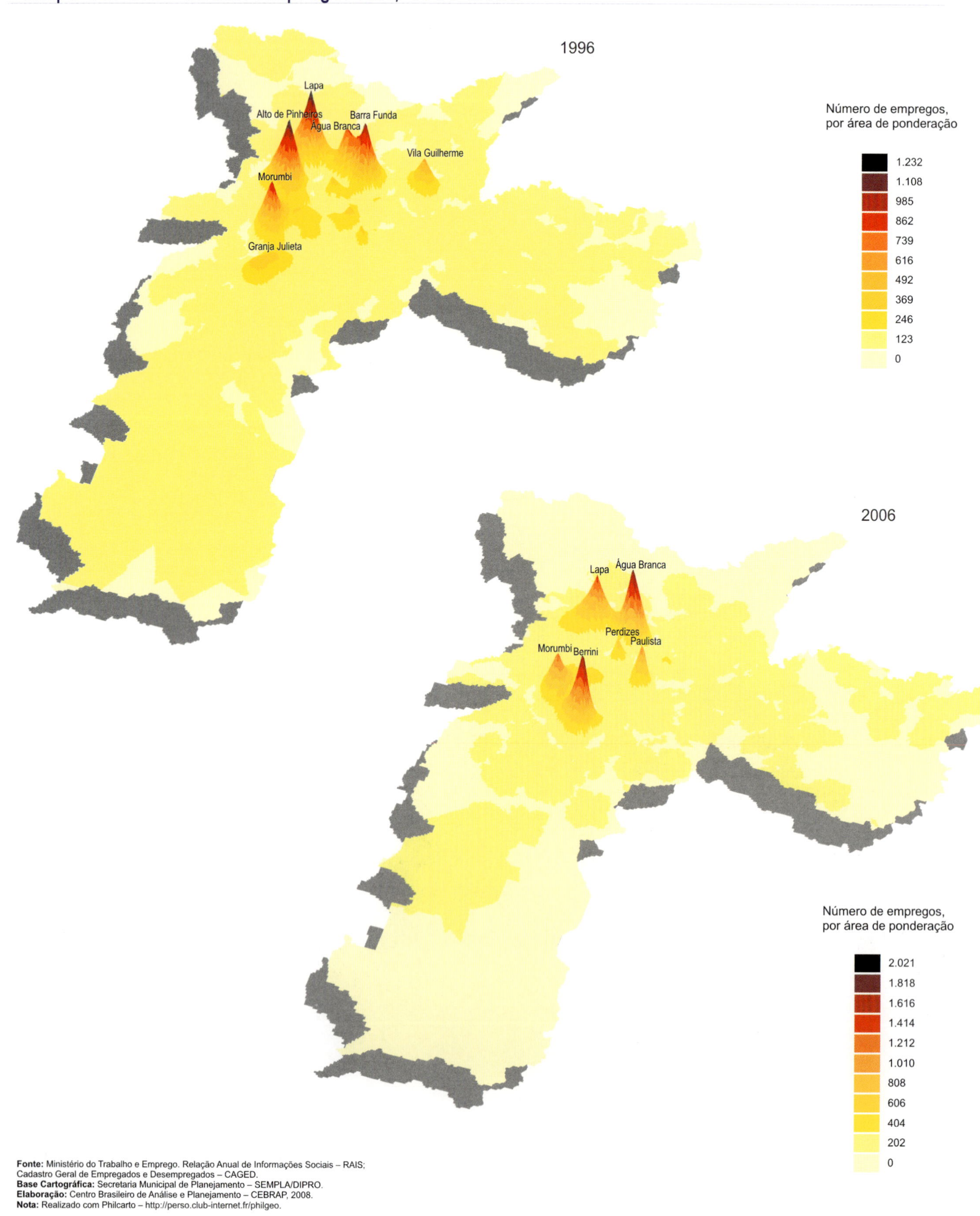

Fonte: Ministério do Trabalho e Emprego. Relação Anual de Informações Sociais – RAIS; Cadastro Geral de Empregados e Desempregados – CAGED.
Base Cartográfica: Secretaria Municipal de Planejamento – SEMPLA/DIPRO.
Elaboração: Centro Brasileiro de Análise e Planejamento – CEBRAP, 2008.
Nota: Realizado com Philcarto – http://perso.club-internet.fr/philgeo.

A construção de parâmetros mais elevados de produtividade é, nesse enfoque, uma atividade coletiva, com a redução dos custos de transação e a formação de redes de aprendizado voltadas para o processo de inovação e desenvolvimento tecnológico.

A formação de arranjos territoriais inovadores é relativamente heterogênea, mas apresenta características comuns, como instituições de coordenação (formais e informais), redes sociais com ambientes propícios para inovação, inserção externa relevante e mecanismos de alavancagem de financiamento compatíveis com as demandas de crédito dos segmentos produtivos emergentes.

Dificilmente os cenários internacionais poderiam ser apropriados para o município de São Paulo. Considerando a conjunção de curtos períodos de crescimento e desaceleração com a inexistência de um novo modelo de acumulação no país durante as décadas de 1980 e 1990, o município sofreu o enfraquecimento de elos importantes da indústria de transformação (Caiado, 2002). Em um contexto de baixas taxas de investimento e concorrendo com um *hinterland* metropolitano, não se consolidam na cidade as bases para um novo ciclo de expansão industrial apoiado nos segmentos intensivos em tecnologia. Os segmentos mais importantes classificados como de alta tecnologia na capital estão vinculados ao setor de bens de capital, constituído nos ciclos anteriores do processo de industrialização (Matteo, 2008; Araújo, 2001).

Nesse contexto, os eixos territoriais sobre os quais se construíram os alicerces da industrialização paulistana passam a sofrer um forte processo de reconversão econômica, sem que haja a expansão de novas áreas que compensassem a forte retração dessa atividade. O mapa da variação do emprego industrial na capital entre 1996 e 2006 mostra que o eixo da marginal do Pinheiros/Tietê perdeu 68,6 mil empregos, o Centro e o eixo Tamanduateí 52,2 mil, e a região de Santo Amaro 52,1 mil, enquanto as áreas que ganharam emprego, como o eixo Jacu-Pêssego (5 mil), Raposo Tavares (21 mil), Região de Pirituba, Freguesia do Ó, São Domingos (3,3 mil) e Luz/Bom Retiro (1,3 mil), não o fizeram em proporção suficientemente robusta para qualificar novos eixos de expansão da indústria no município (Mapa 11). Do ponto de vista do território, à exceção da Jacu-Pêssego e da Luz/Bom Retiro, a pequena expansão da indústria no restante da cidade segue as articulações rodoviárias para fora da capital, como na área da Raposo Tavares e na região Noroeste, em função dos eixos da Anhanguera/Bandeirantes (Mapas 11 e 12).

Os condicionantes que restringem a indústria no seu arco mais antigo são relevantes para todas as empresas, independentemente de seu porte, o que contraria a hipótese de que há uma reconversão industrial da cidade baseada em uma dualidade econômica e territorial: enquanto as empresas industriais transnacionais se modernizam e contam com um aporte crescente de tecnologia, buscando vantagens de aglomeração nos espaços adjacentes ao município, as pequenas unidades, servindo-se de relações de trabalho precárias e informais, desvinculam-se das médias e grandes empresas fixadas nos eixos ferroviários e rodoviários mais antigos e se dispersam pelo território, constituindo na capital uma "nova territorialização da produção" (Rolnik e Frugoli, 2001).

Ainda que seja verdade que as plantas menores dispõem de maior possibilidade de mobilidade espacial em função de níveis menos elevados de imobilização de capital fixo quando comparadas às grandes empresas, os mapas sobre a distribuição do emprego industrial segundo porte de empresa na capital mostram que as micro, pequenas e médias indústrias apresentam alto nível de aglomeração nos eixos tradicionais da cidade. Comparando-se os dados de 1996 e 2006, verifica-se ainda que a área de dispersão territorial dos pequenos estabelecimentos diminui na cidade, ao passo que aumenta a importância das áreas de industrialização antiga para essas empresas, como aquela adjacente ao centro histórico da cidade, especializada nos segmentos de confecções e produtos têxteis (Mapas 13 e 14).

A concentração da indústria ao longo dessas áreas industriais não significa que a cidade não mostre especializações setoriais dentro desse cinturão industrial, dadas as diferentes vantagens de aglomeração que

Mapa 11: Transição do emprego no setor industrial. MSP, 1996-2006

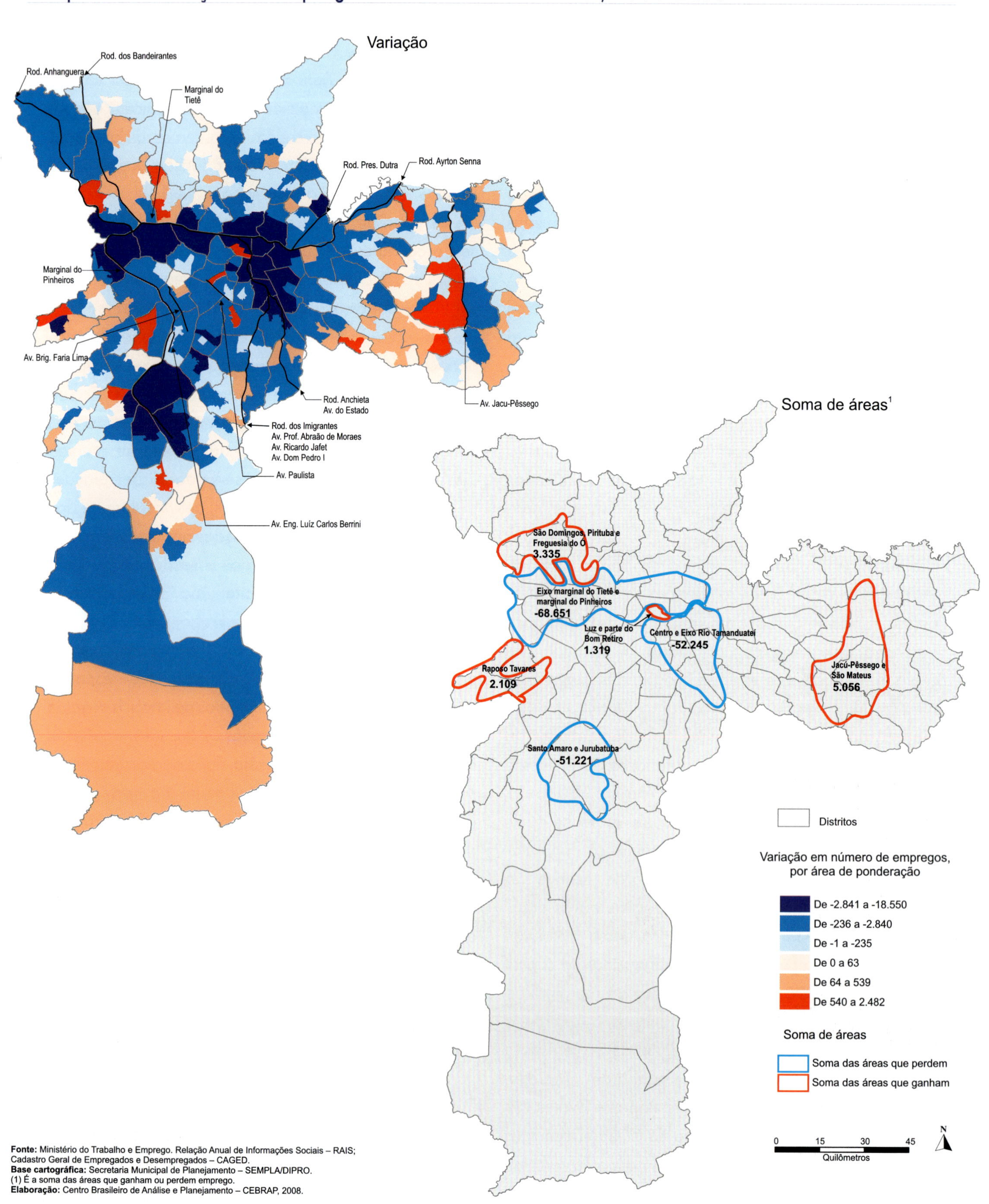

Fonte: Ministério do Trabalho e Emprego. Relação Anual de Informações Sociais – RAIS; Cadastro Geral de Empregados e Desempregados – CAGED.
Base cartográfica: Secretaria Municipal de Planejamento – SEMPLA/DIPRO.
(1) É a soma das áreas que ganham ou perdem emprego.
Elaboração: Centro Brasileiro de Análise e Planejamento – CEBRAP, 2008.

Mapa 12: Indústria. Emprego. MSP, 1996-2006

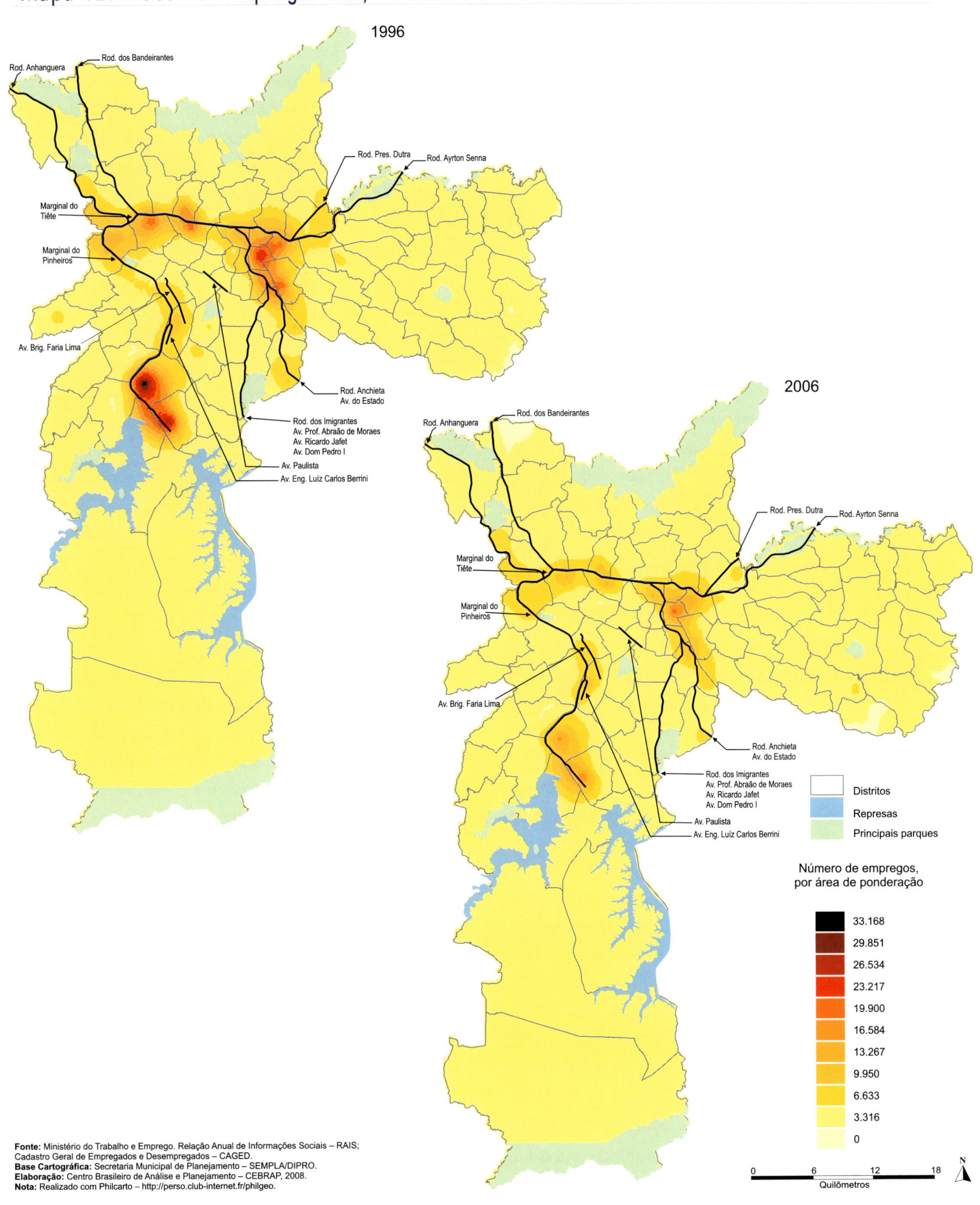

Fonte: Ministério do Trabalho e Emprego. Relação Anual de Informações Sociais – RAIS; Cadastro Geral de Empregados e Desempregados – CAGED.
Base Cartográfica: Secretaria Municipal de Planejamento – SEMPLA/DIPRO.
Elaboração: Centro Brasileiro de Análise e Planejamento – CEBRAP, 2008.
Nota: Realizado com Philcarto – http://perso.club-internet.fr/philgeo.

essas oferecem em termos de proximidade com mercado consumidor e infraestrutura, bem como condições para o aproveitamento do capital já imobilizado.

O Mapa 15 mostra a concentração dos empregos das empresas industriais classificadas segundo o nível de intensidade tecnológica e apresenta uma tendência de polarização entre as indústrias mais tradicionais de baixa e média-baixa intensidade tecnológica na área central do município e na marginal do Pinheiros-Tietê e aquelas com maior adensamento tecnológico ao sul, na região de Santo Amaro.

A concentração mais importante na cidade é a do polo industrial da região Sul, em torno da área do Jurubatuba, Verbo Divino e Socorro. Formada historicamente por uma aglomeração diversificada de empresas dos segmentos de alta intensidade tecnológica (máquinas e equipamentos e material eletrônico), média (indústria química, que inclui a farmacêutica) e média-baixa (metalurgia e fabricação de produtos de metal), a região passou por um forte processo de reestruturação ao longo dos anos 1980 e 1990. Primeiro, com a transferência de segmentos do setor de eletrônicos para o Polo de Manaus, seguida pela desmobilização de parte da indústria de máquinas e equipamentos decorrente dos impactos das políticas macroeconômicas dos anos 1990 sobre a estrutura industrial mais antiga da capital. Esse processo teve como contraposição uma maior resistência do segmento farmacêutico, que, a despeito de ter aumentado seus investimentos em outros municípios e reduzido o número de empregos na região, mantém suas sedes e parte de suas plantas naquela área, constituindo-se como um dos principais polos nacionais dessa indústria.

Assim, o Polo Industrial Sul apresenta forte representatividade na estrutura industrial da cidade e representa ainda a principal aglomeração das empresas mais intensivas em tecnologia na capital – mas um balanço entre os segmentos de alta, média-alta e baixa tecnologia nos últimos dez anos indica maior especialização nos dois últimos, que, de 57,4%, passam a representar 67,4% do emprego naquela área.

Em contraste, os núcleos da indústria adjacentes ao centro histórico da cidade são a maior aglomeração na capital dos segmentos classificados como de baixa intensidade tecnológica, sobretudo em relação à cadeia têxtil-vestuário. Entretanto, as características desse segmento têm se alterado profundamente com a incorporação de tecnologias de informação, automação de corte a laser associadas a ferramentas de *design* de projetos, com a maior utilização de sistemas CAD (*computer aided design*) e CAM (*computer aided manufacturing*).

No entanto, é em relação à incorporação de serviços que se relacionam com rotinas anteriores e posteriores à produção – como a pesquisa indumentária e antropométrica, engenharia, marketing, desenvolvimento de marcas – que se agregam elementos estratégicos para a modernização do segmento. Esse processo de modernização não suprimiu a heterogeneidade produtiva do segmento, como ainda a aprofundou, dada a proliferação simultânea do trabalho informal de natureza domiciliar e das relações de trabalho precárias baseadas na mão de obra nas oficinas.

Enraizados na área mais adensada do município, nas regiões do Brás e do Bom Retiro, esses segmentos industriais mostram capacidade de se apropriarem de vantagens locacionais renovadas, vinculadas a:
1) forte presença de empresas comercializadoras que nasceram em São Paulo e desenvolvem atividades importantes nos elos de maior valor agregado nas áreas de marketing, desenvolvimento de produtos e *design*;
2) dinâmicas de aprendizado e transferência tecnológica intrafirmas presentes nas áreas de grande adensamento urbano;
3) a densidade dos centros comerciais dinâmicos baseados no comércio de rua, como a rua 25 de Março, e polos de lojas especializadas, como o Brás;
4) o "cosmopolitismo"[6] das áreas metropolitanas, nas quais confluem desde elos importantes da indústria da moda internacional que circulam na capital (estilistas, promotores, organizadores de feiras de modas) até um grande contingente de imigrantes que se inserem na ca-

[6] Ver capítulo 1, de Comin, neste livro.

Mapa 13: Indústria. Estabelecimento por faixa de emprego. MSP, 1996

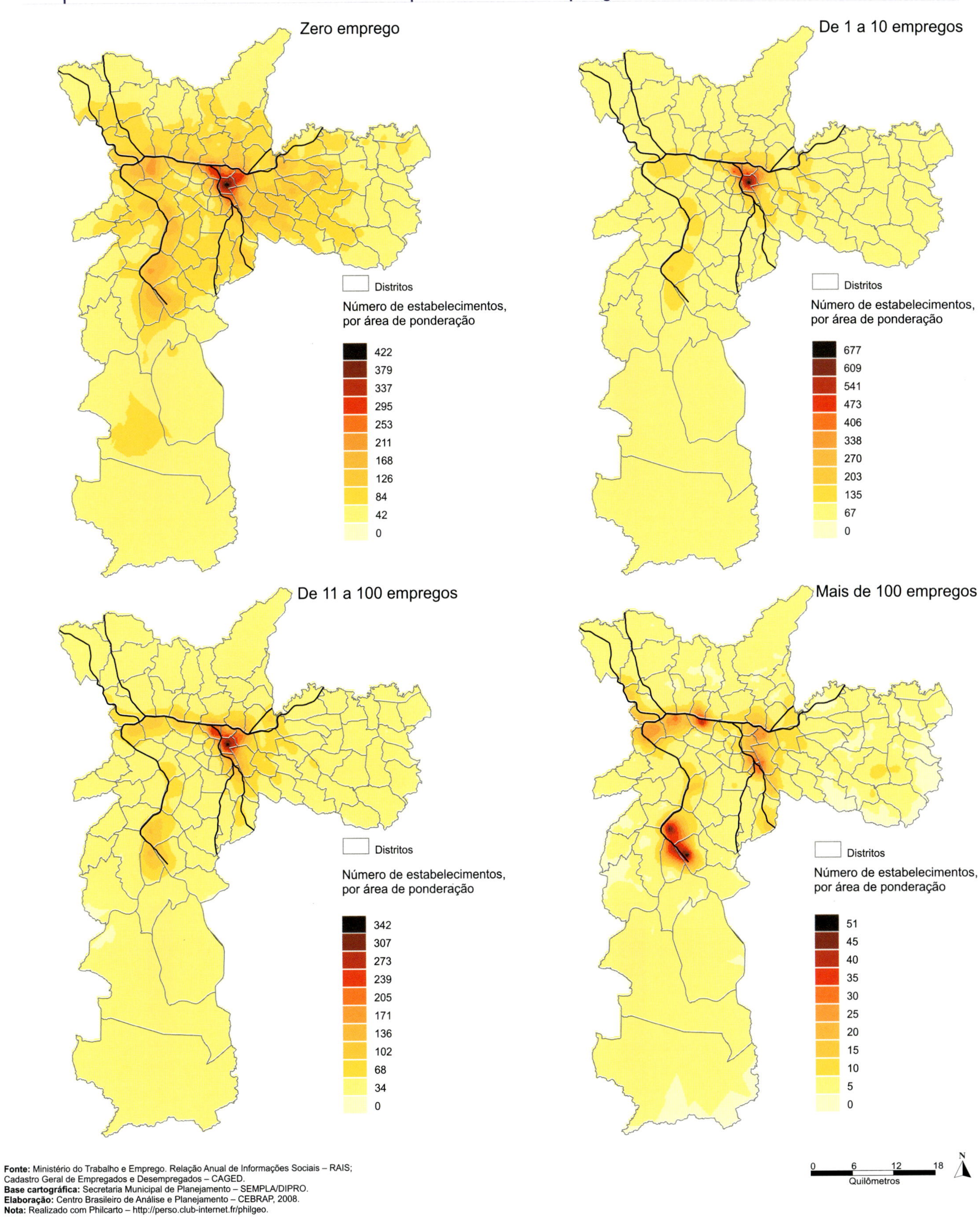

Fonte: Ministério do Trabalho e Emprego. Relação Anual de Informações Sociais – RAIS; Cadastro Geral de Empregados e Desempregados – CAGED.
Base cartográfica: Secretaria Municipal de Planejamento – SEMPLA/DIPRO.
Elaboração: Centro Brasileiro de Análise e Planejamento – CEBRAP, 2008.
Nota: Realizado com Philcarto – http://perso.club-internet.fr/philgeo.

Mapa 14: Indústria. Estabelecimento por faixa de emprego. MSP, 2006

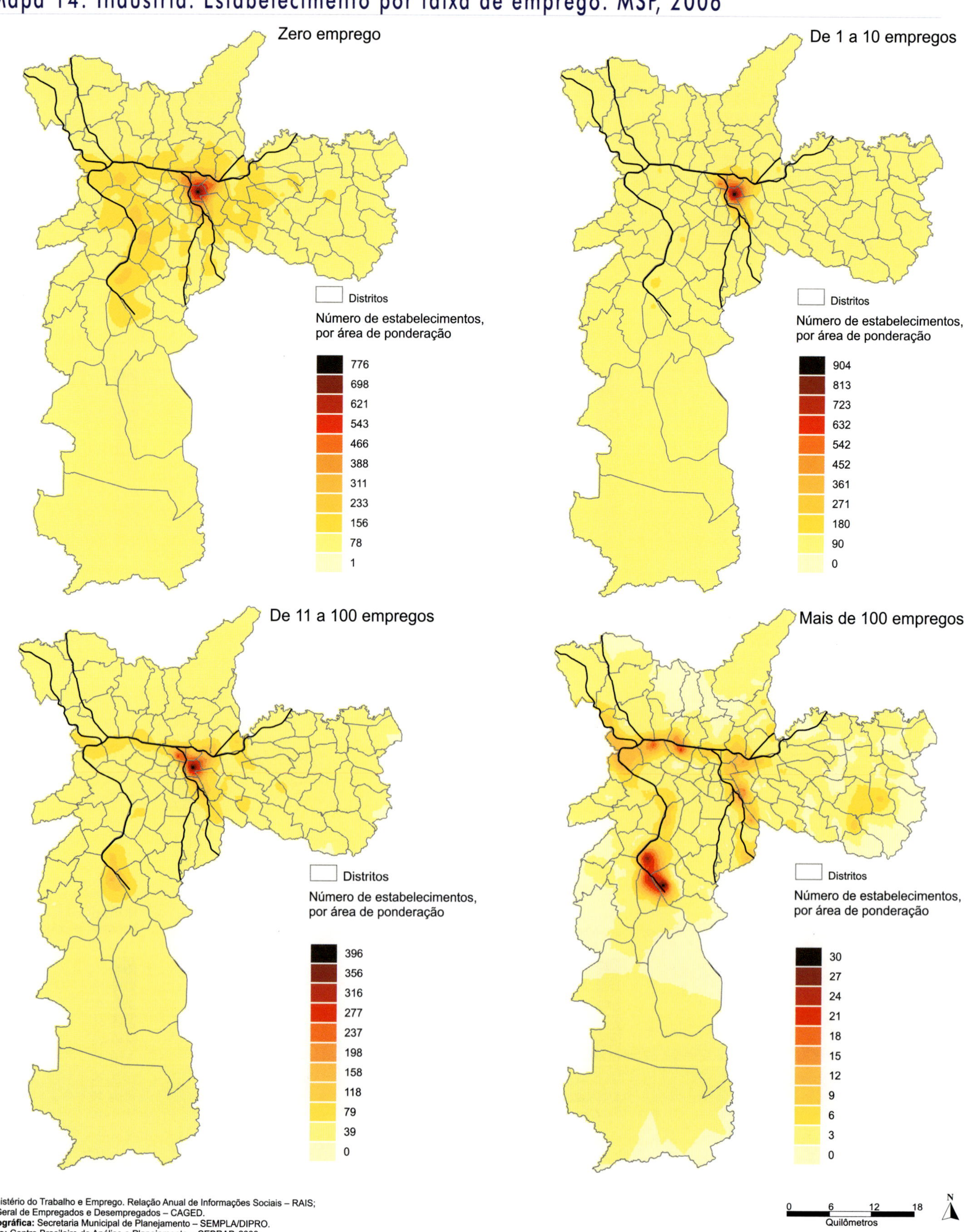

Fonte: Ministério do Trabalho e Emprego. Relação Anual de Informações Sociais – RAIS; Cadastro Geral de Empregados e Desempregados – CAGED.
Base cartográfica: Secretaria Municipal de Planejamento – SEMPLA/DIPRO.
Elaboração: Centro Brasileiro de Análise e Planejamento – CEBRAP, 2008.
Nota: Realizado com Philcarto – http://perso.club-internet.fr/philgeo.

Mapa 15: Emprego segundo intensidade tecnológica. MSP, 2006

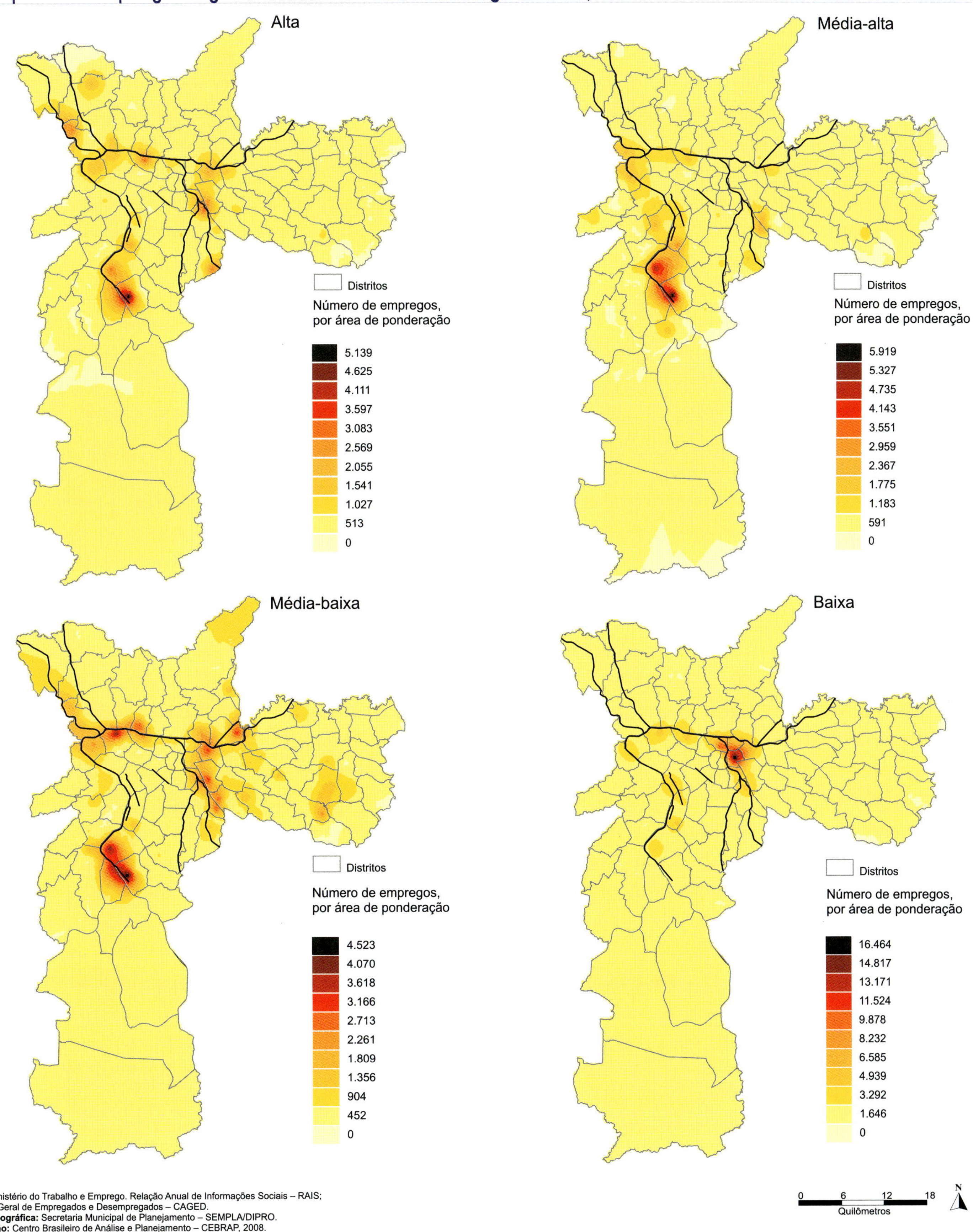

Fonte: Ministério do Trabalho e Emprego. Relação Anual de Informações Sociais – RAIS; Cadastro Geral de Empregados e Desempregados – CAGED.
Base Cartográfica: Secretaria Municipal de Planejamento – SEMPLA/DIPRO.
Elaboração: Centro Brasileiro de Análise e Planejamento – CEBRAP, 2008.
Nota: Realizado com Philcarto – http://perso.club-internet.fr/philgeo.

deia têxtil-vestuário na condição de mão de obra com baixos salários ou proprietários de pequenos negócios.[7]

Se a estrutura industrial da área central foi capaz de empreender novas configurações produtivas e comerciais que atingiram o núcleo da indústria têxtil e de confecções, essa transformação não foi capaz de remodelar o longo eixo metropolitano da antiga estrada de ferro Santos-Jundiaí, que interliga o Brás à região do ABC, conhecido como eixo Tamanduateí.

Em 1996, as indústrias dessa área empregavam 64 mil trabalhadores em 2.790 unidades, caindo para 36 mil em 2006 em um universo de 1.848 estabelecimentos industriais. Dado que a reestruturação industrial é mais intensa nessa área, sua representatividade no emprego industrial da cidade se reduz de 8,5% para 7,5% nesse período (ver Anexo 2). A perda de "musculatura industrial" também pode ser expressa no fechamento de unidades de todos os portes: as 17 plantas industriais com mais de 500 empregados foram reduzidas para 8 e aquelas com 101 a 500 empregados diminuíram de 125 para 79, ao passo que aquelas com 1 a 10 empregados passaram de 800 para pouco mais de 500 unidades (ver Anexo 2).

Entretanto, vale notar que, além de guardar peso na estrutura industrial da cidade de São Paulo semelhante ao do Polo do Jurubatuba, a região apresenta aglomerações importantes nos segmentos de alta intensidade tecnológica ligadas à fabricação de máquinas e equipamentos, situadas na área da Vila Independência e Sacomã, bem como concentrações da indústria de média-alta e média-baixa tecnologia na região do Ipiranga e da Vila Prudente, ligadas ao polo industrial automobilístico do ABC, como empresas de fabricação de produtos de borracha e plástico e de peças e acessórios para veículos.

Vale destacar que os mapas sobre emprego na indústria mostram que o eixo Tamanduateí se constitui como fronteira da expansão industrial a leste do município, à exceção de uma aglomeração da indústria de média-baixa intensidade tecnológica junto ao Polo Industrial de Itaquera.

Considerações sobre cenários territoriais

As características do processo de reestruturação econômica da cidade de São Paulo decorrem de impactos do movimento errático da economia brasileira nas duas últimas décadas do século XX e de uma combinação complexa entre processos de ordem microeconômica que se dão em seu território.

Essa reconversão da estrutura produtiva paulistana foi interpretada como um processo de constituição de uma nova economia urbana, na qual o crescimento dos serviços teria como contrapartida o enfraquecimento da indústria, dando origem a uma "metrópole terciária", na qual a São Paulo passa a exercer o papel de comando da cadeia industrial de seu amplo *hinterland* econômico apenas como centro corporativo empresarial e financeiro.

Pressupondo que as bases técnicas e organizacionais dos segmentos de serviços e da indústria apresentam forte interpenetração, as interpretações baseadas em polaridades agudas são inapropriadas para a discussão sobre os impactos da reestruturação produtiva na capital, como discutido no capítulo 2 deste livro. Vale dizer: conquanto existam limites claros para as definições de "serviços" e "indústria", a confluência do *modus operandi* entre esses dois grandes segmentos nivela seus requisitos produtivos e locacionais.

Nesse sentido, mais importantes que as discussões sobre o binômio "indústria *versus* serviços" são as dinâmicas territoriais dos segmentos econômicos que devem lastrear uma discussão sobre a natureza das transformações em curso da economia paulistana: enquanto alguns se modernizam e se "voltam para dentro" do município, "arrastando" territórios e atividades para uma grande área conhecida como "complexo corporativo metropolitano", outras crescem "para fora", incorporando ao *hinterland* econômico da capital territórios produtivos que extrapolam a área metropolitana.

É possível apontar que o perfil técnico-produtivo da capital não comportaria uma matriz especializa-

[7] Ver Kontic (2001) e Brito (2005). Garcia e Cruz-Moreira (2004) argumentam que, apesar de a capital apresentar perda de representatividade nesse segmento em relação ao estado, o processo de desconcentração industrial se restringiu ao deslocamento da mão de obra para outras regiões. Mas fatores como os ganhos de produtividade das empresas da RMSP e a intensificação da utilização de subcontratação de mão de obra tiveram o efeito de aumentar a produção industrial na segunda metade dos anos 1990, com aumentos ainda superiores em termos do Valor de Transformação Industrial (VTI), em virtude possivelmente dos esforços de desenvolvimento de produto.

da, já que a cidade aporta para a atividade econômica uma base de oportunidades locacionais muito diversificada, tanto para as atividades que se mostram intensivas em mão de obra, como para aquelas que dependem de insumos ligados às áreas de ciência e tecnologia.

Embora as perspectivas de cenários territoriais dependam de uma conjunção de fatores indeterminados, há algumas tendências que podem ser discutidas para a cidade.

Nas áreas de crescimento consolidado, diante da ausência de novas centralidades que sejam capazes de romper o processo de aglomeração das atividades econômicas no chamado "Centro expandido", esse continuará a exercer seu papel de centro gravitacional da economia do município, sobretudo no que tange aos serviços. A densidade das economias de aglomeração presentes nessas áreas será continuamente reforçada, embora elas possam estar sujeitas a processos de saturação decorrentes dos gargalos de infraestrutura que afetem a mobilidade urbana da população. Todavia, diferentemente de algumas cidades que apresentam tendências de realocação das atividades de retaguarda de natureza mais rotineira (almoxarifados, depósitos etc.) fora das áreas afastadas do centro de negócios, o Centro expandido de São Paulo reúne grande força gravitacional sobre as unidades de negócios que, a princípio, poderiam estar integradas à economia da cidade no seu perímetro urbano mais periférico.

Entretanto, esse crescimento do Centro expandido afetará sua própria morfologia econômica e territorial, diversificando suas atividades econômicas e alterando seus eixos de expansão. De forma geral, essas transformações podem ser resumidas nas seguintes tendências:

- São incorporadas ao Centro expandido áreas das regiões Oeste e Norte. Na primeira área, destaque para o Centro empresarial da Água Branca e o polo de serviços jurídicos formado pelo Fórum Criminal e pelo Tribunal Regional do Trabalho (TRT) ao longo da avenida Marquês de São Vicente. Na zona Norte, vale destacar as importantes conexões com o Polo Turístico do Anhembi, com os Centros de Convenções de Negócios e com um núcleo hoteleiro de implantação recente.
- A região central reforçará sua condição de principal polo cultural e educacional da cidade em torno dos equipamentos públicos e instituições privadas de ensino superior, bem como das atividades de serviços que complementam as funções de comando do setor público, que estão vinculadas à sede da prefeitura, importantes secretarias de Estado e tribunais civis e trabalhistas na região. Os projetos de revitalização do Polo Luz/Santa Ifigênia poderão agregar ainda segmentos ligados a empresas intensivas em tecnologia de informação, enquanto as novas estratégias das redes de comercialização de roupas do Bom Retiro e do Brás darão sustentação à cadeia industrial têxtil e de vestuário naquela área.
- Do lado do vetor Sudoeste, os segmentos de tecnologia de informação e serviços de consultoria ligados às demandas dos centros de decisão e planejamento dos grandes grupos transnacionais se expandirão em direção sul, alcançando com mais intensidade o Polo Industrial da Região Sul. Os interesses do mercado imobiliário poderão provocar uma disputa sobre o estoque construtivo disponível e não utilizado pelas indústrias, requalificando antigas instalações manufatureiras para outros usos. Essa expansão pode se constituir como pressão sobre o principal polo da indústria local de média e alta tecnologia da cidade.

Nesse sentido, a morfologia dessa área contará com três centralidades de serviços (Centro histórico, Paulista, marginal do Pinheiros/Berrini/Verbo Divino) e dois polos industriais com características distintas: um polo de empresas de alta, média e média-baixa intensidade tecnológica no eixo do Jurubatuba, e um aglomerado de empresas de baixa intensidade tecnológica, mas com bases produtivas renovadas, nas áreas do Bom Retiro e do Brás.

No que diz respeito às áreas de reestruturação, na ausência de um novo ciclo industrial que permitisse à capital alcançar um novo patamar de industrialização e renovar seu parque de máquinas e equipamentos, as áreas de maior densidade industrial que contornam o "maciço terciário" sofreram grande rupturas em seu tecido produtivo, sobretudo ao longo do eixo do rio Tamanduateí que integra a área central, a zona Leste e a região do ABC. A ausência de políticas de reconversão das antigas áreas industriais, as deseconomias de aglomeração, gargalos de infraestrutura e logística e a valorização do uso do solo na perspectiva do mercado imobiliário continuarão como forças refratárias à modernização do cinturão industrial paulistano, mesmo em um quadro de aumento dos investimentos no município.

Do ponto de vista das áreas de expansão disponíveis no município, estas dependerão das características setoriais das empresas e da natureza de seus requisitos locacionais. Pressupondo que não haja política de renovação dos eixos de industrialização mais antigos e de eliminação dos gargalos logísticos que impedem o aproveitamento do estoque construtivo nessas áreas, as possibilidades de alocação dos investimentos das empresas ficarão restritas a duas estratégias.

A primeira é situar as empresas em áreas com predominância de outros usos, sobretudo para os segmentos aos quais a proximidade do mercado consumidor, a disponibilidade de mão de obra e as relações interempresariais são fundamentais para ganhos de produtividade. Esses recortes implicam desde segmentos intensivos em conhecimento e tecnologia que podem se inserir na malha urbana sem restrições logísticas e ambientais (como as atividades de *software* ou certos segmentos da indústria de equipamentos hospitalares e da indústria gráfica), como aqueles em que há relações de dependência entre os circuitos produtivos e os polos de distribuição comercial (indústria têxtil e de confecções, por exemplo).

Outra estratégia para a expansão será a utilização das áreas que compreendem o eixo metropolitano da avenida Jacu-Pêssego e o Polo Industrial de Itaquera, ambos com potencial para aportar segmentos industriais mais "pesados" e que têm expandido seus investimentos para outros municípios, enquanto mantêm suas sedes corporativas e escritórios de comercialização na capital.

As tendências descritas para os três tipos de áreas do município de São Paulo aqui destacadas poderiam ser analisadas com maior profundidade. Outros estudos mais específicos sobre as áreas e também sobre certos setores de atividade econômica permitiriam contemplar melhor a heterogeneidade da estrutura produtiva paulistana e sua inserção no território e, dessa forma, poderiam auxiliar na indicação de possíveis políticas de intervenção.

Bibliografia

Araújo, Maria de Fátima (2001). Impactos da reestruturação produtiva na Região Metropolitana de São Paulo no final do século XX. Campinas, Instituto de Economia/Unicamp. Tese de Doutorado.

Benko, Georges. (1996). *Economia, espaço e globalização - na aurora do século XXI*. São Paulo, Editora Hucitec.

Bessa, Vagner. (2004). "O setor de serviços às empresas". In Comin, A. (coord.), *Caminhos para o centro: estratégias de desenvolvimento para a região central de São Paulo*. São Paulo, Editora da Unesp, pp.199-233.

__________ (2007). Os novos serviços na perspective do município de São Paulo. São Paulo, Convênio Fecamp/SEMPLA.

Breitung, W. e Guenter, M. (2006). "Local and social change in a global city - The case of Hong Kong". *In Wu Fulong (ed.), Globalisation and the Chinese City*. London, Routledge, pp. 85-107.

Brito, M.G.M. (2005). A "colcha de retalhos" da metrópole paulista: simples aglomerados ou sistemas produtivos e inovativos na indústria do vestuário? Campinas, Instituto de Economia/Unicamp. Dissertação de Mestrado. http://libdigi.unicamp.br/document/?code=vtls000377109.

Caiado, A.S.C. (2002). Desconcentração Industrial Regional no Brasil (1985-1998): Pausa ou Retrocesso? Campinas, Instituto de Economia/Unicamp. Tese de Doutorado.

Cordeiro, Helena Kohn (1993). "A 'cidade mundial' de São Paulo e o complexo corporativo do seu centro metropolitano". In Santos, M. et al. *O novo mapa do mundo: fim de século e globalização*. São Paulo, Hucitec/Associação Nacional de Pós-Graduação e Pesquisa em Planejamento Urbano e Regional.

Freitas, André. (2008). As empresas de *contact center* no território brasileiro e sua concentração na cidade de São Paulo. São Paulo, USP/Departamento de Geografia.

Frugoli Jr., Heitor. (2000). *Centralidade em São Paulo: trajetórias, conflitos e negociações na metrópole*. São Paulo, Cortez/Universidade de São Paulo.

Garcia, Renato e Cruz-Moreira, Juan. (2004). "O complexo têxtil-vestuário: um cluster de atividades resistente". In Comin, A. (coord.), *Caminhos para o centro: estratégias de desenvolvimento para a região central de São Paulo*. São Paulo, Editora da Unesp, pp. 271-306.

Harvey, David. (1989). *The urban experience*. Oxford, Basil Blackwell.

Kontic, Branislav. (2001). Aprendizado e metrópole: a reestruturação produtiva na indústria do vestuário em São Paulo.— São Paulo, FFLCH/USP Dissertação de Mestrado.

Matteo, Miguel. (2008). Além da metrópole terciária. Campinas, Instituto de Economia/Unicamp. Tese de Doutorado.

Nadvi, Khalid e Schmitz, Hubert. (1994). *Industrial Clusters in Less Developed Countries: review of experiences and research agenda. Brighton: Institute of Development Studies*. Discussion Paper, 339.

Nobre, Eduardo. (2000). Reestruturação econômica e território: expansão recente do terciário na marginal do rio Pinheiros. São Paulo, Faculdade de Arquitetura e Urbanismo/USP. Tese de Doutorado.

O'Farrel P.N., Wood P.A. & Zheng J. (1996). "Internationalization of Business Services: An Interregional Analysis", *Regional Studies*, Vol. 30, n° 2, pp. 101-118.

Rolnik, Raquel e Frugoli Jr., Heitor (2001). "Reestruturação urbana da metrópole paulistana: a Zona Leste como território de rupturas e permanências". *Cadernos Metrópole Desigualdade e Governança*. São Paulo, v. 1, n. 6, pp. 55-84.

Sassen, Saskia (1999). "Globalization and telecommunication: impacts on the future or urban centrality". Disponível em: www.bk.tudelft.nl/vs/alfa/data/SYMPO/PAP/Sassen.html.

Scott, Allen. (1988). "Flexible production systems and regional development: the rise of new industrial space in North America and Western Europe". *International Journal of Urban and Regional Research*, v. 12, n.2, pp.171-186.

Segenberger, W.; Pyke, F. (1992). "Industrial Districts and Local Economic regeneration: research and policy issues". In: Pyke, F.; Segenberger, W. (eds.) *Industrial Districts and Local Economic Regeneration*. Geneva: International Institute for Labour Studies, Cap. 1, pp. 3-29.

Soja, E.W. (2000). *Postmetropolis, critical Studies of Cities and Regions*. London, Verso Press.

Storper, Michael (1997). *The Regional World: territorial development in a global economy*. New York: Guilford.

Wood, Peter (ed.) (2002). "Consultancy and Innovation. The business service revolution in Europe". *Routledge Studies in International Business and the World Economy*. London & New York, Routledge.

_________ (2001). "Knowledge Intensive Services and Urban Innovativeness". ESRC Cities Competitiveness and Cohesion Programme, International Research Workshop on Innovation and Competitive Cities in the Global Economy, Worcester College, Oxford University, 28-30 March.

_________ (2003). Return to KISINN: Reflections on KIBS and regional innovation, paper presented to Plenary Session in the XIIIth International Conference of RESER, Mons, 9-10, October.

Anexo 1

Tabelas das áreas intramunicípio

Tabela 1

Emprego e estabelecimentos (por porte) no MSP e no eixo selecionado segundo intensidade em tecnologia e conhecimento

Eixo Centro histórico - 1996

Setor de atividade	Emprego				Estabelecimento									
	Eixo	% no total Eixo	MSP	% no total MSP	0	de 1 a 10	de 11 a 50	de 51 a 100	de 101 a 500	500 ou mais	Total			
											Eixo	% no Eixo	MSP	% no MSP
Ind. alta	1.554	0,9	146.933	1,06	124	65	22	4	1	0	216	0,7	7.850	2,75
Ind. média-alta	3.521	2,0	118.970	2,96	181	128	39	6	7	0	361	1,1	7.189	5,02
Ind. média-baixa	2.355	1,3	189.941	1,24	174	81	31	9	3	0	298	0,9	15.475	1,93
Ind. baixa	9.443	5,3	302.698	3,12	573	325	109	9	14	3	1.033	3,1	38.450	2,69
SIC-T	2.925	1,7	70.543	4,15	442	176	31	9	3	1	662	2,0	15.216	4,35
SIC-P	11.761	6,6	67.995	17,30	1.182	801	148	16	17	1	2.165	6,5	17.784	12,17
SIC-F	46.939	26,5	140.619	33,38	2.266	397	228	41	38	12	2.982	9,0	13.874	21,49
SIC-S	2.235	1,3	123.605	1,81	142	73	7	2	7	0	231	0,7	5.759	4,01
SIC-M	326	0,2	12.498	2,61	98	47	9	0	0	0	154	0,5	2.831	5,44
Demais serviços	54.385	30,7	716.253	7,59	7.140	3.583	799	77	44	10	11.653	35,2	179.021	6,51
Comércio	35.073	19,8	455.293	7,70	7.631	3.766	684	48	28	2	12.159	36,7	244.086	4,98
Construção civil	5.822	3,3	173.843	3,35	485	170	58	10	15	0	738	2,2	15.964	4,62
Outros	625	0,4	13.500	4,63	425	52	16	1	0	0	494	1,5	6.109	8,09
Total	176.964	100,0	2.532.691	6,99	20.863	9.664	2.181	232	177	29	33.146	100,0	569.608	5,82

Fonte: RAIS/MTE. Elaboração CEBRAP.

Tabela 2

Emprego e estabelecimentos (por porte) no MSP e no eixo selecionado segundo intensidade em tecnologia e conhecimento

Eixo Centro histórico - 2006

Setor de atividade	Emprego				Estabelecimento									
	Eixo	% no total Eixo	MSP	% no total MSP	0	de 1 a 10	de 11 a 50	de 51 a 100	de 101 a 500	500 ou mais	Total			
											Eixo	% no Eixo	MSP	% no MSP
Ind. alta	674	0,3	87.925	0,77	67	25	7	4	1	0	104	0,3	6.215	1,67
Ind. média-alta	746	0,3	84.312	0,88	97	46	24	1	0	0	168	0,5	4.283	3,92
Ind. média-baixa	662	0,3	126.905	0,52	95	34	9	1	1	0	140	0,4	10.963	1,28
Ind. baixa	2.501	1,1	182.733	1,37	486	196	41	3	5	0	731	2,1	31.451	2,32
SIC-T	8.572	3,7	109.611	7,82	908	183	51	15	4	3	1.164	3,4	35.429	3,29
SIC-P	25.821	11,3	156.417	16,51	1.663	841	145	30	44	6	2.729	8,0	26.105	10,45
SIC-F	32.117	14,0	153.928	20,86	1.072	304	193	24	24	11	1.628	4,7	16.838	9,67
SIC-S	19.005	8,3	206.442	9,21	120	40	14	1	6	1	182	0,5	6.128	2,97
SIC-M	454	0,2	14.576	3,11	121	30	7	0	1	0	159	0,5	3.448	4,61
Demais serviços	89.227	38,9	1.054.008	8,47	7.123	3.935	736	90	82	17	11.983	34,9	209.872	5,71
Comércio	42.379	18,5	675.865	6,27	9.100	4.520	814	49	17	4	14.504	42,3	247.208	5,87
Construção civil	6.678	2,9	138.648	4,82	398	107	39	6	5	1	556	1,6	14.544	3,82
Outros	629	0,3	8.595	7,32	207	35	10	1	2	0	255	0,7	2.867	8,89
Total	229.465	100,0	2.999.965	7,65	21.457	10.296	2.090	225	192	43	34.303	100,0	615.351	5,57

Fonte: RAIS/MTE. Elaboração CEBRAP.

Tabela 3

Variação de emprego e de estabelecimentos por porte segundo intensidade em tecnologia e conhecimento

Eixo Centro histórico e MSP - Variação 1996-2006

Setor de atividade	Var. % emprego		Var. % estabelecimento							
			0	de 1 a 10	de 11 a 50	de 51 a 100	de 101 a 500	500 ou mais	Total	
	Eixo	MSP							Eixo	MSP
Ind. alta	-56,6	-40,2	-46,0	-61,5	-68,2	0,0	0,0	-	-51,9	-20,8
Ind. média-alta	-78,8	-29,1	-46,4	-64,1	-38,5	-83,3	-100,0	-	-53,5	-40,4
Ind. média-baixa	-71,9	-33,2	-45,4	-58,0	-71,0	-88,9	-66,7	-	-53,0	-29,2
Ind. baixa	-73,5	-39,6	-15,2	-39,7	-62,4	-66,7	-64,3	-100,0	-29,2	-18,2
SIC-T	193,1	55,4	105,4	4,0	64,5	66,7	33,3	200,0	75,8	132,8
SIC-P	119,5	130,0	40,7	5,0	-2,0	87,5	158,8	500,0	26,1	46,8
SIC-F	-31,6	9,5	-52,7	-23,4	-15,4	-41,5	-36,8	-8,3	-45,4	21,4
SIC-S	750,3	67,0	-15,5	-45,2	100,0	-50,0	-14,3	-	-21,2	6,4
SIC-M	39,3	16,6	23,5	-36,2	-22,2	-	-	-	3,2	21,8
Demais serviços	64,1	47,2	-0,2	9,8	-7,9	16,9	86,4	70,0	2,8	17,2
Comércio	20,8	48,4	19,3	20,0	19,0	2,1	-39,3	100,0	19,3	1,3
Construção civil	14,7	-20,2	-17,9	-37,1	-32,8	-40,0	-66,7	-	-24,7	-8,9
Outros	0,6	-36,3	-51,3	-32,7	-37,5	0,0	-	-	-48,4	-53,1
Total	29,7	18,4	2,8	6,5	-4,2	-3,0	8,5	48,3	3,5	8,0

Fonte: RAIS/MTE. Elaboração CEBRAP.

Obs.: as células sem valor constituem cruzamentos sem nenhum caso em 1996.

Tabela 4

Emprego e estabelecimentos (por porte) no MSP e no eixo selecionado segundo intensidade em tecnologia e conhecimento

Eixo Consolação/Bela Vista - 1996

Setor de atividade	Emprego				Estabelecimento									
	Eixo	% no total Eixo	MSP	% no total MSP	0	de 1 a 10	de 11 a 50	de 51 a 100	de 101 a 500	500 ou mais	Total			
											Eixo	% no Eixo	MSP	% no MSP
Ind. alta	1.268	1,2	146.933	0,86	40	22	8	2	6	0	78	0,5	7.850	0,99
Ind. média-alta	738	0,7	118.970	0,62	44	16	9	3	2	0	74	0,5	7.189	1,03
Ind. média-baixa	662	0,6	189.941	0,35	64	24	10	5	0	0	103	0,7	15.475	0,67
Ind. baixa	3.020	2,9	302.698	1,00	329	142	47	4	5	0	527	3,6	38.450	1,37
SIC-T	24.869	23,8	70.543	35,25	479	127	20	5	3	3	637	4,3	15.216	4,19
SIC-P	2.892	2,8	67.995	4,25	566	208	44	4	6	0	828	5,6	17.784	4,66
SIC-F	6.821	6,5	140.619	4,85	710	90	44	6	7	4	861	5,9	13.874	6,21
SIC-S	22.141	21,1	123.605	17,91	237	150	23	5	8	10	433	3,0	5.759	7,52
SIC-M	120	0,1	12.498	0,96	118	29	2	0	0	0	149	1,0	2.831	5,26
Demais serviços	29.435	28,1	716.253	4,11	4.046	2.282	346	40	29	4	6.747	46,0	179.021	3,77
Comércio	9.210	8,8	455.293	2,02	2.564	919	155	12	14	0	3.664	25,0	244.086	1,50
Construção civil	2.681	2,6	173.843	1,54	217	87	37	5	3	1	350	2,4	15.964	2,19
Outros	854	0,8	13.500	6,33	200	20	1	0	2	0	223	1,5	6.109	3,65
Total	104.711	100,0	2.532.691	4,13	9.614	4.116	746	91	85	22	14.674	100,0	569.608	2,58

Fonte: RAIS/MTE. Elaboração CEBRAP.

Tabela 5

Emprego e estabelecimentos (por porte) no MSP e no eixo selecionado segundo intensidade em tecnologia e conhecimento

Eixo Consolação/Bela Vista - 2006

Setor de atividade	Emprego				Estabelecimento									
	Eixo	% no total Eixo	MSP	% no total MSP	0	de 1 a 10	de 11 a 50	de 51 a 100	de 101 a 500	500 ou mais	Total			
											Eixo	% no Eixo	MSP	% no MSP
Ind. alta	379	0,5	87.925	0,43	23	11	3	2	1	0	40	0,3	6.215	0,64
Ind. média-alta	434	0,5	84.312	0,51	14	10	9	0	1	0	34	0,3	4.283	0,79
Ind. média-baixa	177	0,2	126.905	0,14	14	15	5	0	0	0	34	0,3	10.963	0,31
Ind. baixa	1.824	2,3	182.733	1,00	320	95	20	4	1	1	441	3,3	31.451	1,40
SIC-T	11.149	13,8	109.611	10,17	832	83	21	2	8	2	948	7,2	35.429	2,68
SIC-P	2.195	2,7	156.417	1,40	660	164	26	5	4	0	859	6,5	26.105	3,29
SIC-F	5.765	7,2	153.928	3,75	192	82	45	1	4	2	326	2,5	16.838	1,94
SIC-S	15.472	19,2	206.442	7,49	294	145	30	7	6	5	487	3,7	6.128	7,95
SIC-M	215	0,3	14.576	1,48	128	14	6	0	0	0	148	1,1	3.448	4,29
Demais serviços	29.476	36,6	1.054.008	2,80	3.832	2.391	304	35	25	5	6.592	50,1	209.872	3,14
Comércio	10.717	13,3	675.865	1,59	1.819	896	201	24	9	0	2.949	22,4	247.208	1,19
Construção civil	2.626	3,3	138.648	1,89	157	35	22	6	8	0	228	1,7	14.544	1,57
Outros	131	0,2	8.595	1,52	67	13	4	0	0	0	84	0,6	2.867	2,93
Total	80.560	100,0	2.999.965	2,69	8.352	3.954	696	86	67	15	13.170	100,0	615.351	2,14

Fonte: RAIS/MTE. Elaboração CEBRAP.

Tabela 6

Variação de emprego e de estabelecimentos por porte segundo intensidade em tecnologia e conhecimento

Eixo Consolação/Bela Vista e MSP - Variação 1996-2006

Setor de atividade	Var. % emprego		Var. % estabelecimento							
	Eixo	MSP	0	de 1 a 10	de 11 a 50	de 51 a 100	de 101 a 500	500 ou mais	Total Eixo	Total MSP
Ind. alta	-70,1	-40,2	-42,5	-50,0	-62,5	0,0	-83,3	-	-48,7	-20,8
Ind. média-alta	-41,2	-29,1	-68,2	-37,5	0,0	-100,0	-50,0	-	-54,1	-40,4
Ind. média-baixa	-73,3	-33,2	-78,1	-37,5	-50,0	-100,0	-	-	-67,0	-29,2
Ind. baixa	-39,6	-39,6	-2,7	-33,1	-57,4	0,0	-80,0	-	-16,3	-18,2
SIC-T	-55,2	55,4	73,7	-34,6	5,0	-60,0	166,7	-33,3	48,8	132,8
SIC-P	-24,1	130,0	16,6	-21,2	-40,9	25,0	-33,3	-	3,7	46,8
SIC-F	-15,5	9,5	-73,0	-8,9	2,3	-83,3	-42,9	-50,0	-62,1	21,4
SIC-S	-30,1	67,0	24,1	-3,3	30,4	40,0	-25,0	-50,0	12,5	6,4
SIC-M	79,2	16,6	8,5	-51,7	200,0	-	-	-	-0,7	21,8
Demais serviços	0,1	47,2	-5,3	4,8	-12,1	-12,5	-13,8	25,0	-2,3	17,2
Comércio	16,4	48,4	-29,1	-2,5	29,7	100,0	-35,7	-	-19,5	1,3
Construção civil	-2,1	-20,2	-27,6	-59,8	-40,5	20,0	166,7	-100,0	-34,9	-8,9

Tabela 7

Emprego e estabelecimentos (por porte) no MSP e no eixo selecionado segundo intensidade em tecnologia e conhecimento

Eixo Paulista - 1996

Setor de atividade	Emprego				Estabelecimento									
	Eixo	% no total Eixo	MSP	% no total MSP	0	de 1 a 10	de 11 a 50	de 51 a 100	de 101 a 500	500 ou mais	Total			
											Eixo	% no Eixo	MSP	% no MSP
Ind. alta	1.645	2,4	146.933	1,12	28	17	20	4	1	1	71	0,9	7.850	0,90
Ind. média-alta	1.215	1,8	118.970	1,02	29	19	16	2	4	0	70	0,9	7.189	0,97
Ind. média-baixa	921	1,4	189.941	0,48	34	18	7	1	3	0	63	0,8	15.475	0,41
Ind. baixa	2.421	3,6	302.698	0,80	109	74	44	7	1	1	236	3,1	38.450	0,61
SIC-T	2.796	4,1	70.543	3,96	173	96	25	5	7	0	306	4,0	15.216	2,01
SIC-P	2.270	3,3	67.995	3,34	286	210	45	1	2	0	544	7,1	17.784	3,06
SIC-F	15.405	22,7	140.619	10,96	903	116	111	16	36	3	1.185	15,4	13.874	8,54
SIC-S	4.430	6,5	123.605	3,58	94	83	14	0	4	3	198	2,6	5.759	3,44
SIC-M	773	1,1	12.498	6,18	40	15	14	0	1	0	70	0,9	2.831	2,47
Demais serviços	23.818	35,1	716.253	3,33	1.633	1.118	248	45	26	7	3.077	40,1	179.021	1,72
Comércio	7.243	10,7	455.293	1,59	834	596	88	9	3	2	1.532	20,0	244.086	0,63
Construção civil	4.854	7,1	173.843	2,79	101	51	34	10	13	1	210	2,7	15.964	1,32
Outros	141	0,2	13.500	1,04	92	20	4	0	0	0	116	1,5	6.109	1,90
Total	67.932	100,0	2.532.691	2,68	4.356	2.433	670	100	101	18	7.678	100,0	569.608	1,35

Fonte: RAIS/MTE. Elaboração CEBRAP.

Tabela 8

Emprego e estabelecimentos (por porte) no MSP e no eixo selecionado segundo intensidade em tecnologia e conhecimento

Eixo Paulista - 2006

Setor de atividade	Emprego				Estabelecimento									
	Eixo	% no total Eixo	MSP	% no total MSP	0	de 1 a 10	de 11 a 50	de 51 a 100	de 101 a 500	500 ou mais	Total			
											Eixo	% no Eixo	MSP	% no MSP
Ind. alta	1.296	0,9	87.925	1,47	24	15	12	5	2	0	58	0,4	6.215	0,93
Ind. média-alta	890	0,6	84.312	1,06	24	13	4	2	3	0	46	0,3	4.283	1,07
Ind. média-baixa	438	0,3	126.905	0,35	33	12	4	0	2	0	51	0,4	10.963	0,47
Ind. baixa	2.196	1,6	182.733	1,20	200	70	19	4	5	0	298	2,1	31.451	0,95
SIC-T	8.554	6,1	109.611	7,80	665	160	69	22	7	2	925	6,4	35.429	2,61
SIC-P	14.992	10,7	156.417	9,58	852	394	80	14	14	6	1.360	9,5	26.105	5,21
SIC-F	28.354	20,3	153.928	18,42	1.720	163	129	29	35	9	2.085	14,5	16.838	12,38
SIC-S	7.915	5,7	206.442	3,83	167	92	17	5	4	7	292	2,0	6.128	4,77
SIC-M	1.778	1,3	14.576	12,20	93	30	14	1	1	1	140	1,0	3.448	4,06
Demais serviços	55.637	39,8	1.054.008	5,28	3.421	1.867	447	54	38	17	5.844	40,7	209.872	2,78
Comércio	13.759	9,8	675.865	2,04	1.701	963	198	19	10	3	2.894	20,2	247.208	1,17
Construção civil	3.321	2,4	138.648	2,40	139	52	30	3	8	0	232	1,6	14.544	1,60
Outros	622	0,4	8.595	7,24	107	21	3	1	1	0	133	0,9	2.867	4,64
Total	139.752	100,0	2.999.965	4,66	9.146	3.852	1.026	159	130	45	14.358	100,0	615.351	2,33

Fonte: RAIS/MTE. Elaboração CEBRAP.

Tabela 9

Variação de emprego e de estabelecimentos por porte segundo intensidade em tecnologia e conhecimento

Eixo Paulista e MSP - Variação 1996-2006

Setor de atividade	Var. % emprego		Var. % estabelecimento							
	Eixo	MSP	0	de 1 a 10	de 11 a 50	de 51 a 100	de 101 a 500	500 ou mais	Total Eixo	Total MSP
Ind. alta	-21,2	-40,2	-14,3	-11,8	-40,0	25,0	100,0	-100,0	-18,3	-20,8
Ind. média-alta	-26,7	-29,1	-17,2	-31,6	-75,0	0,0	-25,0	-	-34,3	-40,4
Ind. média-baixa	-52,4	-33,2	-2,9	-33,3	-42,9	-100,0	-33,3	-	-19,0	-29,2
Ind. baixa	-9,3	-39,6	83,5	-5,4	-56,8	-42,9	400,0	-100,0	26,3	-18,2
SIC-T	205,9	55,4	284,4	66,7	176,0	340,0	0,0	-	202,3	132,8
SIC-P	560,4	130,0	197,9	87,6	77,8	1300,0	600,0	-	150,0	46,8
SIC-F	84,1	9,5	90,5	40,5	16,2	81,3	-2,8	200,0	75,9	21,4
SIC-S	78,7	67,0	77,7	10,8	21,4	-	0,0	133,3	47,5	6,4
SIC-M	130,0	16,6	132,5	100,0	0,0	-	0,0	-	100,0	21,8
Demais serviços	133,6	47,2	109,5	67,0	80,2	20,0	46,2	142,9	89,9	17,2
Comércio	90,0	48,4	104,0	61,6	125,0	111,1	233,3	50,0	88,9	1,3
Construção civil	-31,6	-20,2	37,6	2,0	-11,8	-70,0	-38,5	-100,0	10,5	-8,9
Outros	341,1	-36,3	16,3	5,0	-25,0	-	-	-	14,7	-53,1
Total	105,7	18,4	110,0	58,3	53,1	59,0	28,7	150,0	87,0	8,0

Fonte: RAIS/MTE. Elaboração CEBRAP.

Obs.: as células sem valor constituem cruzamentos sem nenhum caso em 1996.

Tabela 10

Emprego e estabelecimentos (por porte) no MSP e no eixo selecionado segundo intensidade em tecnologia e conhecimento

Eixo Jardins - 1996

Setor de atividade	Emprego				Estabelecimento									
	Eixo	% no total Eixo	MSP	% no total MSP	0	de 1 a 10	de 11 a 50	de 51 a 100	de 101 a 500	500 ou mais	Total Eixo	Total % no Eixo	Total MSP	Total % no MSP
Ind. alta	1.245	1,0	146.933	0,85	65	31	16	1	1	1	115	0,5	7.850	1,46
Ind. média-alta	1.916	1,5	118.970	1,61	118	52	15	4	5	0	194	0,8	7.189	2,70
Ind. média-baixa	1.240	1,0	189.941	0,65	63	44	12	2	1	1	123	0,5	15.475	0,79
Ind. baixa	6.338	5,1	302.698	2,09	568	341	102	8	9	1	1.029	4,4	38.450	2,68
SIC-T	5.473	4,4	70.543	7,76	780	233	41	4	9	2	1.069	4,6	15.216	7,03
SIC-P	9.285	7,5	67.995	13,66	1.073	394	74	8	11	2	1.562	6,7	17.784	8,78
SIC-F	7.689	6,2	140.619	5,47	673	157	117	8	11	3	969	4,2	13.874	6,98
SIC-S	8.398	6,8	123.605	6,79	282	165	47	7	7	4	512	2,2	5.759	8,89
SIC-M	486	0,4	12.498	3,89	133	30	10	0	1	0	174	0,7	2.831	6,15
Demais serviços	44.356	35,7	716.253	6,19	5.815	3.428	614	66	43	4	9.970	42,7	179.021	5,57
Comércio	27.053	21,7	455.293	5,94	4.166	2.052	270	17	17	3	6.525	28,0	244.086	2,67
Construção civil	10.675	8,6	173.843	6,14	412	163	85	19	29	1	709	3,0	15.964	4,44
Outros	236	0,2	13.500	1,75	338	47	5	0	0	0	390	1,7	6.109	6,38
Total	124.390	100,0	2.532.691	4,91	14.486	7.137	1.408	144	144	22	23.341	100,0	569.608	4,10

Fonte: RAIS/MTE. Elaboração CEBRAP.

Tabela 11

Emprego e estabelecimentos (por porte) no MSP e no eixo selecionado segundo intensidade em tecnologia e conhecimento

Eixo Jardins - 2006

Setor de atividade	Emprego				Estabelecimento									
	Eixo	% no total Eixo	MSP	% no total MSP	0	de 1 a 10	de 11 a 50	de 51 a 100	de 101 a 500	500 ou mais	Total			
											Eixo	% no Eixo	MSP	% no MSP
Ind. alta	1.261	0,8	87.925	1,43	47	26	12	0	1	1	87	0,3	6.215	1,40
Ind. média-alta	620	0,4	84.312	0,74	53	18	9	1	2	0	83	0,3	4.283	1,94
Ind. média-baixa	336	0,2	126.905	0,26	39	31	6	1	0	0	77	0,3	10.963	0,70
Ind. baixa	3.136	2,0	182.733	1,72	680	245	48	4	4	0	981	3,5	31.451	3,12
SIC-T	4.316	2,7	109.611	3,94	1.704	262	61	10	6	1	2.044	7,3	35.429	5,77
SIC-P	10.602	6,7	156.417	6,78	1.741	492	84	11	15	2	2.345	8,4	26.105	8,98
SIC-F	5.668	3,6	153.928	3,68	869	166	115	8	4	1	1.163	4,2	16.838	6,91
SIC-S	18.658	11,7	206.442	9,04	306	139	30	7	9	3	494	1,8	6.128	8,06
SIC-M	667	0,4	14.576	4,58	248	37	13	2	1	0	301	1,1	3.448	8,73
Demais serviços	76.223	47,9	1.054.008	7,23	7.596	4.141	694	69	35	8	12.543	45,0	209.872	5,98
Comércio	28.849	18,1	675.865	4,27	4.072	2.322	429	25	23	2	6.873	24,7	247.208	2,78
Construção civil	8.494	5,3	138.648	6,13	425	156	49	14	11	2	657	2,4	14.544	4,52
Outros	179	0,1	8.595	2,08	168	33	5	0	0	0	206	0,7	2.867	7,19
Total	159.009	100,0	2.999.965	5,30	17.948	8.068	1.555	152	111	20	27.854	100,0	615.351	4,53

Fonte: RAIS/MTE. Elaboração CEBRAP.

Tabela 12

Variação de emprego e de estabelecimentos por porte segundo intensidade em tecnologia e conhecimento

Eixo Jardins e MSP - Variação 1996-2006

Setor de atividade	Var. % emprego		Var. % estabelecimento							
			0	de 1 a 10	de 11 a 50	de 51 a 100	de 101 a 500	500 ou mais	Total	
	Eixo	MSP							Eixo	MSP
Ind. alta	1,3	-40,2	-27,7	-16,1	-25,0	-100,0	0,0	0,0	-24,3	-20,8
Ind. média-alta	-67,6	-29,1	-55,1	-65,4	-40,0	-75,0	-60,0	-	-57,2	-40,4
Ind. média-baixa	-72,9	-33,2	-38,1	-29,5	-50,0	-50,0	-100,0	-100,0	-37,4	-29,2
Ind. baixa	-50,5	-39,6	19,7	-28,2	-52,9	-50,0	-55,6	-100,0	-4,7	-18,2
SIC-T	-21,1	55,4	118,5	12,4	48,8	150,0	-33,3	-50,0	91,2	132,8
SIC-P	14,2	130,0	62,3	24,9	13,5	37,5	36,4	0,0	50,1	46,8
SIC-F	-26,3	9,5	29,1	5,7	-1,7	0,0	-63,6	-66,7	20,0	21,4
SIC-S	122,2	67,0	8,5	-15,8	-36,2	0,0	28,6	-25,0	-3,5	6,4
SIC-M	37,2	16,6	86,5	23,3	30,0	-	0,0	-	73,0	21,8
Demais serviços	71,8	47,2	30,6	20,8	13,0	4,5	-18,6	100,0	25,8	17,2
Comércio	6,6	48,4	-2,3	13,2	58,9	47,1	35,3	-33,3	5,3	1,3
Construção civil	-20,4	-20,2	3,2	-4,3	-42,4	-26,3	-62,1	100,0	-7,3	-8,9
Outros	-24,2	-36,3	-50,3	-29,8	0,0	-	-	-	-47,2	-53,1
Total	27,8	18,4	23,9	13,0	10,4	5,6	-22,9	-9,1	19,3	8,0

Fonte: RAIS/MTE. Elaboração CEBRAP.

Obs.: as células sem valor constituem cruzamentos sem nenhum caso em 1996.

Tabela 13

Emprego e estabelecimentos (por porte) no MSP e no eixo selecionado segundo intensidade em tecnologia e conhecimento

Eixo Faria Lima - 1996

Setor de atividade	Emprego				Estabelecimento									
	Eixo	% no total Eixo	MSP	% no total MSP	0	de 1 a 10	de 11 a 50	de 51 a 100	de 101 a 500	500 ou mais	Total			
											Eixo	% no Eixo	MSP	% no MSP
Ind. alta	528	1,1	146.933	0,36	45	19	11	0	2	0	77	0,8	7.850	0,98
Ind. média-alta	1.425	3,0	118.970	1,20	54	21	13	3	2	1	94	1,0	7.189	1,31
Ind. média-baixa	1.379	2,9	189.941	0,73	54	28	16	1	4	0	103	1,1	15.475	0,67
Ind. baixa	3.093	6,5	302.698	1,02	283	165	56	2	4	1	511	5,4	38.450	1,33
SIC-T	1.257	2,7	70.543	1,78	226	115	24	3	1	0	369	3,9	15.216	2,43
SIC-P	2.523	5,3	67.995	3,71	398	227	43	5	3	0	676	7,2	17.784	3,80
SIC-F	5.844	12,4	140.619	4,16	597	87	80	13	10	0	787	8,4	13.874	5,67
SIC-S	284	0,6	123.605	0,23	57	57	7	0	0	0	121	1,3	5.759	2,10
SIC-M	188	0,4	12.498	1,50	39	11	4	1	0	0	55	0,6	2.831	1,94
Demais serviços	14.039	29,7	716.253	1,96	2.153	1.002	231	23	10	2	3.421	36,3	179.021	1,91
Comércio	7.313	15,5	455.293	1,61	1.575	905	141	11	5	0	2.637	28,0	244.086	1,08
Construção civil	9.147	19,3	173.843	5,26	202	99	49	9	14	6	379	4,0	15.964	2,37
Outros	254	0,5	13.500	1,88	148	30	3	0	1	0	182	1,9	6.109	2,98
Total	47.274	100,0	2.532.691	1,87	5.831	2.766	678	71	56	10	9.412	100,0	569.608	1,65

Fonte: RAIS/MTE. Elaboração CEBRAP.

Tabela 14

Emprego e estabelecimentos (por porte) no MSP e no eixo selecionado segundo intensidade em tecnologia e conhecimento

Eixo Faria Lima - 2006

Setor de atividade	Emprego				Estabelecimento									
	Eixo	% no total Eixo	MSP	% no total MSP	0	de 1 a 10	de 11 a 50	de 51 a 100	de 101 a 500	500 ou mais	Total			
											Eixo	% no Eixo	MSP	% no MSP
Ind. alta	304	0,4	87.925	0,35	26	14	3	2	0	0	45	0,4	6.215	0,72
Ind. média-alta	2.052	3,0	84.312	2,43	37	13	6	2	5	1	64	0,5	4.283	1,49
Ind. média-baixa	787	1,1	126.905	0,62	39	25	10	2	1	0	77	0,6	10.963	0,70
Ind. baixa	2.404	3,5	182.733	1,32	247	124	43	8	2	0	424	3,4	31.451	1,35
SIC-T	2.111	3,1	109.611	1,93	524	128	32	4	3	0	691	5,6	35.429	1,95
SIC-P	10.555	15,3	156.417	6,75	690	297	55	10	9	3	1.064	8,6	26.105	4,08
SIC-F	7.039	10,2	153.928	4,57	789	128	101	19	8	2	1.047	8,4	16.838	6,22
SIC-S	1.077	1,6	206.442	0,52	72	52	8	1	3	0	136	1,1	6.128	2,22
SIC-M	89	0,1	14.576	0,61	70	16	2	0	0	0	88	0,7	3.448	2,55
Demais serviços	25.654	37,1	1.054.008	2,43	3.197	1.494	344	39	16	8	5.098	41,1	209.872	2,43
Comércio	13.305	19,3	675.865	1,97	1.824	1.051	310	16	13	0	3.214	25,9	247.208	1,30
Construção civil	3.498	5,1	138.648	2,52	184	78	32	8	6	1	309	2,5	14.544	2,12
Outros	232	0,3	8.595	2,70	124	24	5	0	0	0	153	1,2	2.867	5,34
Total	69.107	100,0	2.999.965	2,30	7.823	3.444	951	111	66	15	12.410	100,0	615.351	2,02

Fonte: RAIS/MTE. Elaboração CEBRAP.

Tabela 15

Variação de emprego e de estabelecimentos por porte segundo intensidade em tecnologia e conhecimento

Eixo Faria Lima e MSP - Variação 1996-2006

Setor de atividade	Var. % emprego		Var. % estabelecimento							
			0	de 1 a 10	de 11 a 50	de 51 a 100	de 101 a 500	500 ou mais	Total	
	Eixo	MSP							Eixo	MSP
Ind. alta	-42,4	-40,2	-42,2	-26,3	-72,7	-	-100,0	-	-41,6	-20,8
Ind. média-alta	44,0	-29,1	-31,5	-38,1	-53,8	-33,3	150,0	0,0	-31,9	-40,4
Ind. média-baixa	-42,9	-33,2	-27,8	-10,7	-37,5	100,0	-75,0	-	-25,2	-29,2
Ind. baixa	-22,3	-39,6	-12,7	-24,8	-23,2	300,0	-50,0	-100,0	-17,0	-18,2
SIC-T	67,9	55,4	131,9	11,3	33,3	33,3	200,0	-	87,3	132,8
SIC-P	318,4	130,0	73,4	30,8	27,9	100,0	200,0	-	57,4	46,8
SIC-F	20,4	9,5	32,2	47,1	26,3	46,2	-20,0	-	33,0	21,4
SIC-S	279,2	67,0	26,3	-8,8	14,3	-	-	-	12,4	6,4
SIC-M	-52,7	16,6	79,5	45,5	-50,0	-100,0	-	-	60,0	21,8
Demais serviços	82,7	47,2	48,5	49,1	48,9	69,6	60,0	300,0	49,0	17,2
Comércio	81,9	48,4	15,8	16,1	119,9	45,5	160,0	-	21,9	1,3
Construção civil	-61,8	-20,2	-8,9	-21,2	-34,7	-11,1	-57,1	-83,3	-18,5	-8,9

Tabela 16

Emprego e estabelecimentos (por porte) no MSP e no eixo selecionado segundo intensidade em tecnologia e conhecimento

Eixo Marginal - 1996

Setor de atividade	Emprego				Estabelecimento									
	Eixo	% no total Eixo	MSP	% no total MSP	0	de 1 a 10	de 11 a 50	de 51 a 100	de 101 a 500	500 ou mais	Total			
											Eixo	% no Eixo	MSP	% no MSP
Ind. alta	9.793	9,4	146.933	6,66	63	41	23	12	8	4	151	1,4	7.850	1,92
Ind. média-alta	12.175	11,7	118.970	10,23	107	48	19	13	20	6	213	1,9	7.189	2,96
Ind. média-baixa	8.811	8,5	189.941	4,64	136	60	39	7	20	2	264	2,4	15.475	1,71
Ind. baixa	7.128	6,9	302.698	2,35	263	164	49	14	12	2	504	4,6	38.450	1,31
SIC-T	2.550	2,5	70.543	3,61	259	127	17	3	7	0	413	3,8	15.216	2,71
SIC-P	2.591	2,5	67.995	3,81	321	161	39	5	4	0	530	4,8	17.784	2,98
SIC-F	8.524	8,2	140.619	6,06	378	50	46	13	7	3	497	4,5	13.874	3,58
SIC-S	647	0,6	123.605	0,52	78	44	8	4	1	0	135	1,2	5.759	2,34
SIC-M	1.096	1,1	12.498	8,77	53	14	3	0	0	1	71	0,6	2.831	2,51
Demais serviços	21.220	20,4	716.253	2,96	2.190	1.255	183	33	25	5	3.691	33,7	179.021	2,06
Comércio	14.654	14,1	455.293	3,22	2.228	1.484	268	19	9	1	4.009	36,6	244.086	1,64
Construção civil	12.596	12,1	173.843	7,25	197	99	37	13	18	4	368	3,4	15.964	2,31
Outros	2.166	2,1	13.500	16,04	74	14	7	0	1	1	97	0,9	6.109	1,59
Total	103.951	100,0	2.532.691	4,10	6.347	3.561	738	136	132	29	10.943	100,0	569.608	1,92

Fonte: RAIS/MTE. Elaboração CEBRAP.

Tabela 17

Emprego e estabelecimentos (por porte) no MSP e no eixo selecionado segundo intensidade em tecnologia e conhecimento

Eixo Marginal - 2006

Setor de atividade	Emprego				Estabelecimento									
	Eixo	% no total Eixo	MSP	% no total MSP	0	de 1 a 10	de 11 a 50	de 51 a 100	de 101 a 500	500 ou mais	Total			
											Eixo	% no Eixo	MSP	% no MSP
Ind. alta	2.877	2,9	87.925	3,27	35	29	28	6	8	0	106	1,2	6.215	1,71
Ind. média-alta	5.782	5,9	84.312	6,86	52	18	15	5	12	3	105	1,2	4.283	2,45
Ind. média-baixa	6.079	6,2	126.905	4,79	50	34	45	9	8	3	149	1,6	10.963	1,36
Ind. baixa	5.081	5,2	182.733	2,78	118	55	35	7	5	2	222	2,5	31.451	0,71
SIC-T	10.558	10,7	109.611	9,63	361	64	24	10	5	3	467	5,2	35.429	1,32
SIC-P	5.385	5,5	156.417	3,44	321	89	29	8	15	1	463	5,1	26.105	1,77
SIC-F	4.547	4,6	153.928	2,95	800	58	37	2	10	2	909	10,0	16.838	5,40
SIC-S	2.296	2,3	206.442	1,11	45	24	2	5	3	1	80	0,9	6.128	1,31
SIC-M	408	0,4	14.576	2,80	49	4	5	2	1	0	61	0,7	3.448	1,77
Demais serviços	25.297	25,7	1.054.008	2,40	1.910	837	277	37	35	6	3.102	34,3	209.872	1,48
Comércio	19.306	19,6	675.865	2,86	1.599	1.143	295	35	26	1	3.099	34,2	247.208	1,25
Construção civil	10.292	10,5	138.648	7,42	123	44	21	5	11	3	207	2,3	14.544	1,42
Outros	365	0,4	8.595	4,25	59	14	6	1	1	0	81	0,9	2.867	2,83
Total	98.273	100,0	2.999.965	3,28	5.522	2.413	819	132	140	25	9.051	100,0	615.351	1,47

Fonte: RAIS/MTE. Elaboração CEBRAP.

Tabela 18

Variação de emprego e de estabelecimentos por porte segundo intensidade em tecnologia e conhecimento

Eixo Marginal e MSP - Variação 1996-2006

Setor de atividade	Var. % emprego		Var. % estabelecimento							
	Eixo	MSP	0	de 1 a 10	de 11 a 50	de 51 a 100	de 101 a 500	500 ou mais	Total Eixo	Total MSP
Ind. alta	-70,6	-40,2	-44,4	-29,3	21,7	-50,0	0,0	-100,0	-29,8	-20,8
Ind. média-alta	-52,5	-29,1	-51,4	-62,5	-21,1	-61,5	-40,0	-50,0	-50,7	-40,4
Ind. média-baixa	-31,0	-33,2	-63,2	-43,3	15,4	28,6	-60,0	50,0	-43,6	-29,2
Ind. baixa	-28,7	-39,6	-55,1	-66,5	-28,6	-50,0	-58,3	0,0	-56,0	-18,2
SIC-T	314,0	55,4	39,4	-49,6	41,2	233,3	-28,6	-	13,1	132,8
SIC-P	107,8	130,0	0,0	-44,7	-25,6	60,0	275,0	-	-12,6	46,8
SIC-F	-46,7	9,5	111,6	16,0	-19,6	-84,6	42,9	-33,3	82,9	21,4
SIC-S	254,9	67,0	-42,3	-45,5	-75,0	25,0	200,0	-	-40,7	6,4
SIC-M	-62,8	16,6	-7,5	-71,4	66,7	-	-	-100,0	-14,1	21,8
Demais serviços	19,2	47,2	-12,8	-33,3	51,4	12,1	40,0	20,0	-16,0	17,2
Comércio	31,7	48,4	-28,2	-23,0	10,1	84,2	188,9	0,0	-22,7	1,3
Construção civil	-18,3	-20,2	-37,6	-55,6	-43,2	-61,5	-38,9	-25,0	-43,8	-8,9
Outros	-83,1	-36,3	-20,3	0,0	-14,3	-	0,0	-100,0	-16,5	-53,1
Total	-5,5	18,4	-13,0	-32,2	11,0	-2,9	6,1	-13,8	-17,3	8,0

Fonte: RAIS/MTE. Elaboração CEBRAP.

Obs.: as células sem valor constituem cruzamentos sem nenhum caso em 1996.

Tabela 19

Emprego e estabelecimentos (por porte) no MSP e no eixo selecionado segundo intensidade em tecnologia e conhecimento

Eixo Berrini/Verbo Divino - 1996

Setor de atividade	Emprego				Estabelecimento									
	Eixo	% no total Eixo	MSP	% no total MSP	0	de 1 a 10	de 11 a 50	de 51 a 100	de 101 a 500	500 ou mais	Total			
											Eixo	% no Eixo	MSP	% no MSP
Ind. alta	3.562	5,3	146.933	2,42	52	30	26	7	10	0	125	2,0	7.850	1,59
Ind. média-alta	8.720	13,1	118.970	7,33	52	31	26	8	13	6	136	2,2	7.189	1,89
Ind. média-baixa	1.699	2,5	189.941	0,89	46	41	24	3	4	0	118	1,9	15.475	0,76
Ind. baixa	6.653	10,0	302.698	2,20	148	128	37	9	14	2	338	5,5	38.450	0,88
SIC-T	3.867	5,8	70.543	5,48	214	75	34	4	8	1	336	5,4	15.216	2,21
SIC-P	2.890	4,3	67.995	4,25	196	106	33	2	8	0	345	5,6	17.784	1,94
SIC-F	5.130	7,7	140.619	3,65	284	54	32	7	6	1	384	6,2	13.874	2,77
SIC-S	490	0,7	123.605	0,40	20	9	6	0	2	0	37	0,6	5.759	0,64
SIC-M	878	1,3	12.498	7,03	28	14	2	1	3	0	48	0,8	2.831	1,70
Demais serviços	11.783	17,7	716.253	1,65	1.189	612	172	21	14	2	2.010	32,6	179.021	1,12
Comércio	8.198	12,3	455.293	1,80	1.103	748	149	10	10	0	2.020	32,8	244.086	0,83
Construção civil	11.389	17,1	173.843	6,55	105	41	28	12	11	3	200	3,2	15.964	1,25
Outros	1.404	2,1	13.500	10,40	49	11	7	2	0	1	70	1,1	6.109	1,15
Total	66.663	100,0	2.532.691	2,63	3.486	1.900	576	86	103	16	6.167	100,0	569.608	1,08

Fonte: RAIS/MTE. Elaboração CEBRAP.

Tabela 20

Emprego e estabelecimentos (por porte) no MSP e no eixo selecionado segundo intensidade em tecnologia e conhecimento

Eixo Berrini/Verbo Divino - 2006

Setor de atividade	Emprego				Estabelecimento									
	Eixo	% no total Eixo	MSP	% no total MSP	0	de 1 a 10	de 11 a 50	de 51 a 100	de 101 a 500	500 ou mais	Total			
											Eixo	% no Eixo	MSP	% no MSP
Ind. alta	3.661	3,1	87.925	4,16	62	29	21	6	11	0	129	1,2	6.215	2,08
Ind. média-alta	6.370	5,4	84.312	7,56	54	23	18	13	17	2	127	1,1	4.283	2,97
Ind. média-baixa	1.793	1,5	126.905	1,41	38	26	21	4	3	0	92	0,8	10.963	0,84
Ind. baixa	6.483	5,5	182.733	3,55	189	89	35	7	10	2	332	3,0	31.451	1,06
SIC-T	16.430	14,0	109.611	14,99	660	204	89	36	25	6	1.020	9,2	35.429	2,88
SIC-P	13.890	11,8	156.417	8,88	552	254	82	24	12	6	930	8,4	26.105	3,56
SIC-F	9.288	7,9	153.928	6,03	582	105	75	13	22	1	798	7,2	16.838	4,74
SIC-S	1.575	1,3	206.442	0,76	30	11	5	6	4	0	56	0,5	6.128	0,91
SIC-M	584	0,5	14.576	4,01	61	11	7	1	2	0	82	0,7	3.448	2,38
Demais serviços	30.137	25,6	1.054.008	2,86	2.660	1.103	372	70	28	10	4.243	38,2	209.872	2,02
Comércio	18.798	16,0	675.865	2,78	1.535	1.028	294	28	34	2	2.921	26,3	247.208	1,18
Construção civil	7.951	6,8	138.648	5,73	160	75	31	11	16	3	296	2,7	14.544	2,04
Outros	614	0,5	8.595	7,14	57	16	15	1	1	0	90	0,8	2.867	3,14
Total	117.574	100,0	2.999.965	3,92	6.640	2.974	1.065	220	185	32	11.116	100,0	615.351	1,81

Fonte: RAIS/MTE. Elaboração CEBRAP.

Tabela 21

Variação de emprego e de estabelecimentos por porte segundo intensidade em tecnologia e conhecimento

Eixo Berrini/Verbo Divino e MSP - Variação 1996-2006

Setor de atividade	Var. % emprego		Var. % estabelecimento							
	Eixo	MSP	0	de 1 a 10	de 11 a 50	de 51 a 100	de 101 a 500	500 ou mais	Total Eixo	Total MSP
Ind. alta	2,8	-40,2	19,2	-3,3	-19,2	-14,3	10,0	-	3,2	-20,8
Ind. média-alta	-26,9	-29,1	3,8	-25,8	-30,8	62,5	30,8	-66,7	-6,6	-40,4
Ind. média-baixa	5,5	-33,2	-17,4	-36,6	-12,5	33,3	-25,0	-	-22,0	-29,2
Ind. baixa	-2,6	-39,6	27,7	-30,5	-5,4	-22,2	-28,6	0,0	-1,8	-18,2
SIC-T	324,9	55,4	208,4	172,0	161,8	800,0	212,5	500,0	203,6	132,8
SIC-P	380,6	130,0	181,6	139,6	148,5	1100,0	50,0	-	169,6	46,8
SIC-F	81,1	9,5	104,9	94,4	134,4	85,7	266,7	0,0	107,8	21,4
SIC-S	221,4	67,0	50,0	22,2	-16,7	-	100,0	-	51,4	6,4
SIC-M	-33,5	16,6	117,9	-21,4	250,0	0,0	-33,3	-	70,8	21,8
Demais serviços	155,8	47,2	123,7	80,2	116,3	233,3	100,0	400,0	111,1	17,2
Comércio	129,3	48,4	39,2	37,4	97,3	180,0	240,0	-	44,6	1,3
Construção civil	-30,2	-20,2	52,4	82,9	10,7	-8,3	45,5	0,0	48,0	-8,9
Outros	-56,3	-36,3	16,3	45,5	114,3	-50,0	-	-100,0	28,6	-53,1
Total	76,4	18,4	90,5	56,5	84,9	155,8	79,6	100,0	80,2	8,0

Fonte: RAIS/MTE. Elaboração CEBRAP.

Obs.: as células sem valor constituem cruzamentos sem nenhum caso em 1996.

Anexo 2
Tabelas de áreas sujeitas a operações urbanas

Tabela 1: Emprego e estabelecimentos (por porte) no MSP e no eixo selecionado por setor de atividade. Eixo Jacu-Pêssego, 1996

Setor de atividade	Emprego				Estabelecimento									
											Total			
	Eixo	% no total Eixo	MSP	% no total MSP	0	de 1 a 10	de 11 a 50	de 51 a 100	de 101 a 500	500 ou mais	Eixo	% no total Eixo	MSP	% no total MSP
Ind. alta	1.773	8,2	146.933	1,21	39	21	13	3	5	0	81	1,5	7.850	1,03
Ind. média-alta	454	2,1	118.970	0,38	32	16	8	1	1	0	58	1,1	7.189	0,81
Ind. média-baixa	2.943	13,6	189.941	1,55	132	77	34	6	6	0	255	4,7	15.475	1,65
Ind. baixa	1.510	7,0	302.698	0,50	240	84	20	3	3	0	350	6,4	38.450	0,91
SIC-T	16	0,1	70.543	0,02	46	8	0	0	0	0	54	1,0	15.216	0,35
SIC-P	74	0,3	67.995	0,11	32	15	2	0	0	0	49	0,9	17.784	0,28
SIC-F	261	1,2	140.619	0,19	22	6	7	1	0	0	36	0,7	13.874	0,26
SIC-S	4.370	20,1	123.605	3,54	18	7	5	0	1	2	33	0,6	5.759	0,57
SIC-M	10	0,0	12.498	0,08	19	8	0	0	0	0	27	0,5	2.831	0,95
Demais serviços	3.819	17,6	716.253	0,53	1.240	181	27	3	6	1	1.458	26,7	179.021	0,81
Comércio	3.235	14,9	455.293	0,71	2.237	534	49	5	2	0	2.827	51,8	244.086	1,16
Construção civil	3.167	14,6	173.843	1,82	143	37	10	3	3	1	197	3,6	15.964	1,23
Outros	61	0,3	13.500	0,45	28	3	2	0	0	0	33	0,6	6.109	0,54
Total	21.693	100,0	2.532.691	0,86	4.228	997	177	25	27	4	5.458	100,0	569.608	0,96

Fonte: RAIS/MTE. Elaboração CEBRAP.

Tabela 2: Emprego e estabelecimentos (por porte) no MSP e no eixo selecionado por setor de atividade. Eixo Jacu-Pêssego, 2006

Setor de atividade	Emprego				Estabelecimento									
											Total			
	Eixo	% no total Eixo	MSP	% no total MSP	0	de 1 a 10	de 11 a 50	de 51 a 100	de 101 a 500	500 ou mais	Eixo	% no total Eixo	MSP	% no total MSP
Ind. alta	1.403	4,1	87.925	1,60	46	20	17	2	4	0	89	1,1	6.215	1,43
Ind. média-alta	460	1,3	84.312	0,55	40	14	4	4	0	0	62	0,7	4.283	1,45
Ind. média-baixa	3.550	10,3	126.905	2,80	142	81	61	7	9	0	300	3,6	10.963	2,74
Ind. baixa	1.585	4,6	182.733	0,87	304	67	26	4	2	0	403	4,9	31.451	1,28
SIC-T	96	0,3	109.611	0,09	206	11	2	0	0	0	219	2,6	35.429	0,62
SIC-P	158	0,5	156.417	0,10	139	11	0	2	0	0	152	1,8	26.105	0,58
SIC-F	389	1,1	153.928	0,25	86	17	12	1	0	0	116	1,4	16.838	0,69
SIC-S	10.987	31,9	206.442	5,32	33	8	2	0	1	4	48	0,6	6.128	0,78
SIC-M	9	0,0	14.576	0,06	24	2	0	0	0	0	26	0,3	3.448	0,75
Demais serviços	4.292	12,5	1.054.008	0,41	1.951	432	73	16	1	0	2.473	29,9	209.872	1,18
Comércio	8.869	25,8	675.865	1,31	3.079	847	138	6	13	0	4.083	49,3	247.208	1,65
Construção civil	2.418	7,0	138.648	1,74	212	28	18	2	4	1	265	3,2	14.544	1,82
Outros	183	0,5	8.595	2,13	30	5	6	0	0	0	41	0,5	2.867	1,43
Total	34.399	100,0	2.999.965	1,15	6.292	1.543	359	44	34	5	8.277	100,0	615.351	1,35

Fonte: RAIS/MTE. Elaboração CEBRAP.

Tabela 3: Variação do emprego e de estabelecimentos por porte segundo setor de atividade. Eixo Jacu-Pêssego e MSP, variação 1996-2006

Setor de atividade	Variação (%) emprego		Variação (%) estabelecimento							
			0	de 1 a 10	de 11 a 50	de 51 a 100	de 101 a 500	500 ou mais	Total	
	Eixo	MSP							Eixo	MSP
Ind. alta	-20,9	-40,2	17,9	-4,8	30,8	-33,3	-20,0	-	9,9	-20,8
Ind. média-alta	1,3	-29,1	25,0	-12,5	-50,0	300,0	-100,0	-	6,9	-40,4
Ind. média-baixa	20,6	-33,2	7,6	5,2	79,4	16,7	50,0	-	17,6	-29,2
Ind. baixa	5,0	-39,6	26,7	-20,2	30,0	33,3	-33,3	-	15,1	-18,2
SIC-T	500,0	55,4	347,8	37,5	-	-	-	-	305,6	132,8
SIC-P	113,5	130,0	334,4	-26,7	-100,0	-	-	-	210,2	46,8
SIC-F	49,0	9,5	290,9	183,3	71,4	0,0	-	-	222,2	21,4
SIC-S	151,4	67,0	83,3	14,3	-60,0	-	0,0	100,0	45,5	6,4
SIC-M	-10,0	16,6	26,3	-75,0	-	-	-	-	-3,7	21,8
Demais serviços	12,4	47,2	57,3	138,7	170,4	433,3	-83,3	-100,0	69,6	17,2
Comércio	174,2	48,4	37,6	58,6	181,6	20,0	550,0	-	44,4	1,3
Construção civil	-23,7	-20,2	48,3	-24,3	80,0	-33,3	33,3	0,0	34,5	-8,9
Outros	200,0	-36,3	7,1	66,7	200,0	-	-	-	24,2	-53,1
Total	58,6	18,4	48,8	54,8	102,8	76,0	25,9	25,0	51,6	8,0

Fonte: RAIS/MTE. Elaboração CEBRAP.

Tabela 4: Emprego e estabelecimentos (por porte) no MSP e no eixo selecionado por setor de atividade. Eixo Tamanduateí, 1996

Setor de atividade	Emprego				Estabelecimento									
											Total			
	Eixo	% no total Eixo	MSP	% no total MSP	0	de 1 a 10	de 11 a 50	de 51 a 100	de 101 a 500	500 ou mais	Eixo	% no total Eixo	MSP	% no total MSP
Ind. alta	14.034	12,7	146.933	9,55	196	113	74	21	15	4	423	2,7	7.850	5,39
Ind. média-alta	5.643	5,1	118.970	4,74	146	79	46	12	11	2	296	1,9	7.189	4,12
Ind. média-baixa	19.313	17,5	189.941	10,17	318	255	185	51	47	2	858	5,4	15.475	5,54
Ind. baixa	25.264	22,8	302.698	8,35	618	357	152	41	36	9	1.213	7,7	38.450	3,15
SIC-T	585	0,5	70.543	0,83	214	67	8	1	2	0	292	1,8	15.216	1,92
SIC-P	1.802	1,6	67.995	2,65	254	137	40	4	1	0	436	2,8	17.784	2,45
SIC-F	1.843	1,7	140.619	1,31	196	54	60	5	0	0	315	2,0	13.874	2,27
SIC-S	2.410	2,2	123.605	1,95	78	40	8	2	5	1	134	0,8	5.759	2,33
SIC-M	44	0,0	12.498	0,35	31	9	2	0	0	0	42	0,3	2.831	1,48
Demais serviços	17.744	16,0	716.253	2,48	3.358	1.203	200	33	21	3	4.818	30,4	179.021	2,69
Comércio	16.661	15,1	455.293	3,66	4.381	1.873	259	32	14	1	6.560	41,4	244.086	2,69
Construção civil	4.985	4,5	173.843	2,87	194	82	32	4	5	1	318	2,0	15.964	1,99
Outros	237	0,2	13.500	1,76	128	12	1	0	1	0	142	0,9	6.109	2,32
Total	110.565	100,0	2.532.691	4,37	10.112	4.281	1.067	206	158	23	15.847	100,0	569.608	2,78

Fonte: RAIS/MTE. Elaboração CEBRAP.

Tabela 5: Emprego e estabelecimentos (por porte) no MSP e no eixo selecionado por setor de atividade. Eixo Tamanduateí, 2006

Setor de atividade	Emprego				Estabelecimento									
	Eixo	% no total Eixo	MSP	% no total MSP	0	de 1 a 10	de 11 a 50	de 51 a 100	de 101 a 500	500 ou mais	Total			
											Eixo	% no total Eixo	MSP	% no total MSP
Ind. alta	7.288	8,5	87.925	8,29	108	92	67	10	10	2	289	2,3	6.215	4,65
Ind. média-alta	6.290	7,3	84.312	7,46	65	55	38	8	10	2	178	1,4	4.283	4,16
Ind. média-baixa	11.762	13,6	126.905	9,27	214	162	171	43	17	1	608	4,9	10.963	5,55
Ind. baixa	10.767	12,5	182.733	5,89	420	200	114	18	18	3	773	6,2	31.451	2,46
SIC-T	1.274	1,5	109.611	1,16	476	57	14	0	0	1	548	4,4	35.429	1,55
SIC-P	1.573	1,8	156.417	1,01	255	76	15	3	3	0	352	2,8	26.105	1,35
SIC-F	1.188	1,4	153.928	0,77	144	47	44	0	1	0	236	1,9	16.838	1,40
SIC-S	743	0,9	206.442	0,36	63	12	3	1	3	0	82	0,7	6.128	1,34
SIC-M	75	0,1	14.576	0,51	27	4	0	1	0	0	32	0,3	3.448	0,93
Demais serviços	23.412	27,2	1.054.008	2,22	2.560	1.083	212	24	19	9	3.907	31,3	209.872	1,86
Comércio	19.785	23,0	675.865	2,93	3.220	1.545	394	42	16	0	5.217	41,8	247.208	2,11
Construção civil	1.909	2,2	138.648	1,38	120	42	27	1	6	0	196	1,6	14.544	1,35
Outros	143	0,2	8.595	1,66	36	11	2	1	0	0	50	0,4	2.867	1,74
Total	86.209	100,0	2.999.965	2,87	7.708	3.386	1.101	152	103	18	12.468	100,0	615.351	2,03

Fonte: RAIS/MTE. Elaboração CEBRAP.

Tabela 6: Variação do emprego e de estabelecimentos por porte segundo setor de atividade. Eixo Tamanduateí e MSP, Variação 1996-2006

Setor de atividade	Variação (%) emprego		Variação (%) estabelecimento							
			0	de 1 a 10	de 11 a 50	de 51 a 100	de 101 a 500	500 ou mais	Total	
	Eixo	MSP							Eixo	MSP
Ind. alta	-48,1	-40,2	-44,9	-18,6	-9,5	-52,4	-33,3	-50,0	-31,7	-20,8
Ind. média-alta	11,5	-29,1	-55,5	-30,4	-17,4	-33,3	-9,1	0,0	-39,9	-40,4
Ind. média-baixa	-39,1	-33,2	-32,7	-36,5	-7,6	-15,7	-63,8	-50,0	-29,1	-29,2
Ind. baixa	-57,4	-39,6	-32,0	-44,0	-25,0	-56,1	-50,0	-66,7	-36,3	-18,2
SIC-T	117,8	55,4	122,4	-14,9	75,0	-100,0	-100,0	-	87,7	132,8
SIC-P	-12,7	130,0	0,4	-44,5	-62,5	-25,0	200,0	-	-19,3	46,8
SIC-F	-35,5	9,5	-26,5	-13,0	-26,7	-100,0	-	-	-25,1	21,4
SIC-S	-69,2	67,0	-19,2	-70,0	-62,5	-50,0	-40,0	-100,0	-38,8	6,4
SIC-M	70,5	16,6	-12,9	-55,6	-100,0	-	-	-	-23,8	21,8
Demais serviços	31,9	47,2	-23,8	-10,0	6,0	-27,3	-9,5	200,0	-18,9	17,2
Comércio	18,8	48,4	-26,5	-17,5	52,1	31,3	14,3	-100,0	-20,5	1,3
Construção civil	-61,7	-20,2	-38,1	-48,8	-15,6	-75,0	20,0	-100,0	-38,4	-8,9
Outros	-39,7	-36,3	-71,9	-8,3	100,0	-	-100,0	-	-64,8	-53,1
Total	-22,0	18,4	-23,8	-20,9	3,2	-26,2	-34,8	-21,7	-21,3	8,0

Fonte: RAIS/MTE. Elaboração CEBRAP.

Tabela 7: Emprego e estabelecimentos (por porte) no MSP e no eixo selecionado por setor de atividade. Eixo Vila Leopoldina, 1996

Setor de atividade	Emprego				Estabelecimento									
	Eixo	% no total Eixo	MSP	% no total MSP	0	de 1 a 10	de 11 a 50	de 51 a 100	de 101 a 500	500 ou mais	Total			
											Eixo	% no total Eixo	MSP	% no total MSP
Ind. alta	3.530	6,5	146.933	2,40	45	33	27	3	7	2	117	2,2	7.850	1,49
Ind. média-alta	3.199	5,9	118.970	2,69	47	18	9	1	3	3	81	1,5	7.189	1,13
Ind. média-baixa	8.509	15,6	189.941	4,48	74	34	39	9	20	3	179	3,3	15.475	1,16
Ind. baixa	5.714	10,5	302.698	1,89	128	77	38	10	11	2	266	4,9	38.450	0,69
SIC-T	506	0,9	70.543	0,72	84	14	4	0	1	0	103	1,9	15.216	0,68
SIC-P	954	1,8	67.995	1,40	47	20	6	2	2	0	77	1,4	17.784	0,43
SIC-F	620	1,1	140.619	0,44	42	9	16	2	1	0	70	1,3	13.874	0,50
SIC-S	124	0,2	123.605	0,10	14	1	1	2	0	0	18	0,3	5.759	0,31
SIC-M	6	0,0	12.498	0,05	7	2	0	0	0	0	9	0,2	2.831	0,32
Demais serviços	17.485	32,1	716.253	2,44	908	380	74	14	12	7	1.395	25,8	179.021	0,78
Comércio	9.468	17,4	455.293	2,08	1.644	1.038	179	21	7	0	2.889	53,5	244.086	1,18
Construção civil	3.854	7,1	173.843	2,22	69	26	17	6	3	1	122	2,3	15.964	0,76
Outros	510	0,9	13.500	3,78	63	10	4	0	2	0	79	1,5	6.109	1,29
Total	54.479	100,0	2.532.691	2,15	3.172	1.662	414	70	69	18	5.405	100,0	569.608	0,95

Fonte: RAIS/MTE. Elaboração CEBRAP.

Tabela 8: Emprego e estabelecimentos (por porte) no MSP e no eixo selecionado por setor de atividade. Eixo Vila Leopoldina, 2006

Setor de atividade	Emprego				Estabelecimento									
	Eixo	% no total Eixo	MSP	% no total MSP	0	de 1 a 10	de 11 a 50	de 51 a 100	de 101 a 500	500 ou mais	Total			
											Eixo	% no total Eixo	MSP	% no total MSP
Ind. alta	2.199	3,7	87.925	2,50	32	29	15	3	5	0	84	1,4	6.215	1,35
Ind. média-alta	2.967	5,0	84.312	3,52	20	13	6	2	4	2	47	0,8	4.283	1,10
Ind. média-baixa	2.641	4,5	126.905	2,08	43	16	21	4	7	1	92	1,5	10.963	0,84
Ind. baixa	4.880	8,3	182.733	2,67	133	47	27	10	11	2	230	3,8	31.451	0,73
SIC-T	1.003	1,7	109.611	0,92	294	23	4	1	2	0	324	5,3	35.429	0,91
SIC-P	621	1,1	156.417	0,40	114	15	8	1	2	0	140	2,3	26.105	0,54
SIC-F	4.540	7,7	153.928	2,95	53	13	18	0	0	2	86	1,4	16.838	0,51
SIC-S	792	1,3	206.442	0,38	9	1	2	0	1	1	14	0,2	6.128	0,23
SIC-M	261	0,4	14.576	1,79	25	2	1	0	1	0	29	0,5	3.448	0,84
Demais serviços	19.022	32,3	1.054.008	1,80	1.131	451	114	23	25	6	1.750	28,6	209.872	0,83
Comércio	17.326	29,4	675.865	2,56	1.755	1.118	230	39	33	1	3.176	51,9	247.208	1,28
Construção civil	2.455	4,2	138.648	1,77	72	18	15	4	6	1	116	1,9	14.544	0,80
Outros	139	0,2	8.595	1,62	23	10	1	1	0	0	35	0,6	2.867	1,22
Total	58.846	100,0	2.999.965	1,96	3.704	1.756	462	88	97	16	6.123	100,0	615.351	1,00

Fonte: RAIS/MTE. Elaboração CEBRAP.

Tabela 9: Variação do emprego e de estabelecimentos por porte segundo setor de atividade. Eixo Vila Leopoldina e MSP, Variação 1996-2006

Setor de atividade	Variação (%) Emprego		Variação (%) Estabelecimento							
			0	de 1 a 10	de 11 a 50	de 51 a 100	de 101 a 500	500 ou mais	Total	
	Eixo	MSP							Eixo	MSP
Ind. alta	-37,7	-40,2	-28,9	-12,1	-44,4	0,0	-28,6	-100,0	-28,2	-20,8
Ind. média-alta	-7,3	-29,1	-57,4	-27,8	-33,3	100,0	33,3	-33,3	-42,0	-40,4
Ind. média-baixa	-69,0	-33,2	-41,9	-52,9	-46,2	-55,6	-65,0	-66,7	-48,6	-29,2
Ind. baixa	-14,6	-39,6	3,9	-39,0	-28,9	0,0	0,0	0,0	-13,5	-18,2
SIC-T	98,2	55,4	250,0	64,3	0,0	-	100,0	-	214,6	132,8
SIC-P	-34,9	130,0	142,6	-25,0	33,3	-50,0	0,0	-	81,8	46,8
SIC-F	632,3	9,5	26,2	44,4	12,5	-100,0	-100,0	-	22,9	21,4
SIC-S	538,7	67,0	-35,7	0,0	100,0	-100,0	-	-	-22,2	6,4
SIC-M	4.250,0	16,6	257,1	0,0	-	-	-	-	222,2	21,8
Demais serviços	8,8	47,2	24,6	18,7	54,1	64,3	108,3	-14,3	25,4	17,2
Comércio	83,0	48,4	6,8	7,7	28,5	85,7	371,4	-	9,9	1,3
Construção civil	-36,3	-20,2	4,3	-30,8	-11,8	-33,3	100,0	0,0	-4,9	-8,9
Outros	-72,7	-36,3	-63,5	0,0	-75,0	-	-100,0	-	-55,7	-53,1
Total	8,0	18,4	16,8	5,7	11,6	25,7	40,6	-11,1	13,3	8,0

Fonte: RAIS/MTE. Elaboração CEBRAP.

Tabela 10: Emprego e estabelecimentos (por porte) no MSP e no eixo selecionado por setor de atividade. Eixo Vila Sônia, 1996

Setor de atividade	Emprego				Estabelecimento									
											Total			
	Eixo	% no total Eixo	MSP	% no total MSP	0	de 1 a 10	de 11 a 50	de 51 a 100	de 101 a 500	500 ou mais	Eixo	% no total Eixo	MSP	% no total MSP
Ind. alta	593	6,8	146.933	0,40	19	12	3	0	1	0	35	1,5	7.850	0,45
Ind. média-alta	90	1,0	118.970	0,08	15	11	3	0	0	0	29	1,3	7.189	0,40
Ind. média-baixa	590	6,7	189.941	0,31	16	16	7	0	1	0	40	1,8	15.475	0,26
Ind. baixa	847	9,7	302.698	0,28	75	40	11	1	1	0	128	5,7	38.450	0,33
SIC-T	113	1,3	70.543	0,16	58	16	3	0	0	0	77	3,4	15.216	0,51
SIC-P	258	2,9	67.995	0,38	37	15	5	0	1	0	58	2,6	17.784	0,33
SIC-F	231	2,6	140.619	0,16	20	7	5	2	0	0	34	1,5	13.874	0,25
SIC-S	19	0,2	123.605	0,02	19	3	1	0	0	0	23	1,0	5.759	0,40
SIC-M	4	0,0	12.498	0,03	14	2	0	0	0	0	16	0,7	2.831	0,57
Demais serviços	2.786	31,8	716.253	0,39	438	172	33	4	5	0	652	28,8	179.021	0,36
Comércio	2.310	26,4	455.293	0,51	709	274	37	2	3	0	1.025	45,3	244.086	0,42
Construção civil	816	9,3	173.843	0,47	61	30	14	3	1	0	109	4,8	15.964	0,68
Outros	95	1,1	13.500	0,70	29	4	1	1	0	0	35	1,5	6.109	0,57
Total	8.752	100,0	2.532.691	0,35	1.510	602	123	13	13	0	2.261	100,0	569.608	0,40

Fonte: RAIS/MTE. Elaboração CEBRAP.

Tabela 11: Emprego e estabelecimentos (por porte) no MSP e no eixo selecionado por setor de atividade. Eixo Vila Sônia, 2006

Setor de atividade	Emprego				Estabelecimento									
											Total			
	Eixo	% no total Eixo	MSP	% no total MSP	0	de 1 a 10	de 11 a 50	de 51 a 100	de 101 a 500	500 ou mais	Eixo	% no total Eixo	MSP	% no total MSP
Ind. alta	71	0,5	87.925	0,08	14	5	3	0	0	0	22	0,7	6.215	0,35
Ind. média-alta	46	0,3	84.312	0,05	13	5	1	0	0	0	19	0,6	4.283	0,44
Ind. média-baixa	529	4,0	126.905	0,42	24	6	6	0	1	0	37	1,2	10.963	0,34
Ind. baixa	603	4,5	182.733	0,33	74	25	15	2	0	0	116	3,9	31.451	0,37
SIC-T	188	1,4	109.611	0,17	186	20	7	0	0	0	213	7,1	35.429	0,60
SIC-P	721	5,4	156.417	0,46	111	15	2	0	0	1	129	4,3	26.105	0,49
SIC-F	362	2,7	153.928	0,24	41	11	11	1	0	0	64	2,1	16.838	0,38
SIC-S	1.680	12,6	206.442	0,81	16	9	4	0	0	1	30	1,0	6.128	0,49
SIC-M	129	1,0	14.576	0,89	22	4	1	1	0	0	28	0,9	3.448	0,81
Demais serviços	3.813	28,7	1.054.008	0,36	714	283	51	8	2	1	1.059	35,5	209.872	0,50
Comércio	4.152	31,2	675.865	0,61	702	355	65	8	4	0	1.134	38,0	247.208	0,46
Construção civil	978	7,4	138.648	0,71	68	37	8	4	2	0	119	4,0	14.544	0,82
Outros	25	0,2	8.595	0,29	10	4	1	0	0	0	15	0,5	2.867	0,52
Total	13.297	100,0	2.999.965	0,44	1.995	779	175	24	9	3	2.985	100,0	615.351	0,49

Fonte: RAIS/MTE. Elaboração CEBRAP.

Tabela 12: Variação do emprego e de estabelecimentos por porte segundo setor de atividade. Eixo Vila Sônia e MSP, Variação 1996-2006

Setor de atividade	Variação (%) Emprego		Variação (%) Estabelecimento							
			0	de 1 a 10	de 11 a 50	de 51 a 100	de 101 a 500	500 ou mais	Total	
	Eixo	MSP							Eixo	MSP
Ind. alta	-88,0	-40,2	-26,3	-58,3	0,0	-	-100,0	-	-37,1	-20,8
Ind. média-alta	-48,9	-29,1	-13,3	-54,5	-66,7	-	-	-	-34,5	-40,4
Ind. média-baixa	-10,3	-33,2	50,0	-62,5	-14,3	-	0,0	-	-7,5	-29,2
Ind. baixa	-28,8	-39,6	-1,3	-37,5	36,4	100,0	-100,0	-	-9,4	-18,2
SIC-T	66,4	55,4	220,7	25,0	133,3	-	-	-	176,6	132,8
SIC-P	179,5	130,0	200,0	0,0	-60,0	-	-100,0	-	122,4	46,8
SIC-F	56,7	9,5	105,0	57,1	120,0	-50,0	-	-	88,2	21,4
SIC-S	8.742,1	67,0	-15,8	200,0	300,0	-	-	-	30,4	6,4
SIC-M	3.125,0	16,6	57,1	100,0	-	-	-	-	75,0	21,8
Demais serviços	36,9	47,2	63,0	64,5	54,5	100,0	-60,0	-	62,4	17,2
Comércio	79,7	48,4	-1,0	29,6	75,7	300,0	33,3	-	10,6	1,3
Construção civil	19,9	-20,2	11,5	23,3	-42,9	33,3	100,0	-	9,2	-8,9
Outros	-73,7	-36,3	-65,5	0,0	0,0	-100,0	-	-	-57,1	-53,1
Total	51,9	18,4	32,1	29,4	42,3	84,6	-30,8	-	32,0	8,0

Fonte: RAIS/MTE. Elaboração CEBRAP.

6. Modelos gráficos da competitividade paulistana

Hervé Théry

Apresentação

Voltado para a evolução recente da economia do município de São Paulo (MSP), seus impactos no território e suas perspectivas para o futuro, este projeto precisava ter uma análise condizente com essa ambição. Resolvemos, portanto, colocar as cartografias temáticas que o compõem à luz de um método ainda pouco conhecido no Brasil: a modelização gráfica.

Utilizada como instrumento de análise regional, essa modelização é um dos métodos inovadores desenvolvidos por um grupo de geógrafos franceses no âmbito dos trabalhos do GIP Reclus.[1] As suas primeiras formulações foram dadas por Brunet (1980, 1986, 1987) e amplamente desenvolvidas no volume introdutório da *Géographie Universelle*, republicado como *Le déchiffrement du Monde* (2001). Intensivamente aplicado pelas equipes da revista *M@ppemonde*,[2] o método ficou conhecido como método *coremático*, já que se baseia nos *coremas*, elementos básicos da organização dos territórios, representados por modelos gráficos. Não cabe aqui uma exposição completa da teoria subjacente ao método. Indicações sobre alguns dos seus princípios fundadores e um exemplo detalhado de aplicação em análise para o Brasil constam em artigo da revista *Geousp* (Théry, 2004).

Montagem do modelo, centro(s) e periferia(s)

Destinada a analisar as estruturas essenciais mais que os detalhes de localização, a modelização gráfica utiliza sistematicamente formas geométricas como base do seu raciocínio. No caso do MSP, e mais particularmente deste estudo, pareceu-nos sensato distinguir, por um lado, o centro expandido e, por outro, as periferias do norte, do sul e do leste do município: os processos de inovação e desenvolvimento de atividades intensivas em tecnologia e conhecimento concentram-se principalmente no centro e raramente ultrapassam os seus limites. Por isso, a base geométrica do modelo se compõe do retângulo que representa o centro e de três outros figurando as três periferias citadas.

Para ajudar o leitor a situar-se melhor nesse conjunto, as duas primeiras figuras comportam, sob a figura geométrica, o contorno do município (Figura 1) e alguns pontos de referência, como as represas e os espaços verdes situados no norte e no sul da cidade, bem como eixos principais de circulação que delimitam o "centro expandido" (marginais do Tietê e do Pinheiros e avenida do Estado) (Figura 2).

[1] *Groupement d'Intérêt Public, Réseau d'études du changement dans les localisations et les unités spatiales*, o acrônimo sendo ao mesmo tempo uma homenagem ao geógrafo Élisée Reclus.
[2] Revista eletrônica de acesso livre: http://mappemonde.mgm.fr/.

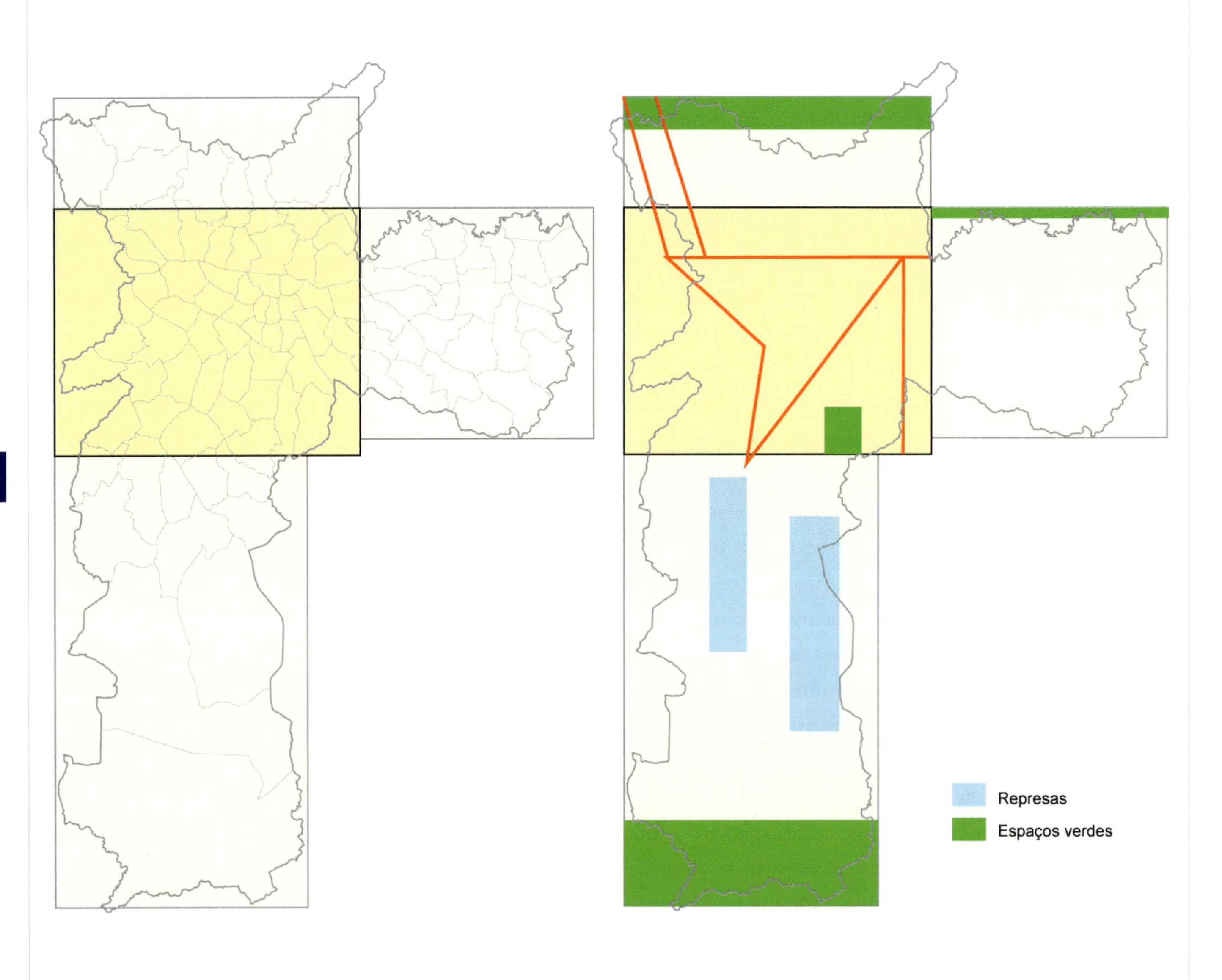
Figura 1: Bases do modelo
Figura 2: Pontos de referência
Represas
Espaços verdes

Figura 3: Localização do comércio

Figura 4: Localização da indústria

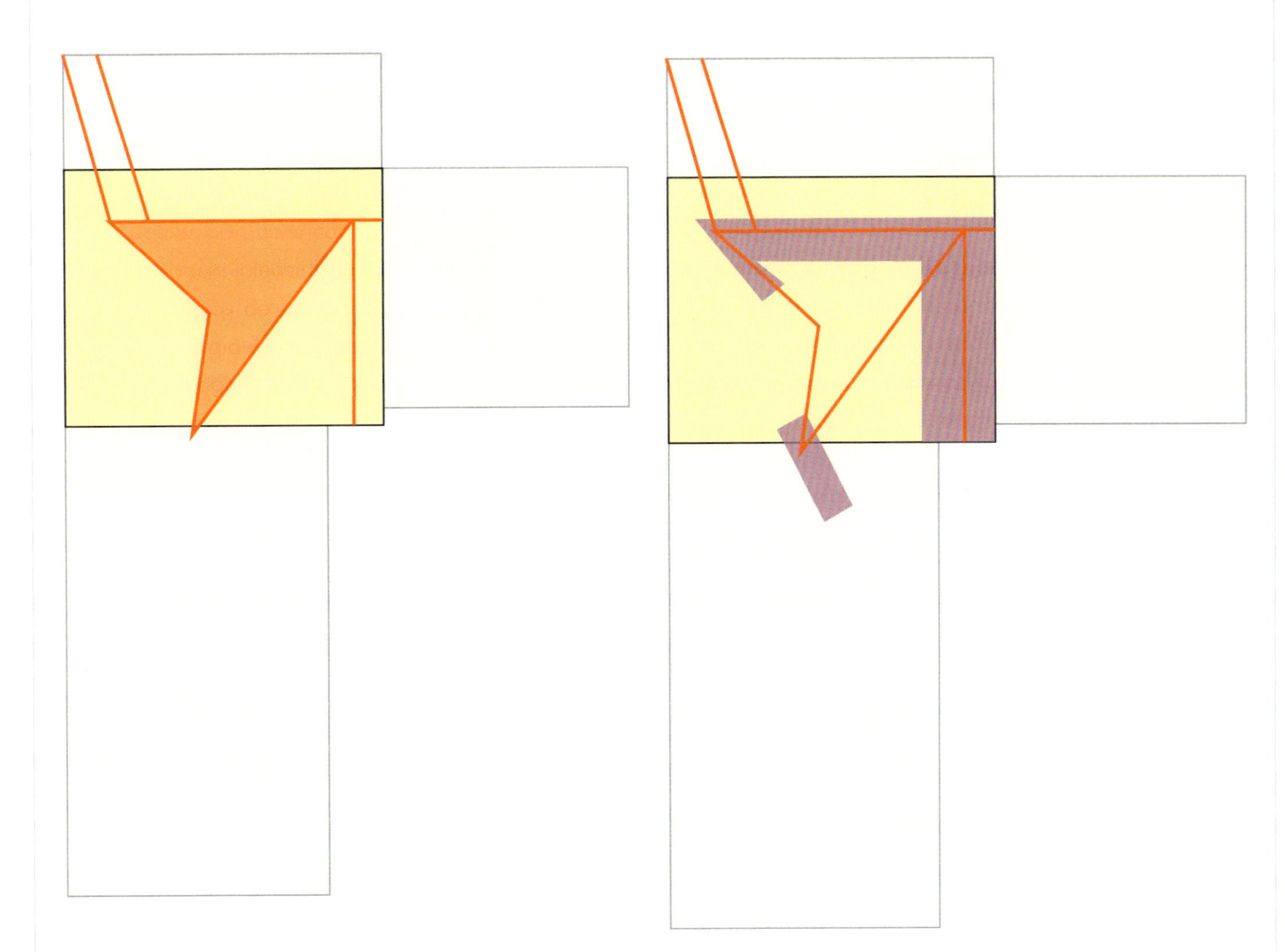

O Centro expandido ou a "Praça dos Três Setores"

Dentro do Centro expandido pode-se observar uma distribuição diferencial de três grandes setores econômicos, o comércio, a indústria e os serviços.

O comércio é o que tem a distribuição menos definida e ocupa de maneira relativamente homogênea toda a superfície do Centro expandido (Figura 3). No modelo, essa área recebeu uniformemente a tonalidade cor de laranja que representa aqui o comércio.

Como se observa na Figura 4, a indústria reparte-se entre três setores de dimensão desigual, representados em roxo: as margens do Tietê, ao norte, o eixo do Tamanduateí, a leste, e um terceiro conjunto mais isolado, ao sul, na região onde o rio Pinheiros contorna o distrito de Santo Amaro.

Figura 5: Localização dos serviços

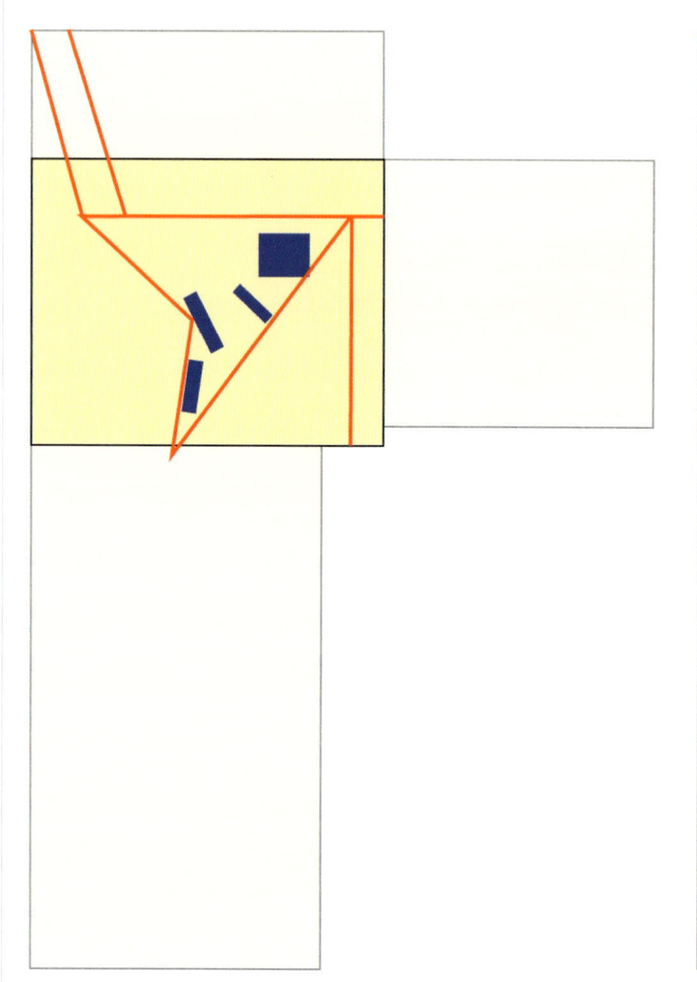

Figura 6: Localização dos três setores

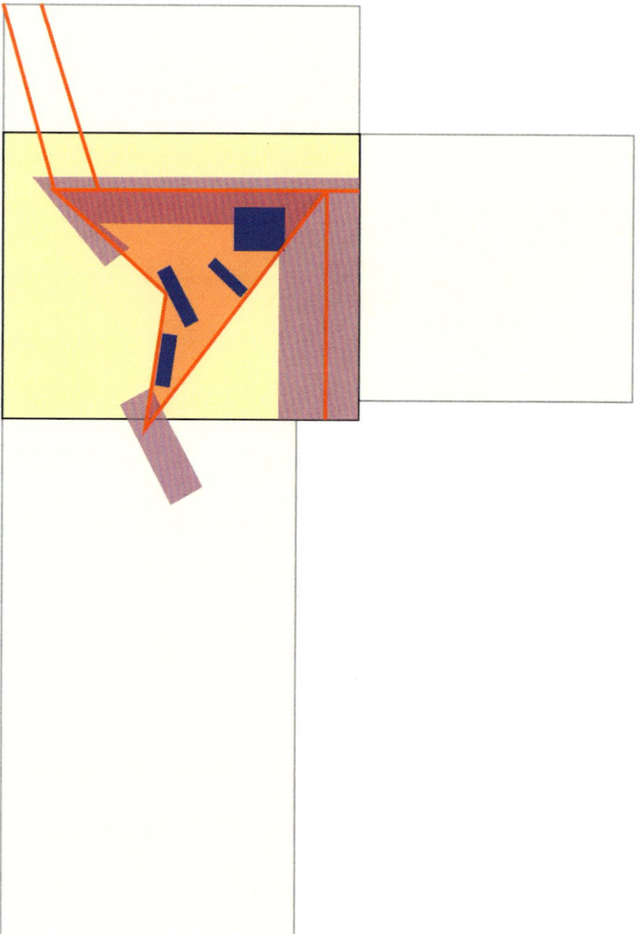

A localização dos principais centros de serviços é mais complexa (Figura 5). Decompõe-se numa série de pontos e alinhamentos que correspondem à criação de sucessivos centros de negócios ao longo de um eixo orientado do Centro histórico para o sudoeste: primeiro a avenida Paulista, seguida da avenida Faria Lima e, finalmente – até o momento –, a Luís Carlos Berrini.

A representação muito simplificada da localização desses três setores pelo modelo permite perceber as tendências principais e, em seguida, ao reuni-las graficamente numa figura única (Figura 6), indicar as zonas onde um ou outro dos três setores é dominante e onde funcionam juntos, dois a dois ou os três simultaneamente.

É dentro desse conjunto complexo, determinado pela localização das principais atividades comerciais, industriais e de serviços do município – dentro e ao redor do Centro expandido – que se situa o desafio de desenvolvimento das atividades novas, de setores mais avançados para cada um deles, os mais intensivos em conhecimento e tecnologia.

Figura 7: Três setores e quatro áreas estratégicas

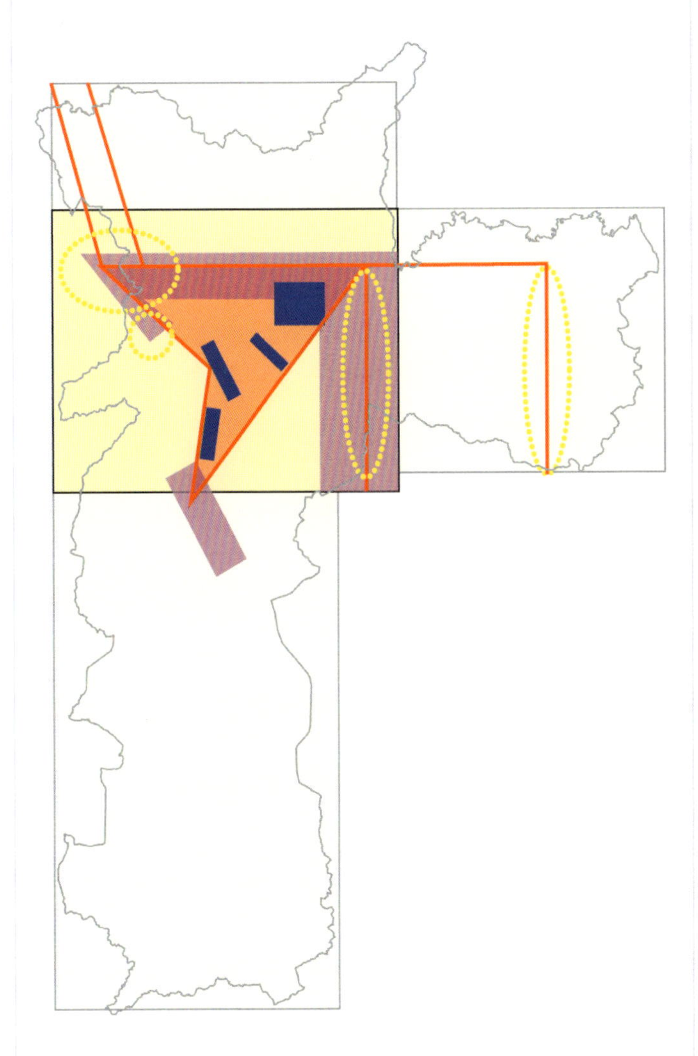

É igualmente nesse contexto que devemos nos colocar para entender todo o alcance da escolha de quatro eixos intraurbanos privilegiados em outros capítulos deste livro (Figura 7): o eixo do Tamanduateí é uma das principais localizações industriais da cidade, em plena renovação; enquanto o da Jacu-Pêssego constitui uma espécie de contraparte possível no meio da zona Leste, pelo menos se ocorresse uma estruturação industrial e residencial esperada na região. Os eixos da Vila Sônia e da Vila Leopoldina situam-se em pontos estratégicos do município, no encontro das duas marginais e das rodovias que ligam a cidade com o interior do estado, num "ângulo" cuja vocação principal ainda não é definida, compartilhada entre comércio, indústria e serviços. Em termos prospectivos, o caso da Vila Sônia é particularmente interessante, já que a chegada da Linha 4 do metrô pode transformar uma área promissora e próxima à marginal do Pinheiros.

Nessa situação, cujas grandes linhas são definidas, mas em que as evoluções contraditórias são numerosas, é necessário agora entrar no detalhe dos subsetores de cada um desses três grandes domínios para compreender transformações em curso e a forma como interagem. Para tal efeito, e ainda que isto deva surpreender, deve-se aqui recorrer a uma analogia com o funcionamento das cidades comerciais da Europa medieval e o das grandes praças comerciais do Oriente Médio.

O *souk* paulistano

Nas cidades onde nasceu o capitalismo comercial, que permitiu a decolagem econômica da Europa, as diferentes corporações tinham o hábito de agrupar-se por setores, onde os clientes sabiam que encontrariam as mercadorias que procuravam: grãos, tecidos, produtos metálicos, joias etc. A mesma organização se encontra hoje nos grandes mercados orientais, por exemplo, em Istambul, mas também em praças financeiras e comerciais modernizadas e de grande influência regional, como Beirute ou Dubai. Trata-se ao mesmo tempo da herança de uma tradição secular, amplamente testada, e também de uma organização que parece dar bons resultados no mundo moderno, como o *souk* do ouro em Dubai, onde se negociam quantidades consideráveis de metal precioso para os mercados do Oriente Médio, da Índia e do Paquistão.

Se essa forma de organização atravessou os séculos, é muito provavelmente porque é vantajosa não somente para os clientes, que encontram num mesmo lugar todos os fornecedores da mercadoria

Figura 8: Localizações específicas

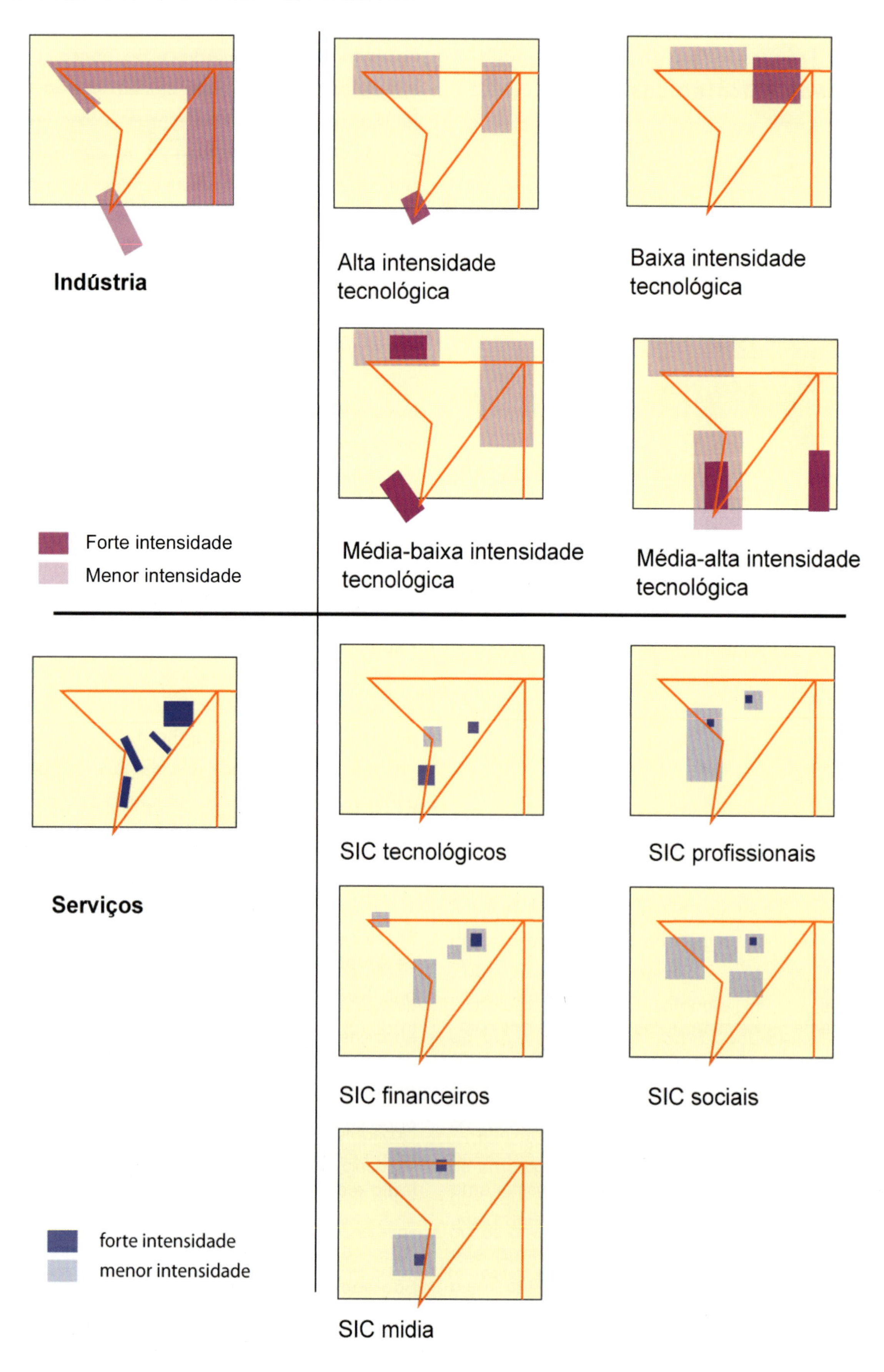

que procuram, mas também para os profissionais, que veem aparentemente vantagens nesse agrupamento. Embora aparentemente agrave a concorrência entre os negociantes, pondo sob os olhos do cliente as diferenças de preços, permite-lhes também ajuda mútua e coordenação de atividades, providencia economias de escala para o transporte e o abastecimento e vários tipos de interações benéficas para a marcha dos negócios.

As análises precisas de estatísticas detalhadas nos capítulos 2 (de Torres Freire, Abdal e Bessa) e 5 (de Bessa, Colli e Paula) indicaram que um fenômeno semelhante ocorre nos setores mais avançados da indústria e dos serviços dentro do município de São Paulo. Obviamente, para as indústrias de mesmo nível tecnológico, seja de alta ou de baixa intensidade tecnológica, e mais ainda para os serviços do mesmo ramo, é vantajoso situar-se perto de outras empresas que trabalham no mesmo campo. Sem que essa organização por grupos setoriais tenha sido planificada por quem quer que seja, ela ocorreu, no entanto, como o demonstra o resumo modelado da Figura 8. Dentro da indústria, os setores de alta, média-alta, média-baixa e baixa intensidade tecnológica têm localizações diferentes dentro do conjunto das zonas – principalmente situadas ao longo dos eixos do Tietê e do Pinheiros – que concentram as atividades industriais. E cada um dos segmentos do setor de serviços (tecnológicos, profissionais, financeiros, sociais, de mídia) tem igualmente a sua localização preferencial, com maior ou menor intensidade.

Sejam os serviços intensivos em conhecimento (SIC) financeiros (em parte fiéis à localização no Centro histórico, mas que também se instalaram nos centros mais recentes), ou os SICs Tecnológicos (que preferiram logicamente os centros mais recentes e mais bem equipados com infraestruturas indispensáveis à sua atividade), ou ainda os meios de comunicação social, nos SICs-Mídia (um ramo onde a interatividade de empresas, mesmo concorrentes, é altamente desenvolvida), o agrupamento das atividades vizinhas é obviamente procurada pelos interessados.

Poder-se-ia, para descrevê-lo, recorrer à linguagem da economia e falar de *clusters*, mas, basicamente, trata-se apenas do hábito milenar de agrupar-se entre especialistas da mesma atividade para se beneficiar plenamente dos efeitos de vizinhança. Entre outros requisitos locacionais das atividades produtivas, essa configuração, que mostrou a sua eficácia a longo prazo e ainda funciona em alguns dos lugares comerciais mais ativos do planeta, parece merecer toda a atenção dos poderes públicos.

Bibliografia

Brunet R. (1980). "La composition des modèles dans l'analyse spatiale". *L'Espace géographique,* n°4, pp. 253-265.

Brunet R. (1986). "La carte-modèle et les chorèmes". *Mappemonde*, n°4, pp. 2-6.

Brunet R. (2001). *Le déchiffrement du Monde*. Berlin, 402 p.

Mappemonde (1986). *Chorèmes et modèles,* numéro spécial, n°4. Montpellier, Reclus (quinze articles).

Théry H. (1986). *Brésil, un atlas chorématique*. Paris, Fayard/Reclus, 88 p.

__________ (1988). "Modélisation graphique et analyse régionale. Une méthode et un exemple". *Cahiers de géographie du Québec*. Québec vol. 32, n° 86, pp. 135-150.

__________ (2004). "Modelização gráfica para a análise regional: um método". *Geousp – Espaço e Tempo*. São Paulo, n° 15, pp. 179-188. Disponível em: http://www.geografia.fflch.usp.br/publicacoes/Geousp/Geousp15/index.htm.

__________ (2005). "A dimensão temporal na modelização gráfica". *Geousp – Espaço e Tempo*. São Paulo, nº 17, pp. 171-184, Disponível em: http://www.geografia.fflch.usp.br/publicacoes/Geousp/Geousp17/index.htm.

7. A dinâmica espacial em quatro trechos da cidade

Kazuo Nakano

1. Introdução[1]

A localização de atividades industriais em torno dos grandes eixos rodoviários e ferroviários de integração regional é característica que marca a estrutura urbana e econômica de São Paulo. Esses eixos mostram, ainda, a face industrial da cidade, do mesmo modo como as principais avenidas com corredores comerciais e edifícios de escritórios expõem a sua fisionomia terciária. Eixos industriais e corredores terciários incrustam-se nas vastas áreas habitacionais onde essas atividades não residenciais de pequeno, médio e grande porte misturam-se de modo cada vez mais complexo.

O objetivo deste texto é analisar as dinâmicas urbanas existentes em trechos de quatro eixos intraurbanos do MSP inseridos em áreas de Operações Urbanas Consorciadas previstas no Plano Diretor Estratégico (Lei Municipal 13.430/2002).[2] Eixos que contam com grandes investimentos públicos e privados realizados ao longo de décadas, em especial nos itens relacionados com a canalização de grandes calhas de rios, aterros, drenagem do solo, implantação de infraestrutura viária e de transportes públicos, entre outros.

Nesses trechos, agentes sociais públicos e privados produziram espaços urbanos beneficiados por acessibilidade privilegiada do ponto de vista metropolitano, macrometropolitano e inter-regional. A acessibilidade e as condições de mobilidade nesses trechos possuem significados econômicos que extrapolam os meros custos de deslocamento entre uma origem e um destino de viagem. Os deslocamentos por meio desses eixos possuem sentidos econômicos determinados pelas articulações com outros territórios produtores, consumidores, exportadores e fornecedores de insumos e matérias-primas.

Neste texto, como mostra o Mapa 1, os trechos urbanos selecionados para análise são: Trecho 1 – localizado junto ao rio Jacu, na zona Leste, nos distritos Vila Jacuí, São Miguel Paulista, Itaquera, José Bonifácio, Parque do Carmo e Iguatemi; Trecho 2 – localizado junto ao rio Tamanduateí, entre a zona Leste e o quadrante sudoeste, nos distritos Cambuci, Ipiranga, Mooca e Vila Prudente; Trecho 3 – localizado próximo ao encontro do rio Pinheiros com o rio Tietê, na zona Oeste, nos distritos Vila Leopoldina e Jaguaré; Trecho 4 – localizado junto à futura Linha Amarela do Metrô (Linha 4), no distrito Butantã, localizado na zona Oeste.

[1] Gostaria de agradecer a Aline de Paula e a Juliana Colli pela elaboração de mapas, a Bruno Komatsu pela preparação da base da RAIS e a Aline Borghi pela elaboração das tabelas com dados da RAIS.

[2] Os trechos foram definidos a partir das delimitações das áreas para operações urbanas consorciadas do Plano Diretor Estratégico (lei 13.430/2002). No trecho Jacu-Pêssego não se adotou o perímetro estabelecido pela lei 13.872/2004, que regulamentou a operação urbana consorciada Rio Verde-Jacu, porque a intenção do texto é analisar o entorno próximo da avenida Jacu-Pêssego. Essa operação urbana consorciada abrange uma área mais ampla que extrapola esse entorno.

Mapa 1: Áreas intraurbanas do MSP: trechos de análise

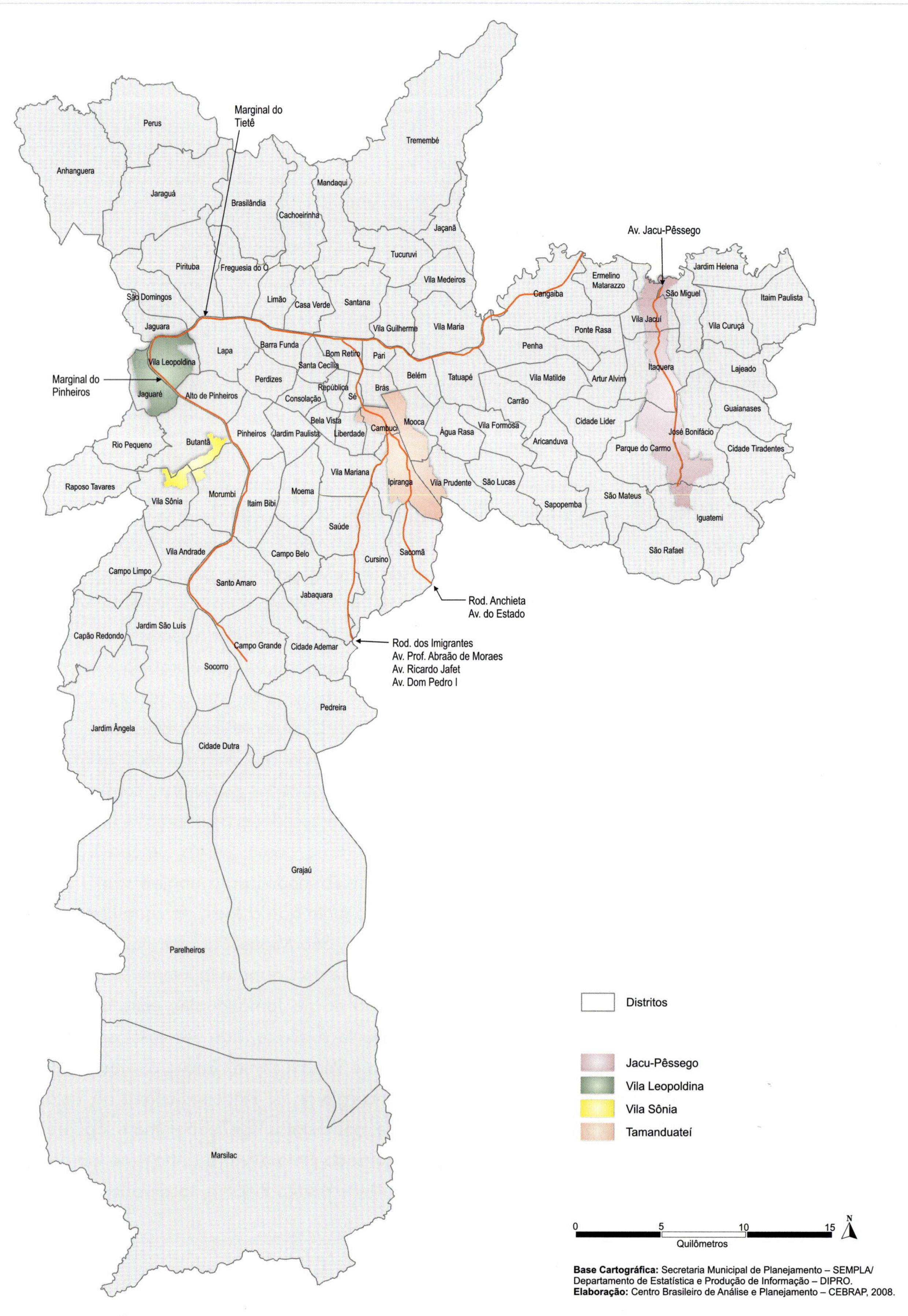

Base Cartográfica: Secretaria Municipal de Planejamento – SEMPLA/ Departamento de Estatística e Produção de Informação – DIPRO.
Elaboração: Centro Brasileiro de Análise e Planejamento – CEBRAP, 2008.

O primeiro trecho[3] encontra-se num dos poucos eixos viários com traçado norte-sul, localizado na extremidade da zona Leste, mais alijado do centro, ocupado por vários loteamentos irregulares e clandestinos, favelas e grandes conjuntos habitacionais de interesse social produzidos pelo Poder Público. Trata-se da avenida Jacu-Pêssego, implantada nas margens do rio Jacu, afluente do rio Tietê. Essa avenida adquire importância crescente a partir de duas ligações:

- Na extremidade norte, a conexão com as duas pistas da rodovia Ayrton Senna é feita através de um viaduto que passa sobre a linha 12 (Safira, que liga o Brás ao município de Suzano) da Companhia Paulista de Trens Metropolitanos (CPTM) e sobre o rio Tietê. Essa ligação leva à via marginal do Tietê, ao Aeroporto Internacional de Cumbica, no município de Guarulhos, e à rodovia Presidente Dutra;
- Na extremidade sul, as conexões com as avenidas Aricanduva e Ragueb Chohfi permitem ligações, respectivamente, com a via marginal do Tietê e com os municípios de Santo André, São Bernardo do Campo e Diadema, localizados na importante região do Grande ABC, polo econômico localizado na porção sudeste da metrópole.

Essas ligações viárias posicionam a avenida Jacu-Pêssego no sistema viário principal da cidade e criam importantes acessibilidades metropolitanas e inter-regionais. A falta de tal acessibilidade dificultou a instalação de indústrias na Z7-001 (zona de uso estritamente industrial instituída pelo zoneamento municipal em 1981 na extremidade da região Leste), que coincide com a Zupi (Zona de Uso Predominante Industrial) instituída em 1993 por legislação estadual visando ao desenvolvimento de um polo industrial na região. A existência de grandes glebas desocupadas no interior dessa zona, no atual contexto de escassez crescente de terras não edificadas, reforça a importância estratégica desse trecho da cidade e impõe a necessidade de um aproveitamento adequado dessa parte da zona Leste.

O segundo trecho localiza-se no eixo industrial mais antigo da cidade de São Paulo. Trata-se do eixo junto ao rio Tamanduateí, importante afluente do rio Tietê, que se estrutura a partir da avenida do Estado e da Linha 10 (Turquesa) da CPTM, que liga o Centro histórico paulistano com o município Rio Grande da Serra, na região do Grande ABC. A modernização dessa ferrovia segundo os padrões do metrô poderá articular uso e atividades diversificadas com novas estações. A ocupação industrial deste eixo iniciou-se nas primeiras décadas do século XX, principalmente na altura dos atuais distritos do Brás e Mooca. Nesses distritos instalaram-se as primeiras fábricas do setor têxtil que surgiram em São Paulo. Em meados daquele século, com a entrada de multinacionais produtoras de bens duráveis e a formação do polo econômico da região do Grande ABC, a ocupação industrial intensificou-se com a implantação de grandes fábricas, como, por exemplo, a Ford, que foi desativada recentemente.

O terceiro trecho se encontra no extremo oeste do município, no corredor industrial estruturado ao longo do rio Tietê,[4] próximo às saídas da rodovia Anhanguera e da rodovia Presidente Castelo Branco. É uma área bastante industrializada, próxima ao ponto de encontro dos maiores rios que atravessam a cidade: o Tietê e o Pinheiros. A ocupação urbana e a implantação dessas indústrias se intensificaram em meados do século XX, em especial a partir da instalação, em 1969, da central atacadista de hortifrutigranjeiros (Ceasa), hoje denominada Companhia de Entrepostos e Armazéns Gerais de São Paulo (Ceagesp). A transferência desse equipamento para outro local poderá mudar a configuração urbana e as dinâmicas econômicas do trecho Vila Leopoldina.

O quarto trecho de análise, a exemplo do primeiro trecho, localizado no eixo junto ao rio Jacu, representa uma potencialidade que poderá ser efetivada com a conclusão da Linha Amarela do Metrô, que ligará o distrito da Luz ao Butantã, na altura do bairro Vila Sônia. Essa linha metroviária será uma das mais importantes do sistema de transportes públicos sobre trilhos da cidade, pois conectará três dos principais

[3] Os mapas referentes a cada um dos trechos serão apresentados mais à frente, na parte 3, quando cada área será analisada separadamente.
[4] Trata-se de um corredor que acompanha as avenidas do Estado, via marginal do Tietê e Linhas 7 (Rubi – que liga a Luz com o município de Francisco Morato) e 10 (Turquesa) da CPTM.

pontos de concentração de comércio e serviços inscritos no quadrante sudoeste da cidade: Centro histórico, arredores da avenida Paulista e da avenida Brigadeiro Faria Lima. Ao transpor a via marginal e a calha do rio Pinheiros, com sua importante concentração de escritórios, a Linha Amarela poderá induzir mudanças na implantação de atividades econômicas em partes do distrito Butantã e nas proximidades da Cidade Universitária.

Nas partes seguintes deste texto são apresentadas abordagens sobre as dinâmicas urbanas existentes nesses trechos da cidade que enfocam, principalmente, as problemáticas relacionadas com:

- as transformações econômicas e seus reflexos nos padrões de uso e ocupação do solo;
- eventuais conflitos ou acomodações de usos e padrões de ocupação gerados pela implantação de empreendimentos habitacionais produzidos pelo mercado imobiliário formal;
- o papel exercido por grandes investimentos públicos realizados em períodos anteriores e recentes.

Na primeira parte que segue esta introdução procura-se contextualizar os trechos urbanos analisados no sistema dos principais eixos econômicos da cidade de São Paulo. Trechos que se constituem em localizações articuladas por esse sistema que estrutura macroacessibilidades em escalas intraurbanas e regionais viabilizadas por um conjunto de avenidas, vias expressas, ferrovias, rodovias estaduais e nacionais. Esse sistema viário principal interliga distritos, zonas, municípios metropolitanos, municípios macrometropolitanos, regiões do interior paulista e outros estados do Sul e do Sudeste. São conexões viárias que definem escalas regionais a esses trechos urbanos incrustados no interior da cidade.

Na segunda parte aprofundam-se análises sobre as dinâmicas espaciais existentes nos trechos urbanos abordados. Esses trechos foram selecionados por supostamente serem focos importantes de transformações econômicas e territoriais no interior da cidade, seja de modo concreto, como nos trechos Tamanduateí e Vila Leopoldina, seja em termos potenciais, como nos trechos Jacu-Pêssego e Vila Sônia. Conforme o exposto anteriormente, trata-se de trechos inseridos em espaços territoriais demarcados no Plano Diretor Estratégico do Município (Lei Municipal 13.430/2002) como áreas para a realização de Operações Urbanas Consorciadas que, a depender das estratégias de implementação a serem adotadas, poderão introduzir novas dinâmicas espaciais e econômicas nos locais e instaurar processos de reestruturação urbana com impactos socioeconômicos positivos ou negativos.

Na terceira e última parte discutem-se, de modo breve e sintético, as principais problemáticas e conclusões identificadas nos trechos analisados, de modo a orientar os exames dos principais instrumentos de planejamento e gestão urbana instituídos, recentemente, no município de São Paulo (Plano Diretor Estratégico, Planos Regionais Estratégicos e Lei de Uso e Ocupação do Solo).

2. A inserção dos trechos urbanos no sistema de eixos econômicos da cidade

É inegável a liderança da cidade de São Paulo, e da sua região metropolitana, no panorama econômico brasileiro. Do ponto de vista regional, essa posição é reforçada por um entorno dinâmico marcado pela presença de duas metrópoles de grande porte (Campinas e Baixada Santista) que se conjugam com importantes aglomerações urbanas como, por exemplo, Jundiaí, Sorocaba e São José dos Campos, que polarizam o desenvolvimento de suas respectivas abrangências regionais. Com cerca de 11 milhões de habitantes (2007), o município de São Paulo gerou um Produto Interno Bruto (PIB) da ordem de R$ 160 bilhões em 2004, superado somente pelos valores registrados nos estados de São Paulo, Rio de Janeiro e Minas Gerais (São Paulo, 2007, p. 8). Neste sentido, o PIB municipal paulistano posiciona-se em 4º lugar no cômputo dos valores estaduais.

Segundo a sistematização de dados e indicadores elaborada pela Secretaria Municipal de Planejamento de São Paulo (Sempla), "dos 18 ramos de atividade cujo valor adicionado fiscal é superior a 1 bilhão de reais, três estão no setor de serviços (que são os mais importantes), 12 em diferentes divisões da indústria e três no comércio. Em relação à distribuição espacial dessas atividades, a indústria tem preferência pela proximidade dos grandes eixos viários, os serviços concentram-se no chamado Centro expandido – apontado como núcleo econômico da cidade – e o comércio é a atividade mais difusa do ponto de vista territorial".

Os trechos Tamanduateí e Vila Leopoldina, mencionados na Introdução, inserem-se nessa dinâmica industrial que permanece nos corredores tradicionais conformados no decorrer do século XX, ao longo dos principais eixos ferroviários e rodoviários localizados junto aos grandes rios que atravessam a cidade (Pinheiros, Tietê e Tamanduateí). As grandes referências de localização desses corredores industriais combinam, nas várzeas desses rios paulistanos, vastas extensões de terras planas drenadas no passado por meio de grandes obras de canalização das calhas fluviais, com os binômios formados por largas avenidas expressas e ferrovias reformadas recentemente pela CPTM a fim de melhorar sua utilização no transporte de passageiros. Trata-se da via marginal do Pinheiros (extremidade sul), que corre paralela à linha 9 da CPTM (Osasco–Jurubatuba), da rodovia Anchieta e do arco rodoferroviário formado pela avenida do Estado (nas margens do Tamanduateí), que corre paralela à linha 10 (Luz–Rio Grande da Serra), e via marginal do Tietê. Essa última via corre, por sua vez, numa faixa paralela aos segmentos das linhas ferroviárias 7 (Luz–Jundiaí) e 8 (Luz–Itapevi).

Nesses eixos concentra-se parte significativa dos 52.912 estabelecimentos industriais existentes na cidade, correspondentes a 8,6% de um total de 615.351 estabelecimentos de diferentes setores de atividade no MSP.[5] Foco importante dessa concentração industrial encontra-se no distrito do Brás e em parte do Bom Retiro.

Ao longo desses eixos configuram-se espaços territoriais marcados pela presença das quadras onde a indústria é a atividade predominante, com ou sem convivência com estabelecimentos comerciais. A distribuição dessas quadras não é contínua. No Mapa 2, observa-se que estão principalmente no eixo junto ao rio Tamanduateí, no trecho entre os distritos Brás e Ipiranga, no eixo junto ao rio Tietê, no espaço entre os distritos Bom Retiro e Vila Leopoldina, e no eixo junto ao rio Pinheiros, em dois segmentos:

- naquele que divide os distritos Vila Leopoldina e Jaguaré, na zona Oeste;
- naquele que se encontra na zona Sul, na altura dos distritos Jardim São Luis, Socorro, Santo Amaro e Campo Grande.

Os estabelecimentos industriais localizados nesses eixos concentram a maior parte dos 481.875 empregos desse setor, que representam 16% dos 2.999.965 postos de trabalho formais existentes na cidade.[6] Nas últimas décadas ocorreram mudanças significativas nos eixos industriais da cidade, como discutido nos capítulos 2 (Torres Freire, Abdal e Bessa), 5 (Bessa, Colli e Paula) e 12 (Matteo) deste livro. A redução no número de empregos está diretamente relacionada com a desativação, mudança e reestruturação das unidades instaladas naqueles eixos.

Outra mudança importante é a redução, entre 1997 e 2007, na área construída ocupada por indústrias instaladas em vários trechos desses eixos, conforme o Mapa 3. Em alguns locais historicamente marcados pela presença de indústrias houve diminuição do setor manufatureiro e aumento na área construída ocupada por comércio e serviços (Mapa 4):

- locais junto ao rio Tamanduateí, na altura dos distritos Ipiranga e Vila Prudente;
- locais junto ao rio Tietê, na altura dos distritos Bom Retiro, Pirituba e São Domingos;
- locais junto ao rio Pinheiros, na altura dos distritos Jaguaré, Butantã, Jardim São Luis, Socorro e Cidade Dutra.

Ademais, é interessante notar o aumento da área construída industrial nos distritos periféricos das zonas Sul, Leste e Norte, onde a presença desse tipo de atividade sempre foi muito baixa. Os bairros populares das áreas intermediárias e periféricas da cidade são tidos, na maioria das vezes, como lugares segregados,

[5] RAIS, 2006. Elaboração CEBRAP. Os setores de atividade considerados são: indústria, comércio, serviços, construção civil. Foi excluída deste cálculo a administração pública.
[6] Ver nota 5.

Mapa 2: Uso do solo predominante industrial. MSP, 2006

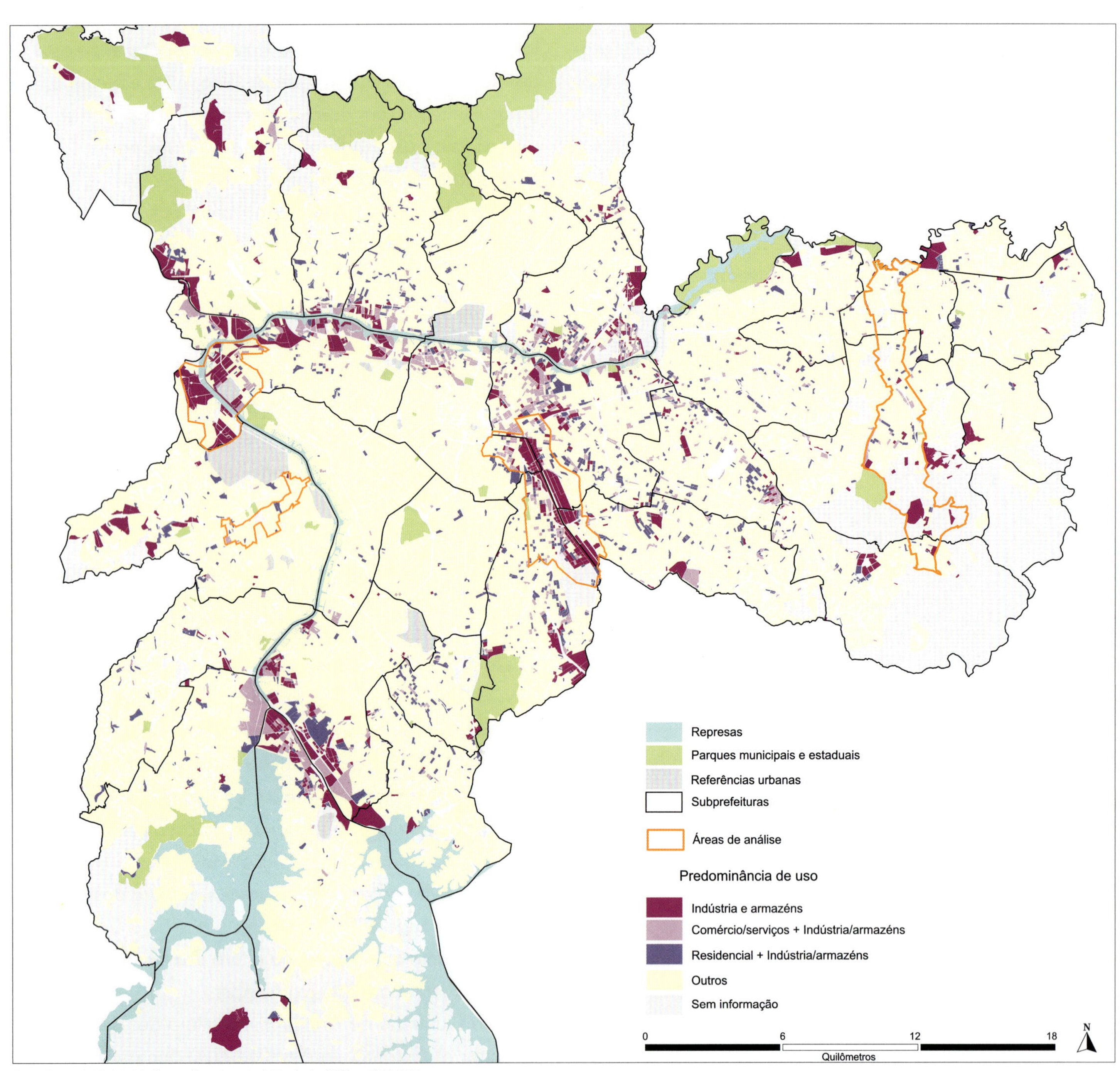

Fonte: Secretaria Municipal de Finanças/Departamento de Rendas Imobiliárias - TPCL 2006.
In: SÃO PAULO (Município). Secretaria Municipal de Planejamento. Infocidade, 2008. Disponível em: <http://sempla.prefeitura.sp.gov.br/infocidade/>.
Adaptação: Centro Brasileiro de Análise e Planejamento – CEBRAP.

Mapa 3: Evolução da área construída. Indústria. MSP, 1997-2007

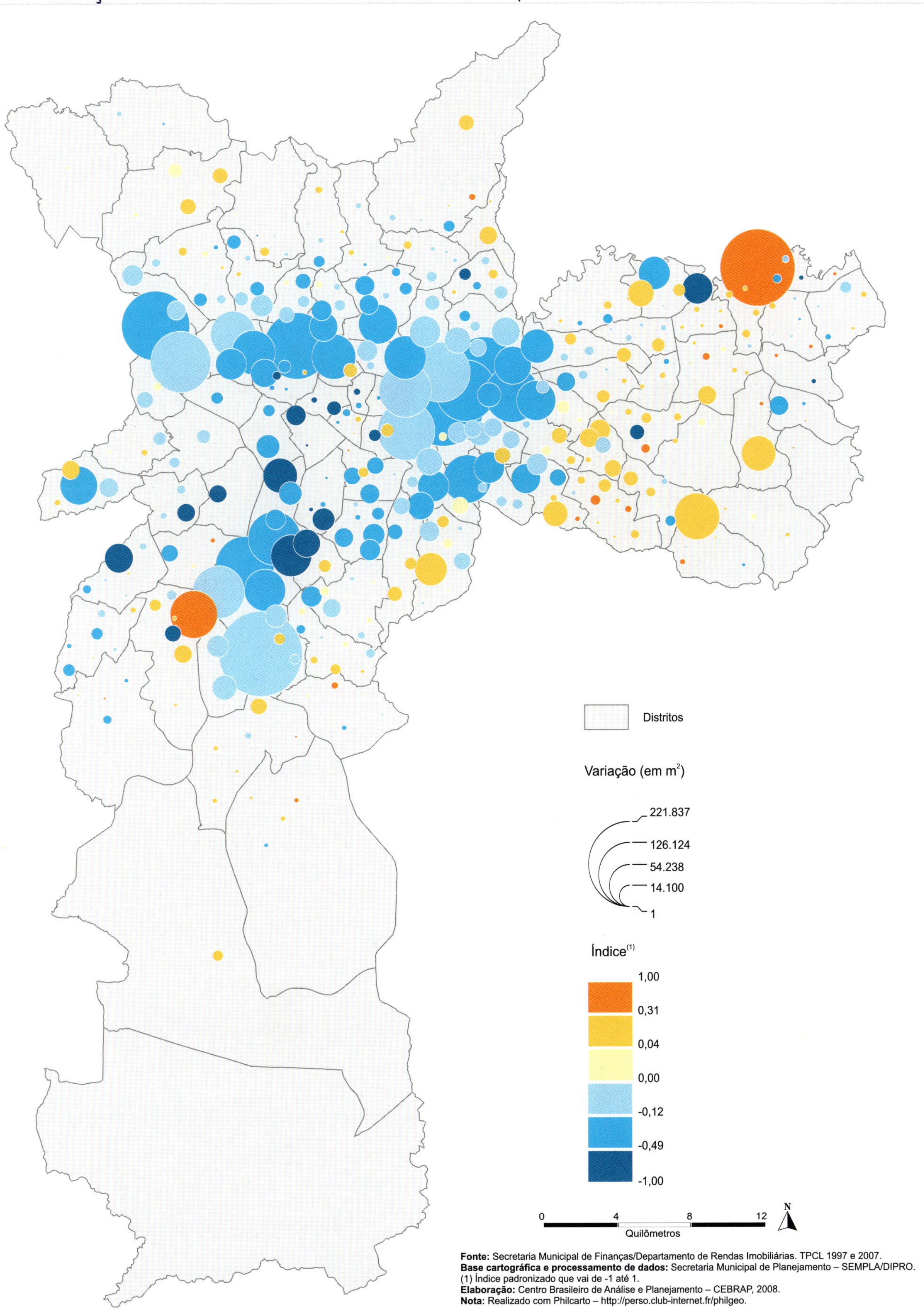

Fonte: Secretaria Municipal de Finanças/Departamento de Rendas Imobiliárias. TPCL 1997 e 2007.
Base cartográfica e processamento de dados: Secretaria Municipal de Planejamento – SEMPLA/DIPRO.
(1) Índice padronizado que vai de -1 até 1.
Elaboração: Centro Brasileiro de Análise e Planejamento – CEBRAP, 2008.
Nota: Realizado com Philcarto – http://perso.club-internet.fr/philgeo.

Mapa 4: Evolução da área construída. Comércio e serviços. MSP, 1997-2007

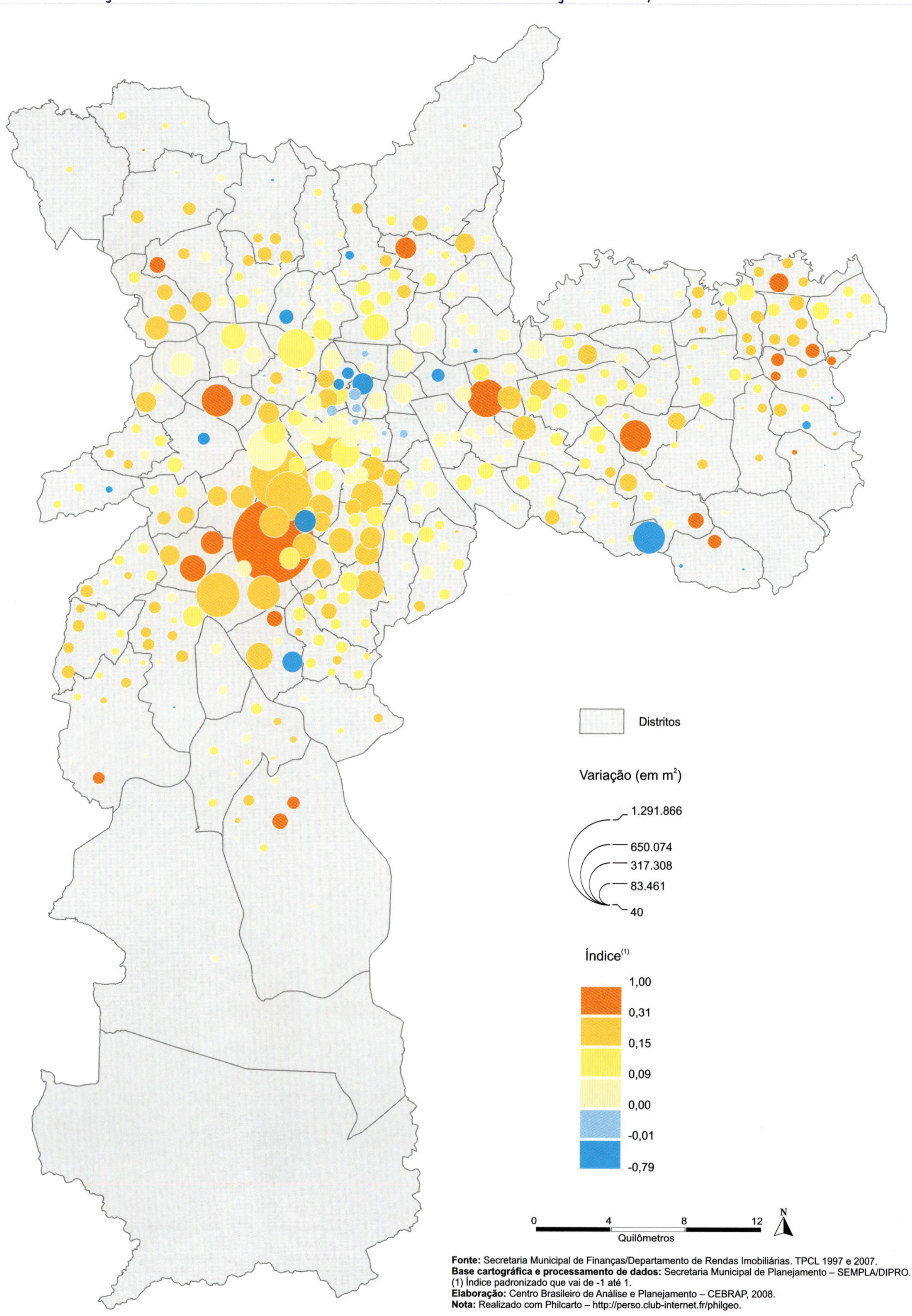

Fonte: Secretaria Municipal de Finanças/Departamento de Rendas Imobiliárias. TPCL 1997 e 2007.
Base cartográfica e processamento de dados: Secretaria Municipal de Planejamento – SEMPLA/DIPRO.
(1) Índice padronizado que vai de -1 até 1.
Elaboração: Centro Brasileiro de Análise e Planejamento – CEBRAP, 2008.
Nota: Realizado com Philcarto – http://perso.club-internet.fr/philgeo.

Mapa 5: Uso do solo predominante de comércio e serviços. MSP, 2006

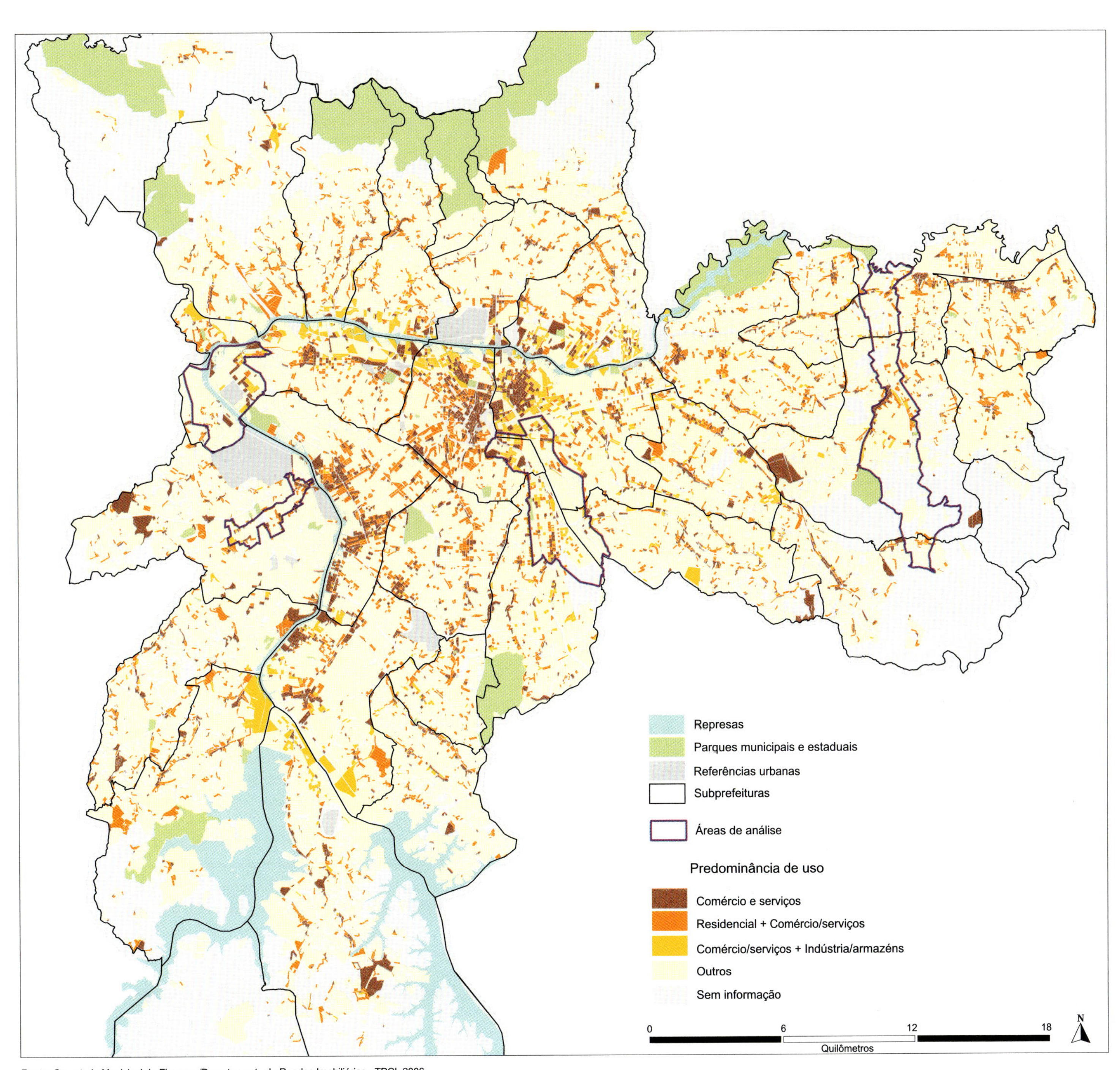

Fonte: Secretaria Municipal de Finanças/Departamento de Rendas Imobiliárias - TPCL 2006.
In: SÃO PAULO (Município). Secretaria Municipal de Planejamento. Infocidade, 2008. Disponível em: <http://sempla.prefeitura.sp.gov.br/infocidade/>.
Adaptação: Centro Brasileiro de Análise e Planejamento – CEBRAP.

Mapa 6: Uso do solo predominante residencial. MSP, 2006

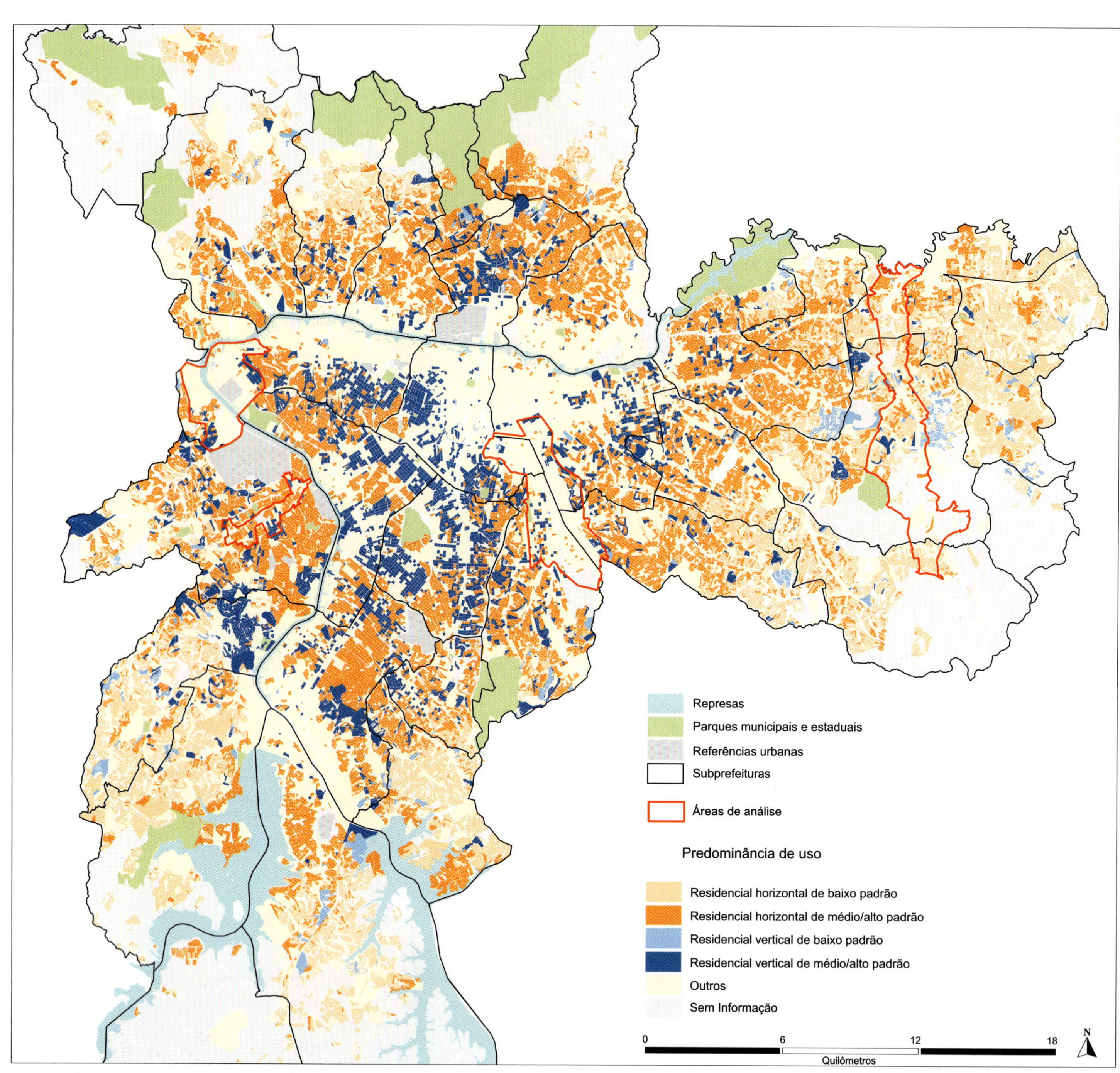

Fonte: Secretaria Municipal de Finanças/Departamento de Rendas Imobiliárias - TPCL 2006.
In: SÃO PAULO (Município). Secretaria Municipal de Planejamento. Infocidade, 2008. Disponível em: <http://sempla.prefeitura.sp.gov.br/infocidade/>.
Adaptação: Centro Brasileiro de Análise e Planejamento – CEBRAP.

precários e informais, ocupados pelas moradias da população de baixa renda. Essa afirmação continua verdadeira, pois os processos de produção do espaço urbano segundo padrões desiguais e predatórios de acesso à terra continuam em plena vigência, aprofundando a apartação social no espaço urbano. Porém, com o processo de consolidação urbana ocorrido nas últimas décadas do século XX, diversas atividades comerciais, produtivas e de serviços surgiram junto às áreas habitacionais desses bairros, gerando microeconomias locais (Mapas 5 e 6). Pequenos estabelecimentos, inclusive industriais, surgem junto às habitações populares elevando a mescla de usos residenciais e não residenciais. É preciso analisar melhor as condições de funcionamento desses estabelecimentos e seus respectivos impactos urbanos.

Não faz parte do escopo deste texto aprofundar as análises sobre esse fenômeno. As análises futuras poderão mostrar em que medida a suposta pulverização das atividades industriais em diversas localizações da cidade se relaciona com os principais eixos e polos econômicos da cidade, ou até mesmo da metrópole, com possíveis efeitos de encadeamento e complementaridade. Neste texto, a pulverização dessas atividades tem importância nas análises sobre os trechos Jacu-Pêssego, na zona Leste, e, provavelmente, Vila Sônia, na zona Oeste. Adiante serão examinados os componentes econômicos existentes nesses trechos e suas eventuais transformações.

Do ponto de vista da inserção urbana dos eixos industriais onde se localizam os trechos Tamanduateí e Vila Leopoldina, há uma contradição que vale a pena explicitar. Apesar dos congestionamentos e falhas operacionais que entravam a circulação de veículos, pessoas e mercadorias através desses eixos intraurbanos, as vias expressas e ferrovias constituem-se como importantes infraestruturas que servem para criar maior fluidez nos deslocamentos de massa realizados por milhões de automóveis, trabalhadores, caminhões de carga, entre outros. Parte desses deslocamentos tem como destino a própria cidade de São Paulo e outra parte é inter-regional, através dos eixos que articulam duas rodovias nacionais[7] e sete estaduais.[8] Essa articulação faz de São Paulo uma verdadeira "encruzilhada" inter-regional conectada a importantes territórios produtivos, consumidores e fornecedores de insumos e matérias-primas localizados em outros estados do Sul e do Sudeste, em especial nas principais aglomerações urbanas da macrometrópole e nos polos regionais do interior paulista.

Essas macroacessibilidades criadas por aqueles eixos e rodovias dão uma dimensão regional e nacional a muitas atividades econômicas da cidade, em particular àquelas localizadas nos trechos Tamanduateí e Vila Leopoldina, e conectam sistemas de lugares intraurbanos que favorecem circuitos econômicos de longa distância. No entanto, essa vantagem se contrapõe aos entraves e obstruções criados por esses mesmos eixos que dificultam as ligações entre as zonas intermediárias e periféricas da cidade, em especial com as localizações do quadrante sudoeste e sua notória concentração de empregos, comércio e serviços urbanos. As macroacessibilidades proporcionadas pelos principais eixos viários e rodovias que cortam a cidade constituem barreiras físicas, dificultam as microacessibilidades aos bairros do entorno e abreviam as possibilidades de funcionamento dos circuitos curtos da economia local.

As Operações Urbanas Consorciadas, previstas no Plano Diretor Estratégico do Município de São Paulo para as áreas que envolvem esse grande complexo viário, devem equacionar essa problemática e equilibrar suas escalas regionais e intraurbanas. O estudo sobre a incidência dos instrumentos de planejamento e gestão urbana nos trechos em análise será feito no capítulo 9 deste livro. O principal desafio desses instrumentos é fazer dos grandes eixos econômicos, estruturados por esse complexo viário, elementos de integração regional e, também, de articulação entre bairros e porções intraurbanas maiores.

As contradições entre acessibilidades macro e micro aparecem com bastante clareza no trecho Tamanduateí. Ele se impõe como obstáculo entre a zona Leste,

[7] BR-116 (Régis Bittencourt e Presidente Dutra) e BR-381 (Fernão Dias).
[8] SP-330 (Anhanguera), SP-348 (Bandeirantes), SP-70 (Ayrton Senna, antiga Trabalhadores), SP-150 (Anchieta), SP-160 (Imigrantes), SP-270 (Raposo Tavares) e SP-280 (Castelo Branco).

espaço territorial com oferta insuficiente de empregos para a população residente, e o quadrante sudoeste, porção privilegiada da cidade que concentra bairros residenciais de alto padrão, os melhores equipamentos culturais e espaços de lazer, e a maior oferta de postos de trabalho, principalmente nos estabelecimentos de serviços.

Há poucos locais para transpor aqueles eixos viários junto ao rio Tamanduateí e seu respectivo corredor industrial ligando a zona Leste com o quadrante sudoeste. As opções existentes encontram-se no distrito Brás, lugar de convergência dos grandes eixos rodoviários, ferroviários e metroviários da zona Leste, e no ponto onde a avenida do Estado transpõe o rio Tamanduateí da sua margem direita para a esquerda, na altura do distrito Ipiranga. A falta dessas transposições faz com que a maioria das viagens diárias das pessoas vindas da zona Leste em direção ao quadrante sudoeste passe pelo centro tradicional, que, desse modo, sofre diariamente pressões intensas provocadas pelo tráfego de passagem.

O padrão de mobilidade da população da zona Leste é induzido, entre outros aspectos, pela atração de viagens que levam aos empregos e equipamentos do quadrante sudoeste, principalmente no setor de serviços. Esse setor, sabidamente heterogêneo em tipos de atividade, possui o maior número de estabelecimentos na cidade em comparação com os setores industriais e comerciais. Segundo a Relação Anual de Informações Sociais (RAIS) de 2006, dos 615.351 estabelecimentos no MSP, 48% são de serviços. Nesse mesmo ano, tais estabelecimentos ofertaram 56,5% do total de empregos formais na cidade.[9]

A inscrição desses estabelecimentos e empregos de serviços nos espaços territoriais do quadrante sudoeste encontra-se em localizações reconhecidas como os principais polos terciários da cidade. Trata-se de conjuntos de quadras do Centro tradicional (em especial nos distritos Sé e República), do entorno da avenida Paulista (na divisa entre os distritos Consolação, Bela Vista, Jardim Paulista e Vila Mariana), no entorno da avenida Brigadeiro Faria Lima (no distrito Pinheiros) e no entorno da avenida Engenheiro Luiz Carlos Berrini (no distrito Itaim Bibi).

Já são perceptíveis alguns "transbordamentos" significativos desses empregos para além do quadrante sudoeste e do rio Pinheiros (na altura do distrito Butantã), do rio Tietê (na altura dos distritos Santana e Vila Guilherme) e do rio Tamanduateí (na altura dos distritos Mooca, Belém e Tatuapé).

O trecho 4, localizado no futuro eixo que será definido pela extensão da Linha Amarela do Metrô, insere-se no vetor de "transbordamento" das atividades comerciais e de serviços do quadrante sudoeste em direção ao distrito Butantã. Essa linha metroviária se constituirá como um dos principais eixos estruturadores desse quadrante, que, apesar do aumento de atividades terciárias nos distritos localizados fora dos seus limites, ainda concentra a maior parte de estabelecimentos e empregos comerciais e de serviços do município de São Paulo.

3. Dinâmicas espaciais em trechos da cidade

A focalização de estudos em trechos específicos da cidade permite observar as manifestações concretas das problemáticas políticas, econômicas, culturais e funcionais relativas às dinâmicas socioespaciais de produção, comercialização, apropriação e consumo dos espaços urbanos. Nas grandes cidades como São Paulo, com alta complexidade e extensos territórios povoados por milhões de pessoas, os trechos urbanos apresentam dinâmicas específicas e indicam mudanças locais cuja análise nos ajuda a compreender as tendências econômicas que afetam a estrutura e as localizações intraurbanas.

A seguir apresentam-se análises sobre os quatro trechos da cidade de São Paulo, posicionados em localizações estratégicas do ponto de vista metropolitano e macrorregional. Esses trechos revelam as diferentes faces e momentos do modelo de desenvolvimento urbano e econômico que orientou o crescimento da cidade de São Paulo. Esse crescimento ocorreu de modo concomitante com os processos de constituição da metrópole e estruturação de um vasto território urbano.

[9] RAIS, 2006. Elaboração CEBRAP. Os setores de atividade considerados são: indústria, comércio, serviços, construção civil. Foi excluída deste cálculo a administração pública.

Trecho Jacu-Pêssego, na zona Leste

A realização de investimentos públicos para a implantação do complexo viário Jacu-Pêssego/Nova Trabalhadores junto ao canal retificado do rio Jacu reproduz o padrão histórico de aproveitamento das várzeas fluviais com a implantação de vias marginais destinadas à circulação de automóveis individuais. Esse padrão cria acessos a terras passíveis de urbanização cuja ocupação estrutura porções do espaço urbano que podem sofrer com problemas de inundações. No caso da avenida Jacu-Pêssego, tais investimentos criaram acessibilidades metropolitanas a uma parte da zona Leste cuja ocupação urbana se intensificou a partir de meados do século XX, com a implantação de loteamentos irregulares, favelas e conjuntos habitacionais de interesse social produzidos pelo Poder Público.

Acredita-se que a realização desses investimentos viários e a criação dessas acessibilidades metropolitanas podem gerar potencialidades para o desenvolvimento urbano e econômico nesse trecho da zona Leste. Porém, a promoção desse desenvolvimento e o aproveitamento adequado daquelas potencialidades exigem a adoção de estratégias de regulação pública articuladas com métodos e instrumentos de planejamento e gestão condizentes com as necessidades e prioridades locais. Estratégias combinadas com canais de participação social que incluam os diferentes grupos sociais e de interesses que vivem e atuam nessa parte da cidade.

A avenida Jacu-Pêssego (Mapa 7), com cerca de 20 km de comprimento e duas pistas de 14 m de largura cada uma, faz parte do Anel Viário Metropolitano, cujo traçado estabelece importantes conexões intrametropolitanas entre o quadrante sudoeste do município de São Paulo e o Aeroporto Internacional de Cumbica, no município de Guarulhos, passando pela região do Grande ABC. Essas conexões são realizadas por meio das avenidas marginal do Pinheiros, Roque Petroni Júnior, Vicente Rao, Cupecê, Presidente Kennedy (Diadema), Fábio E. R. Esquivel (Diadema), Lions (São Bernardo do Campo), Prestes Maia (Santo André), do Estado (Santo André), Presidente Costa e Silva (Santo André), Adélia Chohfi, Raqueb Chohfi, Jacu-Pêssego, rodovia Ayrton Senna e Marginal do Tietê.

A articulação desse trecho da zona Leste com o Aeroporto Internacional de Cumbica, no município de Guarulhos, e com os polos econômicos de São Bernardo do Campo e Santo André, localizados na porção sudeste da metrópole paulistana, é ampliada pelas conexões com vias transversais que também possuem alcance regional, tais como:

- Avenida São Miguel, que se liga, a oeste, com as avenidas Bueno da Veiga e Celso Garcia, que levam à Penha e ao Centro tradicional da cidade, e, a leste, à avenida Marechal Tito e à Estrada de Santa Isabel, que conduzem aos municípios da porção nordeste da metrópole;
- Radial Leste, que estrutura a circulação de praticamente toda a zona Leste e liga o distrito Guaianases, localizado nos extremos da zona Leste, com o Centro tradicional da cidade;
- Linha E da CPTM, também denominada Expresso Leste, que, a oeste, corre paralela à Linha Vermelha do metrô, com o qual se integra nas estações Corinthians-Itaquera, Tatuapé e Brás, e, a leste, conduz ao município de Mogi das Cruzes, que polariza a porção leste da metrópole. No cruzamento entre essa linha ferroviária e a avenida Jacu-Pêssego, encontra-se a estação Dom Bosco, próxima ao centro de Itaquera.

A maior parte da ocupação urbana no entorno do rio Jacu se deu na segunda metade do século XX. Em seu estudo sobre as áreas localizadas nas proximidades da avenida Jacu-Pêssego, Liane Lafer Schevz (2002) mostra a coexistência de favelas, loteamentos irregulares, indústrias, conjuntos habitacionais, centro tradicional de bairro (Itaquera e São Miguel Paulista), residências de classe média, área de proteção ambiental (junto ao Parque do Carmo), locais com cultivo de plantas ornamentais e pesqueiros.

Na extremidade norte da avenida Jacu-Pêssego, localiza-se o precário Jardim Pantanal, ocupação iniciada no ano 1987, em uma porção do Parque

Mapa 7: Jacu-Pêssego

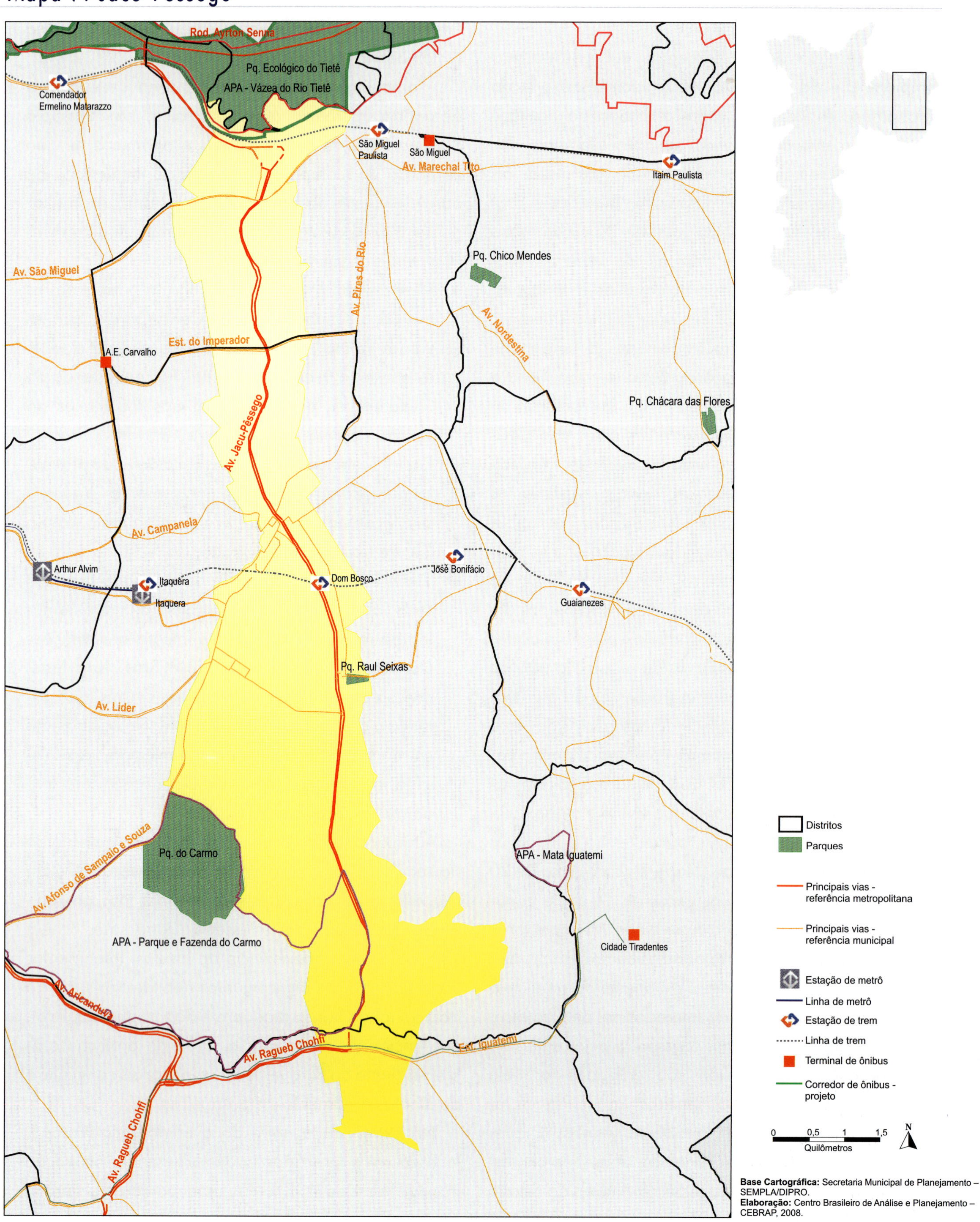

Base Cartográfica: Secretaria Municipal de Planejamento – SEMPLA/DIPRO.
Elaboração: Centro Brasileiro de Análise e Planejamento – CEBRAP, 2008.

Ecológico Tietê, sobre os meandros retificados e aterrados do rio Tietê. Trata-se de um assentamento informal ocupado por população de baixa renda, com péssimas condições de moradia, insalubridade e submetida a graves riscos de inundações. Parte dos moradores que estava em áreas de risco foi transferida para um conjunto habitacional construído nas proximidades.

Além do Jardim Pantanal, Schevz observou a existência de mais de 32 loteamentos irregulares[10] implantados durante o período entre 1966 e 1989. Além desses loteamentos, a autora anotou a presença de 13 favelas[11] implantadas no período entre 1967 e 1992. Os grandes conjuntos habitacionais Itaquera II, Itaquera III e José Bonifácio, produzidos pela Cohab ao longo da década de 1980, definem uma terceira tipologia de assentamentos ocupados com moradias da população de baixa renda.

Esses grandes conjuntos, com mais de 100 mil moradores, são produtos da política habitacional do governo federal operada pelo Banco Nacional de Habitação (BNH) durante o período entre as décadas de 1960 e meados da década de 1980, quando aquele banco foi extinto. Esses conjuntos sobressaem na paisagem urbana por causa dos seus prédios de apartamentos característicos, com cinco pavimentos, que se enfileiram monotonamente nas grandes quadras, onde há escassez de atividades comerciais e de serviços. A aridez desses grandes conjuntos se agrava com a existência de áreas vazias, ociosas e com usos indefinidos que desarticulam os espaços entre os prédios e distanciam os lugares de moradia dos equipamentos comunitários e das áreas de consumo.

Aqueles diferentes tipos de assentamentos informais ocupados com moradias da população de baixa renda resultam do chamado "padrão periférico de urbanização", analisado por diversos estudiosos durante a década de 1980. Tal padrão caracterizou o crescimento periférico da cidade e da metrópole durante as décadas de 1960 e 1970 e disseminou milhões de habitações construídas pelos próprios moradores ao longo de vários anos. Essas habitações, permanentemente inacabadas, definem os espaços territoriais e a paisagem da maior parte das periferias urbanas, inclusive na zona Leste e no entorno da avenida Jacu-Pêssego.

Os assentamentos urbanos produzidos segundo o "padrão periférico de urbanização" e caracterizados por irregularidade fundiária, precariedade das moradias, situações de pobreza, distância em relação às melhores áreas da cidade, adensamento crescente e demandas por infraestruturas, equipamentos e serviços urbanos, impõem uma importante agenda para a política urbana baseada na busca no direito à cidade e no cumprimento das funções sociais das propriedades urbanas.

No trecho urbano junto à avenida Jacu-Pêssego, a consolidação desses assentamentos informais ao longo das décadas leva ao surgimento de pequenas atividades econômicas que convivem com estabelecimentos de grandes redes de supermercados.

Não é possível, neste texto, realizar análises mais detalhadas sobre as relações de conflito e complementaridade entre essa microeconomia popular existente nos assentamentos informais e aqueles grandes estabelecimentos comerciais. Vale ressaltar a importância da diferenciação entre esses componentes econômicos e sua incorporação nas estratégias de reestruturação urbana desse trecho da cidade.

As Tabelas 1 e 2 apresentam o número de estabelecimentos e de empregos[12] no trecho Jacu-Pêssego. No período entre 1996 e 2006 houve um aumento de 5.470 para 8.254 estabelecimentos dedicados a atividades de diferentes setores da economia local. A participação desses estabelecimentos no total municipal corresponde a 0,94% (1996) e 1,31% (2006). Essa tendência crescente demonstra o surgimento de certa dinâmica econômica nos arredores da avenida Jacu-Pêssego. Provavelmente, essa tendência está

[10] Os loteamentos irregulares identificados por Schevz são, por exemplo: Villa Reis (1972), Jardim Planalto (1978), Jardim das Camélias (1981), Parque Guarany (1984), Cidade A. E. Carvalho (1984), Jardim Santa Maria I e II (1987), Jardim Santa Maria (1989).
[11] Algumas das favelas identificadas por Schevz são: Mogno Guarani (1967), Joia V (1970), Reis V (1972), Taquari V (1976), Guarani (1980), Lírio da Serra (1981), Limoeiro I (1982), Laranja da China (1984).
[12] Estas informações têm como fonte principal a Relação Anual de Informações Sociais (Ministério do Trabalho e Emprego – MTE). A RAIS é preenchida anualmente por todos os estabelecimentos com inscrição no Cadastro Nacional de Pessoas Jurídicas (CNPJ) – inclusive pelas empresas individuais –, e nela eles devem prestar informações sobre trabalhadores com vínculo empregatício formal. É importante frisar sempre que é uma ótima fonte de dados censitária, porém apenas sobre o mercado de trabalho formal no Brasil.

relacionada com o incremento na acessibilidade e articulações territoriais propiciadas pelos investimentos públicos realizados na abertura de vias e em complementações viárias.

Em 2006, 94,6% dos estabelecimentos existentes no trecho Jacu-Pêssego ou não tinham pessoas ocupadas com vínculo empregatício formal, ou possuíam entre 1 e 10 empregados, indicando a existência de dinâmicas baseadas em empreendimentos próprios, com atividades de cunho popular.

A comparação entre os dados de 1996 e 2006 mostra tendências de redução no número de estabelecimentos voltados para a administração pública, a agricultura, a pecuária e o extrativismo. Nesse período, os dados mostram tendências de aumento na indústria, construção civil, comércio, serviços e serviços financeiros. Em números absolutos, esse aumento foi maior entre os pequenos estabelecimentos comerciais e de serviços, sem empregados ou com 1 a 10 empregados, que ganharam, cada um dos tipos, mais de mil unidades. Em 1996, a atividade comercial predominava, com 51,7% do total de estabelecimentos existentes no trecho. Em 2006 essa atividade declina um pouco e os serviços avançam, com incremento de 80% no número de estabelecimentos (Tabela 3).

Entretanto, o maior incremento percentual foi registrado no setor de serviços financeiros, que teve aumento de 219%. Nesse setor havia 36 estabelecimentos em 1996 e 115 em 2006. Esse aumento das atividades financeiras está diretamente relacionado com a dinâmica percebida nas outras atividades.

Tabela 1: Emprego e estabelecimento (por porte) no MSP e no eixo selecionado segundo grandes setores de atividade econômica
Eixo Jacu-Pêssego - 1996

Setor de atividade	Emprego				Estabelecimento									
											Total			
	Eixo	% no Eixo	MSP	% no MSP	0	de 1 a 10	de 11 a 50	de 51 a 100	de 101 a 500	500 ou mais	Eixo	% no Eixo	MSP	% no MSP
Agric. pec. e ind. extrat.	47	0,2	8.690	0,54	27	2	1	0	0	0	30	0,5	5.769	0,52
Indústria	6.701	25,8	795.745	0,84	444	201	76	13	15	0	749	13,7	71.624	1,05
Construção civil	3.167	12,2	176.154	1,80	143	37	10	3	3	1	197	3,6	16.327	1,21
Comércio	3.236	12,4	493.202	0,66	2.235	535	49	5	2	0	2.826	51,7	249.558	1,13
Serviços	8.289	31,9	1.025.048	0,81	1.359	219	34	3	7	3	1.625	29,7	225.255	0,72
Serviços financeiros	261	1,0	142.641	0,18	22	6	7	1	0	0	36	0,7	14.531	0,25
Administração pública	4.318	16,6	783.327	0,55	3	0	0	2	0	2	7	0,1	1.026	0,68
Total	26.019	100,0	3.424.807	0,76	4.233	1.000	177	27	27	6	5.470	100,0	584.090	0,94

Fonte: RAIS/MTE. Elaboração CEBRAP.

Tabela 2: Emprego e estabelecimento (por porte) no MSP e no eixo selecionado segundo grandes setores de atividade econômica
Eixo Jacu-Pêssego - 2006

Setor de atividade	Emprego				Estabelecimento									
											Total			
	Eixo	% no Eixo	MSP	% no MSP	0	de 1 a 10	de 11 a 50	de 51 a 100	de 101 a 500	500 ou mais	Eixo	% no Eixo	MSP	% no MSP
Agric. pec. e ind. extrat.	24	0,1	5.460	0,44	26	1	1	0	0	0	28	0,3	2.562	1,09
Indústria	7.252	21,0	493.287	1,47	530	184	116	17	15	0	862	10,4	54.202	1,59
Construção civil	2.307	6,7	139.501	1,65	211	28	18	2	3	1	263	3,2	14.850	1,77
Comércio	8.783	25,5	679.965	1,29	3.070	836	136	6	13	0	4.061	49,2	251.261	1,62
Serviços	15.744	45,6	1.569.751	1,00	2.348	470	82	18	2	4	2.924	35,4	287.976	1,02
Serviços financeiros	389	1,1	154.117	0,25	85	17	12	1	0	0	115	1,4	17.166	0,67
Administração pública	0	0,0	818.774	0,00	1	0	0	0	0	0	1	0,0	638	0,16
Total	34.499	100,0	3.860.855	0,89	6.271	1.536	365	44	33	5	8.254	100,0	628.655	1,31

Fonte: RAIS/MTE. Elaboração CEBRAP.

Tabela 3: Variação do emprego e de estabelecimento por porte segundo grande setor de atividade
Eixo Jacu-Pêssego e MSP - Variação 1996-2006

Setor de atividade	Var. % emprego		Var. % estabelecimento							
			0	de 1 a 10	de 11 a 50	de 51 a 100	de 101 a 500	500 ou mais	Total	
	Eixo	MSP							Eixo	MSP
Agric. pec. e ind. extrat.	-49	-37	-3,70	-50	0	*	*	*	-7	-56
Indústria	8	-38	19,37	-8	53	31	0	*	15	-24
Construção civil	-27	-21	47,55	-24	80	-33	0	0	34	-9
Comércio	171	38	37,36	56	178	20	550	*	44	1
Serviços	90	53	72,77	115	141	500	-71	33	80	28
Serviços financeiros	49	8	286,36	183	71	0	*	*	219	18
Administração pública	-100	5	-66,67	*	*	-100	*	-100	-86	-38
Total	33	13	48,15	54	106	63	22	-17	51	8

Fonte: RAIS/MTE. Elaboração CEBRAP.

* As células sem valor constituem cruzamentos sem nenhum caso em 1996.

O número total de estabelecimentos industriais aumentou de 749 para 862 (variação de 15%) no trecho em análise,[13] enquanto o MSP como um todo registrou redução de 24%. Nos arredores da avenida Jacu-Pêssego, houve redução entre as indústrias com 1 a 10 empregados, que diminuíram de 201 para 184 unidades (variação de -8%). Aquelas com 101 a 500 empregados permaneceram estáveis com 15 unidades. O maior aumento no número de indústrias ocorreu no conjunto de estabelecimentos sem empregados: de 444 para 530 (variação de 19,37%). Ademais, houve um pequeno crescimento no número de estabelecimentos com 11 a 50 empregados, que registram 13 unidades em 1996 e 17 em 2006 (variação de 53%). Esses dados reforçam a importância dos pequenos estabelecimentos na dinâmica econômica do trecho Jacu-Pêssego.

Essa dinâmica apontada pelo aumento no número de estabelecimentos dos setores industrial, comercial, de serviços, de serviços financeiros e da construção civil provocou aumento no número de pessoas ocupadas, exceto na construção civil, que registrou redução de -27% no período entre 1996 e 2006. Nesse período, o pessoal ocupado na indústria aumentou 8%, no comércio 171%, nos serviços 90% e nos serviços financeiros 49%.

Em 2006, o setor de serviços absorvia a maior parte do pessoal ocupado: 15.744 trabalhadores, correspondentes a 45,6% do total computado no trecho. É interessante observar que o setor comercial, com 8.783 pessoas ocupadas, absorvia número aproximado àquele de trabalhadores industriais, que somavam 7.252 pessoas, apesar de aquele setor possuir número bem maior de estabelecimentos do que as indústrias.

Nas proximidades da avenida Jacu-Pêssego, há duas universidades privadas, Universidade Cruzeiro do Sul (Unicsul) e Universidade Castelo (Unicastelo), que são anteriores à implantação desta via. Nas proximidades dessas universidades há focos de verticalização residencial, que aparecem também em pontos do centro de Itaquera e do entorno da estação ferroviária Dom Bosco.

De acordo com os dados da Embraesp,[14] foram lançados 74 empreendimentos residenciais no período entre 1992 e 2008, dos quais 46 são horizontais e 32 verticais. Os empreendimentos horizontais se implantaram em terrenos com área entre 152.38 m² e 6.453,52 m² e ocuparam um total de 58.574,60 m². Os empreendimentos verticais se implantaram em terrenos com áreas entre 500 m² e 18.948 m² e ocuparam um total de 139.465,97 m² de terras urbanas.

A distribuição das unidades habitacionais produzidas nesses empreendimentos pode ser descrita do seguinte modo:

[13] Os setores industriais que tiveram aumento no número de estabelecimentos no trecho junto ao rio Jacu foram: fabricação de produtos têxteis; de celulose, papel e produtos de papel; edição, impressão e reprodução de gravações; fabricação de artigos de borracha e plásticos; metalurgia básica; fabricação de produtos de metal (exclusive máquinas e equipamentos); fabricação de máquinas e equipamentos; de material eletrônico e de aparelhos e equipamentos de comunicações; de outros equipamentos de transporte.

[14] Todos os dados da EMBRAESP utilizados neste texto foram tabulados pelo DIPRO da SEMPLA.

- 37 empreendimentos horizontais produzidos no período entre 2000 e 2008 possuem 669 unidades com 2 dormitórios e área útil variando entre 48 m² e 104,19 m²;
- 9 empreendimentos horizontais produzidos entre 2002 e 2006 possuem 70 unidades com 3 dormitórios e área útil variando entre 56 m² e 101 m²;
- 26 empreendimentos verticais produzidos entre 1992 e 2007 possuem 3.476 unidades com 2 dormitórios e área útil variando entre 39 m² e 58,53 m²;
- 6 empreendimentos verticais produzidos entre 1994 e 2008 possuem 506 unidades com 3 dormitórios e área útil variando entre 50,32 m² e 71 m².

Vale observar que a dinâmica imobiliária do trecho junto ao rio Jacu é movimentada principalmente por pequenos empreendimentos horizontais, que possuem em média 16 unidades habitacionais destinados à classe média baixa que vive na região e mantém o centro de Itaquera em funcionamento.

Esse centro comercial e de serviços se desenvolveu em função da antiga estação ferroviária, que foi desativada com um trecho ferroviário que levava até Guaianases. O leito desse segmento desativado foi ocupado pela extensão da Radial Leste e os trens passaram a circular na Linha E da CPTM (Expresso Leste). Ambas as vias passam sobre a avenida Jacu-Pêssego, cujo segmento ao sul dessa ferrovia atravessa um espaço territorial que se destaca no contexto da zona Leste por grandes glebas não edificadas remanescentes da chamada Colônia Japonesa, cujos membros mantinham chácaras com atividades hortifrutigranjeiras. Essa colônia se desestruturou e a zona não atraiu grande quantidade de estabelecimentos industriais. Aparentemente, esse processo está mudando com a instalação de atividades econômicas no trecho em análise. O desenvolvimento dessas atividades irá reposicionar a zona Leste no conjunto da metrópole. É preciso cuidar para que esse desenvolvimento não seja fator de expulsão dos moradores de baixa renda que vivem no trecho Jacu-Pêssego e em suas proximidades.

Trecho Tamanduateí, entre a zona Leste e o quadrante sudoeste

A ocupação urbana na várzea do rio Tamanduateí segue os padrões de estruturação dos territórios industriais da cidade de São Paulo ocorrida ao longo do século XX. Tal padrão baseia-se no aproveitamento dos terrenos planos drenados com a canalização do rio e beneficiados pela acessibilidade e por articulações inter-regionais criadas por ferrovias e, posteriormente, por grandes avenidas que viabilizaram e continuam a viabilizar o acesso dos trabalhadores às fábricas, o transporte de matérias-primas e o escoamento dos produtos e mercadorias (Mapa 8).

No ano de 1867, a implantação da antiga ferrovia São Paulo Railway conectou a cidade de São Paulo com Jundiaí e o Porto de Santos, no litoral sul. Na várzea do rio Tamanduateí, onde parte dessa ferrovia aproveita os terrenos planos existentes, surgiram os primeiros bairros industriais localizados nos atuais distritos do Pari, Brás e Mooca. A ocupação urbana dessa várzea "deu-se em épocas diversas, resultando em características diversas de ocupação do solo de predominância de uso – as áreas próximas à região central apresentam uso predominantemente comercial (junto a pequenas confecções) e estrutura fundiária com terrenos menores, enquanto ao longo da ferrovia o uso é predominantemente industrial, com grandes terrenos" (Menegon, 2008, p. 119).

Durante as quatro primeiras décadas do século XX, estruturou-se um verdadeiro cinturão industrial ao longo dessa ferrovia, no arco formado pelos espaços entre a Lapa e o Ipiranga. A tecelagem e a produção de alimentos eram as principais atividades desenvolvidas nessas indústrias. A partir de meados do século XX ocorreram mudanças significativas nos padrões de implantação industrial nos espaços territoriais da cidade de São Paulo. A associação entre as indústrias e o modelo rodoviário de transporte ganha impulso com o fortalecimento das indústrias automobilísticas, a disseminação dos automóveis individuais e a realização de grandes investimentos no sistema viário.

Mapa 8: Tamanduateí

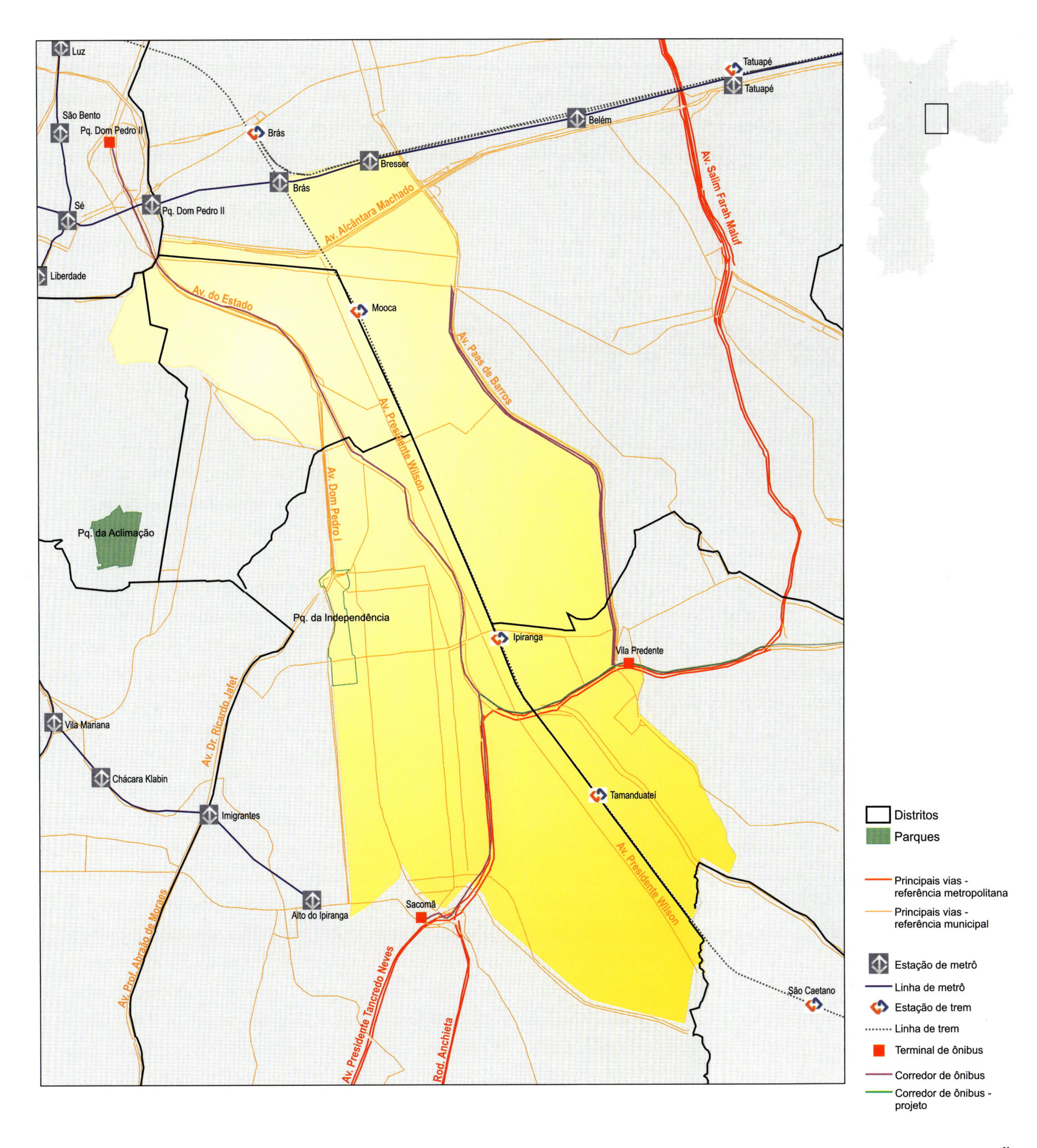

Base Cartográfica: Secretaria Municipal de Planejamento – SEMPLA/DIPRO.
Elaboração: Centro Brasileiro de Análise e Planejamento – CEBRAP, 2008.

De um lado, as novas acessibilidades criadas pela abertura das rodovias Anchieta e Presidente Dutra atraem a instalação de indústrias em pontos da região metropolitana (municípios de Guarulhos e da região do Grande ABC). Tais indústrias eram voltadas para a produção de bens duráveis como, por exemplo, eletrodomésticos e automóveis, que necessitam de espaços maiores para as suas fábricas, pátios, armazéns e estacionamentos.

De outro lado, a acessibilidade aos espaços industriais produzidos junto às antigas ferrovias ganha um reforço rodoviarista com a canalização do rio Tamanduateí e a implantação da avenida do Estado na primeira gestão do prefeito Francisco Prestes Maia, no período entre 1938 e 1945. Esse rio e a via marginal sofrem intervenções e melhoramentos até o final da década de 1970, durante a gestão do prefeito Olavo Egydio Setubal. A abertura da via marginal ao rio Tietê, no final da década de 1960, também se coloca como um reforço rodoviarista na acessibilidade às indústrias instaladas nas várzeas desse rio.

No trecho urbano junto ao rio Tamanduateí, a realização de investimentos públicos na construção da avenida do Estado, conectada à rodovia Anchieta por meio da rua das Juntas Provisórias, na altura do distrito Ipiranga, serviu para a atualização de potencialidades dos antigos espaços industriais estruturados pela antiga ferrovia. No momento da desconcentração industrial em direção aos polos metropolitanos que estavam se formando junto às rodovias, essa atualização colocou tais espaços em sintonia com as tendências de desenvolvimento dos polos da indústria automobilística no município de São Bernardo do Campo. A continuação da avenida do Estado em direção sudeste articulou aqueles espaços com as principais áreas industriais do município de Santo André. A implantação, durante a década de 1950, da indústria automobilística Ford numa grande gleba localizada na Mooca, junto à avenida do Estado, pode ser vista como parte de um processo de atualização desse trecho urbano, num dos primeiros momentos de reestruturação produtiva ocorridos na cidade de São Paulo, em meados do século XX.

Na década de 1980 aparecem as evidências de nova desconcentração industrial em direção a outras partes do país, em especial a chamada macrometrópole, que envolve uma área inserida num raio de 150 km a partir da cidade de São Paulo. Nessa região localizam-se as outras duas metrópoles do estado de São Paulo, a de Campinas e a da Baixada Santista, e importantes núcleos urbanos, como Sorocaba, tradicional centro industrial localizado a oeste da cidade de São Paulo, e São José dos Campos, polo universitário, tecnológico e de pesquisas localizado a nordeste, no Vale do Paraíba.

Nesse contexto, o que acontece no interior dos antigos espaços industriais localizados junto ao rio Tamanduateí? Quais são as mudanças socioeconômicas e físico-espaciais que ocorrem nesses espaços? Quais agendas e prioridades de investimentos, planejamento e gestão são necessárias para atualização desses espaços na atual conjuntura urbana da metrópole?

Para buscar respostas a essas indagações, é preciso conhecer melhor as dinâmicas espaciais existentes nesse trecho urbano. Sabe-se que nele "algumas plantas industriais não estão mais sendo utilizadas para a produção, mas para estocagem e armazenagem sendo que outras estão vazias ou abandonadas" (Menegon, 2008, p. 96). Há dinâmicas espaciais distintas em diferentes partes do trecho urbano analisado. Há locais que perdem e outros que ganham estabelecimentos industriais.

A afirmação acima, extraída do estudo elaborado por Natascha Mincoff Menegon, baseia-se na espacialização de dados da Pesquisa sobre Atividade Econômica Paulista (Paep) da Fundação Seade dos anos de 1996 e 2001. Essa espacialização mostra três grandes aglomerações industriais com estabelecimentos de alto valor adicionado (mais de R$ 10 milhões), localizados nas porções sudoeste da cidade (distritos Santo Amaro, Campo Grande, Socorro, Itaim Bibi e Pinheiros), oeste (Vila Leopoldina, Lapa, Barra Funda e Limão) e sudeste (Cambuci, Ipiranga, Sacomã, Mooca, Belém, Brás e Bom Retiro). Nessa última porção urbana, na qual se insere o trecho localizado junto ao rio Tamanduateí, as aglomerações industriais do

Sacomã não apareciam na Paep de 1996 e surgiram na de 2001 (Menegon, 2008, p. 100-1).

Característica interessante anotada por Menegon em relação à aglomeração industrial no vetor sudeste do município de São Paulo diz respeito à sua relação com a cidade. Usando a classificação industrial definida por Alexandre de Carvalho Tinoco (2001) para caracterizar os tipos de indústria localizados nessas aglomerações, a autora identifica, nessa porção sudeste, a concentração das indústrias classificadas como "urbano-contingentes", que não possuem alta dependência em relação às demais atividades, oportunidades e funções eminentemente urbanas.

As indústrias "urbano-contingentes" concentradas na parte sudeste da cidade não apresentam alto grau de inovação e possuem dependência "relativa às fontes típicas de aglomeração comercial, não necessariamente de grandes metrópoles, como clientes, fornecedores e competidores" (Menegon, 2008, p. 98). São, por exemplo, as de "edição, impressão e gravação, borracha e plásticos, produtos de metal, metalurgia básica, vestuário e acessórios, produtos têxteis e papel e celulose" (idem, ibidem).

No interior da área definida no Plano Diretor Estratégico do município de São Paulo para a realização da Operação Urbana Consorciada Diagonal Sul (OUCDS), onde se insere o trecho Tamanduateí, 67% das unidades industriais identificadas pela Paep 2001 poderiam ser classificadas na categoria dos estabelecimentos "urbano-contingentes". Segundo Menegon, nessa área da OUCDS houve redução no número de unidades industriais no período entre 1996 e 2001. De acordo com a Paep 1996, havia 752 unidades industriais nessa área. A Paep 2001 identificou 558 unidades, ou uma queda de 194 unidades. A maior redução se deu nas unidades classificadas como "urbano-contingentes", que registraram queda de 152 unidades, ou seja, -29,29%.

Os dados da RAIS de 1996 e 2006 mostram a mesma tendência de queda no número de estabelecimentos industriais no trecho junto ao rio Tamanduateí, na altura dos distritos Cambuci, Ipiranga, Mooca e Vila Prudente. Conforme as Tabelas 4 e 5, a seguir, em 1996, havia 2.811 estabelecimentos industriais e, em 2006, havia 1.853. A redução foi de 34%, conforme Tabela 6. Ela ocorreu nos estabelecimentos enquadrados em todas as faixas de número de empregados. Em termos percentuais, a maior redução ocorreu entre as indústrias com mais de 500 empregados (-53%).

Essa queda no número de estabelecimentos industriais refletiu-se diretamente na redução do contingente de pessoal ocupado nesse setor, que é o maior empregador no trecho em análise, de -44%. No MSP como um todo, tal redução foi de -38%.

Essa redução ocorreu também no número de estabelecimentos de agricultura, pecuária e indústria extrativista, de construção civil, comerciais, de serviços, de serviços financeiros e da administração pública. Entretanto,

Tabela 4: Emprego e estabelecimento (por porte) no MSP e no eixo selecionado segundo grandes setores de atividade econômica
Eixo Tamanduateí - 1996

Setor de atividade	Emprego				Estabelecimento									
											Total			
	Eixo	% no Eixo	MSP	% no MSP	0	de 1 a 10	de 11 a 50	de 51 a 100	de 101 a 500	500 ou mais	Eixo	% no Eixo	MSP	% no MSP
Agric. pec. e ind. extrat.	45	0,0	8.690	0,52	113	10	0	0	0	0	123	0,8	5.769	2,13
Indústria	64.427	57,8	795.745	8,10	1.296	806	457	125	110	17	2.811	17,7	71.624	3,92
Construção civil	4.985	4,5	176.154	2,83	194	82	32	4	5	1	318	2,0	16.327	1,95
Comércio	16.661	15,0	493.202	3,38	4.378	1.873	259	32	14	1	6.557	41,3	249.558	2,63
Serviços	22.630	20,3	1.025.048	2,21	3.937	1.459	260	40	29	4	5.729	36,1	225.255	2,54
Serviços financeiros	1.843	1,7	142.641	1,29	195	54	60	5	0	0	314	2,0	14.531	2,16
Administração pública	824	0,7	783.327	0,11	15	3	3	0	2	0	23	0,1	1.026	2,24
Total	111.415	100,0	3.424.807	3,25	10.128	4.287	1.071	206	160	23	15.875	100,0	584.090	2,72

Fonte: RAIS/MTE. Elaboração CEBRAP.

Tabela 5: Emprego e estabelecimento (por porte) no MSP e no eixo selecionado segundo grandes setores de atividade econômica
Eixo Tamanduateí - 2006

Setor de atividade	Emprego				Estabelecimento									
	Eixo	% no Eixo	MSP	% no MSP	0	de 1 a 10	de 11 a 50	de 51 a 100	de 101 a 500	500 ou mais	Total			
											Eixo	% no Eixo	MSP	% no MSP
Agric. pec. e ind. extrat.	10	0,0	5.460	0,18	9	3	0	0	0	0	12	0,1	2.562	0,47
Indústria	36.169	41,3	493.287	7,33	810	511	389	80	55	8	1.853	14,9	54.202	3,42
Construção civil	1.909	2,2	139.501	1,37	119	42	27	1	6	0	195	1,6	14.850	1,31
Comércio	19.729	22,5	679.965	2,90	3.204	1.538	393	42	16	0	5.193	41,9	251.261	2,07
Serviços	27.141	31,0	1.569.751	1,73	3.363	1.237	248	28	25	10	4.911	39,6	287.976	1,71
Serviços financeiros	1.188	1,4	154.117	0,77	144	47	44	0	1	0	236	1,9	17.166	1,37
Administração pública	1.444	1,6	818.774	0,18	4	0	1	0	0	1	6	0,0	638	0,94
Total	87.590	100,0	3.860.855	2,27	7.653	3.378	1.102	151	103	19	12.406	100,0	628.655	1,97

Fonte: RAIS/MTE. Elaboração CEBRAP.

Tabela 6: Variação do emprego e de estabelecimento por porte segundo grande setor de atividade econômica
Eixo Tamanduateí e MSP - Variação 1996-2006

Setor de atividade	Var. % emprego		Var. % estabelecimento							
			0	de 1 a 10	de 11 a 50	de 51 a 100	de 101 a 500	500 ou mais	Total	
	Eixo	MSP							Eixo	MSP
Agric. pec. e ind. extrat.	-78	-37	-92,04	-70	*	*	*	*	-90	-56
Indústria	-44	-38	-37,50	-37	-15	-36	-50	-53	-34	-24
Construção civil	-62	-21	-38,66	-49	-16	-75	20	-100	-39	-9
Comércio	18	38	-26,82	-18	52	31	14	-100	-21	1
Serviços	20	53	-14,58	-15	-5	-30	-14	150	-14	28
Serviços financeiros	-36	8	-26,15	-13	-27	-100	*	*	-25	18
Administração pública	75	5	-73,33	-100	-67	*	-100	*	-74	-38
Total	-21	13	-24,44	-21	3	-27	-36	-17	-22	8

Fonte: RAIS/MTE. Elaboração CEBRAP.

* As células sem valor constituem cruzamentos sem nenhum caso em 1996.

isso não signitica a ocorrência de um esvaziamento econômico no trecho junto à avenida do Estado, que ainda possui vários estabelecimentos, principalmente do setor comercial e de serviços, que em 2006 representavam, respectivamente, 41,9% e 39,6% do total instalado nesse trecho. Vale observar que essa tendência de queda generalizada no número de estabelecimentos contrasta com as tendências observadas no trecho Jacu-Pêssego, na zona Leste, que apresenta aumento nesses números, indicando crescente dinamismo periférico.

A diminuição no número de estabelecimentos comerciais e de serviços no trecho Tamanduateí não ocorreu de modo homogêneo. Como se pode observar na Tabela 6, houve diminuição no número de pequenos e grandes estabelecimentos comerciais (sem empregados, com 1 a 10 e com mais de 500 empregados) e aumento nos demais. Já no setor de serviços, houve aumento somente no número de estabelecimentos com mais de 500 empregados, com variação de 150%. Em 1996 havia 4 estabelecimentos e em 2006 eram 10. O aumento se deu principalmente nos estabelecimentos que prestam serviços a empresas.

Essas mudanças no universo dos estabelecimentos comerciais e de serviços também impactaram o conjunto de pessoal ocupado nesses setores. No período entre 1996 e 2006 houve, no setor de comércio e serviços, aumento de 18% e 20% no número de pessoas ocupadas, respectivamente. Ambos os setores elevaram sua participação no total de pessoal ocupado no trecho Tamanduateí.

É interessante observar o contraste entre a redução no número de estabelecimentos comerciais e de serviços e o aumento no contingente de trabalhadores ocupados nesses setores. O aumento no número de estabelecimentos comerciais com 11 a 500 empregados é responsável pela elevação no pessoal ocupado nesse setor. Em relação ao setor de serviços, essa elevação é provocada pelo aumento no número de estabelecimentos com mais de 500 empregados. Esses dados são indícios de rearranjos organizacionais e espaciais nesses setores. É provável que os shopping centers e hipermercados, construídos em terrenos antes ocupados por indústrias localizados junto à avenida do Estado, tenham provocado o fechamento dos pequenos comércios locais. Ou então, o fechamento desses pequenos comércios ocorreu por causa da desativação de indústrias cujo funcionamento atraía estabelecimentos de consumo e prestação de serviços. A confirmação ou não dessas hipóteses exige estudos mais detalhados e aprofundados baseados em pesquisas junto aos agentes envolvidos nesses processos de reconversão econômica e urbana.

Aquela tendência geral de redução no número de unidades industriais verificado na área da OUCDS não pode ser tomada como um processo homogêneo que afeta de modo uniforme as diferentes partes do trecho urbano localizado junto ao rio Tamanduateí. Segundo Menegon, a maior perda ocorreu na Mooca e no Ipiranga, locais onde há vários lançamentos de novos prédios de apartamentos. Na Vila Prudente, registrou-se aumento no número de unidades industriais.

Em seu estudo, Menegon (2008) comenta a desativação das indústrias Ford, cujos terreno e instalações localizados na Mooca foram comercializadas no ano de 2002 em duas partes. Uma parte foi vendida para uma grande empresa de metais (Fercoi), que ocupou ⅔ da área e, no futuro, pretende reformar o restante da área e destiná-la para locação industrial. A outra parte do antigo terreno da Ford estava em demolição na época do estudo elaborado por Menegon e, segundo entrevista com trabalhadores envolvidos nessa tarefa, provavelmente será ocupada por um shopping center.

Contrariando afirmações genéricas sobre o simples esvaziamento industrial no trecho urbano junto ao rio Tamanduateí, Menegon identificou tendência de permanência de algumas indústrias junto à avenida Presidente Wilson. Num levantamento exploratório[15] realizado em 2002 e 2008 com 22 estabelecimentos de fabricação de materiais e equipamentos de metais, para verificar o uso de galpões que estavam desativados, colocados à venda ou para locação, a autora notou que vários desses galpões foram reformados por indústrias que ampliaram suas instalações ou se implantaram no local.

Segundo Menegon (2008), "das 22 unidades visitadas, apenas uma encontrava-se fechada (sem sinalização de venda e aluguel), sendo 13 imóveis ocupados por unidades produtivas do mesmo ramo, duas por outros ramos produtivos e quatro por depósito. De forma geral, as indústrias verificadas estão na região há bastante tempo. Mesmo as indústrias que já se encontravam no imóvel há menos de 10 anos, estavam localizadas anteriormente na região, seja em galpões na própria rua ou nos bairros lindeiros. Essa rotatividade foi verificada principalmente entre as unidades que alugam o imóvel. As indústrias proprietárias tendem a permanecer mais tempo no imóvel. As principais razões para a mudança variaram, sendo apontados o valor do aluguel e a necessidade de mais espaço para a produção" (p. 136).

Nesse levantamento a autora percebe efeitos de encadeamento entre as fábricas do setor de metalurgia e fabricação de produtos metálicos e os fornecedores de insumos localizados nas proximidades (idem, p. 154). Nas declarações colhidas junto aos representantes das empresas contatadas, as decisões de permanecer ou se instalar nas proximidades do rio Tamanduateí se devem à presença de fornecedores de chapas metálicas e à dificuldade de encontrar galpões a preços compatíveis em outras partes da cidade, entre outros fatores.

Nos espaços com perda de indústrias, nota-se o avanço de prédios de apartamentos. Isso ocorre nos distritos do Ipiranga, seguindo as tendências de disseminação desse tipo de empreendimentos imobiliários ocorrida na Vila Mariana, e na Mooca, junto à avenida Paes de Barros, que provavelmente acompanha as tendências verificadas no Tatuapé.

Em todo o trecho em análise, conforme os dados da Embraesp, no período entre 1992 e 2008, foram lançados 150 empreendimentos residenciais no tre-

[15] Esse levantamento foi realizado somente nas áreas industriais localizadas na avenida Henry Ford, na Mooca.

cho Tamanduateí, sendo 6 horizontais e o restante vertical. Esses empreendimentos se implantaram em terrenos cuja área varia entre 133,20 m² e 10.867 m². Ocuparam um total de 323.431,84 m² de solo urbano inserido no trecho em análise.

As unidades habitacionais produzidas nesses empreendimentos são de diferentes tipos e se distribuem do seguinte modo:

- 2 empreendimentos produzidos em 2001 e 2008 possuem 242 unidades tipo *studio* com área útil variando entre 30,90 m² e 70 m²;
- 8 empreendimentos produzidos entre 1994 e 2002 possuem 466 unidades com 1 dormitório e área útil variando entre 36,78 m² e 65,10 m²;
- 46 empreendimentos produzidos entre 1993 e 2008 possuem 4.786 unidades com 2 dormitórios e área útil variando entre 45 m² e 84,60 m²;
- 59 empreendimentos produzidos entre 1993 e 2008 possuem 4.675 unidades com 3 dormitórios e área útil variando entre 57,50 m² e 140 m²;
- 40 empreendimentos produzidos entre 1992 e 2008 possuem 2.900 unidades com 4 dormitórios e área útil variando entre 108,10 m² e 240,45 m².

Vale observar que a maior parte dos empreendimentos horizontais possui unidades com 3 dormitórios. Pouco mais da metade do total de unidades produzidas (57,96%) foi destinada para os grupos com maior poder aquisitivo. Os 42,04% restantes foram para os grupos com menor capacidade de pagamento. Esses percentuais mostram certo equilíbrio no atendimento a diferentes segmentos sociais na produção imobiliária realizada no trecho Tamanduateí.

Trecho Vila Leopoldina, na zona Oeste

A urbanização das várzeas localizadas nas proximidades do ponto de encontro dos rios Tietê e Pinheiros, no atual distrito Vila Leopoldina, inicia-se com o arruamento de uma gleba que fazia parte do sítio Emboaçava ou Boaçava, cujo desmembramento ocorreu no ano de 1894. Os primeiros moradores trabalhavam na Estrada de Ferro São Paulo Railway, nas construções dos loteamentos da Companhia City, Alto da Lapa e Bela Aliança, e no recolhimento de areia, lenha e pesca nas várzeas do rio Pinheiros (Vespoli, 2005, p. 104).

A expansão urbana nesse trecho da zona Oeste da cidade a partir de meados da década de 1920 ocorre na esteira do crescimento da Lapa, da Água Branca e da Barra Funda. No início da década de 1930, chegaram as primeiras indústrias na Vila Leopoldina: indústrias Codic, Fundição Honneger e Fábrica de Artefatos de Borracha Pajé (Lobo Jr., 1987, p. 63-4).

Na década de 1950, ocorreu a instalação de outras indústrias no trecho. Em 1969, as atividades econômicas locais ganharam impulso com a implantação da central atacadista de hortifrutigranjeiros conhecida como Ceasa e que atualmente se denomina Ceagesp.

Esse grande equipamento de abastecimento implantou-se em "área negociada pelo governo estadual com a Light entre as avenidas Gastão Vidigal e a marginal do Pinheiros. Esta localização induziu, para as proximidades, uma série de atividades relacionadas com as atividades primárias" (Vespoli, 2005, p. 106). As atividades ligadas à produção de caixas de madeira usadas na embalagem dos produtos comercializados no Ceagesp, localizadas nas quadras entre as avenidas Leopoldina e Gastão Vidigal e na Rua Nagel, são exemplos dessas atividades complementares (Mapa 9).

Segundo informe institucional da Ceagesp, suas instalações ocupam uma área de 700 mil m² por onde circulam, diariamente, mais de 12 mil toneladas de alimentos e, mensalmente, mais de 50 mil pessoas e cerca de 10 mil veículos. Nessas instalações, comercializam-se frutas, legumes, verduras, flores, pescados, entre outros produtos, vindos de diferentes regiões produtoras, inclusive do exterior, para alimentar mais de 60% da Região Metropolitana de São Paulo e de outras partes do país.

Segundo Vespoli, "a expectativa de privatização e transferência do Ceagesp para a região do Rodoanel Metropolitano, entre as rodovias Raposo Tavares e Régis Bittencourt, com o nome de Central Integrada de Abastecimento – Ciap, proposta pelo Ministério da Agricultura em 2001, e incorporada como proposta pelo Plano Diretor Estratégico do Município de São

Mapa 9: Vila Leopoldina

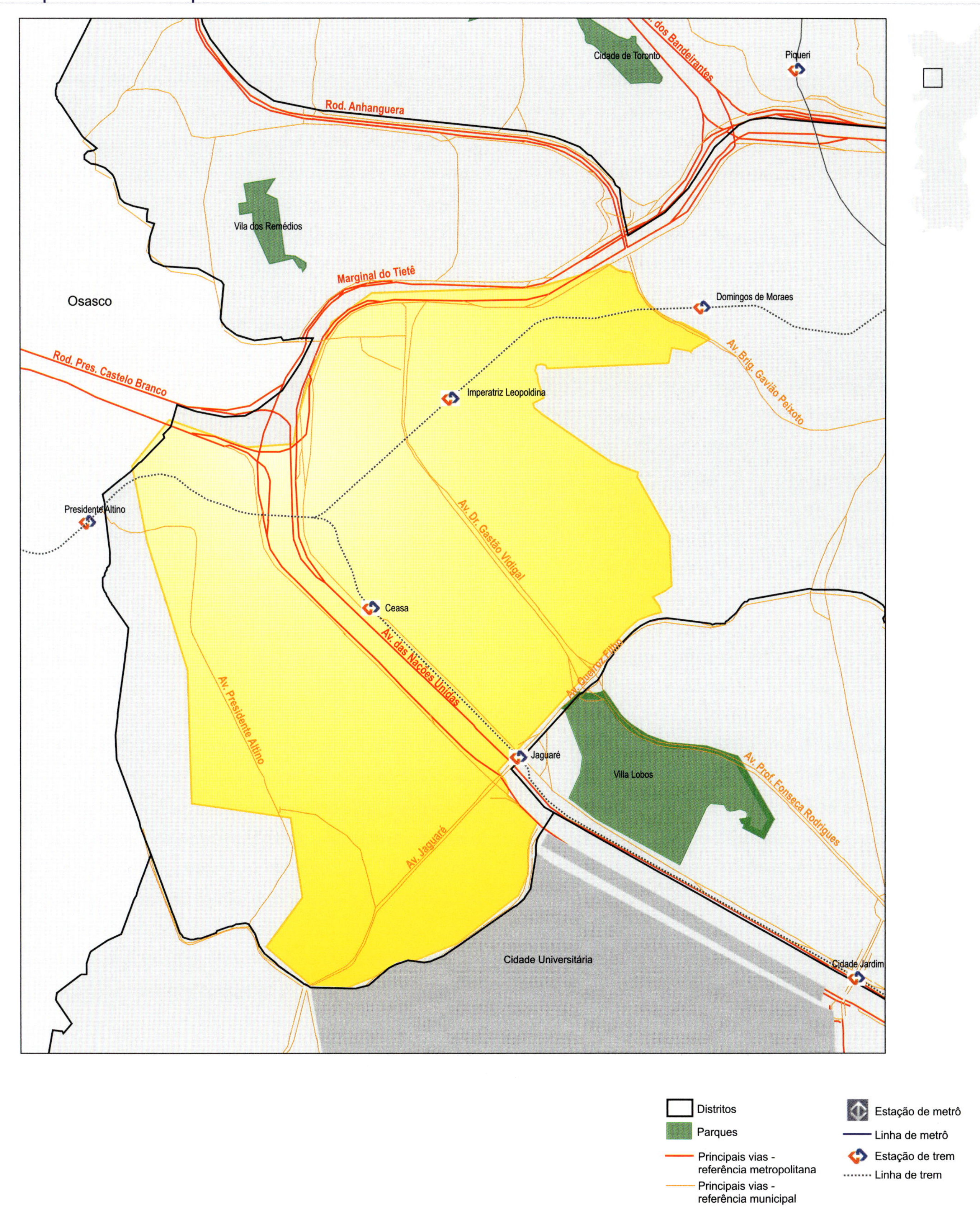

Base Cartográfica: Secretaria Municipal de Planejamento – SEMPLA/DIPRO.
Elaboração: Centro Brasileiro de Análise e Planejamento – CEBRAP, 2008.

Paulo 2002 (PMSP, Sempla, 2002), foi um dos fatores que contribuíram para acelerar as transformações ocorridas na Vila Leopoldina, fazendo com que muitas incorporadoras imobiliárias se voltassem para a região, pela disponibilidade dos grandes terrenos ali existentes" (Vespoli, 2005, p. 142-3).

A possível saída do Ceagesp, somada à previsão de implantação de um parque municipal na área de 54 mil m² entre a marginal do Tietê e a ferrovia, onde estava a usina de compostagem de lixo, e a recente implantação do Parque Villa Lobos junto à via marginal ao rio Pinheiros, nas proximidades da estação ferroviária Jaguaré, abre grandes possibilidades de transformação econômica e urbanística nesse trecho Vila Leopoldina.

Vespoli diz que "a área do Ceagesp que pertencia ao Estado foi entregue à União em 2001 para amortizar uma dívida estadual. Em 2002, a área voltou a pertencer ao Estado, por meio de doação pela União à Fapesp (Fundação de Amparo à Pesquisa do Estado de São Paulo), entidade também localizada na Vila Leopoldina. A transferência do entreposto comercial até os dias de hoje não se concretizou, encontra-se no Programa Nacional de Desestatização – PND do BNDES e seu destino dependerá dos resultados do processo de privatização. No caso da transferência se realizar, existe a possibilidade de se instalar no local um museu de ciência e tecnologia, eliminando-se assim os conflitos da parte baixa da Vila Leopoldina, que é o grande tráfego de caminhões que circulam diariamente pela área envoltória do centro abastecedor de alimentos" (Vespoli, 2005, p. 143).

Entretanto, as transformações urbanísticas causadas pela implantação de empreendimentos imobiliários residenciais não advêm somente dessas possibilidades de saída do Ceagesp ou da implantação do parque na área onde estava a usina de compostagem. Essas transformações vêm a reboque das mudanças nas áreas industriais localizadas nesse trecho inserido na área prevista para a Operação Urbana Consorciada Vila Leopoldina.

Nas Tabelas 7 e 8, observa-se que, em 1996, havia 652 indústrias nesse trecho, correspondente a 12% do total de estabelecimentos instalados nos arredores do ponto de encontro dos rios Tietê e Pinheiros, no distrito Vila Leopoldina. Em 2006, esse número passa para 457 estabelecimentos, correspondente a 7,5% do total. Nesse período, a redução no número de indústrias foi de -30%, conforme a Tabela 9. Do mesmo modo como ocorreu no trecho junto ao rio Tamanduateí e avenida do Estado, a redução no número de indústrias no trecho inserido na área da Operação Urbana Consorciada Vila Leopoldina aconteceu nos grupos de estabelecimentos enquadrados em todas as faixas de número de empregados, com destaque para aqueles com mais de 500 empregados que se reduziram em -50%. Essa redução no número de estabelecimentos industriais se refletiu numa queda de 40% do pessoal ocupado nesse setor.

A diminuição na atividade industrial no trecho urbano da Vila Leopoldina, contrasta com o aumento nas atividades comerciais, de serviços, de serviços financeiros e da administração pública. Diferentemente do trecho Tamanduateí, nesse trecho ocorrem, com maior clareza, reconversões urbanas e econômicas caracterizadas pelo encolhimento das bases industriais acompanhado pela ampliação das demais atividades mencionadas, em especial do comércio, serviços e serviços financeiros.

As Tabelas 7 e 8 mostram que, entre 1996 e 2006, o setor comercial aumentou em 10% o número de estabelecimentos, com destaque para aqueles com 101 a 500 empregados, que passaram de 7 para 33 (aumento de 371%). Esse dado aponta para as cadeias de comércio e serviços que devem estar se dirigindo para o local. Nesse último setor o aumento foi de 41%, com destaque para os grandes estabelecimentos com 101 a 500 empregados, que passaram de 15 para 31 unidades, ou um aumento de 107%.

Esse dinamismo comercial e de serviços no trecho Vila Leopoldina significou forte crescimento no contingente de pessoal ocupado. No comércio, esse contingente aumentou 83% e no de serviços, 14%. É interessante observar os incrementos no setor de serviços financeiros. Entre 1996 e 2006, o número de estabelecimentos nesse setor passou de 70 para 86 (acréscimo de

Tabela 7: Emprego e estabelecimento (por porte) no MSP e no eixo selecionado segundo grandes setores de atividade econômica
Eixo Vila Leopoldina - 1996

Setor de atividade	Emprego				Estabelecimento									
	Eixo	% no Eixo	MSP	% no MSP	0	de 1 a 10	de 11 a 50	de 51 a 100	de 101 a 500	500 ou mais	Total			
											Eixo	% no Eixo	MSP	% no MSP
Agric. pec. e ind. extrat.	115	0,2	8.690	1,32	59	8	3	0	0	0	70	1,3	5.769	1,21
Indústria	21.160	38,9	795.745	2,66	298	165	114	23	42	10	652	12,0	71.624	0,91
Construção civil	3.854	7,1	176.154	2,19	69	26	17	6	3	1	122	2,3	16.327	0,75
Comércio	9.468	17,4	493.202	1,92	1.644	1.038	179	21	7	0	2.889	53,4	249.558	1,16
Serviços	19.142	35,2	1.025.048	1,87	1.063	419	85	19	15	7	1.608	29,7	225.255	0,71
Serviços financeiros	620	1,1	142.641	0,43	42	9	16	2	1	0	70	1,3	14.531	0,48
Administração pública	38	0,1	783.327	0,00	2	1	1	0	0	0	4	0,1	1.026	0,39
Total	54.397	100,0	3.424.807	1,59	3.177	1.666	415	71	68	18	5.415	100,0	584.090	0,93

Fonte: RAIS/MTE. Elaboração CEBRAP.

Tabela 8: Emprego e estabelecimento (por porte) no MSP e no eixo selecionado segundo grandes setores de atividade econômica
Eixo Vila Leopoldina - 2006

Setor de atividade	Emprego				Estabelecimento									
	Eixo	% no Eixo	MSP	% no MSP	0	de 1 a 10	de 11 a 50	de 51 a 100	de 101 a 500	500 ou mais	Total			
											Eixo	% no Eixo	MSP	% no MSP
Agric. pec. e ind. extrat.	31	0,1	5.460	0,57	23	8	0	0	0	0	31	0,5	2.562	1,21
Indústria	12.795	21,7	493.287	2,59	228	107	70	20	27	5	457	7,5	54.202	0,84
Construção civil	2.455	4,2	139.501	1,76	72	18	15	4	6	1	116	1,9	14.850	0,78
Comércio	17.326	29,4	679.965	2,55	1.753	1.118	230	39	33	1	3.174	51,8	251.261	1,26
Serviços	21.743	36,9	1.569.751	1,39	1.574	494	130	25	31	7	2.261	36,9	287.976	0,79
Serviços financeiros	4.540	7,7	154.117	2,95	53	13	18	0	0	2	86	1,4	17.166	0,50
Administração pública	52	0,1	818.774	0,01	4	0	0	1	0	0	5	0,1	638	0,78
Total	58.942	100,0	3.860.855	1,53	3.707	1.758	463	89	97	16	6.130	100,0	628.655	0,98

Fonte: RAIS/MTE. Elaboração CEBRAP.

Tabela 9: Variação do emprego e de estabelecimento por porte segundo grande setor de atividade econômica
Eixo Vila Leopoldina e MSP - Variação 1996-2006

Setor de atividade	Var. % emprego		Var. % estabelecimento							
	Eixo	MSP	0	de 1 a 10	de 11 a 50	de 51 a 100	de 101 a 500	500 ou mais	Total Eixo	Total MSP
Agric. pec. e ind. extrat.	-73	-37	-61,02	0	-100	*	*	*	-56	-56
Indústria	-40	-38	-23,49	-35	-39	-13	-36	-50	-30	-24
Construção civil	-36	-21	4,35	-31	-12	-33	100	0	-5	-9
Comércio	83	38	6,63	8	28	86	371	*	10	1
Serviços	14	53	48,07	18	53	32	107	0	41	28
Serviços financeiros	632	8	26,19	44	13	-100	-100	*	23	18
Administração pública	37	5	100,00	-100	-100	*	*	*	25	-38
Total	8	13	16,68	6	12	25	43	-11	13	8

Fonte: RAIS/MTE. Elaboração CEBRAP.

* As células sem valor constituem cruzamentos sem nenhum caso em 1996.

23%). Nesse período, o pessoal ocupado nesse setor aumentou em 632%.

A reconversão urbana e econômica em curso no trecho Vila Leopoldina associa-se com os avanços dos investimentos privados realizados por agentes do mercado imobiliário voltados aos grupos com maior poder aquisitivo. O aumento das atividades comerciais, de serviços em geral e de serviços financeiros relaciona-se com os padrões de consumo desses grupos. Esse processo inscreve-se num tecido urbano ainda marcado pela presença de indústrias remanescentes, atividades ligadas ao Ceagesp, depósitos, comércio atacadista, instalações dos Correios, do Sesi e da ITM Exposições Feiras & Convenções. Os novos empreendimentos imobiliários se aproveitam da proximidade com as áreas residenciais de alta renda, como o bairro Jardim Bela Aliança, e com os setores de classe média e média baixa. Ademais, convivem com loteamentos populares, como Jardim Humaitá e Vila Ribeiro de Barros, e um conjunto habitacional como o Haddad, entre outros tipos de assentamento.

De acordo com os dados da Embraesp, no período entre 1992 e 2008, foram lançados 119 empreendimentos residenciais nesse trecho urbano, sendo 3 horizontais e o restante vertical. Esses empreendimentos se implantaram em terrenos que variam entre 216,59 m² e 17.279,02 m². Ocuparam um total de 400.503,15 m² de terras urbanas.

As unidades habitacionais são de diferentes tipos e se distribuem pelos empreendimentos do seguinte modo:

- 2 empreendimentos lançados em 1993 e 2002 possuem 105 unidades com 1 dormitório e área útil variando entre 35,44 m² e 40 m²;
- 26 empreendimentos lançados entre 1992 e 2007 possuem 3.258 unidades com 2 dormitórios e área útil variando entre 46,33 m² e 99,63 m²;
- 42 empreendimentos lançados entre 1994 e 2008 possuem 5.062 unidades com 3 dormitórios e área útil variando entre 57,20 m² e 196 m²;
- 32 empreendimentos lançados entre 1993 e 2008 possuem 3.805 unidades com 4 dormitórios e área útil variando entre 101,97 m² e 338,98 m².

Muitos desses empreendimentos combinam diferentes tipos de unidades habitacionais. Vale observar o predomínio das unidades com 3 e 4 dormitórios, destinadas aos grupos com maior poder aquisitivo. Essas unidades de alto padrão correspondem a 72,5% do total produzido nesse trecho dinâmico e em forte processo de transformação econômica e valorização imobiliária.

Ademais, 20.890 vagas de estacionamento serão produzidas para esse total de 12.230 unidades habitacionais. Considerando que a maior parte dessas vagas será de fato ocupada por automóveis individuais, pode-se prever aumento significativo da carga sobre o sistema viário existente nesse trecho urbano.

Trecho Vila Sônia, na zona Oeste

Os atuais distritos de Butantã e Vila Sônia localizam-se na várzea do rio Pinheiros, cuja canalização, realizada na década de 1920, drenou grandes extensões de terras, viabilizando a ocupação urbana que ocorreu nas décadas seguintes, principalmente a partir de meados do século XX. Essa ocupação foi iniciada com a construção do Jockey Club e impulsionada pela implantação do *campus* da Universidade de São Paulo, hoje conhecido como Cidade Universitária. Os loteamentos residenciais e conjuntos habitacionais deram origem aos atuais bairros populares e de médio padrão, que se encontram consolidados do ponto de vista urbanístico. Esses bairros, como Conjunto Residencial Butantã, INOCOOP, Vila Pirajussara, Vila Gomes, Jardim Bonfiglioli, entre outros, convivem com poucos núcleos de favelas, como Jardim Jaqueline e Vale da Esperança.

Esses bairros são atravessados por vias estruturais, como as avenidas Corifeu de Azevedo Marques, Eliseu de Almeida, Professor Francisco Morato, Doutor Vital Brasil e rodovia Raposo Tavares, que convergem para as pontes Bernardo Goldfarb e Eusébio Matoso, localizadas sobre o rio Pinheiros, que conectam a área com os polos de comércio e serviços existentes no quadrante sudoeste, nos arredores da avenida Brigadeiro Faria Lima, da avenida Paulista e no Centro tradicional (Mapa 10).

Mapa 10: Vila Sônia

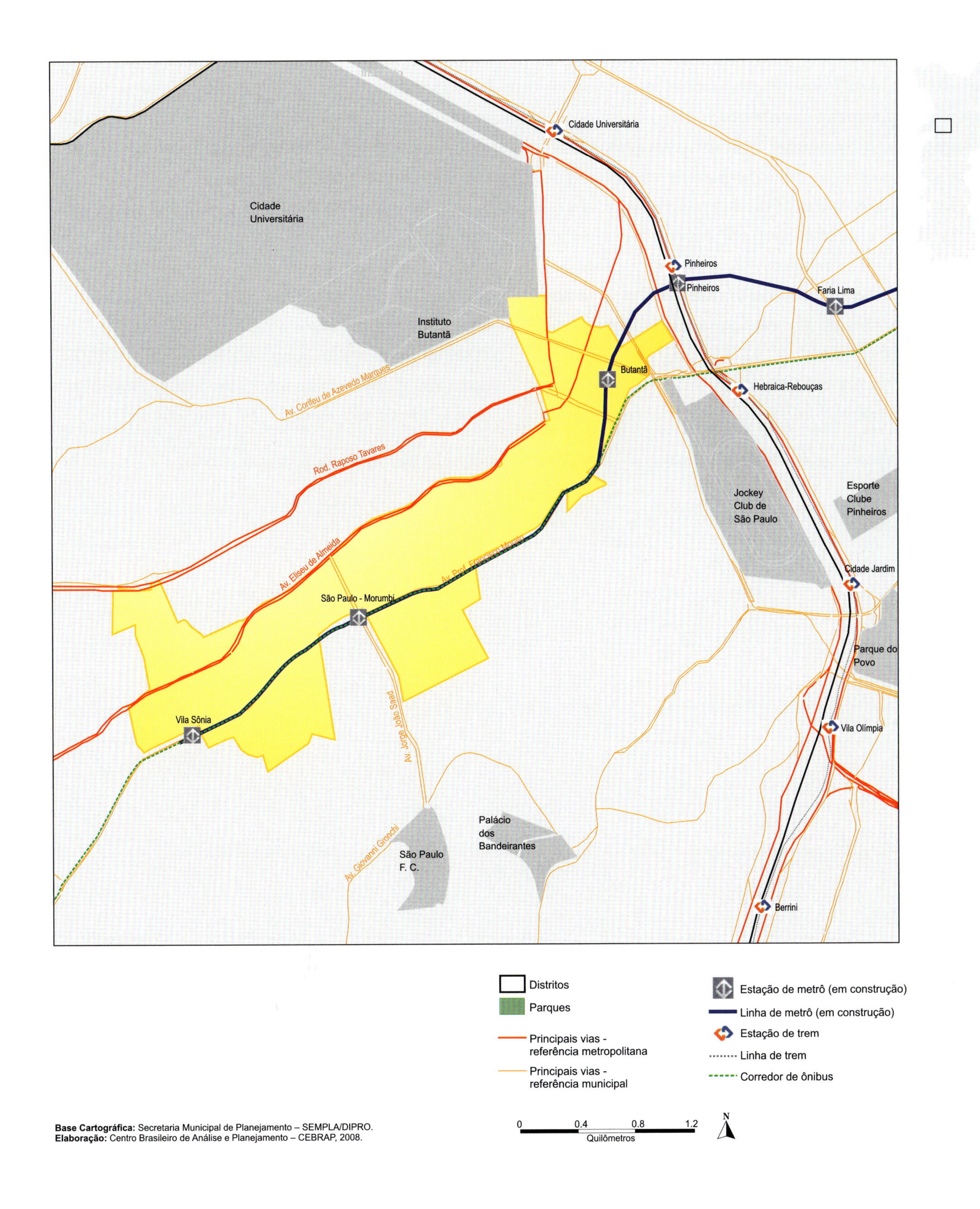

Base Cartográfica: Secretaria Municipal de Planejamento – SEMPLA/DIPRO.
Elaboração: Centro Brasileiro de Análise e Planejamento – CEBRAP, 2008.

A Linha Amarela do metrô irá acompanhar as avenidas Consolação e Rebouças, que interligam esses polos. Essa linha irá introduzir um caráter reticular no sistema metroviário existente, pois se conectará com a Linha Azul, na estação Luz, e com a Linha Vermelha, na estação República.

Apesar da proximidade com os principais polos de comércio e serviços da cidade, esses bairros ainda guardam características predominantemente residenciais em lotes ocupados por edificações horizontais. Ademais, há pouquíssimos focos de verticalização neste trecho urbano, que possui boa localização e se encontra bem servido por equipamentos e infraestruturas urbanas.

Segundo dados da Embraesp, no período entre 1993 e 2008 houve somente 42 lançamentos de empreendimentos residenciais verticais neste trecho urbano, localizados em terrenos cujas áreas variam de 278,44 m² a 14.651,47 m².

Esses empreendimentos possuem diferentes tipos de unidades habitacionais. Alguns combinam unidades com diferentes áreas úteis e números diferentes de dormitórios. A distribuição desses empreendimentos ocorre do seguinte modo:

- 1 empreendimento de 1993 possui 30 unidades com 1 dormitório e área útil igual a 47,35 m²;
- 13 empreendimentos lançados entre 1993 e 2005 possuem 1.152 unidades com 2 dormitórios e área útil variando entre 49,61 m² e 80,80 m²;
- 20 empreendimentos lançados entre 1993 e 2007 possuem 1.598 unidades com 3 dormitórios e área útil variando entre 57,79 m² e 264 m²;

Tabela 10: Emprego e estabelecimento (por porte) no MSP e no eixo selecionado segundo grandes setores de atividade econômica
Eixo Vila Sônia - 1996

Setor de atividade	Emprego				Estabelecimento									
	Eixo	% no Eixo	MSP	% no MSP	0	de 1 a 10	de 11 a 50	de 51 a 100	de 101 a 500	500 ou mais	Total Eixo	Total % no Eixo	Total MSP	Total % no MSP
Agric. pec. e ind. extrat.	91	1,0	8.690	1,05	29	3	1	1	0	0	34	1,5	5.769	0,59
Indústria	2.135	23,2	795.745	0,27	127	80	25	1	3	0	236	10,4	71.624	0,33
Construção civil	815	8,9	176.154	0,46	61	29	14	3	1	0	108	4,7	16.327	0,66
Comércio	2.311	25,2	493.202	0,47	713	274	37	2	3	0	1.029	45,2	249.558	0,41
Serviços	3.184	34,7	1.025.048	0,31	574	209	42	4	6	0	835	36,7	225.255	0,37
Serviços financeiros	231	2,5	142.641	0,16	20	7	5	2	0	0	34	1,5	14.531	0,23
Administração pública	418	4,6	783.327	0,05	0	1	0	0	1	0	2	0,1	1.026	0,19
Total	9.185	100,0	3.424.807	0,27	1.524	603	124	13	14	0	2.278	100,0	584.090	0,39

Fonte: RAIS/MTE. Elaboração CEBRAP.

Tabela 11: Emprego e estabelecimento (por porte) no MSP e no eixo selecionado segundo grandes setores de atividade econômica
Eixo Vila Sônia - 2006

Setor de atividade	Emprego				Estabelecimento									
	Eixo	% no Eixo	MSP	% no MSP	0	de 1 a 10	de 11 a 50	de 51 a 100	de 101 a 500	500 ou mais	Total Eixo	Total % no Eixo	Total MSP	Total % no MSP
Agric. pec. e ind. extrat.	25	0,2	5.460	0,46	9	4	1	0	0	0	14	0,5	2.562	0,55
Indústria	1.249	9,4	493.287	0,25	126	41	25	2	1	0	195	6,6	54.202	0,36
Construção civil	978	7,3	139.501	0,70	68	37	8	4	2	0	119	4,1	14.850	0,80
Comércio	4.176	31,3	679.965	0,61	697	356	66	8	4	0	1.131	38,5	251.261	0,45
Serviços	6.548	49,1	1.569.751	0,42	1.002	330	66	9	2	3	1.412	48,1	287.976	0,49
Serviços financeiros	362	2,7	154.117	0,23	41	11	11	1	0	0	64	2,2	17.166	0,37
Administração pública	0	0,0	818.774	0,00	2	0	0	0	0	0	2	0,1	638	0,31
Total	13.338	100,0	3.860.855	0,35	1.945	779	177	24	9	3	2.937	100,0	628.655	0,47

Fonte: RAIS/MTE. Elaboração CEBRAP.

Tabela 12: Variação do emprego e de estabelecimento por porte segundo grande setor de atividade econômica
Eixo Vila Sônia e MSP - Variação 1996-2006

Setor de atividade	Var. % emprego		Var. % estabelecimento							
			0	de 1 a 10	de 11 a 50	de 51 a 100	de 101 a 500	500 ou mais	Total	
	Eixo	MSP							Eixo	MSP
Agric. pec. e ind. extrat.	-73	-37	-68,97	33	0	-100	*	*	-59	-56
Indústria	-41	-38	-0,79	-49	0	100	-67	*	-17	-24
Construção civil	20	-21	11,48	28	-43	33	100	*	10	-9
Comércio	81	38	-2,24	30	78	300	33	*	10	1
Serviços	106	53	74,56	58	57	125	-67	*	69	28
Serviços financeiros	57	8	105,00	57	120	-50	*	*	88	18
Administração pública	-100	5	*	-100	*	*	-100	*	0	-38
Total	45	13	27,62	29	43	85	-36	8	29	8

Fonte: RAIS/MTE. Elaboração CEBRAP.

* As células sem valor constituem cruzamentos sem nenhum caso em 1996.

- 5 empreendimentos lançados entre 2002 e 2008 possuem 308 unidades com 4 dormitórios e área útil variando entre 104,80 m² e 304,91 m².

Esse baixo dinamismo imobiliário se deve à antiga lei de zoneamento da década de 1970, que demarcou a maior parte da área como Z1, zona exclusivamente residencial, que permitia somente a implantação de residências unifamiliares nos lotes. As Z1 existentes na cidade se caracterizam por mudanças lentas e permanência dos padrões de uso e ocupação do solo.

De um modo geral, seus moradores constituem grupos de alta renda que se organizam em associações que defendem a manutenção desses padrões, que impedem a implantação de edifícios verticais e a diversificação de usos. A resistência desses moradores em relação às transformações urbanas é tamanha que resultou, tempos atrás, na retirada da estação Três Poderes do projeto da Linha Amarela do metrô. As linhas do metrô nunca atravessaram as zonas exclusivamente residenciais de médio e alto padrão. Portanto, nunca se viram moradores se posicionarem contra a implantação de uma estação metroviária próximo às suas casas. Aquela estação seria implantada junto à avenida Francisco Morato, no interior da antiga Z1, atual ZER.

O Plano Diretor Estratégico do Município de São Paulo manteve as áreas classificadas como Z1 como zonas exclusivamente residenciais (ZER), que possuem praticamente os mesmos parâmetros de uso e ocupação do solo urbano. A maior parte da área destinada para a operação urbana Vila Sônia é ocupada por ZER. Certamente, essa operação deverá sofrer forte resistência por parte dos moradores dessa zona.

Esse trecho dos distritos Butantã e Vila Sônia, diferentemente dos demais trechos analisados, não envolve uma forte discussão sobre as atividades industriais. Nas Tabelas 10 e 11 a seguir vemos que os 236 estabelecimentos industriais que existiam em 1996 se reduziram para 195 em 2006. Essa redução ocorreu principalmente entre os pequenos estabelecimentos com 1 a 10 empregados. O número de estabelecimentos sem empregados permaneceu estável. Esse processo reduziu ainda mais os poucos empregos industriais existentes no trecho Vila Sônia.

Em compensação, os estabelecimentos comerciais, de serviços gerais e de serviços financeiros aumentaram, nesse mesmo período, em 10%, 69% e 88%, respectivamente. Em 1996 o setor comercial tinha o maior número de estabelecimentos (1.029). Já em 2006, o setor de serviços assumiu essa posição, com 1.412 estabelecimentos. Essas atividades atendem principalmente às demandas dos moradores que vivem nos bairros exclusivamente residenciais, que, como visto, ocupam a maior parte deste trecho da cidade.

4. Considerações finais

As transformações econômicas em eixos estruturais da cidade de São Paulo se articulam com diferentes componentes do espaço urbano. Os agentes sociais se apropriam das terras urbanas, com suas condições mais ou menos vantajosas, para realizar suas atividades econômicas. Essa apropriação transforma essas terras urbanas de diferentes modos, dependendo do tipo de investimentos realizados. Ademais, o crescimento, a estagnação e o declínio das diversas atividades socioeconômicas realizadas numa cidade alteram os processos de produção e transformação dos espaços e das terras urbanas.

Dependendo das suas características territoriais, os espaços urbanos potencializam ou não o desenvolvimento de atividades socioeconômicas. Esses espaços apresentam maior ou menor potencialidade de desenvolvimento econômico dependendo das suas interações com agentes públicos e privados, das suas articulações com outros espaços territoriais da cidade e das regiões, e das configurações técnicas e funcionais dos equipamentos e da infraestrutura existentes.

A interação da cidade e da economia ocorre de modo cíclico e concomitante, impulsionada por fatores endógenos e exógenos. Nos quatro trechos urbanos da cidade de São Paulo analisados ao longo do texto, a preparação do solo para a produção de terras urbanizadas beneficiadas com infraestrutura de drenagem, acessibilidade, mobilidade, telecomunicações, abastecimento de água, escoamento de esgoto, fornecimento de energia elétrica, entre outros elementos, condicionaram a instalação de diversas atividades econômicas. Tais atividades mudaram ao longo do tempo por causa de fatores internos e externos à cidade e ao seu próprio funcionamento.

No trecho Jacu-Pêssego, nota-se a criação de importantes vantagens e potencialidades econômicas, geradas, principalmente, por investimentos viários e pela criação de macroacessibilidades, responsáveis por conexões com importantes polos econômicos e equipamentos da metrópole, associadas a grandes extensões de terras não edificadas. Essas vantagens e potencialidades já estão atraindo atividades econômicas e imobiliárias, que estão se implantando nas proximidades das principais vias construídas. Os processos de planejamento mais detalhado e de discussões públicas sobre os destinos desse trecho precisam avançar, pois já existe uma operação urbana consorciada aprovada para a área. É urgente garantir moradias adequadas para os vários grupos de baixa renda que vivem no local, evitando processos de expulsão.

No trecho Tamanduateí, percebe-se a existência de espaços onde se concentraram importantes atividades industriais que estão sendo desativadas ou reformadas. Essas atividades aproveitaram a macroacessibilidade propiciada por ferrovia, avenidas e vias expressas que atravessam esse trecho. Aproveitaram também a proximidade com o mercado consumidor e outras atividades industriais instaladas junto a essas vias. Essa articulação entre atividades econômicas e sistema viário teve papel importantíssimo na estruturação do principal eixo industrial da cidade de São Paulo. Esse eixo está passando por transformações profundas, que abrem oportunidades para a realização de novos investimentos imobiliários residenciais e para a instalação de novas atividades comerciais e de serviços. Essas oportunidades estão sendo utilizadas por agentes econômicos de modo descoordenado e sem grandes benefícios para o conjunto da cidade. É urgente o poder público assumir a coordenação desse processo de reestruturação urbana a partir dos instrumentos estabelecidos pelo Plano Diretor Estratégico.

No trecho Vila Leopoldina, a exemplo do trecho anterior, o processo de reconversão econômica e as transformações no espaço urbano também aparecem com clareza por causa da forte redução no número de estabelecimentos industriais e do aumento do número de grandes estabelecimentos comerciais e de serviços. Ademais, nesse trecho verifica-se o predomínio de lançamentos imobiliários de alto padrão voltados para os grupos com maior poder aquisitivo. Essa valorização imobiliária é impulsionada pela proximidade com áreas elitizadas e por investimentos públicos e privados em parques e grandes equipamentos de lazer e consumo. As crescentes valorização e elitização impõem a necessidade de garantir acessos a terras urbanas para moradia dos grupos com menores rendimentos, de modo a promover maior mescla sociocultural que favoreça convivências democráticas no espaço urbano.

No trecho Vila Sônia, as atividades econômicas e as dinâmicas imobiliárias foram amortecidas por regras de uso e ocupação do solo que privilegiaram e continuam privilegiando os usos exclusivamente residenciais em habitações unifamiliares implantadas em lotes relativamente grandes. Esse trecho encontra-se na iminência de sofrer transformações urbanísticas e econômicas geradas por investimentos no sistema de transporte público coletivo (futura Linha Amarela do metrô) que irão ampliar a conexão com os importantes polos terciários do quadrante sudoeste. Essa conexão poderá induzir a expansão de atividades desses polos para o trecho analisado, com impactos urbanísticos, socioeconômicos e de vizinhança. Esse processo deverá ser equacionado em conjunto com os interesses dos moradores dos bairros residenciais existentes no local.

Em todos esses trechos, nota-se a importância da articulação entre investimentos públicos e privados realizados, ao longo da história, na produção de terras urbanas mais ou menos adequadas para ocupação e aproveitamento por parte de diversos agentes socioeconômicos, que promovem suas atividades segundo interesses variados. A evolução dessas atividades promove misturas de usos do solo em níveis cada vez maiores de complexidade, conforme a consolidação dos espaços urbanos. Nessa articulação, impõe-se a necessidade de estratégias de regulação que estimulem e controlem as formas de apropriação dessas terras por parte dos diferentes grupos sociais, não somente aqueles com maior renda ou os grandes investidores. Numa cidade aberta e democrática, é preciso desenvolver a convivência e a mistura entre as mais diversas atividades urbanas residenciais e não residenciais.

Bibliografia

Brito, Maria das Graças & Bernardes, Roberto. (2005) "Simples Aglomerados ou Sistemas Produtivos Inovadores? – Limites e possibilidades para a indústria do vestuário na metrópole paulista". *São Paulo em Perspectiva*, v.19, n. 2. São Paulo: Fundação Seade, pp. 71-85.

Lobo Jr., Manoel Rodrigues. (1987) *Leopoldina como te viam e como te veem*. São Paulo: Edição do autor, pp. 63-64 (apud Vespoli, 2005, p. 106).

Menegon, Natasha Mincoff. (2008) *Planejamento, território e indústria – As operações urbanas em São Paulo*. Dissertação de mestrado apresentada à Faculdade de Arquitetura e Urbanismo da Universidade de São Paulo, São Paulo: mimeo.

Schevz, Liana Lafer. (2002) *Avenidas Nova Faria Lima e Jacu-Pêssego / Nova Trabalhadores – Um estudo das mudanças socioeconômicas-espaciais dinamizadas pela implantação da infraestrutura viária*. Dissertação de mestrado apresentada à Escola Politécnica da Universidade de São Paulo. São Paulo: mimeo.

SEMPLA (2006) *Município em Mapas*. Secretaria Municipal de Planejamento – SEMPLA. Departamento de Estatística e Produção de Informação – DIPRO. São Paulo: PMSP.

_______ (2007) *Olhar São Paulo – Contrastes Urbanos*. Secretaria Municipal de Planejamento – SEMPLA. Departamento de Estatística e Produção de Informação – DIPRO. São Paulo: PMSP.

Tinoco, Alexandre de Carvalho. (2001) "Integração ou Fragmentação? O impasse gerado pelo fetiche da desconcentração". *Espaço & Debates*, n. 41, São Paulo: NERU.

Vespoli, Tereza Cristina. (2005) *Vila Guilherme e Vila Leopoldina – Um estudo sobre duas regiões da cidade de São Paulo*. Dissertação de mestrado apresentada ao Departamento de Geografia da Faculdade de Filosofia, Letras e Ciências Humanas da Universidade de São Paulo. São Paulo: mimeo.

8. Entre o *boom* e a bolha: uma análise da incorporação residencial paulistana no período recente[1]

Tomás Cortez Wissenbach

Na leitura das interações da atividade econômica e do território, a análise do mercado imobiliário adquire uma condição especial pela sua importância na economia de São Paulo e, sobretudo, pelos impactos sobre a cidade. Trata-se de um setor que se caracteriza pela permanente alteração não apenas da morfologia urbana, mas também do uso do solo. Não há dúvida de que os 400 mil apartamentos e 32 mil unidades de escritório lançados em quinze anos (1992-2007), consumindo uma área de 15,3 km², contribuíram decisivamente para importantes mudanças na cidade.

Tal avanço, que tem no incorporador o agente ativo sobre o território, deu-se em contextos espaciais distintos. Em muitos casos foram utilizados terrenos vazios, em outras ocasiões áreas residenciais foram transformadas (de favelas a casas de médio e alto padrão), e até mesmo espaços ocupados por atividades comerciais ou áreas industriais deram lugar a novos empreendimentos. Com isso, a incorporação residencial alterou a distribuição da população, ao mesmo tempo em que transformou a intensidade e o tipo dos diferentes fluxos intraurbanos e, principalmente, o custo do acesso a terra na cidade. Reproduziu e aprofundou o processo de verticalização e de esvaziamento populacional no núcleo consolidado de São Paulo com rebatimentos evidentes sobre as áreas periféricas. Por um lado, o distrito do Itaim Bibi apresentou uma queda substancial da densidade demográfica: 116 mil habitantes por km² em 1980 para 84 mil habitantes por km² em 2008 (SEMPLA/SEADE, 2008). Por outro, o acirramento da disputa por localizações intraurbanas levou ao adensamento das áreas ocupadas pelos assentamentos precários. Se em 2000 eram cerca de 1 milhão de habitantes em 2.018 favelas, em 2008, 1,5 milhão de pessoas viviam em 1.565 favelas[2].

Não bastassem os já importantes impactos causados pela produção imobiliária na cidade, o processo de transformação do espaço urbano promovido pela incorporação se intensifica a partir do ciclo de crescimento econômico vivido no país e do crescimento das empresas da incorporação imobiliária que captaram no mercado financeiro cerca de 13 bilhões de reais. E a cidade de São Paulo, além de concentrar as principais empresas do ramo no Brasil, é o principal objeto da intervenção do setor.

Considerando, dessa forma, o crescente poder de transformação da cidade nas mãos do setor imobiliário, o objetivo do estudo é o de propor uma análise

[1] O presente capítulo sintetiza os resultados da minha dissertação de mestrado *A Cidade e o Mercado Imobiliário: Uma análise da incorporação residencial paulistana entre 1992 – 2008*. Agradeço ao Prof. Dr. Antonio Carlos Robert Moraes pela orientação e a Carlos Torres Freire pela leitura atenciosa do texto.

[2] Os dados de 2000 são oriundos do CEM/Cebrap a partir do Censo demográfico de 2000. Os de 2007 são oriundos de FSeade. Embora no primeiro caso seja Censo e no segundo uma pesquisa amostral, os dados tratam do mesmo fenômeno e, portanto, são comparáveis em termos gerais.

espacial da produção de apartamentos no município de São Paulo, com ênfase no período recente de crescimento. Com isso, pretendemos discutir o papel da localização urbana na dinâmica do mercado imobiliário e o fato de esta não poder ser medida apenas em função de seus atributos, mas no papel de ampliar a receita gerada pelas empresas e, em função disso, ser a base da valoração das empresas no mercado de capitais.

A partir da análise proposta, pretendemos oferecer insumos para uma política de desenvolvimento urbano que articule economia e espaço e, dessa forma, possa ampliar as possibilidades de convergência entre o crescimento do mercado imobiliário, a dinâmica econômica na cidade e a qualidade de vida de seus habitantes.

Na primeira parte, definimos a incorporação urbana e residencial construindo um breve panorama conceitual. Na segunda, procuramos analisar a produção imobiliária recente conectando as principais transformações no setor imobiliário a uma caracterização das tipologias produzidas. Na terceira parte, aprofundamos a leitura da dimensão espacial, desenvolvendo os conceitos de inovação especial e os ciclos de localizações e sua aplicação nos anos recentes. Por fim, na última parte, retomamos os principais resultado da pesquisa, empíricos e metodológicos, propondo algumas reflexões relacionadas à interface entre mercado imobiliário e política urbana.

O setor imobiliário

Antes de aprofundarmos a análise espacial da produção de apartamentos é importante uma breve caracterização dos agentes analisados. Uma definição única e incontroversa a respeito do setor imobiliário não é uma realidade observada na bibliografia sobre o tema. Os conceitos utilizados, cujos significados não costumam aparecer de forma explícita, frequentemente variam com os objetivos do estudo. Para o presente estudo, considerarmos que o setor imobiliário se forma a partir do conjunto de atividades relacionadas às diversas etapas de trabalho, antes, durante e depois da construção dos imóveis (Botelho, 2005; Pereira Leite, 2006). Nessa definição, compreendem desde o segmento de materiais de construção (fabricação e comercialização), passa pela aquisição de terrenos e pelo processo de construção em si, ligado à dinâmica da construção civil. São necessárias ainda outras atividades relacionadas à comercialização de um bem de alto custo: a promoção dos lançamentos imobiliários, a venda das unidades, os serviços de corretagem e seguros. A importante participação do setor bancário e financeiro se dá em todas as fases do empreendimento, inclusive estendendo por muito tempo após a sua conclusão. Esta integração é fundamental para o financiamento tanto da produção como da aquisição

Tabela 1: Empregos e estabelecimentos, segundo segmentos e grupos selecionados. MSP, 2006

Segmento	Grupo CNAE	Estabelecimentos		Empregos	
		Número	%	Número	%
I. Produção e comercialização de materiais de construção	231. Fabricação de vidro e de produtos do vidro	84	0,62	6.672	3,2
	232. Fabricação de cimento	14	0,1	464	0,22
	233. Fabricação de artefatos de concreto, cimento, fibrocimento, gesso e materiais semelhantes	169	1,25	3.758	1,8
	234. Fabricação de produtos cerâmicos	30	0,22	407	0,19
	239. Aparelhamento de pedras e fabricação de outros produtos de minerais não metálicos	220	1,62	3.223	1,54
	474. Comércio varejista de material de construção	6.575	48,55	55.427	26,55
II. Incorporação e construção	411. Incorporação de empreendimentos imobiliários	1.002	7,4	10.453	5,01
	412. Construção de edifícios	3.065	22,63	110.399	52,88
III. Atividades imobiliárias	681. Atividades imobiliárias de imóveis próprios	839	6,2	6.368	3,05
	682. Atividades imobiliárias por contrato ou comissão	1.545	11,41	11.620	5,57
Total		13.543	100	208.791	100

Fonte: Relação Anual de Informações Sociais - RAIS/MTE, 2006.
Elaboração: Tomás Cortez Wissenbach

das habitações. Uma vez concluído, o empreendimento produz um fluxo contínuo de serviços: a administração de edifícios, segurança e limpeza, manutenção (fachadas, elevadores, sistemas hidráulicos e elétricos etc.), aluguéis, revendas e reformas.

A partir da definição proposta, procuramos dimensionar o setor imobiliário paulistano e a participação de cada um dos seus subsetores, em termos de estabelecimentos e empregos, conforme Tabela 1. Evidentemente, este é um ponto de vista limitado já que diversos segmentos não são exclusivos ao setor imobiliário, o que torna complexa sua definição, mensuração e análise. Além de observarmos a importância de alguns subsetores como o comércio varejista de material de construção (6.575 estabelecimentos e 55 mil empregos) e a construção de edifícios (3 mil estabelecimentos e 110 mil empregos), podemos dimensionar o tamanho do setor que, em 2006, correspondia 6,8% sobre o total de empregos e 6% sobre o total de estabelecimentos do município de São Paulo (RAIS, 2006).

A partir das definições e resultados apresentados, procuramos trilhar um caminho intermediário dos dois extremos. De um lado, temos um discurso de apologia ao mercado imobiliário que superdimensiona o peso econômico do segmento, valendo-se muitas vezes de indicadores que não permitem comparação com outros setores. Um exemplo dessa situação é a utilização do Valor Global de Vendas – VGV para apresentar e dimensionar o setor. Apesar dos bilhões de reais envolvidos, trata-se apenas da receita bruta potencial e não de uma medida do seu desempenho econômico, valor adicionado ou receita líquida. Se é necessária cautela para analisar os números apresentados, em geral, pelos sindicatos patronais, também não é realista ignorar o peso econômico do mercado imobiliário. Assim, por mais que a atividade se contraponha, muitas vezes, a uma racionalidade urbanística que preza pela qualidade de vida de seus cidadãos, não se pode ignorar que o setor tem uma participação significativa na geração de emprego e renda na cidade.

Nesse sentido, se mostramos que o setor não pode ser superestimado, as informações coletadas sobre os investimentos anunciados mostram uma faceta importante da atividade imobiliária. Segundo pesquisa da Fundação Seade, as atividades imobiliárias têm uma participação de 14,5% dos investimentos anunciados entre 2002 e 2006 na capital[3]. Assim, não se pode ignorar a importância econômica do segmento, principalmente quando procuramos estabelecer um diálogo com o planejamento urbano. É exatamente esta dupla dimensão, econômica e espacial, que procuramos convergir ao longo do trabalho e explorar na discussão a respeito de incorporação residencial. E é neste segmento específico que buscamos construir marcos qualitativos de análise.

Incorporação residencial

Construir um olhar sobre o setor imobiliário somente a partir de uma classificação da atividade econômica não é suficiente. Por esse motivo e para compreender sua ação sobre o território, é preciso aprofundarmos o olhar sobre os agentes econômicos que transformam a cidade e, especialmente, sobre o incorporador. De início, é preciso levar em conta que a produção privada de uma residência envolve particularidades oriundas do fato dessa ser uma mercadoria especial, qualitativamente diferente das outras. Como em toda atividade de produção do espaço construído, o alto custo e o longo período de consumo impõem um ciclo mais lento de realização dos investimentos e, portanto, condições especiais de circulação do capital (Harvey, 1980). Tal característica reforça os vínculos entre o setor imobiliário e o capital financeiro, na produção e no consumo dos imóveis, influenciando tanto o preço da terra como dos apartamentos. A imobilidade, por sua vez, significa que as características e os atributos de localização são indissociáveis do imóvel. Somando-se, portanto, a forte vinculação com o mercado financeiro e o peso dos atributos intangíveis na valoração de um imóvel e sua localização, a dinâmica dos preços nesse setor possui um forte caráter especulativo e sua produção está sujeita aos chamados "efeitos de manada".

[3] Trata-se de cerca de R$ 1,8 bilhão de investimentos em atividades imobiliárias diante de R$ 12 bilhões, aproximadamente. As informações foram extraídas da Pesquisa de Investimentos Anunciados do Estado de São Paulo – Piesp/ FSeade

Também é fundamental lembrarmos que a habitação é, ao mesmo tempo, uma condição básica para a vida de todos, a condição de abrigo, e um dos principais bens de consumo de uma família. Em uma sociedade extremamente desigual, a sua produção passa por uma enorme variedade de agentes produtores que vai da autoconstrução aos grandes incorporadores, bem como a provisão estatal. Os custos de transação, por sua vez, são altos e de caráter regressivo (Morais, 2007). Reduzem a mobilidade residencial, sobretudo dos mais pobres, e, com a constante valorização da localização urbana, impedem ajustes mais rápidos na relação entre a distribuição espacial das oportunidades no mercado de trabalho e a distribuição da população (Cardoso, 2000; Harvey, 1982).

Outra característica fundamental do mercado imobiliário é o seu vínculo direto com a ação estatal. Isso ocorre de diversas formas, seja regulando o setor – nas leis de uso e ocupação do solo, na legislação edilícia e na regulação do crédito imobiliário –, seja atuando diretamente como um incorporador urbano, como provedor de infraestruturas ou como produtor de habitações; e financiando a produção por meio dos bancos públicos.

O mercado imobiliário tem no incorporador o seu principal agente dinamizador. A incorporação é o desenvolvimento de um processo de reconfiguração do espaço de acordo com finalidades preestabelecidas (Miles, Berens, Weiss, 2005). No âmbito privado, ainda que outras motivações possam ser evocadas, este objetivo é o lucro. A incorporação não se confunde com a construção de edifícios mesmo quando executada pela mesma empresa. Isso porque ela envolve também a concepção e planejamento do empreendimento, dadas as condições da demanda, do mercado de terras e os riscos envolvidos no negócio.

Mais do que um marco conceitual, a definição da incorporação passa, no Brasil, pelo aspecto legal. A lei do incorporador (n° 4.951 de 16 de dezembro de 1964) exige para qualquer empreendimento o registro de incorporação acompanhado de uma extensa documentação. Nesta lista estão os documentos de compra do terreno, certidões negativas de débito e a aprovação do projeto. De acordo com Botelho (2005), a formalização do incorporador define a sua primazia na produção imobiliária, coordenando a produção e definindo as características de localização, padrão socioeconômico e arquitetônico do empreendimento.

Em função do lapso de tempo entre a decisão de construir, a aquisição do terreno, a produção e as vendas e por envolver, mais do que a produção de uma mercadoria, a transformação de uma localidade, a incorporação envolve a antecipação de uma situação futura, tanto em relação ao mercado como em relação às condições da localização. Os investimentos imobiliários são, portanto, sempre, em alguma medida, uma aposta sobre o futuro, traduzindo e antecipando dinâmicas econômicas e sociais mais amplas (Bontron, 2007; Haddad, 2005; Abramo, 2007). Nessa linha, a análise dos lançamentos residenciais se torna também um instrumento de prospectiva territorial.

Embora o protagonismo do incorporador no mercado imobiliário seja reconhecido pelos autores que o estudam, existem diferentes formas de compreender a lógica espacial da sua ação. Tais diferenças resultam em formas significativamente distintas de compreender o papel do incorporador na produção do espaço urbano. No âmbito da corrente neoclássica, é importante destacar, ainda que de forma bastante resumida, a construção de uma leitura fundada na neutralidade do incorporador (Abramo, 2001). Isso porque, a sua decisão de localização é vista apenas como uma reação à racionalidade dos consumidores, de forma que a oferta e a distribuição espacial das novas moradias se explicaria pelos requisitos da demanda. Daí, numa dinâmica estabelecida pela "soberania da demanda", o espaço ser constituído como uma representação geométrica na qual se combinam: a) a distância em relação ao centro de negócios (*central business district*); b) o tamanho da unidade; c) a faixa de renda do consumidor. Neste modelo, a partir do perfil de sua renda, o consumidor faria a decisão de localização a partir da combinação entre o tamanho (conforto) e a acessibilidade.

Portanto, a distribuição espacial das residências é composta por uma ordem espacial em que a decisão individual de cada comprador é dirigida por uma curva ótima de localização, definida pela articulação das três variáveis mencionadas. Ao incorporador resta apenas validar essa curva.

Em relação à interpretação marxista, pode-se dizer que há pouca margem para o protagonismo do incorporador urbano. Isso porque privilegia dinâmicas mais estruturais de acumulação urbana e apropriação do espaço, a partir das forças do capital e das disputas entre classes sociais (Abramo, 2007). No entanto, deve-se destacar a importância dada ao proprietário de terras, a partir da discussão da renda fundiária. Com essa abordagem, estes abre-se um caminho para contestar um dos princípios da teoria neoclássica que seria o proprietário ausente, aquele que só extrai renda de forma passiva, ou seja, não especula (Abramo, 2001).

A perspectiva que desejamos discutir neste artigo procura evidenciar um papel mais relevante para a ação dos incorporadores, interpretando a sua lógica espacial a partir de características econômicas do setor. Nessa linha, o caminho proposto parte da hipótese de que ao induzir transformações espaciais na cidade a incorporação aumenta significativamente a sua capacidade de extrair lucros. A partir das características mencionadas que apontam para especificidades importantes de um setor econômico, podemos tratar do que consideramos o núcleo articulador do setor imobiliário, qual seja, a incorporação e, particularmente no nosso caso, a incorporação residencial.

Se as definições legais e a conceitual permitem distinguir com clareza as distintas funções ao longo de um empreendimento, do ponto de vista operacional, a clara separação dos agentes nem sempre é possível. Construtoras, vendedoras e incorporadoras constantemente invertem os papéis entre si. Por vezes, uma empresa é construtora em um caso e incorporadora em outro. Da mesma forma, é comum vermos empresas concorrentes se unirem em empreendimentos específicos, seja de forma direta seja por meio de *joint ventures*.

A identificação dos papéis dentro de cada empreendimento torna-se possível e relevante à medida que define os riscos e a lucratividade de cada um dos participantes do processo. Apesar de haver as especificidades em cada situação concreta, o mercado parece trabalhar com práticas mais frequentes. Considerando a incorporação, a construção e as vendas (deixando de lado, provisoriamente, a participação dos proprietários de terras), podemos apresentar este padrão.

A construtora, de maneira geral, costuma trabalhar de duas formas: pelo custo orçado ou pelo custo real da obra. Na primeira opção, as variações do custo são por ela assumidas, o que pode tanto aumentar como diminuir a sua margem de lucro; na segunda, trata-se de uma opção mais segura, mas que diminui a lucratividade. A vendedora, por sua vez, é remunerada segundo um percentual do valor de venda das unidades. A remuneração varia entre 3% e 6% da receita do empreendimento, sendo que os riscos estão vinculados apenas ao investimento promocional das vendas (Bidermann, 2001; Pascale, 2005).

Exatamente por trabalhar com o saldo final do processo, a incorporadora incorre sobre os maiores ganhos, mas também assume a maior parcela dos riscos. Este processo se dá em meio a múltiplos condicionantes, desde macroeconômicas até intraurbanas (Pascale, 2005). Somam-se às turbulências econômicas a realidade burocrática e cartorial brasileira e temos grandes motivos para a morosidade do processo de desenvolvimento de um empreendimento e uma alta probabilidade de mudanças na fase do projeto (Pereira-Leite, 2006). Da combinação destes fatores emerge uma dinâmica em que a incerteza, o risco e as mudanças inesperadas estão, em variados graus, sempre presentes.

O ambiente de incerteza está relacionado às características da mercadoria produzida, e também ao lapso de tempo entre as distintas etapas de realização de um empreendimento: planejamento e compra do terreno, aprovação do projeto, lançamento, construção e vendas. Relacionam-se, como observado, com o caráter antecipatório da incorporação. Em relação ao tempo de aprovação, é comum as empresas adotarem uma estratégia de criar um estoque de projetos aprovados. Esta prática apresenta duas vantagens: em primeiro lugar, dá maior agilidade para a construção de um empreendimento uma vez tomada a decisão de construí-lo; em segundo, resguarda características dos empreendimentos face às mudanças na legislação urbanística. As oscilações aumentam em função do crescimento recente do setor imobiliário, que leva a problemas como escassez de mão de obra e encarecimento dos preços do material de construção.

Diante de estratégias para minimizar os riscos inerentes a produção imobiliária devemos aliar as dificuldades do setor da construção para aumentar a sua produtividade (França e Matteo, 1999). O quadro de baixa produtividade e as causas apontadas certamente apresentam impactos espaciais já que influem diretamente nos modelos de cálculos utilizados para a avaliação da viabilidade financeira de um empreendimento, traduzindo-se de forma direta na escolha do público-alvo (afetando assim a distribuição intraurbana da população) e no valor e aproveitamento dos terrenos. A baixa produtividade na operação das empresas de construção civil e do subsetor de edificações abre uma perspectiva para a compreensão das relações entre a incorporação residencial e o espaço urbano. Isso porque alguns estudos apontam que o baixo estímulo para os ganhos de produtividade tenha origem não só nas causas apontadas (mão de obra barata e personalismo na administração de empresas), mas também pela possibilidade de auferir lucros extraordinários por meio de estratégias fundiárias (Maricato, 1996; Silva, 1997).

Tais leituras nos levam, portanto, a pensar na questão da localização urbana diante da dinâmica produtiva do setor. Considerando os riscos inerentes à incorporação residencial, além da realização de pesquisas de mercado, estudos de demanda etc., as práticas adotadas para a sua mitigação apontam para estratégias que refletem as concepções espaciais das incorporadoras e estimulam a inovação de localização. Cardoso (2000) analisou a questão e identificou que o porte das incorporadoras é fundamental para definir o tipo de estratégia, indicando o pioneirismo das grandes empresas em algumas áreas da cidade. Já Volocho (2007) apontou para a diversificação dos investimentos em bairros distintos da cidade. Discutiu ainda como as mudanças legais, em especial a introdução da sociedade de propósito específico, têm alterado tais estratégias, ao impedir a transferência de recursos de um empreendimento para outro.

Para o presente trabalho, é importante destacar um risco específico relacionado à superoferta, isto é, grande número de lançamentos simultâneos para um mesmo público-alvo ou região. A questão da produção de apartamentos para o segmento de alto padrão, entretanto, merece uma discussão mais aprofundada e será retomada na sequência do trabalho. Chama atenção, nesse caso, a intensidade da produção desta tipologia mesmo diante de sinais contundentes de saturação deste mercado. Esta questão ficou evidente, no ano de 2008, quando uma importante incorporadora desistiu de um empreendimento já lançado no Brooklin, bairro já saturado de empreendimentos com unidade de 4 dormitórios. O porquê dessa situação, que contraria a hipótese de autorregulação entre oferta e demanda, pede uma análise mais aprofundada da produção recente associando território e dinâmica econômica do setor imobiliário.

O crescimento recente da incorporação residencial

A dinâmica imobiliária em São Paulo é marcada por fortes oscilações não só no volume da produção, mas também nas tipologias produzidas. Tais características podem ser identificadas na relação entre o volume de área construída, a quantidade de terrenos consumidos e o número de unidades (apartamentos) lançadas. Na Figura 1, temos a evolução recente da produção residencial vertical segundo as principais variáveis que permitem analisar o resultado da produção física da incorporação.

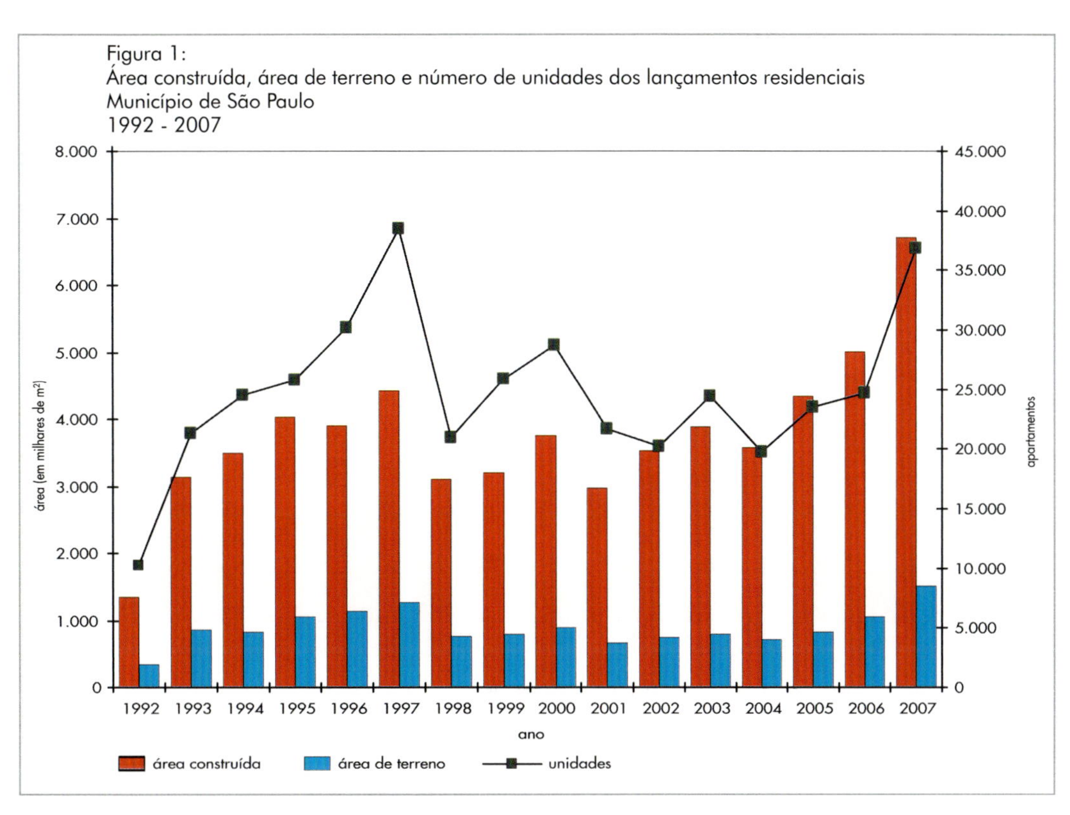

Figura 1:
Área construída, área de terreno e número de unidades dos lançamentos residenciais
Município de São Paulo
1992 - 2007

Fonte: Empresa Brasileira de Estudos do Patrimônio – EMBRAESP.
Elaboração: Tomás Cortez Wissenbach.

A evolução das três variáveis apresentadas (área construída lançada, área de terreno e unidades) nos ajuda a identificar as oscilações na produção ao longo do tempo, com dois anos que se destacam, 1997 e 2007. Vemos também o comportamento distinto entre as variáveis, principalmente entre número de unidades lançadas e área construída. Para exemplificar estes padrões distintos, chamamos a atenção para os referidos anos de auge da produção. Se no primeiro os 39 mil apartamentos significaram pouco mais de 4 milhões de m^2 de área construída, no segundo as 34 mil unidades representaram 6,5 milhões de m^2 de área construída. Ou seja, 5 mil unidades a menos e 2,5 milhões de m^2 de área construída a mais.

Observando a partir das variáveis mencionadas, verificamos, portanto, que o período recente foi marcada não apenas por um aumento no volume da produção, mas também em uma mudança na sua configuração. Assim, o que pretendemos explorar são as características desta fase da incorporação, notadamente direcionada aos apartamentos de luxo, e esboçar uma hipótese que relacione as transformações econômicas experimentadas e a projeção destas sobre o espaço urbano.

Com isso, e observando as tendências apresentadas, parece claro que os padrões de crescimento da produção imobiliária foram distintos no período entre 1992 e 2007. Enquanto num primeiro movimento de crescimento vemos uma forte produção de apartamentos de 2 dormitórios, que alcança o seu valor máximo em 1997 com cerca de 18.000 unidades lançadas, num segundo momento, observamos um forte crescimento dos apartamentos de 4 dormitórios. No ano de 2006, pela primeira vez – não só na série considerada, mas também desde 1977 quando a Embraesp começou a coletar as informações referentes aos lançamentos imobiliários – o número de unidades com 4 dormitórios foi maior do que a quantidade de unidades de 2 dormitórios.

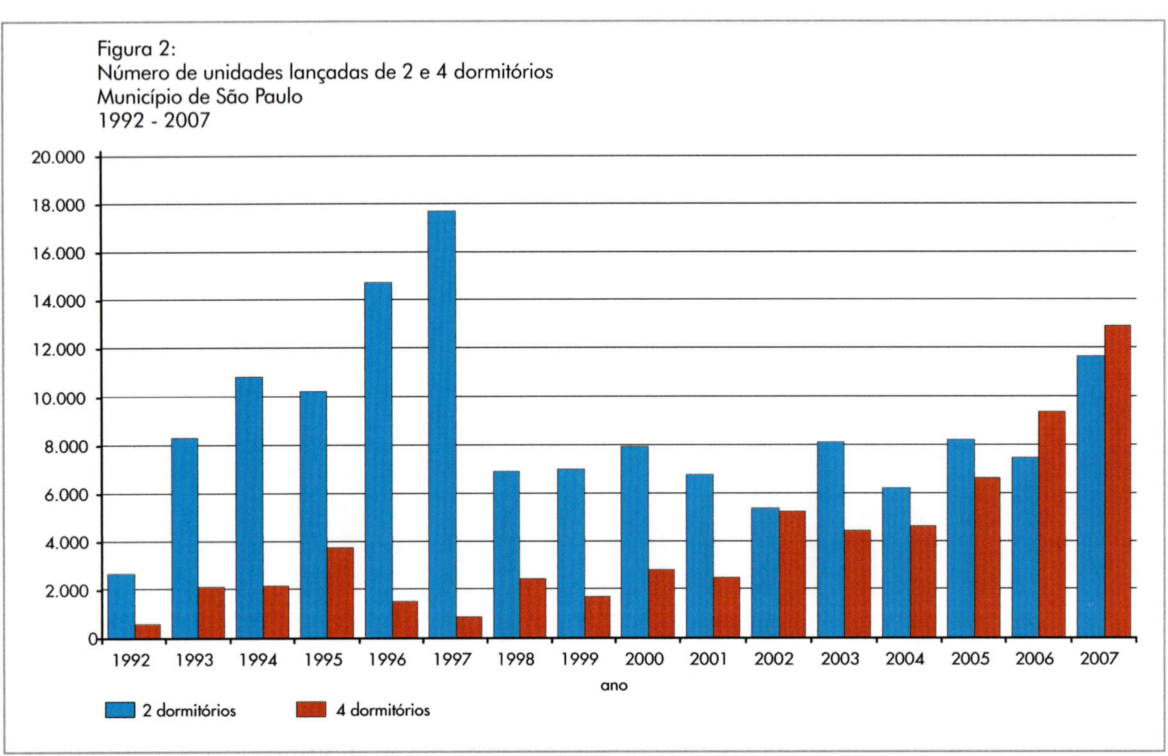

Fonte: Empresa Brasileira de Estudos do Patrimônio – EMBRAESP.

Os anos que simbolizaram a produção especializada em um determinado tipo são os de 1997 e 2006, este especialmente direcionado às unidades de alto padrão. É de se esperar diante disso que são momentos nos quais a incorporação ocupou e consumiu espaço de maneira diferenciada. As Figuras 3 e 4 procuram identificar as diferenças. Na primeira mostramos de forma agregada, portanto sem ainda diferenciar por número de dormitórios, o total da área construída lançada. Na segunda selecionamos as tipologias predominantes em cada ano, ou seja, 2 dormitórios em 1997 e 4 dormitórios em 2006. Ao invés da área mostramos os terrenos consumidos para mostrar como a incorporação se apropriou da cidade em cada ano.

No ano em que prevaleceram as unidades de 2 dormitórios, o crescimento da produção nas periferias da cidade foi, evidentemente, maior. A zona leste recebeu, diferentemente de outros períodos, um importante volume de área construída e também de terrenos consumidos por empreendimentos de caráter mais popular. Destacam-se também os distritos de Campo Limpo, no extremo sudoeste da cidade e as áreas periféricas da zona Norte (principalmente Cachoeirinha). O escopo da incorporação foi menor, por outro lado, no ano de 2006. Nesse caso, a produção imobiliária de incorporação é quase nulo nas áreas acima citadas. A forte produção direcionada ao alto padrão significou uma concentração maior dos empreendimentos. Apresentou-se também uma distribuição espacial que privilegiou o entorno do Centro expandido, principalmente na zona Sul. Isto é, mesmo de alto padrão, procurou-se distritos que até então não haviam recebido esse tipo de fluxo, como são os casos dos Rio Pequeno e Campo Grande ou que haviam recebido um volume modesto de unidades de 4 dormitórios como Vila Prudente, Ipiranga e Barra Funda. Observadas as distintas formas de apropriação do espaço urbano e os diferentes padrões, passamos para um esboço de compreender o porquê dessas diferenças. Para isso, é preciso considerar alguns elementos econômicos de cada período.

Figura 3: Total de área construída lançada - município de São Paulo - 1997 e 2006

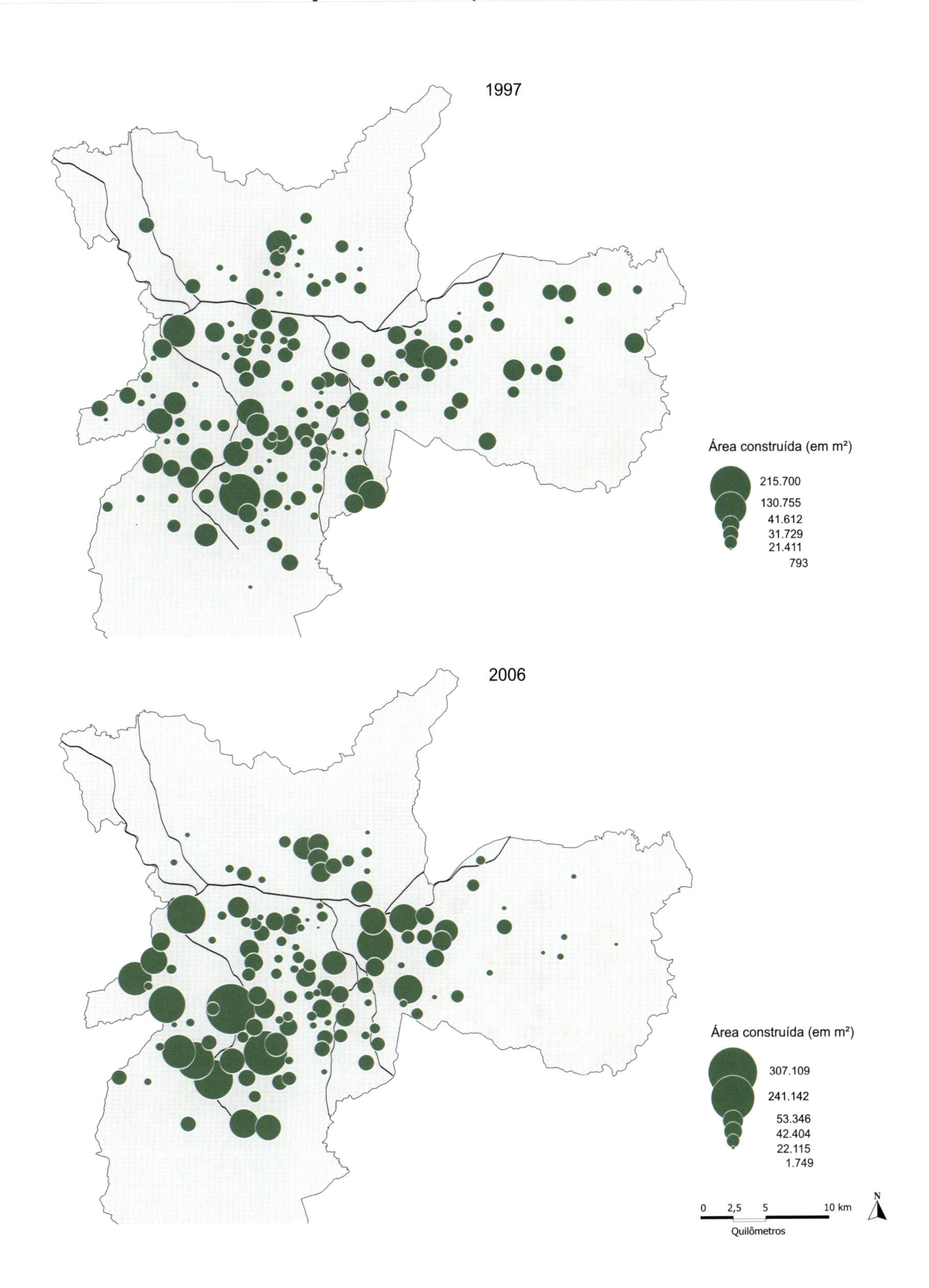

Realizado com *Philcarto* - http://perso.club-internet.fr/philgeo
Fonte: Empresa Brasileira de Estudos do Patrimônio – EMBRAESP.
Elaboração: Tomás Cortez Wissenbach.

Figura 4: Terrenos consumidos segundo número de dormitórios - município de São Paulo 1997 e 2006

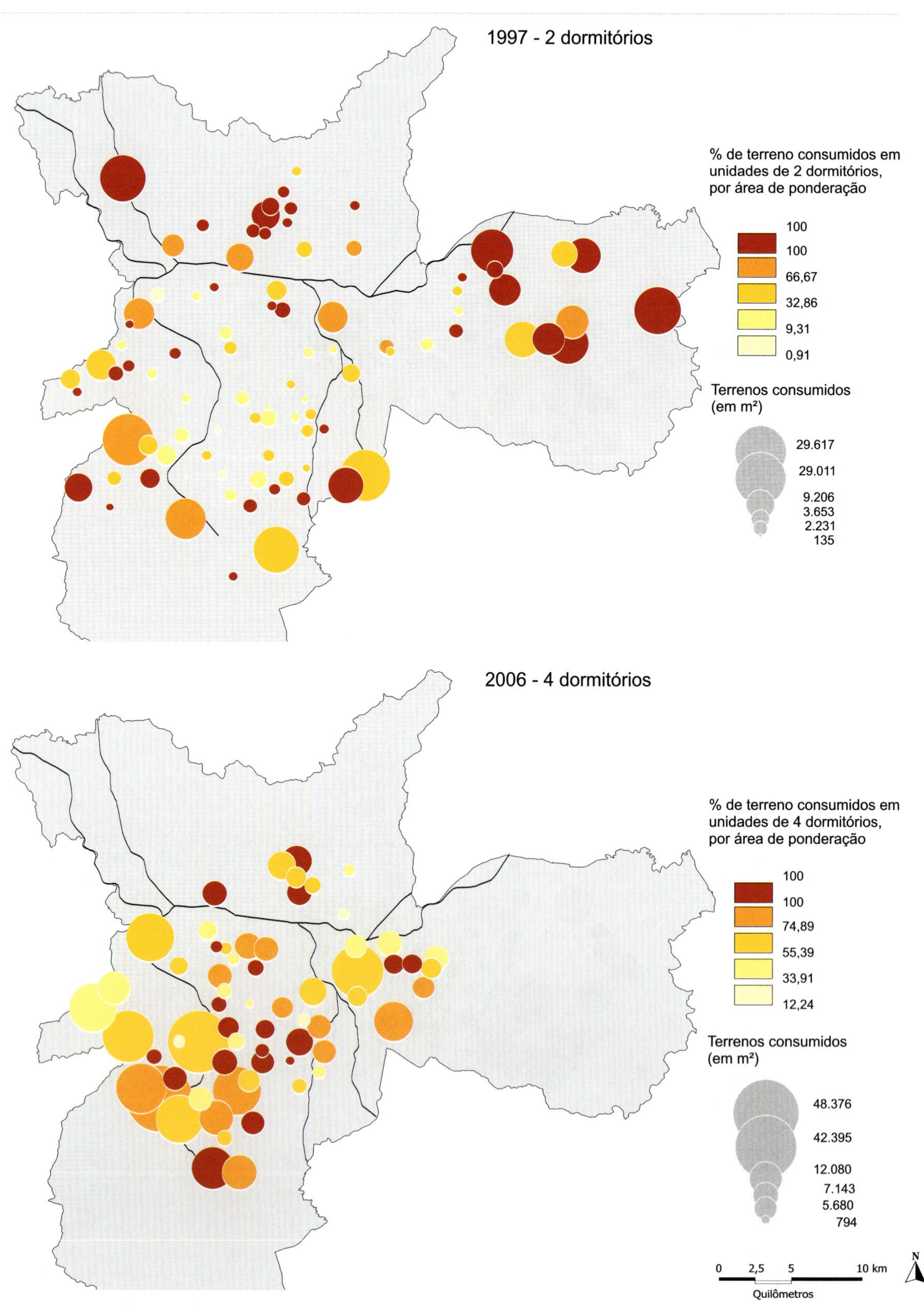

Realizado com *Philcarto* - http://perso.club-internet.fr/philgeo
Fonte: Empresa Brasileira de Estudos do Patrimônio – EMBRAESP.
Elaboração: Tomás Cortez Wissenbach.

Tais diferenças ficam evidentes quando comparamos a evolução do número de unidades lançadas de 2 e 4 dormitórios, que exprimem tipologias padrão, ou seja, unidades que, *grosso modo*, correspondem a segmentos bem distintos do mercado. No tocante à projeção espacial da produção imobiliária também notamos diferenças significativas. No ano de predominância da produção de empreendimentos de dois dormitórios, que 1997 é a principal referência, temos um padrão mais periférico, enquanto quando predomina os empreendimentos com apartamentos de 4 dormitórios, o padrão especial é mais concentrado.

Nesse cenário, o atual momento de incorporação, sobretudo de empreendimentos residenciais no município de São Paulo, merece ser observada com mais atenção. Isso porque na combinação dos estímulos ao seu crescimento, tais como o aumento da oferta de crédito, uma questão que parece inédita diz respeito à capacidade do setor de alavancar recursos. Assim, é de se esperar que haja mudanças significativas na sua relação com o território. Isso significa uma capacidade muito maior na aquisição de terrenos, como ficou claro no caso do fundo de investimento imobiliário do Pananmby (Botelho, 2005). A abertura de capital das empresas, coloca, a nosso ver, questões mais amplas na relação entre território e incorporação imobiliária. Nesse sentido, tentaremos demonstrar que há, inclusive, uma relação entre o processo de abertura de capitais das empresas e o foco da produção em residências de luxo.

É sabido que o setor imobiliário residencial possui uma dependência estrutural em relação às condições de financiamento e, portanto, de instituições bancárias e do mercado financeiro. Essa relação se estabelece de duas formas. Do lado do incorporador, já que os empreendimentos requerem um alto investimento e um longo tempo de rotação do capital. E das famílias, pois há a necessidade de financiamento de uma mercadoria de alto custo. Em função do extenso prazo de recuperação do crédito concedido, este envolve, potencialmente, um alto risco para as instituições financeiras. Dessa forma, a demanda por habitações – sobretudo as produzidas pelo setor privado (chamado de formal) – pode variar de acordo com as condições oferecidas pelo crédito, seja pela taxa de juros, facilidades de crédito, subsídios etc.

Nessas condições, é importante pontuar que um dos principais fatores de crescimento recente do setor imobiliário, não só em São Paulo, mas também no Brasil deve-se a um quadro crescentemente favorável no que se refere às condições de financiamento imobiliário (aí incluídos os fundos de investimentos, securitização, mercado de capitais etc.) bem como no que diz respeito, particularmente, ao crédito habitacional. Nesse caso específico, embora não se tenha ainda chegado ao patamar de 627 mil unidades financiadas em 1980, o volume de crédito destinado à compra de imóvel residencial tem crescido de forma intensa nos últimos anos.

A partir de meados dos anos 1990, começou-se a desenhar o aparato de recomposição de financiamento, habitacional e imobiliário, no Brasil. Um importante marco desse movimento foi no ano de 1997 com a instituição do Sistema Financeiro Imobiliário – SFI, por meio da Lei n° 9.514. Esse sistema marca a mercantilização da política, a financeirização do setor e um movimento de menor intervenção estatal. Explica-se: o sistema apoiou-se na captação de recursos no mercado com a criação de instrumentos de securitização de recebíveis e possibilitando uma maior segurança jurídica com a introdução da alienação fiduciária.

A securitização, cujos instrumentos são os Certificados de Recebíveis Imobiliários – CRI, as Letras de Crédito Imobiliário – LCI e as Cédulas de Crédito Imobiliário – CDI, constitui a emissão de títulos de dívidas, convertendo ativos de pouca liquidez em títulos de grande liquidez. A partir de 2003, importantes medidas mudaram o panorama do financiamento habitacional no Brasil. Entre elas, a instituição do patrimônio de afetação, que cria um patrimônio próprio do empreendimento separando-o das operações do incorporador. Esse fato, além de ser estimulado por um regime de tributação especial, garante maior transparência para o comprador e para o investidor. Há também a inclusão da alienação fiduciária no novo código civil e a instituição da chamada "figura do incontroverso", que discrimina o valor contestado nas petições judiciais, garantindo o pagamento da parcela da dívida que não é objeto de contestação judicial (Garcia, 2007).

Já no plano do SFH ocorreram mudanças importantes. Essas mudanças dizem respeito, sobretudo, a uma nova postura adotada pelo Banco Central e pelo Conselho Monetário Nacional em relação à exigibilidade da utilização dos recursos da caderneta de poupança para o financiamento habitacional (Sinduscon-MG, 2006). Trata-se de uma demanda antiga por parte do setor imobiliário, já que eram aceitos dentro da exigibilidade créditos absorvidos pelas instituições financeiras por ocasião do Proer (Garcia, 2007).

A partir desses movimentos e de um recuo da taxa Selic, o crédito imobiliário e habitacional tem experimentado um forte crescimento, como pode ser observado na Figura 5. No ano 2008, o total de recursos e de unidades financiadas já ultrapassou, entre janeiro e agosto, o total do ano anterior. Já foram mais de 197 mil unidades e quase 20 bilhões de reais de financiamento pelo Sistema Brasileiro de Poupança e Empréstimo – SBPE, que utiliza os recursos da caderneta de poupança (Abecip, 2008).

Apesar de não dispormos da informação para o município de São Paulo e nem sobre o valor das unidades financiadas, parece evidente que o incremento do crédito imobiliário constitui um forte estímulo para o crescimento do setor. A questão que surge nesse momento é se o aumento de volume do financiamento está associado a uma produção imobiliária de alto padrão. Mais uma vez cabe reforçar que o ideal seria contarmos com a distribuição das unidades financiadas segundo o valor. Cabe, entretanto um raciocínio especulativo. A princípio, um aumento do crédito habitacional beneficia sobretudo as famílias de menor poder aquisitivo (dentro é claro do referencial de preço da incorporação privada em São Paulo), já que os compradores com maior nível de renda teriam maior capacidade de poupança e até de pagamento à vista das unidades. Essa hipótese é validada quando observamos na bibliografia a análise de que, diante da falência do financiamento habitacional, as estratégias adotadas pela incorporação foram a de elevar o padrão de seus produtos para se autofinanciar pelas classes de maior renda. Dessa forma, é de se imagi-

Figura 5:
Financiamentos imobiliários: número de unidades financiadas e valores contratados
Brasil
2001 - 2007

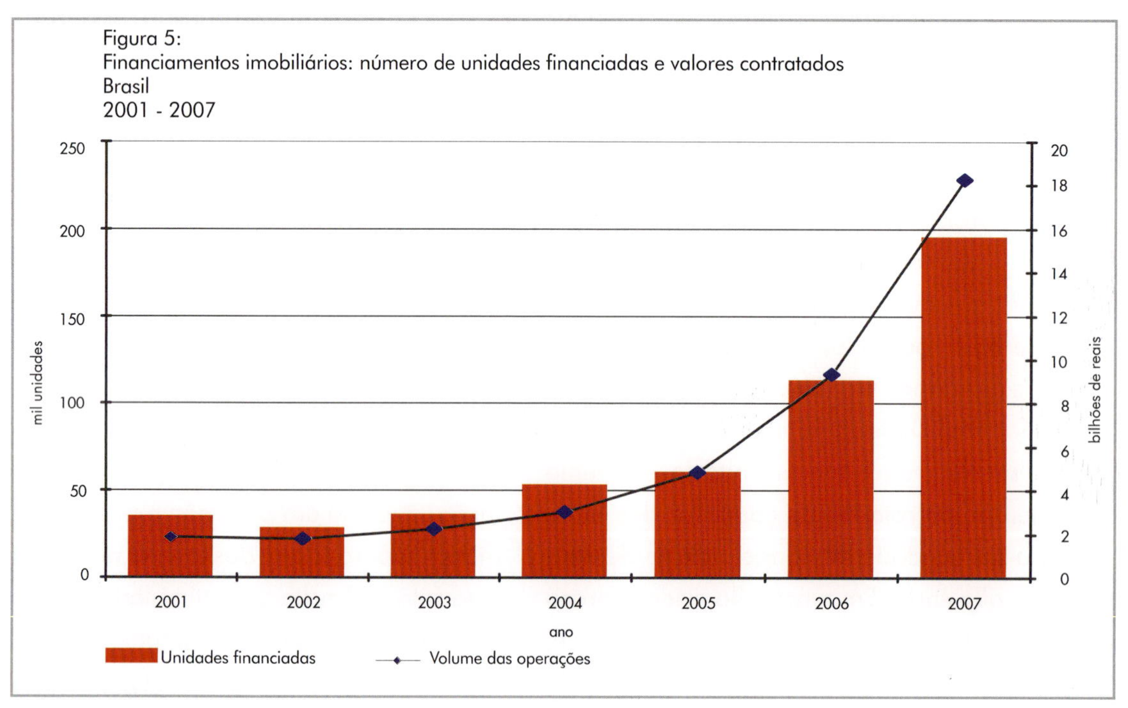

Fonte: Banco Central do Brasil; Associação Brasileira de Crédito Imobiliário e Poupança – ABECIP.
Elaboração: Tomás Cortez Wissenbach.

nar que não há uma relação direta entre este fator de crescimento e o tipo de produção habitacional privada ocorrido em São Paulo nos últimos três anos.

Um outro vetor de forte aquecimento do mercado imobiliário e do consequente crescimento da produção privada de habitação em São Paulo diz respeito à captação direta dos recursos pelas empresas incorporadoras no mercado de ações, por meio da abertura de seus capitais, conhecido como oferta pública de ações (OPA) ou pela sua sigla em inglês IPO. A capacidade de alavancagem de recursos, de 2005 para cá, foi impressionante: em dois anos (2006 e 2007) 20 empresas do setor, com foco em empreendimentos residenciais, baseadas em São Paulo, captaram R$ 13 bilhões.

Sem dúvida, o impacto sobre essas empresas foi notável, de forma que ampliaram o seu patrimônio líquido entre quatro e oito vezes, num intervalo muito curto de tempo. Tal crescimento implica mudanças organizacionais tão intensas que é possível dizer que se trata de uma nova empresa, que terá que lidar com uma nova escala de suprimentos, rotinas de controle e, sobretudo, a necessidade de novos profissionais que nem sempre podem ser encontrados no mercado de trabalho (Rocha-Lima, 2007).

Um ponto fundamental para compreendermos esse movimento das empresas incorporadoras diz respeito à sua valoração, isto é, no processo de atribuição do seu valor de mercado para a venda de suas ações. Nesse processo, a princípio, a comissão de valores mobiliários exige das corporações, entre outros, um relatório contendo uma descrição específica do risco envolvido nas suas operações. Entretanto, as empresas foram liberadas dessa obrigação, apresentando somente uma análise de empreendimentos hipotéticos que não comportavam descrições de situações menos favoráveis. Segundo Rocha-Lima Jr. (2007, p. 4), a metodologia pela qual foi realizado esse processo de valoração "(...) representa uma falta de compromisso com técnicas adequadas de *valuation*, tangenciando a irresponsabilidade na tomada de decisão do investimento".

Considerando que as análises apresentadas pelos grupos para projetar o seu desempenho adiante partem de um histórico recente (em boa parte dos casos os anos de 2004, 2005 e 2006), apoiado principalmente na receita operacional bruta (ou VGV), podemos imaginar que exista uma relação entre a perspectiva de uma empresa de realizar a abertura de capitais e as características do seu produto lançado. Essa relação aconteceria por dois motivos.

Primeiro porque ao elevar o padrão dos apartamentos produzidos a receita operacional bruta cresce de forma intensa sem que necessariamente cresçam as despesas no mesmo ritmo. A questão é, evidentemente, se esse processo se sustenta ou não num período maior, já que a demanda por apartamentos de alto padrão não pode crescer no mesmo ritmo dos três últimos anos. Porém, na perspectiva de forte alavancagem de recursos, a questão da sustentabilidade econômica dos padrões de crescimento parece não ser fundamental.

O segundo aspecto envolvido está relacionado ao banco de terras, chamado pelos agentes privados de *land bank*. Nossa hipótese é a de que o potencial de geração de receita de um determinado *land bank* aumenta com a valorização imobiliária provocada pela produção de unidades habitacionais de alto padrão. Com o incremento dos lançamentos de unidades com maior valor, e a consequente alta do valor do metro quadrado na cidade, inicia-se um movimento chamado de "ciclo virtuoso" de valorização dos imóveis (Shiller, 2004). Esse ciclo, por sua vez, aumenta a capacidade de geração de receita bruta do banco de terras de uma empresa. É importante lembrar que a dinâmica de preços dos imóveis caracteriza-se por um forte componente especulativo, já que, para o comprador, a perspectiva de valorização do imóvel pode induzi-lo a pagar mais agora para não perder dinheiro mais à frente. Isso porque nesse cenário o mesmo montante não seria suficiente, no futuro, para adquirir o mesmo bem.

Evidentemente não estamos aqui confirmando a existência de um processo de articulação entre a perspectiva das incorporadoras de captação de recursos no mercado financeiro e o crescimento da produção de alto padrão na cidade. O que esboçamos é que ao procurarmos compreender a relação entre os fatores de aquecimento do mercado numa determinada conjuntura e as características da produção imobiliária, observamos que, potencialmente, há uma interação positiva dos dois fenômenos. Talvez, essa interação possa explicar a persistência de uma oferta de imóveis de alto valor – representados aqui pela tipologia de 4 dormitórios – durante um período maior do que o esperado.

Isso porque não se pode dizer que as incorporadoras, que cancelaram lançamentos de 4 dormitórios em 2008, não tinham elementos para imaginar que esse segmento estaria saturado. Nos seus relatórios anuais, a Embraesp já vinha alertando para o excesso de oferta há alguns anos. No final de 2004:

Nesse sentido, chamamos a atenção dos principais protagonistas do mercado, que foquem a oportunidade de produzir habitações, para suprir a demanda de classe média/média, a qual vem sendo pouco atendida, nos últimos cinco anos, com o pior desempenho justamente em 2004.[4]

No início de 2007, referindo-se ao ano anterior e tecendo prognóstico para o ano vigente esperava "a provável redução do número de empreendimentos de alto padrão"[5], que, como vimos, não se confirmou. Haddad e Meyer (2007) identificaram, na relação entre oferta e demanda de imóveis, uma superprodução exatamente nos imóveis com valor maior do que 350 mil reais.

Por outro lado, é importante mencionar que a produção de empreendimentos de alto padrão foi validada pela demanda, ou seja, as unidades encontraram excelentes condições de liquidez, além de um prazo médio de vendas mais curto do que todas as outras tipologias, conforme observamos na Figura 6. Tal absorção, entretanto, é, provavelmente fruto não apenas da compra por parte dos chamados consumidores finais, isto é, aqueles que vão morar no apartamento, como de investidores que compram a unidade ou para a revenda no momento da entre-

Figura 6:
Prazo médio de vendas (em meses) segundo número de dormitórios da unidade
Município de São Paulo
2004 - 2007

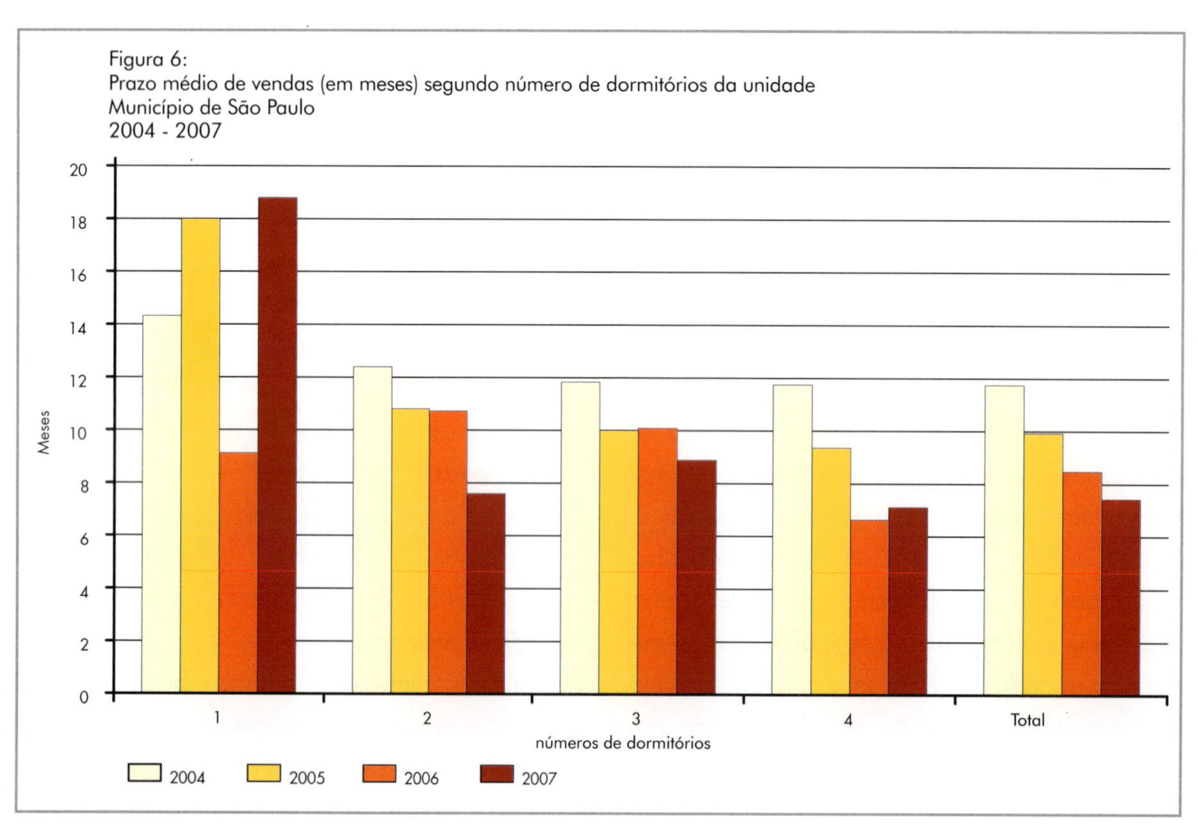

Fonte: Departamento de Economia do Secovi.
Elaboração Tomás Cortez Wissenbach.

[4] Embraesp, Relatório anual 2004. São Paulo, 2005, p. 16.
[5] Embraesp, Relatório anual 2006. São Paulo, 2007, p. 20.

ga ou para auferir renda com o seu aluguel. A presença de investidores – cuja medida só poderia ser verificada a partir de unidades novas, vendidas e vazias – poderia emitir um falso sinal de demanda para os incorporadores, uma vez que essas unidades serão, posteriormente, colocadas à venda no mercado competindo com os novos apartamentos produzidos.

Somente no início de 2008 a produção de apartamento de alto padrão começou a enfrentar dificuldades, expressas no cancelamento de um lançamento residencial com unidades de 4 dormitórios no Brooklin. Novamente os desafios relacionados à alta capitalização das empresas se voltam para a produção de unidades econômicas, mas encontra inúmeras dificuldades. A combinação entre um forte crescimento no preço dos terrenos – cenário previsível diante do vertiginoso aumento de recursos disponível para a atividade imobiliária que não ocorreu apenas em termos nominais – e dos índices de custo de construção civil dificultam a produção de unidades a baixo custo, pelo menos no município de São Paulo.

Em relação aos terrenos, é importante mencionarmos que a sua intensa valorização é motivada por diferentes fatores. Alencar e Takaoka (2008) apontam, ao mesmo tempo, dois fatores conjunturais e um elemento estrutural. Os fatores conjunturais são exatamente os aqui citados: crédito imobiliário e forte capitalização das empresas. O primeiro significou uma maior capacidade de pagamento por parte de diversos segmentos da demanda por habitações. Esta capacidade está relacionada com a oferta de crédito, o prazo de pagamento e a taxa de juros. Já do lado das empresas, ocorre um crescimento astronômico da sua capacidade de investimento, que se manifesta no mercado de terras de duas formas.

Primeiro, como já comentamos, pela estratégia adotada de constituir *land bank* antes da abertura de capitais. Segundo, quando, uma vez realizada a oferta pública de ações, inicia-se uma intensa prospecção de terrenos para dar conta de metas de crescimento da receita extremamente ambiciosas formuladas no intuito de multiplicar a capacidade de alavancagem de recursos. Nesse movimento, acirra-se a concorrência por terrenos levando a situações de prática, por parte de proprietários e corretores, de leilões entre empresas sendo comum que resultem em pagamentos à vista. Em relação ao elemento estrutural mencionado pelos autores diz respeito à não elasticidade da oferta, ou seja, pela incapacidade de aumentar a oferta para equilibrar a demanda. Essa tendência pode ser contraposta pela criação de novas frentes de expansão do mercado residencial, ou seja, pela incorporação de novas áreas até então pouco valorizadas pelo mercado. Esse processo pode se configurar tanto em relação a zonas de reestruturação urbana, por exemplo às que estão passando por um movimento de esvaziamento industrial, como pelo avanço para a periferia da cidade.

Nessa tensão, com metas de crescimento das empresas impostas por um processo de valoração extremamente otimista, a necessidade, dados os sinais de esgotamento do mercado de alto luxo, de expansão para um público do qual as grandes incorporadoras paulistanas não estavam acostumadas a produzir e dificuldades relacionadas ao cenário fundiário, a relação entre esta atividade e o território ganha uma dimensão que diz respeito não apenas aos chamados fatores locacionais ou atributos de localização (acessibilidade, área verde, presença de serviços, distância de favelas etc.), mas também de oportunidades de absorção de novas áreas até então preteridas pelo mercado, terrenos vagos ou mesmo terrenos que fazem parte do banco de terras das incorporadoras. Além da hipótese relacionada à valorização patrimonial das empresas e da boa absorção das unidades de alto padrão pelos consumidores há um outro aspecto que possivelmente dificulta uma mudança mais rápida no padrão dos apartamentos produzidos pela incorporação imobiliária. Esta questão diz respeito à dificuldade de inovação, especialmente a partir dos requerimentos necessários para a produção de unidades a baixo custo, que envolve uma série de transformações na gestão dos negócios, acompanhamento de obras e mesmo nos modelos de análise para a viabilidade dos empreendimentos.

Para Rocha-Lima Jr. (2008), essa mudança na forma de produzir habitação pelo setor privado envolve um deslocamento na forma de se pensar as condições de viabilidade do empreendimento: "(...) a validação do empreendimento passa a ser por engenharia de produto e não mais por marketing de produto". Ou seja, ganhariam força os aspectos relativos às estratégias de redução do custo da obra em detrimento do papel que hoje o marketing desempenha no sentido de convencer o consumidor a pagar um valor supostamente mais alto do que aquele que ele estaria disposto a pagar. Nesse quadro a estrutura organizacional das empresas, as características de baixa taxa de inovação e o fato de tratar-se de um setor refratário a mudanças contribuiria para um tipo de expansão caracterizado em termos coloquiais, pela ampliação baseada em "mais do mesmo". Diante da combinação entre a necessidade de expansão e dificuldades em promover transformações produtivas, cresce a importância do território e da abertura de novas localizações.

A dinâmica das localizações e o crescimento imobiliário

No âmbito do crescimento recente da produção imobiliária muitos bairros da cidade passam por uma transformação intensa, no qual o tipo de produção imobiliária difere dos períodos anteriores. São áreas que se valorizaram ao mesmo tempo em que o fluxo de novas unidades residenciais passou a se dirigir a uma demanda diferente da que vivia anteriormente naquelas localidades. A identificação desse processo, se não foi alvo direto de pesquisas acadêmicas, passou pelo cotidiano das pessoas e ganhou destaque nos meios de comunicação. Sempre se referindo ao crescimento imobiliário como um *boom*, falou-se muito de bairros intensamente valorizados. Jornais e revistas faziam um rodízio de bairros em suas matérias que chamavam a atenção para o crescimento e valorização imobiliária.

Observando o conteúdo das matérias, sempre apregoando o que o mercado chama de "bola da vez", ficamos em dúvida sobre quais seriam as regiões que mais se valorizam em São Paulo. Há, de início, uma percepção que certamente esse processo não ocorre nos bairros já consolidados e de alto luxo como Higienópolis, Moema, Jardins etc. As novidades que vão sendo apresentadas referem-se em geral a lugares que até pouco tempo não possuíam *status* de luxo ou de alto padrão. O jornal *O Estado de S. Paulo* afirma tanto que "A cidade caminha para a zona Leste" como que a "zona Oeste atrai investimentos". Enquanto a primeira matéria afirma que investimentos públicos e um shopping fazem do Tatuapé um "polo de atração imobiliário", a segunda diz que "(...) os bairros Barra Funda, Perdizes e Pompeia, na zona Oeste, são um grande filão para o mercado imobiliário".[6] O bairro de Santana, na zona Norte, é lembrado, por sua vez, por passar a atender ao mercado de alto luxo e a *Folha de S. Paulo* afirma que "a bússola do mercado imobiliário aponta para o norte."[7]

Em que pese a necessidade destes meios de tratarem as diversas regiões de forma a atender aos requerimentos de corretores, investidores e anunciantes de cada um dos bairros, de fato o intenso crescimento imobiliário não foi exclusivo de uma ou outra área. Na análise do crescimento imobiliário em localidades específicas da cidade, chamam a atenção dois aspectos: primeiro, os bairros que passaram pelo processo de crescimento/valorização imobiliários estão em áreas relativamente bem providas de infraestrutura, transportes, equipamentos públicos etc.; segundo, estão em zonas intermediárias entre o Centro histórico e os bairros mais valorizados da cidade, como Jardins, Alto de Pinheiros, Higienópolis e os bairros periféricos, e vivem fases distintas em relação ao seu desenvolvimento. Alguns deles já passaram por uma forte produção em períodos anteriores, enquanto outros estão sendo, de certa forma, inaugurados pela incorporação. Diante das colocações enunciadas, a indagação que procuramos tratar nesta secção refere-se às dinâmicas que o crescimento da incorporação imprimiu em determinados distritos da cidade e, no movimento contrário, com a importância de tais localidades para este surto incorporador.

Para seguir nessa análise, é importante retomarmos brevemente o raciocínio das seções anteriores do capítulo. Vimos que entre as importantes características do período, uma delas foi o forte crescimento

[6] Gama, Renata. Cidade caminha para a zona leste. *O Estado de S. Paulo*. 20/04/2007, p. H1. Gama, Renata. Zona Oeste atrai investimentos. *O Estado de S. Paulo*. 06/05/2007, Caderno Imóveis, p.1.
[7] Valente, Edson. Distrito de Santana lidera *ranking* de lançamentos de 2007. Folha on-line. 16/12/2007.

do volume de área construída. Isso nos leva a uma outra dimensão da produção que está associada ao volume da produção imobiliária que é a receita das incorporadoras. Como falamos a variável possível de ser extraída é a receita bruta, chamada pelo mercado de VGV, cujo comportamento nos últimos dez anos é, para nós, revelador.

Uma grande dificuldade relacionada a essa variável diz respeito ao uso do deflator, como já comentamos anteriormente. Diante dessa dificuldade optamos por exibir o VGV tanto em dólares como em reais de setembro de 2008, com valores deflacionados pelo IGP-DI. Com isso, acreditamos ser possível captarmos uma tendência mais clara de comportamento dessa variável, mesmo que com os evidentes problemas.

Uma questão importante e que será aprofundada mais adiante diz respeito ao ponto de inflexão a partir de 2004. Nesse período, o VGV cresceu de forma muito intensa e, se o atual período de crescimento da produção não foi capaz de atingir o pico de meados de década de 1990, em VGV, essa produção ultrapassou e muito os outros anos. É importante percebermos um comportamento muito parecido entre as duas variáveis, excetuando-se os anos de 1999 e 2002 em que o valor do dólar mudou de forma abrupta. Vemos também que, embora o ano de 1997 tenha sido o que alcançou o maior número de unidades lançadas, a produção dos últimos três anos tem se mostrado mais significativa em termos do VGV. Tal variável também nos fornece mais um subsídio para notarmos o forte crescimento da produção imobiliária entre 2003 e 2007.

No item anterior vimos que a evolução do VGV em anos recentes, associados aos bancos de terras das incorporadoras, foi a base para a projeção do desempenho futuro das empresas do segmento e, portanto, para sua valoração no mercado de capitais. Logo, o intenso crescimento observado na Figura 7, precisamente no período que precede a abertura de capital das empresas, foi extremamente favorável

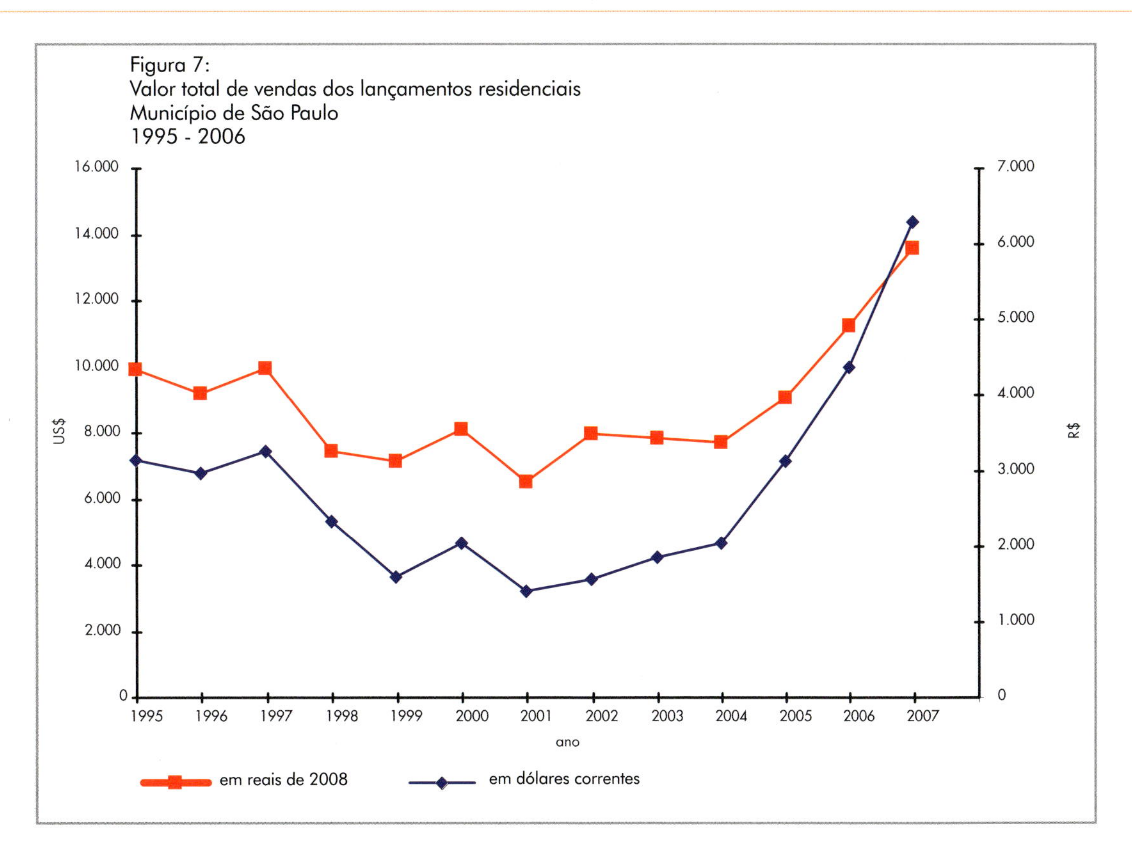

Fonte: Empresa Brasileira de Estudos do Patrimônio – EMBRAESP.
Elaboração: Tomás Cortez Wissenbach.

a elas não só por motivos óbvios (quanto mais receita melhor), mas também porque possibilitou uma perspectiva de expansão muito intensa e a atração de grandes montantes de investimento das bolsas. Mas qual é a relação disso com a discussão sobre qualidades de localização?

Para avançar o nosso raciocínio, é importante retomarmos a discussão a respeito das características econômicas e espaciais da incorporação. Vimos que uma de suas características é a de constituir uma ação intencional sobre o território, com o intuito de promover os sobrelucros de localização. Dessa forma os atributos de localização não podem apenas ser lidos de forma absoluta em termos de acessibilidade, proximidade a equipamentos, serviços etc., mas também como possibilidade de realização de ganhos extraordinários. Entretanto, é muito difícil constatar empiricamente a sua realização. Dada esta dificuldade, vamos considerar que, sob o ponto de vista explicitado anteriormente, a boa localização no período analisado (2003-2007) foi aquela que por diferentes motivos significou possibilidades de crescimento do VGV.

Figura 8: Variação do valor global de vendas segundo distritos Município de São Paulo - 2001-2006

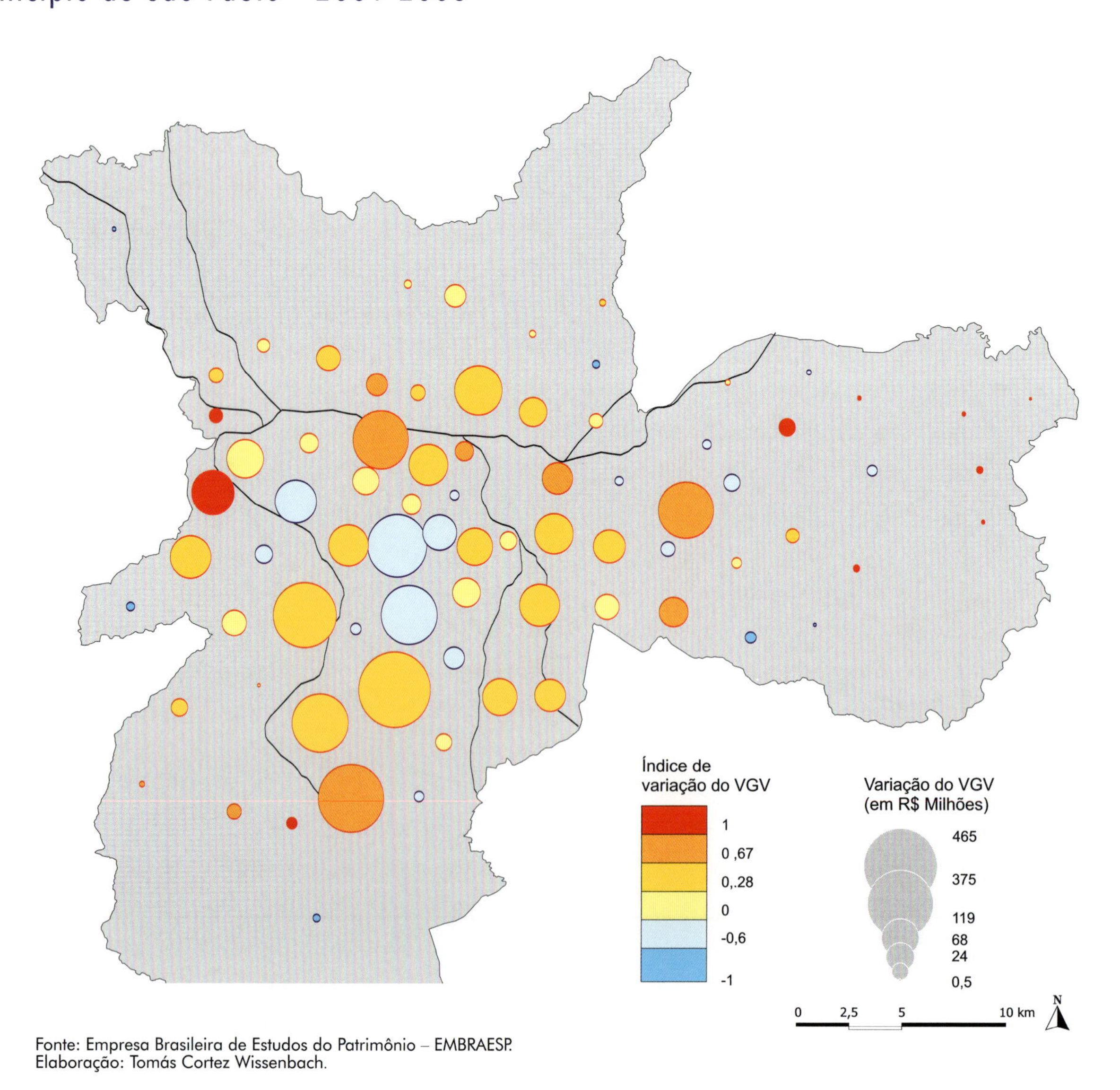

Fonte: Empresa Brasileira de Estudos do Patrimônio – EMBRAESP.
Elaboração: Tomás Cortez Wissenbach.

A partir deste entendimento procuramos identificar na análise espacial das informações sobre os lançamentos imobiliário dois processos. Primeiro, em termos nominais, observar a variação do VGV no período. Para isso, utilizamos a média móvel de três anos: o ano de referência, um ano antes e um depois. Isso porque o caráter irregular da produção poderia nos levar a algumas distorções. Excepcionalmente um distrito poderia ter em um determinado ano uma produção muito intensa que depois desapareceu ou o contrário no ano de referência, excepcionalmente não ter verificado uma produção significativa. Esse fato é gravado pela propriedade do imóvel ser um bem de durável e de longo tempo de consumo.

O mapa identifica duas questões distintas. A primeira é a variação nominal do valor global de vendas, deflacionados em R$ de 2007 pelo IGP-DI, expressa na proporção das circunferências. A segunda é o índice de variação calculado pela razão entre a soma dos períodos e a diferença de 2006 para 2001, de forma que este valor oscila entre 1, que significa que todo o VGV está em 2006, e -1 que significa que todo o VGV está em 2001. Evidentemente que, dado o crescimento da produção na cidade inteira, é mais frequente observarmos valores positivos do que valores negativos. Mesmo assim, a Figura 8 revela nuances importantes. A primeira delas é a queda de regiões não apenas valorizadas, mas que também foram extremamente importantes para a incorporação residencial na década de 1990, tais como Moema e Jardim Paulista. Depois o Centro expandido, área altamente verticalizada desde 1991, é cercado de distritos com crescimento positivo no VGV. Observamos especialmente quatro distritos que localizados em cada um dos pontos cardeais (norte, sul, leste e oeste) que combinam um forte crescimento e um índice de variação maior do que 0,67: Barra Funda, Tatuapé, Jaguaré e Campo Grande.

Os distritos que apresentaram um forte crescimento do VGV no período considerado são, portanto, os que sustentaram o atual período de crescimento imobiliário. Já aqueles que, como os citados, não apenas cresceram, mas saíram de um patamar muito baixo para propiciar às incorporadoras uma receita significativa não apenas ajudaram esse crescimento, mas são, ao mesmo tempo, causa e reflexo do novo patamar da incorporação residencial em São Paulo. Para avançarmos na compreensão do significado desses distritos para o mercado imobiliário bem como entender o porquê desse processo ter ocorrido onde ocorreu, é importante passarmos por dois conceitos que se articulam e orientam a nossa proposta de compreender a relação entre o espaço urbano e a incorporação residencial: o de ciclo da localização e o de inovação espacial (Abramo, 2007).

O primeiro trata de um processo de produção de localidades que até então não eram vistas pelo mercado como valorizadas. Nesse processo, por diferentes mecanismos, o mercado cria uma localização que passa a ser vista de outra forma, como passível de receber moradores com um nível de renda mais elevado. Em geral, há uma forte associação com investimentos públicos (metrô, rodovias, planos urbanísticos) e também com equipamentos privados, especialmente shopping centers, somados a um cenário de concentração da propriedade da terra. Existem inúmeros exemplos deste processo que em grande escala encontram seus maiores exemplos na Barra da Tijuca no Rio de Janeiro e Alphaville nos municípios de Barueri e Santana do Parnaíba, ambos na Região Metropolitana de São Paulo (Cardoso, 2000; Pereira-Leite, 2006).

Para compreendermos esse processo de criação de qualidades de localização é fundamental situarmos a incorporação dentro de uma perspectiva temporal. Isso implica observarmos duas questões: uma relativa ao ciclo de um empreendimento individual e outra relacionada à combinação entre decisões de diversos empreendedores. Já comentamos que a realização de um empreendimento passa por distintas fases. De uma maneira geral, tais fases se aglutinam em torno do planejamento e da construção em si. O planejamento começa com a compra do terreno (a questão será aprofundada adiante) e seu estudo de viabilidade (o incorporador irá calcular o valor geral de vendas que o terreno oferece), definindo o perfil do comprador, o estilo arquitetônico, as facilidades que serão oferecidas em cada condomínio. A análise de viabilidade envolve quatro fases: a primeira trata da suportabilidade física dos terrenos, dos atributos naturais à infraestrutura e características de localização. A segunda, a factibilidade financeira, isto é, a análise de risco. A terceira, as possibilidades legais: restrições de zoneamento e pesquisa de permissões especiais de uso e instrumentos de compensação para aumentar o potencial de aproveitamento. Por fim, analisa-se a máxima produtividade e qual a solução mais rentável para o terreno.

Depois vem o processo de construção e as vendas. A construção demora, em média, de 18 a 24 meses. Já as vendas começam na fase de lançamento, ou seja, no início das obras. Entretanto, a decisão de construir de cada incorporadora ocorre em um cenário de não simultaneidade. Ou seja, em tempos distintos. Com isso, e dado o lapso de tempo entre as obras, aumenta o risco de ocorrer casos de superoferta de um determinado segmento em uma dada região da cidade. O fato das decisões de produção não serem simultâneas acarreta na "flutuação dos movimentos de recomposição dos estoques que caracteriza os ciclos de mercado." (Pascale, 2005, p. 21)

Estes ciclos são definidos como oscilações dentro de um cenário macroeconômico e condicionados pelas mudanças relacionadas à demanda e aos tempos diferenciais da oferta. Abramo (2007) trata de quatro fases: a expansão, a superoferta, o desaquecimento e a recuperação. É importante situar que não faz parte das nossas preocupações constatar um não um padrão ou uma regularidade nestes ciclos, tampouco determinar o tempo que uma localidade passa em cada fase. Também não pretendemos discutir a nomenclatura utilizada pelo autor. O objetivo é apenas perceber que, em se tratando de uma mercadoria de longo consumo como a habitação, é esperado um movimento de ascensão e declínio não da localidade,

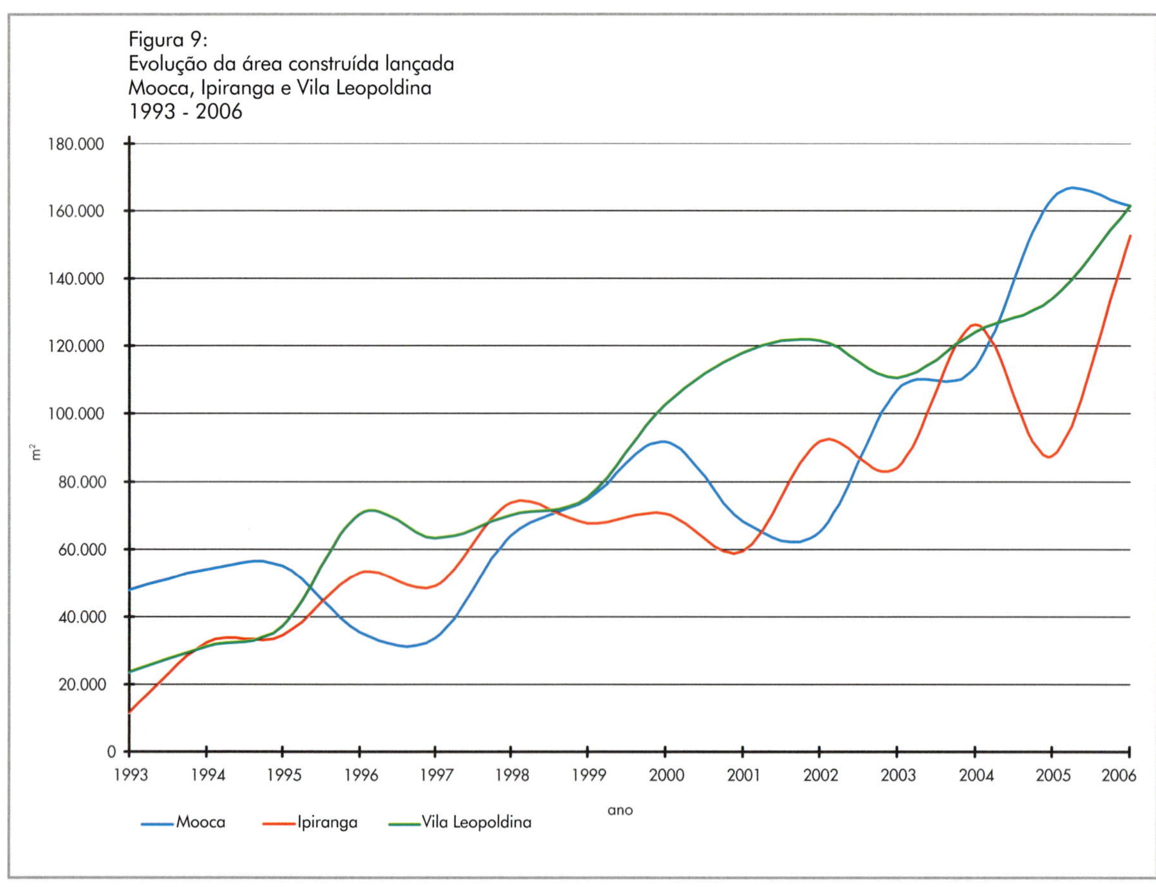

Fonte: Departamento de economia do Secovi.
Elaboração: Tomás Cortez Wissenbach.

mas da produção imobiliária e, portanto, da capacidade de extrair lucros daquela porção da cidade.

Além da oferta e da demanda, trabalha-se com o conceito de convenção urbana, isto é, a percepção dos investidores em relação às localidades urbanas. As convenções pretéritas definiram o estoque residencial atual. Há um ciclo destas convenções, que pode ser visto em dois níveis: o da localização particular e o da estrutura espacial da cidade.

A propriedade de impulsionar a incorporação está na nossa hipótese relacionada tanto ao ciclo das localizações como às mudanças no perfil da produção destes ciclos. Para verificar estes ciclos, do ponto de vista da produção imobiliária, ou seja deixando de lado a composição dos estoques, observamos o comportamento ao longo dos últimos 15 anos, pela evolução da área construída lançada entre 1993 e 2006 (a média móvel faz com que se perca o primeiro e o último ano da série) para distritos selecionados que exprimem o movimento cíclico da produção imobiliária. Dado que o crescimento da receita e da área construída que impulsionou a incorporação a partir de 2003, com auge em 2006 e 2007, não ocorreu em distritos até então importantes para a incorporação residencial tais como Moema e Jardins, procuramos agrupar os distritos selecionados todos localizados nas faixas intermediárias da cidade. A partir do perfil dos gráficos de evolução da área construída, identificamos alguns padrões distintos de variação ao longo do período.

O primeiro grupo selecionado traz distritos que, além de sofrerem um fortíssimo crescimento na área lançada, saindo de cerca de 20 mil m² de área lançada em 1993 para 160 mil m² em 2006, trazem uma curva de crescimento constante, relativamente descolado da evolução do mercado imobiliário no município. A situação destas localidades em 1991, no entanto, diferia em relação à composição do parque residencial. Enquanto Ipiranga e Vila Leopoldina tinham pouco mais de 20% dos seus domicílios em apartamentos, a Mooca alcançava 38%. Diferença também observada quando examinamos a produção imobiliária segundo as tipologias de 2 e 4 dormitórios. Até 2002 pouco tinha recebido de unidades de 4 dormitórios, nunca ultrapassando os 20 mil m² de volume da área lançada. A partir de então, o volume cresceu de forma bastante intensa ultrapassando os

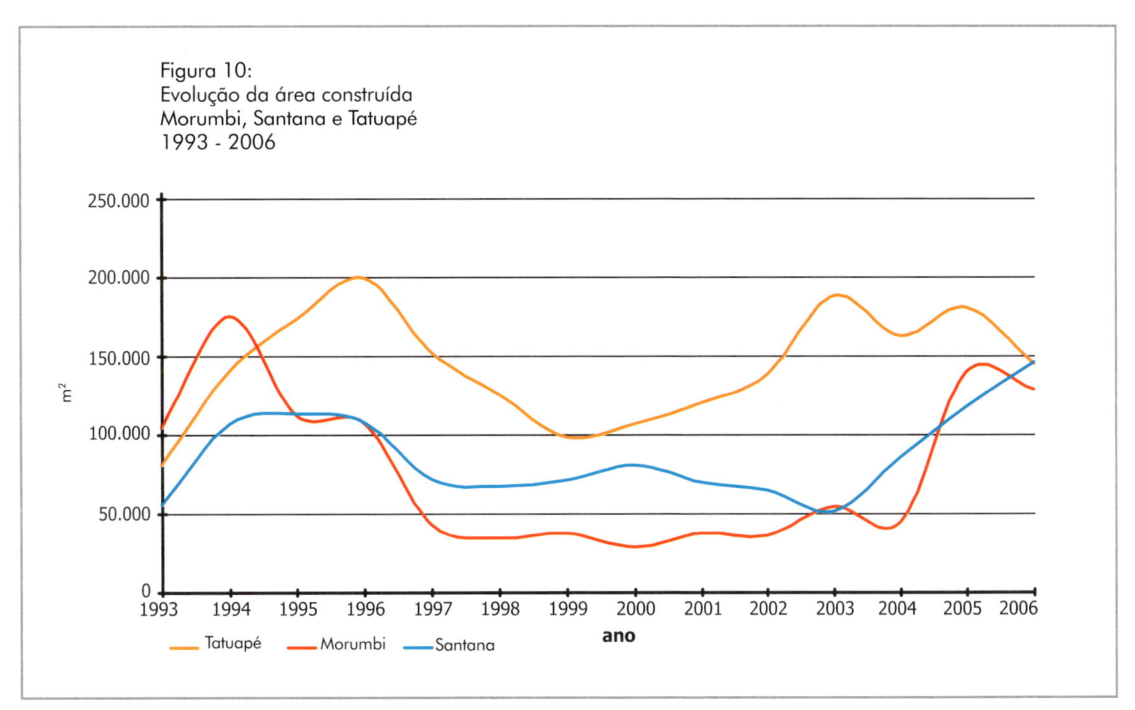

Fonte: Empresa Brasileira de Estudos do Patrimônio - EMBRAESP.
Elaboração: Tomás Cortez Wissenbach.

100 mil m². Já os distritos Vila Leopoldina e Ipiranga haviam já recebido habitações verticais de alto padrão em meados da década de 1990. A diferença é que o primeiro distrito se especializou em empreendimentos de 4 dormitórios, deixando de receber fluxos de unidades com 2 dormitórios.

O segundo grupo, cujos exemplos são Morumbi e Tatuapé e Santana, é composto por dois ciclos bem definidos de crescimento, cada um em uma das décadas. Portanto, já haviam recebido um volume de área construída bem parecido com a do período atual, ou seja, experimentaram uma primeira onda de lançamentos no início e em meados da década de 1990. São áreas da cidade que acompanharam o desempenho do município de São Paulo. Certamente existem especificidades nos dois casos, mas em comum o fato de terem recebido novas residências de alto padrão. No distrito do Morumbi, as duas cristas do gráfico se concentram nos extremos, enquanto no Tatuapé, vivenciou o seu auge de lançamentos na década de 1990 um pouco mais tarde. Por outro lado, este distrito parece ter prenunciado o crescimento do alto padrão dos últimos cinco anos, que começou por lá já em 1993.

O distrito de Santana, apesar do comportamento parecido em termos do volume de área construída, apresenta uma diferença fundamental. No primeiro período de alta produção era muito intensa a participação de apartamentos de 2 dormitórios. A partir de 1995, no entanto, deixou de receber um fluxo importante, sendo que o período recente de crescimento da produção no qual a área construída foi de cerca de 60 mil m², em 2003, para 140 mil, em 2006, foi quase todo sustentado por apartamentos de 4 dormitórios. Essa mudança coincide, por outro lado, com a entrada na região de empresas que atuam em todo o município desbancando as empresas locais.

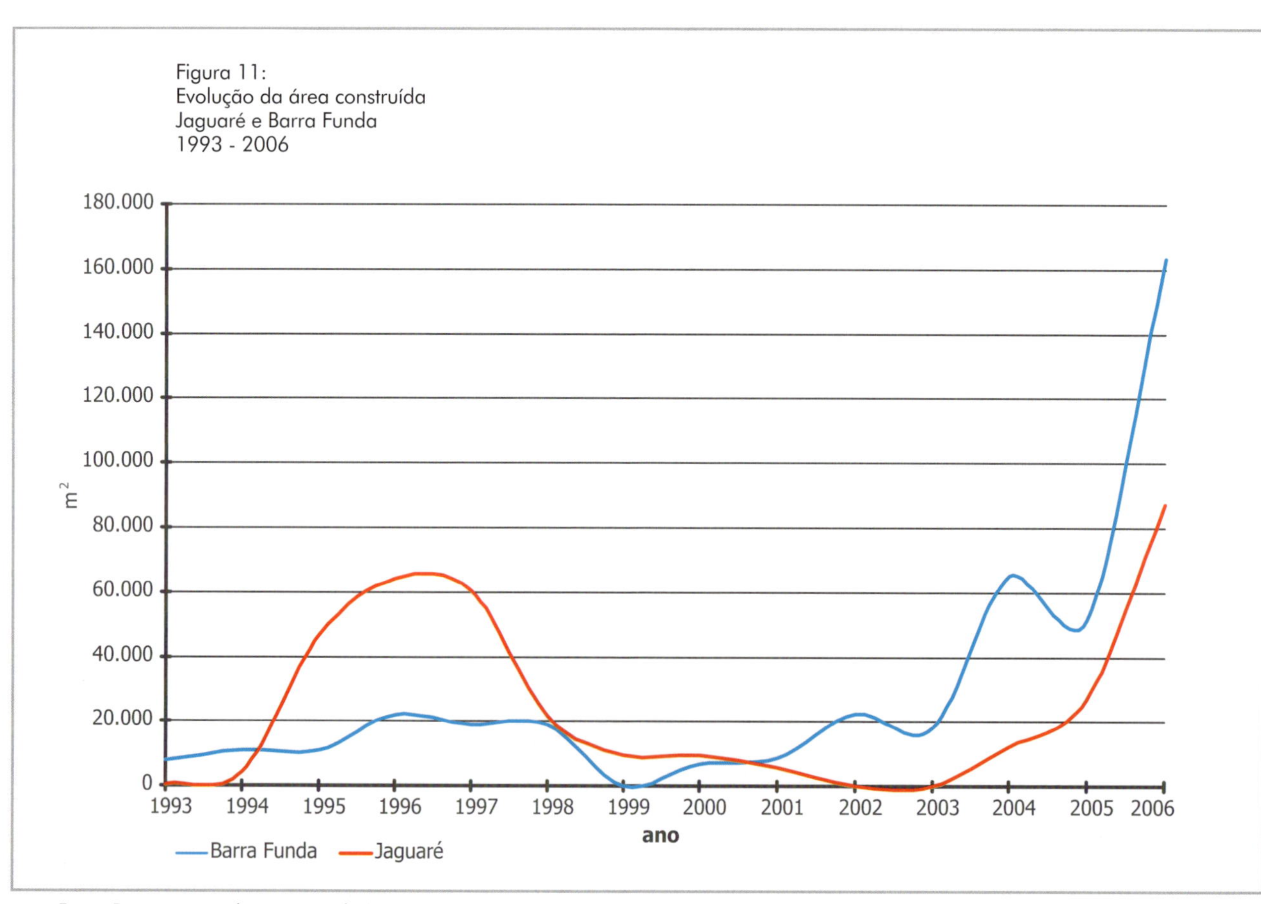

Figura 11:
Evolução da área construída
Jaguaré e Barra Funda
1993 - 2006

Fonte: Departamento de economia do Secovi.
Elaboração: Tomás Cortez Wissenbach.

Na Figura 11 apresentamos exemplos de localidades cujo comportamento identificado no gráfico aponta para uma explosão de área construída lançada nos últimos anos. São, portanto, distritos que contribuíram para o crescimento do valor global de vendas nos últimos anos. Apesar de não apresentarem montantes que os coloquem entre as principais áreas de incorporação em São Paulo, foram zonas nas quais a incorporação pôde ampliar as suas ações. Trata-se de casos evidentes de processos de inovação espacial, mas que apontam para situações distintas. O Jaguaré já havia recebido um importante fluxo de unidades verticais produzidas pela incorporação residencial. Estas, entretanto, eram exclusivamente de 2 dormitórios. No segundo momento, a explosão se deu em unidades de 4 dormitórios. Nesse caso a incorporação subistituiu as características desta localidade. No caso da Barra Funda, é importante notar que se tratava de um bairro que em 1991, já possuía mais de 50% de domicílios em apartamentos. Entretanto, a produção imobiliária entre 1991 e 2003 havia sido muito pequena não chegando a 20 mil m^2 de área construída. A partir daí, por outro lado, a produção ultrapassou os 160 mil m^2. A localização dos empreendimentos em questão, por outro lado, indica a exploração da proximidade do parque da Água Branca que até então não havia sido tão intensa.

A identificação de distritos que passaram por transformações e ciclos de produção diferentes apontam para uma forma de compreender a localização de uma perspectiva que trabalhe tanto com as características econômicas da incorporação em cada período e também na sua posição relativa no espaço urbano. Esta posição diz respeito não apenas à distância em relação às áreas valorizadas, mas também no que se refere ao estoque residencial. Este, por sua vez, marca as possibilidades de expansão da atividade e permitem agora avaliarmos os caminhos do crescimento do setor, especialmente no momento em que aparece a necessidade de diversificar o público-alvo dos empreendimentos. Um estudo mais aprofundado dessas localidades apontaria para uma compreensão do papel do território e seus atributos no desenvolvimento de um setor econômico importante como é o mercado imobiliário.

Considerações finais: mercado imobiliário e política urbana

O debate em torno das interações do mercado imobiliário e da dinâmica urbana tem sido intenso no âmbito da formulação e implementação de uma agenda para a cidade. Tal disputa tende a se acirrar diante de um duplo movimento verificado, particularmente na cidade de São Paulo. Por um lado, caminhamos, desde a Constituição Federal de 1988 passando pelo Estatuto da Cidade (2001) até os Planos Diretores Estratégico e Regional (2002 e 2004, respectivamente), para a consolidação de instrumentos urbanísticos que buscam alterar o sentido privatista que marcou o processo de urbanização brasileiro. Por outro, a forte financeirização do setor incorporador dá a ele uma capacidade inédita de intervenção no tecido urbano, além de um fortíssimo poder de influência no ambiente político.

O aumento do impasse tem levado a uma situação de quase impossibilidade de soluções negociadas, no qual cada lado da disputa vê no outro a sua negação. Nessa linha indagamos se é possível conciliar uma política de desenvolvimento urbano que se oriente pela reversão dos problemas crônicos da cidade (desigualdade, segregação, mobilidade etc.) com a existência de um setor imobiliário fortalecido que contribua para a geração de emprego, renda e oportunidades.

A resposta a essa pergunta, evidentemente, não é dada por uma pesquisa sobre a dinâmica imobiliária. Ela parte, muito mais, de visões de mundo, de concepções de luta política e de diferentes avaliações sobre a capacidade do Estado e da sociedade civil se imporem à força do mercado. Nesse contexto, o objetivo do presente estudo foi o de trazer subsídios a uma política urbana realista, que reconheça a força do mercado imobiliário e que busque estratégias de tornar a sua ação menos nociva à cidade e à sociedade.

O primeiro movimento nesse sentido foi o de buscar uma definição conceitual e operacional do setor imobiliário que permitisse sustentar duas proposições. Primeiro, a de que a incorporação imobiliária não pode ser vista como um agente neutro que apenas valida as preferências da demanda. Tal ponto de vista foi sustentado não apenas do ponto de vista teórico, mas também pela identificação de um forte potencial especulativo na produção de apartamentos de alto luxo. Segundo, a de que é necessário o reconhecimento da importância do setor imobiliário na cidade, seja na sua participação em termos de estabelecimentos e empregos, seja nas indicações do volume de investimentos que são realizados: a atividade imobiliária, tal como definida no presente artigo, representa 6,8% dos empregos e 6% dos estabelecimentos em 2006 e 14,5% dos investimentos anunciados entre 2002 e 2006.

O segundo movimento foi o de analisar a produção física do setor imobiliário com um recorte para os empreendimentos residenciais verticais. Detectamos, de início, que, além de uma variação na intensidade na construção de novos apartamentos, há também importantes diferenças no padrão dos empreendimentos lançados ao longo do período. Tais padrões foram identificados pela combinação de variáveis que compõem essa produção: o número de unidades lançadas; a sua distribuição em tipologias (1, 2, 3 e 4 ou mais dormitórios); e o volume de área construída. Chama atenção uma leitura comparada dos dois picos de produção nos últimos quinze anos. Com 5 mil unidades a menos, os lançamentos em 2007 tiveram 2,5 milhões de m² de área construída a mais do que 1997. Enquanto em 1997 foram lançados menos de mil apartamentos com 4 ou mais dormitórios, em 2007 foram mais de 12 mil apartamentos nessa tipologia. Tal diferença se expressou espacialmente de forma que a distribuição territorial dos lançamentos diferem de forma significativa: 1997 mais periférico, 2007 mais concentrado.

Identificadas as suas particularidades em relação aos períodos anteriores, nos debruçamos sobre a análise do período recente de crescimento. Procuramos estabelecer uma relação entre as razões do crescimento da incorporação imobiliária (aumento do crédito imobiliário e captação de recursos na bolsa de valores) e o tipo de produto ofertado no mercado, ou seja, o padrão dos apartamentos lançados. Nesse sentido foi possível identificar um suposto ciclo de valorização que se retroalimenta, ou uma possível bolha imobiliária, na qual o grande volume de lançamentos de alto padrão permitiu um forte crescimento da receita bruta das incorporadoras, que sustentou uma forte expectativa de lucros apresentada nas ofertas de ações na bolsa que, por sua vez, valorizou os seus bancos de terra e os preços dos imóveis lançados.

Tal análise, finalmente, permitiu tratarmos da questão da localização urbana de um ponto de vista distinto do usualmente abordado. Dialogando com análises quantitativas sobre os atributos do espaço (tais como proximidade de parques, de shoppings acessibilidade, entre outros), propomos que a boa localização fosse vista como aquela que oferece melhores condições para o crescimento imobiliário diante das condições econômicas de um determinado período. Destaca-se nesse sentido, a importância da inovação espacial que, no caso do período recente, foi a ampliação do escopo territorial dos lançamentos de alto padrão. Nesse sentido, as localidades situadas ao redor do núcleo econômico da cidade e de bairros tradicionalmente considerados de alto padrão, conforme Figura 8, foram fundamentais para a continuidade do ciclo de expansão imobiliária.

As conclusões apresentadas, se não são suficientes para responder a indagação mais ampla deste capítulo, qual seja, se é possível, e como, conciliar desenvolvimento imobiliário e desenvolvimento urbano, sugerem referências para a formulação de políticas de desenvolvimento urbano, que procurem superar o atual impasse verificado entre o setor imobiliário e os interesses coletivos na cidade.

O conhecimento profundo da dinâmica da incorporação deve ser colocado em destaque nesse sentido. Isso significa, de início, um constante aprimoramento das informações para análise desse segmento. De forma modesta, acreditamos que uma contribuição importante é a proposição, ainda que de forma incipiente uma definição do setor compatível com a nova classificação da atividade econômica a CNAE 2.0. As informações trabalhadas nesse capítulo são parciais e devem ser complementadas por outras dimensões do mercado.

Da mesma forma, um cenário de menor assimetria informacional entre agentes do mercado e atores da sociedade pode qualificar sobremaneira o diálogo e os embates ligados à política urbana. Podemos sugerir, nesse sentido, avanços na produção e disseminação para um público amplo, facilitando o acesso a pesquisadores das seguintes informações: aprimorar as informações sobre o estoque de imóveis, compatibilizando os cadastros municipais e os levantamentos censitários; controle público e transparente em relação à dinâmica dos preços dos imóveis a partir da divulgação desidentificada, mas, na medida do possível, individualizada sobre as transações envolvendo imóveis na cidade; e finalmente levantamentos mais constantes e divulgação das taxas de vacância, principalmente dos imóveis residenciais. O melhor entendimento em relação às razões dos domicílios vagos, ilustrados na Figura 12, poderia ser investigado no âmbito do Censo demográfico.

Figura 12: Domicílios vagos - município de São Paulo - 2000

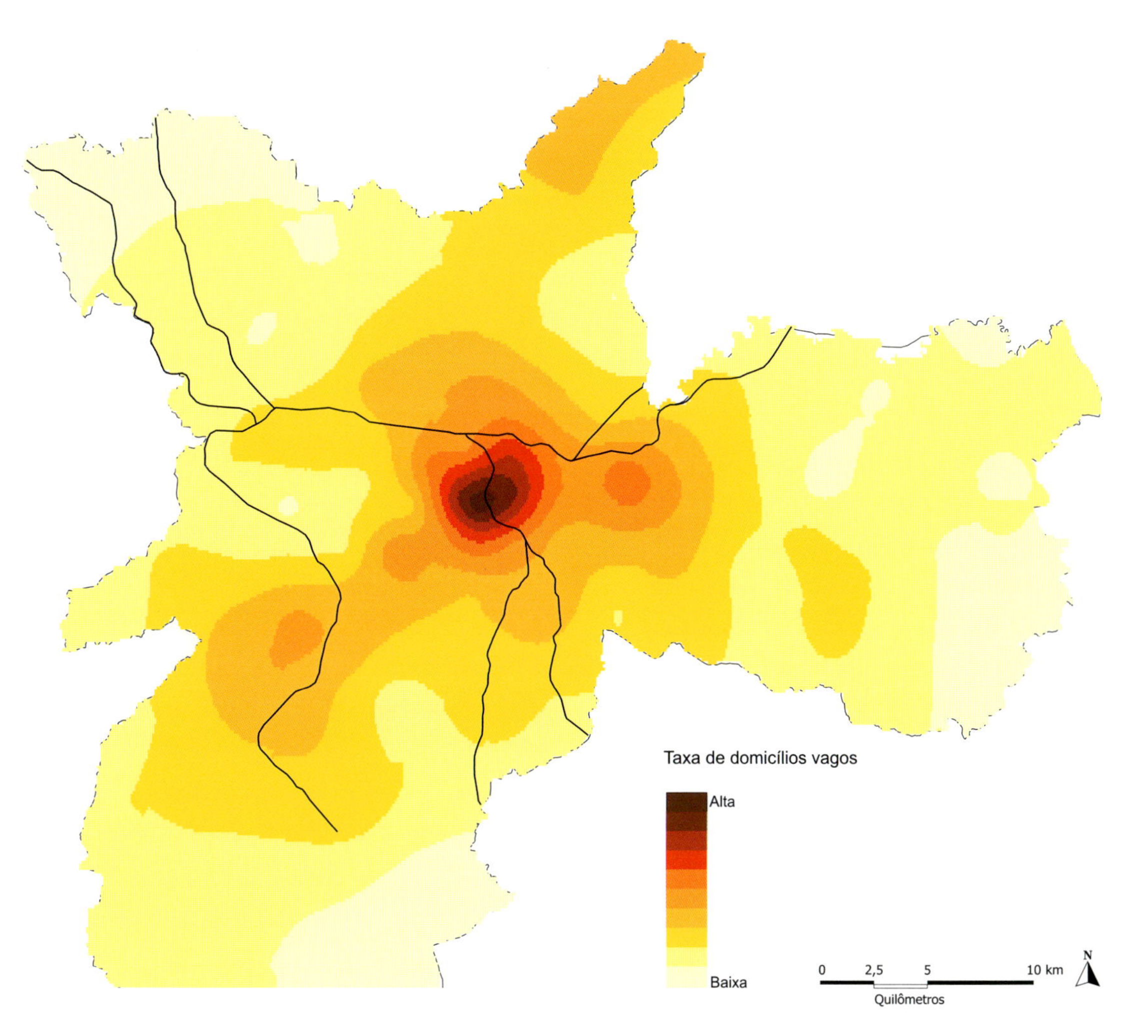

Fonte: IBGE, Censo 2000.

Em relação à dinâmica econômica e espacial da incorporação, dois pontos merecem especial atenção do poder público. Em primeiro lugar, monitorar e considerar os riscos de "movimentos de manada" e de formação de bolhas imobiliárias – nesse aspecto, evidentemente, o poder municipal tem atuação limitada, mas deve cobrar a ação de outras esferas, uma vez que será o mais afetado em casos de estouro da bolha. No que cabe ao município, além dos mecanismos existentes de regular o uso e ocupação do solo, há o desafio de se pensar na possibilidade de um controle mais efetivo dos estoques de apartamentos, evitando a superprodução de uma tipologia em uma determinada região.

Em segundo lugar, considerando que o crescimento da incorporação imobiliária significa a transformação permanente da cidade, é importante que o Poder Público possa adotar uma postura ativa, e não reativa, ao identificar possibilidades de indução dos empreendimentos em determinada região da cidade. Nesse ponto, podemos articular resultados deste capítulo com outros deste livro. As áreas em reestruturação produtiva e urbana, identificadas e analisadas nos capítulos 5 e 7, apresentam um grande potencial de desenvolvimento urbano e imobiliário. No capítulo 1, por sua vez, foram identificados setores estratégicos para o crescimento da cidade. No presente capítulo, mostramos como a inovação espacial, ou seja, a abertura de novas áreas para a expansão imobiliária teve e, provavelmente, terá um papel fundamental para o crescimento do setor. A combinação dos três elementos citados, pode indicar caminhos para direcionar o mercado imobiliário no sentido de atender às necessidades mais amplas da cidade, da economia e da sociedade.

Bibliografia

ABIKO, A. K.; GONÇALVES, O. M. O futuro da construção civil no Brasil: resultados de um estudo de prospecção tecnológica da cadeia produtiva da construção habitacional. Escola Politécnica da Universidade de São Paulo: São Paulo, 2003.

ABRAMO, Pedro. (org.). A cidade da informalidade: o desafio para as cidades latino-americanas. Rio de Janeiro: Ed. Sete Letras, 2003.

_______ A cidade caleidoscópica. Coordenação espacial e convenção urbana: uma perspectiva heterodoxa para a economia urbana. Rio de Janeiro: Bertrand Brasil, 2007.

_______ Mercado e ordem urbana: do caos à teoria da localização residencial. Rio de Janeiro: Bertrand Brasil, 2001.

_______ Uma teoria econômica da favela: elementos sobre o mercado imobiliário informal em favelas e a mobilidade residencial dos pobres. In: ABRAMO, Pedro. (org.). A cidade da informalidade: o desafio para as cidades latino-americanas. Rio de Janeiro: Ed. Sete Letras, 2003.

ALEM, A. R.; CRETTON, A. L. F. Mercado imobiliário no Rio de Janeiro: o uso dos cadastros técnicos municipais para acompanhar as mudanças na cidade. In: Instituto Pereira Passos, Coleção Estudos da Cidade. Rio de Janeiro, 2005.

ALENCAR, C.; TAKAOKA, M. V. Pressão nos valores de terrenos no momento atual de mercado de real estate. Revista Construção e Mercado, abril de 2008.

BATTAGLIA, Luisa. Cadastros e registros fundiários: a institucionalização do descontrole sobre o espaço no Brasil. Tese de doutorado. São Paulo: FAU-USP, 1995.

BIDERMAN, Ciro. Forças de atração e repulsão na grande São Paulo. Tese de doutorado. São Paulo: FGV, 2001.

BONFIM, V. C. Os espaços edificados vazios na área central da cidade e a dinâmica urbana. Dissertação de mestrado. São Paulo: Poli-USP, 2004.

BONTRON, J. C. Les dynamiques territoriales de la construction 1990/2004. Paris: Diact, 2007.

BOTELHO, Adriano. Mercado imobiliário e dispersão urbana. In: REIS, Nestor Goulart; PORTAS, Nuno; TANAKA, Marta Soban. (org.). Dispersão urbana – Diálogos sobre pesquisas Brasil-Europa. 1º ed. São Paulo: FAU-USP, 2007, v. 01.

______ O financiamento e a financeirização do setor imobiliário: uma análise da produção do espaço e da segregação sócio-espacial através do estudo do mercado da moradia na cidade de São Paulo. Tese de doutorado. São Paulo: FFLCH-USP, 2005.

______ Uma trajetória do mercado imobiliário em São Paulo (1554-2004). In: CARLOS, A. F. A.; OLIVEIRA, A. U. (orgs.) Geografia das metrópoles. São Paulo: Contexto, 2006.

CARDOSO, Adauto Lúcio. Mercado imobiliário e segregação: a cidade do Rio de Janeiro. In: RIBEIRO, L. A. Q. (org.) O futuro das metrópoles: desigualdades e governabilidade. Rio de Janeiro: Revan, 2000.

DANTAS, J. R. Dinâmica do mercado imobiliário habitacional: São Paulo 1980/1990. São Paulo: FAU-USP, 1991.

EMPRESA BRASILEIRA DE ESTUDOS DO PATRIMÔNIO – Embraesp. Relatórios anuais, 1992-2007.

FARIA, T. C. Mobilidade residencial na cidade do Rio de Janeiro: tendências e estratégias de localização dos indivíduos no espaço urbano. Dissertação de mestrado. Rio de Janeiro: IPPUR/UFRJ, 1997.

FRANÇA, C. R. A.; MATTEO, M. Modernidade e arcaísmo na construção paulista. In: Seade, Revista São Paulo em Perspectiva. 1999.

GAMA, Renata. Cidade caminha para a zona leste. O *Estado de S. Paulo*. 20/04/2007, p. H1.

______ Zona Oeste atrai investimentos. *O Estado de S. Paulo*. 06/05/2007, Caderno Imóveis.

GARCIA, F. (coord.) O crédito imobiliário no Brasil: caracterização e desafios. São Paulo: FGV, 2007.

GONÇALVES, Renata da Rocha; TORRES, Haroldo da Gama. O mercado de terras em São Paulo e a continuada expansão da periferia. Anais do XII Encontro da Associação Nacional de Pós-graduação em Pesquisa e Planejamento Urbano e Regional. Belém, 2007.

HADDAD, Emilio. (e outros). O mercado imobiliário antecipa as alterações na estrutura urbana? Evidências do caso de São Paulo. In: Anais do V Encontro da Latin American Real Estate Society – Lares. São Paulo: 2005.

HADDAD, Emilio. Sobre a divisão de cidade em zonas homogêneas: aplicação para o Município de São Paulo. Tese de doutorado. São Paulo: FAU-USP, 1987.

HADDAD, Emilio; BARBON, Ângela. Mercado informal de imóveis em São Paulo: estudo empírico da compra, venda e aluguel de imóveis em quatro favelas. São Paulo: Poli-USP/Lares, 2007.

HADDAD, Emilio; MEYER, J. Condições habitacionais e distribuição de renda: evidências no caso de São Paulo. In: Anais do VIII Encontro da Latin American Real Estate Society - Lares. São Paulo: 2007.

HARVEY, David. Justiça social e a cidade. Tradução. São Paulo: Hucitec, 1980.

______ Los limites del capitalismo y la teoria marxista. México: Fondo de Culturas Econômica, 1990.

HERMANN, Bruno M.; HADDAD, Eduardo A. Mercado imobiliário e amenidades urbanas: a view through the window. Estudos Econômicos, São Paulo, 35(2): 237 - 269, abr-jun. 2005.

IBGE, Censo 2000.

LEFÈVRE, Rodrigo Bueno. Notas sobre o papel dos preços dos terrenos em negócios imobiliários de apartamentos e escritórios na cidade de São Paulo. In: MARICATO, E. (org.) A produção capitalista da casa (e da cidade).

LOW-BEER, Jaqueline. Renovação urbana nas cercanias da linha leste do metrô. São Paulo: FAU-USP, 1975.

MACEIRA, Fábio. Entrevista à Istoé Dinheiro, em 10 de outubro de 2007.

MARICATO, Ermínia. (org.) A produção capitalista da casa (e da cidade) no Brasil industrial. São Paulo: Alfa-Ômega: 1982.

______ Metrópole na periferia do capitalismo. São Paulo: Hucitec, 1996.

______ Questão fundiária no Brasil e o Ministério das Cidades. São Paulo, 2005. Disponível em: www.fauusp.usp.br/labhab.

MARQUES, E. C.; BICHIR, R. M. A dinâmica espacial dos investimentos e a produção do espaço paulistano. In: MARQUES, E. C. (org.). Redes sociais, instituições e atores políticos no governo da cidade de São Paulo. São Paulo: Fapesp/ AnnaBlume, 2003.

MARQUES, E.C. A dinâmica de incorporação em período recente. In: MARQUES, E.C.; TORRES, H. (orgs). São Paulo: segregação, pobreza e desigualdades sociais. São Paulo: Senac, c.2004.

MILES, M.; BERENS, G.; WEISS, M. Real Estate Development: principles and process. Washington, D.C.: Urban Land Institute, 2005.

MONETTI, E. Os profissionais de Real Estate para o gerenciamento dos 10 bilhões captados nos IPOs. Carta do NRE-Poli, julho-setembro de 2007.

MORAES, A. C. R.; Costa, V. M. A valorização do espaço. São Paulo: Hucitec, 1999. 1º ed., 1984.

MORAIS, M. P. Housing Demand, Tenure Choice and Housing Policy in Brazil. Disponível em: http://www.worldbank.org/urban/symposium2007/.

______ The Housing Conditions in Brazilian Urban Areas during the 1990's. Texto para discussão n° 1.085. Brasília, Ipea, 2005.

PASCALE, Andrea. Atributos que configuram qualidade às localizações residenciais: uma matriz para clientes de mercado na cidade de São Paulo. Dissertação de mestrado. São Paulo: Poli-USP, 2005.

PEREIRA-LEITE, Luiz Ricardo. Estudo das estratégias das empresas incorporadoras do município de São Paulo no segmento residencial no período 1960-1980. Dissertação de mestrado. São Paulo: FAU-USP, 2006.

ROCHA-LIMA JR., J. Crônica contemporânea do mercado de Real Estate. Carta do NRE-Poli, janeiro--março de 2008.

______ IPO´s das empresas brasileiras de real estate: a questão da valuation. In: Anais do VII Seminário Internacional da Lares. São Paulo, 2007.

______ Precificação de permutas. Carta do NRE-Poli, abril-julho de 2008.

ROSSETTO, Rossella. Produção imobiliária e tipologias residenciais modernas, São Paulo – 1945/1964. Tese de doutorado. São Paulo: FAU-USP, 2002.

SANTOS, Milton. O espaço dividido: os dois circuitos da economia urbana dos paises subdesenvolvidos. São Paulo: EDUSP, 2004, 2º ed.

SÃO PAULO (CIDADE), Secretaria de Planejamento Urbano. Zoneamento e mercado imobiliário: subsídios para a transformação da legislação urbanística do Município de São Paulo. Sempla, Cadernos de planejamento 1992, n° 5.

______ Plano Diretor Estratégico do Município de São Paulo, Lei n° 13.430/2002.

______ Secretaria Municipal do Planejamento. Evolução do uso do solo nos anos 90. São Paulo, 2000.

______ Secretaria Municipal do Planejamento. Município em mapas. São Paulo, 2006.

______ Secretaria Municipal do Trabalho. Atlas do Trabalho e Desenvolvimento da Cidade de São Paulo. São Paulo: Imprensa Oficial, 2007.

______ Secretaria Municipal do Trabalho; Dieese. Análise do mercado de trabalho do Município de São Paulo no ano de 2007. Disponível em: http://portal.prefeitura.sp.gov.br/secretarias/trabalho/atlasmunicipal/relatorios/0001. Acesso em abril de 2008.

______ Sempla/Deplano. Metodologia de agregação de usos e padrões construtivos do TPCL utilizada pelo Deplano.

SHILLER, Robert. Historic Turning Points in Real Estate. In: Cowles Foundation Discussion Paper no. 1610. New Haven, 2007.

______ Household Reaction Changes in Housing Wealth. In: Cowles Foundation Discussion Paper no. 1459. New Haven, 2004.

SILVA, Armando Correa da. Metrópole ampliada e o bairro metropolitano, o caso de São Paulo: o bairro da Consolação. Tese de livre-docência. São Paulo, 1982.

SILVA, H. M. B. Terra e moradia: que papel para o município. Tese de doutorado. São Paulo: FAU-USP, 1997.

SILVA, H. M. B.; CASTRO, M. C. P.; A legislação, o mercado e o acesso à habitação em São Paulo. In: Lincoln Intitute of Land Policy; Labhab/ FAU-USP, workshop: Habitação: como ampliar o mercado? São Paulo, 1997.

SINDUSCON-MG. Financiamento imobiliário: uma visão geral dos produtos disponíveis. Belo Horizonte, 2006.

VALENTE, Edson. Distrito de Santana lidera ranking de lançamentos de 2007. Folha on-line. 16/12/2007.

VILLAÇA, Flávio José Magalhães. Espaço intra-urbano no Brasil. São Paulo: Studio Nobel/Fapesp/Lincoln Institute, 2001.

VOLOCHKO, Danilo. A produção do espaço e as estratégias reprodutivas do capital: negócios imobiliários e financeiros em São Paulo. Dissertação de mestrado. São Paulo: FFLCH-USP, 2007.

WISSENBACH, Tomás Cortez. A cidade e o mercado imobiliário: uma análise da incorporação residencial paulistana entre 1992 – 2007. Dissertação de mestrado. São Paulo: FFLCH-USP, 2008.

9. Mobilidade urbana e atividade econômica

Eduardo Alcântara de Vasconcellos

1. Apresentação

A análise do uso do espaço urbano pelo deslocamento de pessoas incorpora aspectos puramente técnicos, como a velocidade, mas também aspectos sociais e econômicos, como os custos envolvidos para circular em modos de transporte diferentes. As análises tradicionais, baseadas na engenharia de tráfego desenvolvida nos EUA nas décadas de 1920 a 1940, tendem a limitar-se a aspectos técnicos, ao passo que as análises desenvolvidas em décadas posteriores na Europa passaram a acrescentar os aspectos sociais e econômicos.

A análise de mobilidade contemporânea mais completa segue uma metodologia originada na Suécia (Hagerstrand, 1987), com várias contribuições posteriores de outros pesquisadores, e tem sido intensamente explorada na avaliação dos dados das pesquisas origem-destino (OD). Ela procura verificar como as pessoas definem suas estratégias de deslocamento e de uso dos modos de transporte, e quais são as relações entre essas estratégias e as características sociais e econômicas das pessoas e das famílias das quais estas fazem parte. Trata-se, portanto, de uma abordagem complementar à avaliação tradicional da mobilidade.

Uma consequência lógica dessa abordagem é a investigação sobre os impactos que advêm do uso do espaço pelas pessoas. Essa investigação é essencial para avaliar o consumo de recursos naturais e do próprio espaço público, bem como a distribuição de benefícios e prejuízos entre os grupos sociais que usam o espaço. Abre caminho também para a avaliação das externalidades do transporte, relacionadas a impactos negativos gerados pelas pessoas que circulam, os quais podem afetar outras pessoas (Button, 1993; Verhoef, 1994).

Os dois temas centrais – uso do espaço e impactos – podem de certa forma ser resumidos a um objetivo único: o estudo do "metabolismo" da cidade e de sua população, representando a relação complexa entre a vida das pessoas, o consumo de recursos e os resultados objetivos desse consumo, em função do uso dos meios de transporte. Esse estudo permite compreender melhor a relação entre sociedade e transporte e consequentemente servir de base para propostas de sistemas e serviços de transporte que aumentem a equidade e a eficiência no uso da cidade.

2. Metodologia: conceitos básicos

Na prática, a avaliação da mobilidade deve enfocar especialmente a distribuição da acessibilidade no espaço entre os usuários e os papéis que são desempenhados, de acordo com condições médias de conforto, conveniência e custo: isso requer a análise da condição econômica e social das classes e grupos sociais, e do nível de atendimento dos serviços, como contraposição ao nível de "espoliação" (Kowarick, 1979). Nesse sentido, as análises de orçamentos (quantidades) individuais e familiares de espaço e de tempo são essenciais para avaliar a distribuição relativa da acessibilidade. Esses orçamentos são normalmente separados por grupo ou classe, compatíveis com "estilos de vida" e condições socioeconômicas que não são facilmente identificáveis. Isso traz uma dificuldade adicional ao seu uso na modelagem, na medida em que as formas tradicionais de modelagem em transportes não trabalham com grupos sociais, mas com padrões individuais de viagem.

A avaliação do ambiente construído com relação à distribuição da acessibilidade pode beneficiar-se muito da análise dos orçamentos tempo-espaço. De fato, eles formam um par perfeito para a análise sociopolítica das questões de transporte e trânsito (Vasconcellos, 2008). A forma mais promissora de usar os orçamentos espaço-tempo nas análises de política é a comparação da diversidade de atividades entre os membros de uma família ou entre indivíduos isoladamente. Como regra geral (mas não absoluta), pode-se afirmar que quanto mais restrita for a rede de atividades de uma família ou pessoa, maior a probabilidade de que exista iniquidade na distribuição da acessibilidade e na utilização do espaço. No caso de São Paulo, os domicílios de renda mais alta desfrutam de uma rede mais diversificada de atividades, apropriando-se do espaço de uma forma diversa dos demais grupos sociais.

3. O caso da Região Metropolitana de São Paulo

3.1 Transporte de passageiros

3.1.1 Mudanças na mobilidade entre 1967 e 2007

Os dados quantitativos foram obtidos, em sua maioria, das quatro pesquisas sobre origem e destino de viagens das pessoas (OD), realizadas a cada dez anos entre 1967 e 1997, além de uma pesquisa complementar em 2002 e de resultados preliminares da nova pesquisa de 2007 (Tabela 1 e Gráfico 1).

Tabela 1: Variação de população, frota e viagens, 1967-2007

Ano	Pop. (mil)	Frota de autos (mil)	Viagens/dia (mil)				
			Auto	Público	A pé	Moto	Total
1967	7.097	493	2.293	4.894	-	-	7.187
1977	10.273	1.384	6.205	9.759	5.400	35	21.399
1987	14.248	2.014	8.292	10.343	10.650	181	29.466
1997	16.792	3.095	10.147	10.473	10.813	146	31.579
2002	18.345	3.378	12.049	10.878	14.194	415	37.536
2007	19.300	3.500	10.500	13.800	12.600	700	37.600

Fonte: CMSP (2002 e 2008 – preliminar). Elaboração própria.

Gráfico 1

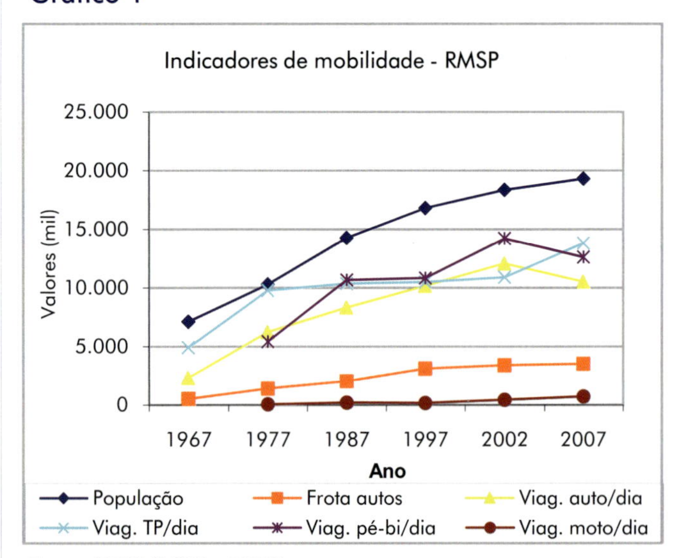

Fonte: CMSP (1998 e 2008).

Pode-se observar que a população cresceu 2,7 vezes, a frota de autos, 7 vezes e as viagens motorizadas, 3,5 vezes, entre 1967 e 2007.

De modo geral, a mobilidade (viagens diárias por pessoa) na RMSP permaneceu inalterada entre 1977 e 1987, diminuindo cerca de 10% entre 1987 e 1997, para aumentar entre 1997 e 2002 e cair no período até 2007. A mobilidade motorizada subiu 50% entre 1967 e 1977 e decresceu ao nível de 1,27 entre 1997 e 2002, subindo para 1,30 no período até 2007 (Gráfico 2). Embora não haja pesquisas a respeito, pode-se afirmar que as mudanças na primeira década devem estar ligadas ao crescimento econômico, ao passo que as da segunda década provavelmente estiveram ligadas à crise econômica (inflação alta, queda dos salários).

Gráfico 2

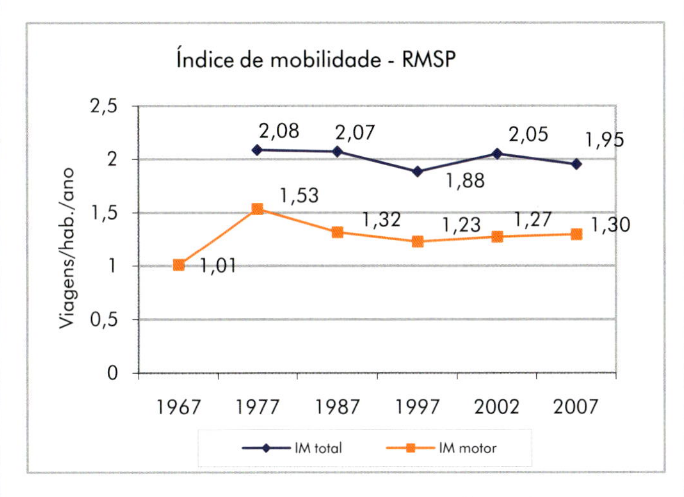

Fonte: CMSP (1998, 2002) e CMSP (2008 – preliminar).

Ocorreram outras mudanças importantes na mobilidade. Em primeiro lugar, as diferenças ligadas ao gênero diminuíram, com a mobilidade feminina aproximando-se da masculina. Em segundo lugar, a distribuição etária da população sofreu mudanças importantes nas últimas décadas, à medida que as pessoas envelheceram: aquelas com mais de 15 anos aumentaram sua participação de 67% em 1980 para 75% em 2006 (Emplasa, 2008). Em terceiro lugar, o setor terciário (comércio e serviços) é, atualmente, o que mais emprega. Sua participação no emprego formal total, excluída administração pública, aumentou de 68,7% em 1987 para 77,4% em 1997, enquanto a do setor industrial diminuiu de 28,7% para 16,3%.[1] Essas mudanças estão diretamente relacionadas a mudanças de mobilidade, em termos das diversas taxas de mobilidade associadas a cada atividade econômica. Além disso, a distribuição espacial do trabalho também mudou. Entre 1987 e 1997, novas oportunidades de trabalho foram abertas em subcentros, em especial no setor terciário, permitindo o encurtamento das distâncias entre a casa e o local de trabalho e, consequentemente, a substituição das viagens motorizadas por deslocamentos a pé. Essas frentes de trabalho incluem tanto atividades formais quanto informais ou temporárias, que possuem demandas de mobilidade diversas.

As mudanças na mobilidade verificadas na última década (1997-2007) e nos últimos cinco anos (2002-2007) ainda precisam ser analisadas quanto aos seus fatores causais, dada a complexidade das mudanças sociais e econômicas verificadas nesse período. O crescimento das viagens em transporte público na década foi significativo – 32% de aumento bruto e 14% de aumento líquido (descontado o crescimento populacional). Isso pode ser explicado em parte pelo aumento da oferta do metrô e dos trens, bem como pela transferência de viagens a pé (que diminuíram no período 2002-2007) para o transporte público, provavelmente devido ao aumento do poder aquisitivo dos segmentos de menor renda. No entanto, o crescimento da frota de motos tende a operar na outra direção, retirando viagens do transporte público, o que torna mais difícil qualquer conclusão definitiva.

O comportamento das viagens em automóvel entre 1997 e 2007, no entanto, parece mais difícil de explicar. O aumento no total de viagens foi pequeno (3,5%) se comparado ao crescimento populacional (15%) e da frota (13%). Descontando-se o crescimento populacional, as viagens em automóveis apresentam uma redução líquida de 10%. Uma parte das viagens a menos pode ter sido transferida para a motocicleta (que passou a servir 500 mil viagens a mais no período 1997-2007), mas isso não é o bastante para explicar a mudança. Outras suposições podem ser a transferência de viagens para o transporte público de melhor qualidade – metrô ou ônibus de algumas áreas específicas com bons serviços – assim como transferência para viagens a pé, no caso de as distâncias percorridas terem se reduzido por relocação voluntária das pessoas.

Há um outro aspecto importante a ser abordado. Ainda existe uma grande diferença na mobilidade mé-

[1] Ver capítulos 2, de Torres Freire, Abdal e Bessa, e 11, de Matteo, neste livro.

dia entre classes e grupos sociais. A proporção de mobilidade geral (viagens por pessoa por dia) entre os extremos de rendas, em 2002, era da ordem de 1 para os mais pobres e 2,2 para os mais ricos, enquanto a proporção da mobilidade motorizada era, respectivamente, de 1:3,5, refletindo condições típicas de países em desenvolvimento. A população de baixa renda enfrenta graves restrições de deslocamento, enquanto os mais abastados desfrutam de níveis de mobilidade semelhantes aos dos países europeus.

3.1.2 Utilização de meios de transporte

Viagens a pé na RMSP sempre foram um importante meio de transporte, correspondendo a um terço de todas as viagens, ao passo que o uso de bicicletas sempre foi discreto, correspondendo a cerca de 1% de todas as viagens em 1997 (Gráfico 1). A utilização do transporte particular subiu de 26% em 1967 para 53% em 2002, caindo para 47% em 2007. Da mesma forma, a utilização do transporte público caiu de 64% em 1967 para 47% em 2002, subindo para 53% em 2007. O metrô, inaugurado em 1974, tem tido uma participação crescente no total de viagens. O sistema ferroviário continua atendendo a apenas uma pequena parcela da demanda, embora esteja aumentando após 2004.

Houve um aumento acentuado no número de carros particulares entre 1967 e 1987 (superior ao crescimento populacional), e um aumento mais modesto entre 1987 e 1997. Na pesquisa de 2007, no entanto, foram constatados um aumento modesto de 13% da frota de autos em relação à frota de 1997 (menos de 1% ao ano) e um aumento muito pequeno das viagens em automóvel (representando uma queda líquida, conforme discutido anteriormente). Ao analisarmos as mudanças na mobilidade por faixa de renda no período entre 1987 e 2002, a mobilidade por meio do transporte público decaiu em todas as faixas de renda, com exceção da mais alta, que permaneceu no mesmo nível de 1987. Quanto aos automóveis, a mobilidade aumentou nas faixas de renda mais baixas e decresceu nas mais altas.

3.1.3 A questão institucional

Decisões sobre utilização do solo, transporte e trânsito são interdependentes e os programas dos órgãos responsáveis por essas questões devem estar interligados. No entanto, cidades grandes e regiões de países em desenvolvimento, como é o caso da Região Metropolitana de São Paulo (RMSP), são exemplos claros de falta de coordenação.

No nível regional sempre houve conflitos ou falta de coordenação entre as ações no âmbito do transporte metropolitano e as políticas de transporte locais. A Secretaria Estadual de Transportes Metropolitanos é responsável pelo sistema metroviário, pelo sistema ferroviário metropolitano e por todos os serviços de ônibus interurbanos na RMSP. No entanto, os prefeitos têm poder constitucional de decisão sobre o transporte público local, e os conflitos se multiplicam quando se trata de criar uma infraestrutura de transporte ou serviços em nível regional que interfira nas questões em nível municipal.

No caso específico da cidade de São Paulo, as questões que afetam o transporte urbano são administradas por três órgãos distintos: a Secretaria Municipal de Planejamento (Sempla), que define o uso e a ocupação do solo; a Secretaria Municipal de Transportes (SMT), que coordena o transporte público e o trânsito; e a Secretaria de Infraestrutura Urbana e Obras (SIURB), que define a construção de novas vias. Esses órgãos trabalham em descompasso, conduzindo agendas frequentemente dissociadas.

Dentro da própria SMT, o transporte público e o trânsito foram subdivididos em dois departamentos diferentes Departamento de Transportes Públicos (DTP) e Departamento de Operação do Sistema Viário (DSV), cada qual contando com um órgão especial para lidar com as questões práticas: a SPTrans na área de transportes públicos e a CET no trânsito. Além disso, a política prioritária da CET volta-se para o controle do fluxo do trânsito, o que na prática se traduz como apoio à utilização de automóveis em detrimento do transporte público. São raros os esquemas voltados prioritariamente para a circulação de ônibus. Apenas de alguns anos para cá, a SPTrans vem trabalhando mais intensamente na organização de corredores de ônibus, ainda com resultados tímidos. Em termos de ampliação da malha viária, a SMT tem interferência reduzida no processo decisório, o que prejudica a integração e a eficiência do sistema geral de mobilidade.

3.1.4 Mobilidade e características socioeconômicas

A mobilidade tem relação estreita com algumas características socioeconômicas das pessoas, especialmente a renda e a idade. A Tabela 2 mostra que a mobilidade aumenta com a renda. O tempo médio das viagens aumenta do extrato de renda mais baixo até o terceiro extrato, quando começa a diminuir, em função do uso do automóvel.

Tabela 2: Renda familiar, mobilidade e tempo de percurso, RMSP, 2002

Faixa de renda (R$)	Viagens por pessoa por dia	Minutos por dia
Até 400	1,53	31
400 a 800	1,77	35
800 a 1.600	2,11	36
1.600 a 3.000	2,52	33
3.000 a 6.000	2,79	30
> 6.000	3,33	27

Fonte: CMSP (2002). Elaboração própria.

O Gráfico 3 mostra a variação nos meios de transporte conforme a renda familiar. Observa-se que o uso do transporte público aumenta nas três faixas de renda mais baixa e depois decai. O uso do automóvel cresce sempre com o aumento da renda, ao passo que a caminhada diminui sempre com o aumento da renda.

Em relação à geração de externalidades negativas, o Gráfico 4 mostra que os grupos de renda mais alta consomem nos seus deslocamentos, em um dia útil, nove vezes a quantidade de energia consumida pelas pessoas de renda mais baixa e são responsáveis por níveis de poluentes e acidentes de trânsito entre 14 e 15 vezes os relativos às pessoas de renda mais baixa.

Gráfico 3

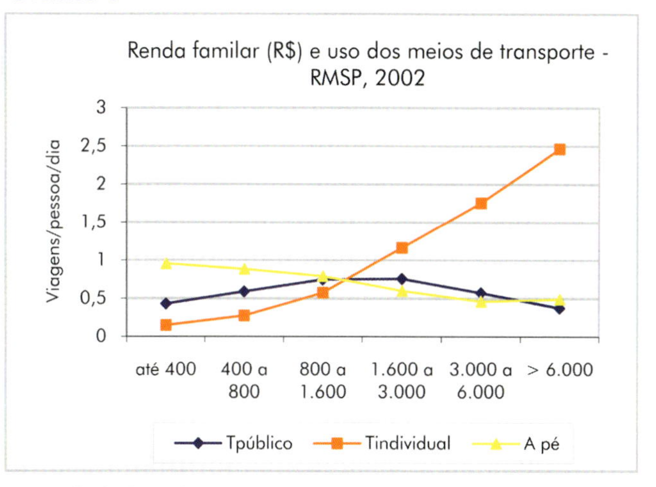

Fonte: CMSP (2002)

Gráfico 4

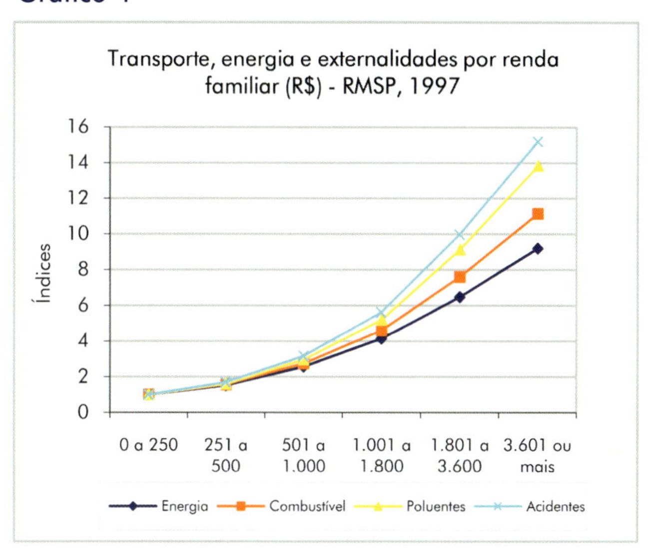

Fonte: Vasconcellos (2008).

3.1.5 Consequências para o sistema de mobilidade

Fatores históricos, aliados a políticas de preferência pelo transporte individual, levaram às seguintes consequências práticas:

- *Oferta limitada de transporte público integrado*

Havia apenas 101 km de faixas ou corredores para ônibus na RMSP em 2002, o que corresponde a 3% do principal sistema arterial utilizado por essa modalidade de transporte. A oferta de infraestrutura de transporte público por milhão de habitantes caiu de 38 km em 1967 para 23 km em 2002.

O extenso sistema ferroviário metropolitano da RMSP foi se deteriorando ao longo do tempo e perdeu parte significativa de sua clientela histórica de passageiros. O sistema metroviário oferece serviços de boa qualidade, mas sua extensão tem ocorrido a passos lentos. A integração de trens metropolitanos e serviços de ônibus é muito reduzida. A integração de ônibus do município de São Paulo e o metrô é mais extensa, e 50% dos usuários do metrô realizam viagens mistas (CMSP, 2002). No entanto, os ônibus metropolitanos não têm integração tarifária com o sistema de trilhos.

O sistema de ônibus da cidade de São Paulo (o maior da RMSP) nunca foi plenamente integrado aos sistemas sobre trilhos, principalmente a rede da CPTM, nem ao sistema metropolitano de ônibus gerenciado pela EMTU. A implantação do "bilhete único" em 2004 trouxe grandes benefícios para os usuários, na medida em que permitiu a reorganização dos seus deslocamentos para reduzir o tempo de percurso e o desconforto. Todavia, o bilhete único só foi incluído na rede do metrô e da CPTM há dois anos.

- *Serviços de ônibus*

A oferta física (espacial) de serviços de ônibus é generalizada no espaço metropolitano, restando poucas áreas nas quais se pode afirmar que as pessoas não têm acesso fácil aos veículos. Os serviços de ônibus na RMSP são realizados por três grandes sistemas. O principal sistema funciona na cidade de São Paulo e em 2007 era composto por cerca de 12 mil ônibus e micro-ônibus. O segundo maior sistema realiza a interligação entre municípios, com cerca de 4 mil ônibus. O terceiro corresponde à soma de todos os sistemas de ônibus locais situados fora da cidade de São Paulo, abrangendo 4 mil ônibus. Existe ainda o sistema de transporte escolar "Vai e Volta" do município de São Paulo, inaugurado em 2003.

A demanda total por ônibus experimentou grande crescimento entre 1967 e 1967, queda na década seguinte e crescimento desde então. De modo geral, a demanda total por transporte público aumentou sempre no período (Gráfico 5). Para os habitantes da periferia, que dependem deste transporte, as distâncias médias percorridas aumentaram, visto que o sistema de ônibus não se expandiu no mesmo ritmo. Ademais, controles tarifários rígidos e inflação alta levaram os operadores a adaptar constantemente a oferta para garantir os lucros, muitas vezes em detrimento da frequência dos serviços e limitando o atendimento de áreas de baixa densidade. Assim, embora a oferta física seja quase universal, o sistema de ônibus é precário, caracterizado por serviços irregulares, pouco confiáveis e desconfortáveis, e um número insuficiente de integrações. Além de problemas com a oferta dos serviços, os usuários passaram a enfrentar problemas no trânsito, cada vez mais congestionado. As vias arteriais não possuíam nenhum aparato físico ou operacional que facilitasse a circulação de ônibus, tampouco uma gestão de trânsito especial para aprimorar sua operação. O contraste com o transporte privado tornou-se nítido, reforçando a imagem negativa do ônibus em contraposição à do automóvel. Em 1997, havia grande diferença de qualidade entre a viagem feita por meio do transporte público (tempo médio de 57 minutos) e aquela feita em automóveis (tempo médio de 27 minutos).

Gráfico 5

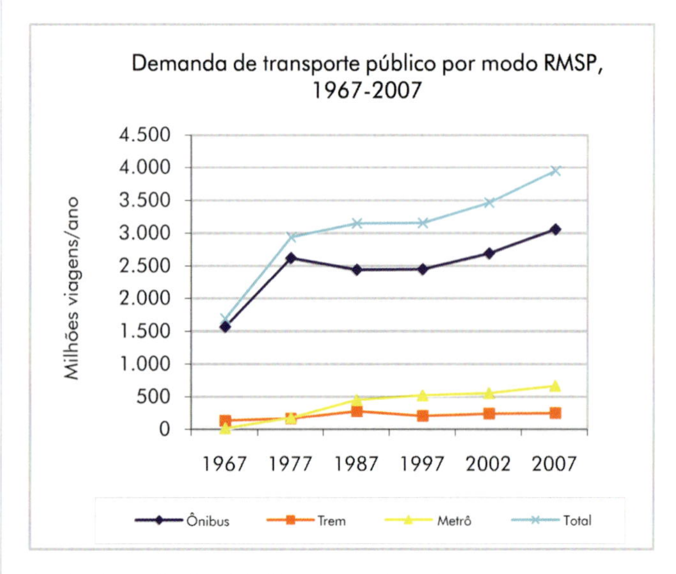

Fonte: CMSP (1997 e 2008), valores adaptados pelo autor.

Em decorrência desses primeiros problemas, embora a quantidade de viagens no transporte público tenha dobrado entre 1967 e 2002, o número de viagens por habitante, por ano, caiu de 237 para 178 (25%), tendo aumentado para 204 em 2007. Parte importante desse aumento se deveu ao transporte escolar privado e público, que em 2007 serviam cerca de 1,2 milhão de viagens por dia.

- *Velocidade no trânsito*

Na cidade de São Paulo, a velocidade dos automóveis na malha viária principal aumentou de 25 km/h no final da década de 1970 para 27-28 km/h no período entre 1980 e 1984, caindo para menos de 20 km/h nos anos 1990 (CET, 1997) (Gráfico 6). Durante o pico vespertino, os congestionamentos triplicaram entre 1992 e 1996, de 39 km para 122 km, e o percentual de vias congestionadas no sistema viário saltou para 80% em 1998. Recentemente (2007) o valor atingiu 120 km (CET, 2006).

Gráfico 6

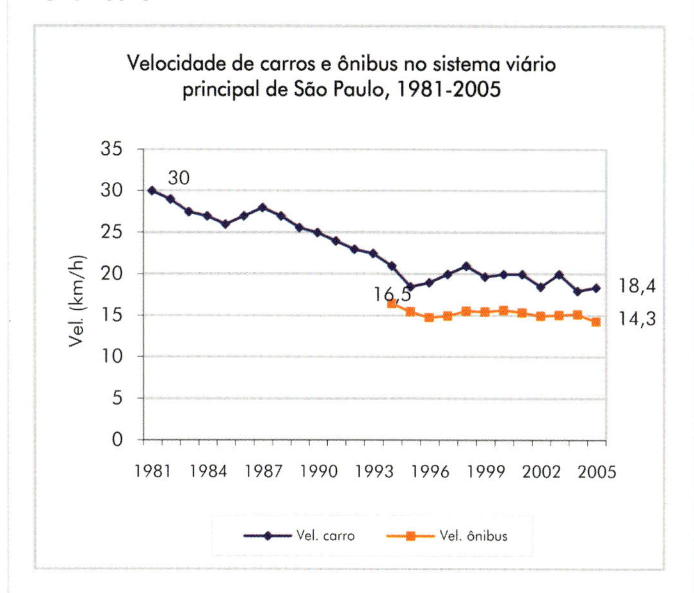

Fonte: CET (2006).

Em 1998, a velocidade dos automóveis durante o horário de pico do final da tarde era de 17 km/h, enquanto a velocidade dos ônibus era de 12 km/h. Estima-se que 3 mil dos 10 mil ônibus utilizados em 1998 poderiam ser retirados de circulação, caso os congestionamentos fossem eliminados. Estima-se também que o congestionamento causado principalmente pelos automóveis encareça as tarifas de ônibus em 16% (ANTP/Ipea, 1998).

- *Custo do transporte*

O transporte público tornou-se cada vez mais caro, especialmente no período entre 1987 e 1997. Descontando-se a inflação, as tarifas de ônibus – que representa a principal modalidade de transporte – dobraram entre 1977 e 1997. As tarifas de trem, geralmente utilizado pela camada mais pobre da população, aumentaram 3,5 vezes. Entre 1997 e 2002, as tarifas do transporte público aumentaram 14% acima da inflação. O aumento das atividades informais exclui um grande número de pessoas do sistema de transporte urbano, uma vez que vales-transporte são fornecidos apenas aos trabalhadores do mercado formal.[2] As viagens integradas também foram bastante afetadas, já que a tarifa de integração permaneceu muito além do poder aquisitivo dos usuários.

Para quem usa o automóvel, impostos sobre a propriedade de veículos (como o IPVA) são relativamente baratos (cerca de R$ 700 por ano, em média) e os custos do licenciamento são muito baratos (cerca de R$ 100 por ano, em média). O preço do estacionamento também não gera um impacto significativo nos custos, pois há muitas vagas livres nas ruas (exceto na área central) e nos destinos de trabalho e compras para a maioria dos usuários estacionarem seus veículos gratuitamente. Além disso, o poder público tem garantido condições favoráveis para a compra de automóveis e, mais recentemente, de motocicletas.

- *Descompasso dos investimentos em infraestrutura*

Os grandes congestionamentos observados na RMSP são fruto de diversas políticas de incentivo à utilização do automóvel. A construção de grandes vias foi uma maneira de reduzir os congestionamentos em diversos períodos da história de São Paulo. Entre 1967 e 1977, 27% do orçamento da cidade

[2] Vales-transporte são fornecidos pelas empresas a seus funcionários por um valor reduzido, de no máximo 6% do salário.

foram empregados na abertura de novas vias. Os maiores investimentos na malha viária ocorreram entre 1960 e 1980, embora as obras de maior porte tenham sido realizadas no período entre 1990 e 1997 (Vasconcellos, 2000b).

Entre 1996 e 1999, com o aumento considerável dos congestionamentos, a cidade gastou cerca de US$ 3 bilhões na construção de um grande túnel e alguns trechos de vias rápidas, mas nenhum centavo foi gasto com investimentos relevantes em transporte público. No entanto, a extensão das faixas congestionadas nas vias arteriais principais no pico da tarde aumentou de 60 km no final dos anos 1980 para mais de 100 km nos anos 1990.

A insustentabilidade do sistema também foi favorecida pela utilização social e economicamente inadequada dos automóveis. Além das vagas de estacionamento gratuitas e da gasolina mais barata, houve facilidade para a compra de automóveis devido ao aumento do número de consórcios de veículos, com prestações mensais, e dos empréstimos bancários. Por outro lado, o descumprimento das leis de trânsito não levou a um ônus na utilização do automóvel, uma vez que o motorista conseguiu utilizar o espaço urbano impunemente, quase sempre sem a aplicação de multas. Junte-se a esses incentivos dados à utilização do automóvel um movimento permanente das autoridades municipais para melhorar a gestão do trânsito, facilitando o fluxo, muitas vezes em detrimento da segurança de áreas residenciais e da qualidade de vida. Na maioria dos bairros, as vias locais de acesso foram reestruturadas, tornando-se vias de mão única, que permitiam o desenvolvimento de altas velocidades e fluxo pesado de automóveis, causadores de prejuízos sociais e ambientais.

A diferença entre investimentos em infraestrutura de transportes privados e públicos no município de São Paulo pode ser observada no Gráfico 7. A infraestrutura de transportes públicos (metrô, ferrovias e corredores de ônibus) por habitante cresceu durante o período menos que aquela relativa às grandes vias (expressas e arteriais).

Gráfico 7

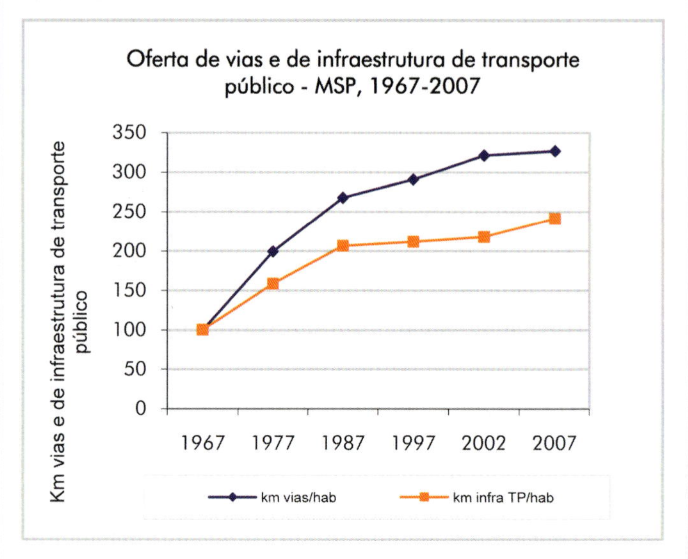

Fonte: Vasconcellos (2000b), com dados complementares após 1987 obtidos em STM (2007).

- *Acidentes de trânsito*

A adaptação do sistema viário para atender à demanda dos automóveis levou a um ambiente de circulação potencialmente perigoso para o pedestre e modos de transporte nãomotorizados, o que se traduz, na prática, em um número maior de acidentes de trânsito graves. O número anual de acidentes fatais permaneceu em torno de 2.300 entre 1980 e 1995, com a maioria deles envolvendo pedestres (Tabela 3). Em 1995, houve cerca de 60 mil vítimas. Dentre elas, estima-se que 9 mil foram gravemente feridas e 6 mil sofreram sequelas permanentes (CET, 1996). Duzentos mil acidentes ocorrem a cada ano, 94% dos quais são acidentes veiculares.

O número de fatalidades diminuiu na última década para o nível de 1.500, certamente em decorrência de uma série de ações de engenharia de tráfego, como o uso obrigatório do cinto de segurança e do capacete na motocicleta, grandes mudanças físicas e de sinalização em pontos críticos e controle da velocidade por radares. No entanto, a cidade de São Paulo continua a apresentar alguns dos valores mais elevados de índices de acidentes dentre as cidades dos países em desenvolvimento (os números de mortos por ano em Bogotá, Nova Delhi

Tabela 3 - Vítimas fatais no trânsito, 1980-2005, MSP

Ano	Vítimas fatais			Fatalidades por 100 mil hab.
	Auto	Pedestres	Total	
1980	750	1.580	2.330	27,4
1985	1.044	1.515	2.559	27,8
1995	846	1.432	2.278	23
1997	933	1.109	2.042	20,4
2002	801	559	1.360	13
2005	731	774	1.505	14,1

Fonte: CET (1996 e 2005). Elaboração própria.

e Bangkok eram, nos anos 1990, respectivamente, 1.139, 1.114 e 1.977).

Um caso muito preocupante atualmente refere-se aos acidentes com motocicletas. Seguindo uma tendência verificada em todo o país, o número de motocicletas na cidade aumentou muito desde 1990, com grande elevação do número de acidentes a elas relacionadas. O Gráfico 8 mostra que, entre 1997 e 2006, a frota de motos aumentou de 140 mil para 456 mil, ocasionando um aumento no número de mortes de 221 para 380 (72%). O fato é mais preocupante ainda quando se considera que o acidente com motocicleta é muito mais grave que outros acidentes veiculares, uma vez que nele é muito maior a proporção de vítimas com ferimentos graves e sequelas permanentes: na cidade de São Paulo, cada 100 acidentes com motocicleta geram 56 vítimas,

Gráfico 8

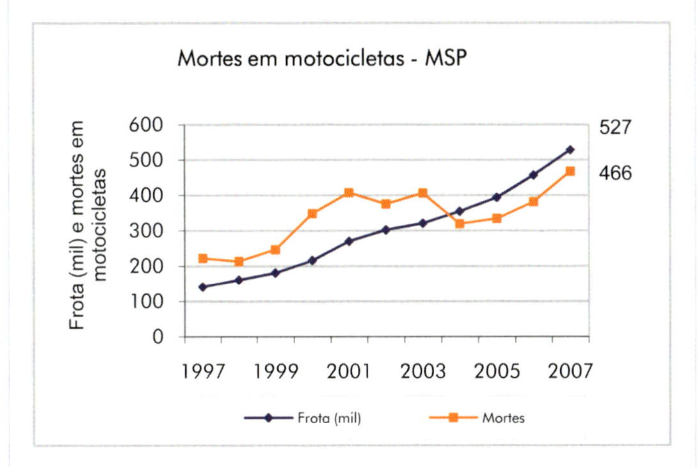

Fonte: CET (2005 e 2006).

ao passo que cada 100 acidentes totais geram 14 vítimas. Nas condições atuais, o número de mortos em acidentes com motocicleta já é semelhante ao de mortos em automóveis, resultado jamais visto na história da cidade.

- *Concentração geográfica das viagens*

Dada a distribuição de áreas de residência e emprego, as viagens na RMSP ainda se concentram na parte central da região, onde a oferta de empregos é maior. Isso provoca não apenas congestionamentos grandes, como também a sobrecarga dos sistemas de transporte de passageiros sobre trilhos na área mais próxima do Centro histórico da cidade de São Paulo. Essa sobrecarga cria trechos críticos de elevado fluxo de passageiros, reduzindo-se muito a capacidade efetiva do transporte público (que apresenta capacidade ociosa em muitos trechos).

3.2 Transporte de carga

3.2.1 Matriz de transporte do Estado de São Paulo

A movimentação global de cargas foi estimada no ano 2000 em aproximadamente 700 milhões de toneladas/ano para fluxos regionais com origem e/ou destino no próprio estado (Artesp, 2007). Os fluxos de carga internos ao Estado de São Paulo são significativamente maiores que os inter-regionais e internacionais, distribuídos da seguinte forma:

- 12% representam os fluxos de comércio inter-regional de São Paulo com os demais Estados;
- 76% constituem o volume de cargas com origem e destino dentro do Estado: desse volume, ⅔ têm origem e/ou destino na Macrometrópole e ⅓ tem origem e destino no interior do Estado;
- 6% constituem cargas de passagem pelo Estado;
- 6% constituem o comércio exterior.

Portanto, a movimentação é bastante concentrada na região conhecida como macrometrópole, constituída pela Região Metropolitana de São Paulo e a envoltória das centralidades de Sorocaba, Campinas, São José dos Campos e Santos.

3.2.2 Transporte de carga na Região Metropolitana de São Paulo

O transporte de carga na Região Metropolitana de São Paulo é feito majoritariamente por caminhões. Um total de 46.832 viagens diárias de caminhão tem como origem a RMSP e uma quantidade semelhante tem como destino a RMSP. As principais categorias identificáveis de origens e destinos são compostas por fábricas e seus depósitos, com cerca de 55% dos fluxos totais.

Estima-se que os fluxos na RMSP observem um movimento expressivo de viagens direcionadas ao Porto de Santos e de viagens externas/internas com origem ou destino predominante em Osasco e eixo oeste de São Paulo, e em Guarulhos, Vila Maria e eixo leste de São Paulo. Notam-se ainda concentrações de fluxos internos na região do ABCD, a sudeste, e trocas entre essa região e o município de São Paulo.

Além dos caminhões que vêm ou vão para áreas externas, existem aqueles que circulam dentro do município de São Paulo, em função das atividades econômicas da cidade. Essa circulação é mais intensa em grandes corredores (Tabela 4).

Tabela 4: Maiores fluxos de caminhões em vias principais de São Paulo, 2006

Vias	Fluxo de caminhões * em 3 horas
Marginais	12.002
Tancredo Neves	1.866
Bandeirantes	1.726
L.I.A. Mello	1.653
S.F. Maluf	1.609
Av. do Estado	1.288

* No sentido mais carregado; estimativa.
Fonte: CET. Elaboração própria.

Nos últimos dez anos, o número de caminhões cruzando a linha de contorno da RMSP criada pela pesquisa Origem-Destino do metrô de São Paulo aumentou 28%, demonstrando o crescimento da inter-relação das áreas interna e externa da RMSP.

Outro problema relevante é que o transporte de carga por modo ferroviário – feito pela concessionária privada MRS – está conflitando com o transporte de passageiros da CPTM, por utilizar a mesma infraestrutura. Essa convivência provoca incidentes que prejudicam o transporte de passageiros, pois requerem muito tempo para serem contornados. Também colaboram para danificar a infraestrutura, pois enquanto uma composição para transporte de passageiros pesa cerca de 750 toneladas, a composição para transporte de carga pesa cerca de 1.000 a 5.000 toneladas. Adicionalmente, o transporte de carga circula a 20 km/hora, em contraposição aos 60-80 km/h do transporte de passageiros. Por último, tanto a CPTM quanto a MRS projetam grande aumento no seu transporte no médio prazo, o que tende a agravar o problema.

Em função desses problemas, estão sendo propostas alterações na infraestrutura, como se pode ver no item 5.

4. Perspectivas de crescimento populacional e da mobilidade

As projeções de crescimento populacional para a RMSP e o município de São Paulo mostram valores relativamente baixos, uma vez que as taxas de crescimento vêm se reduzindo e assim devem continuar até o horizonte de 2025. As projeções apontam para os valores de 22 milhões de habitantes na RMSP e 11,5 milhões de habitantes no município de São Paulo (STM, 2007).

A mobilidade dessa futura população dependerá de vários fatores, dentre os quais se destacam a renda média e o nível de emprego. As tendências apontadas no capítulo 12, de Matteo, neste livro mostram que o município de São Paulo deverá continuar como uma área de intensa atividade industrial e de serviços. Imaginando-se que ocorra crescimento de renda com distribuição (cenário "otimista"), a mobilidade deve crescer, por dois motivos: primeiro, porque renda mais alta produz mais deslocamentos; segundo, porque as pessoas

Mapa 1: Sistema de transporte do MSP (e entorno)

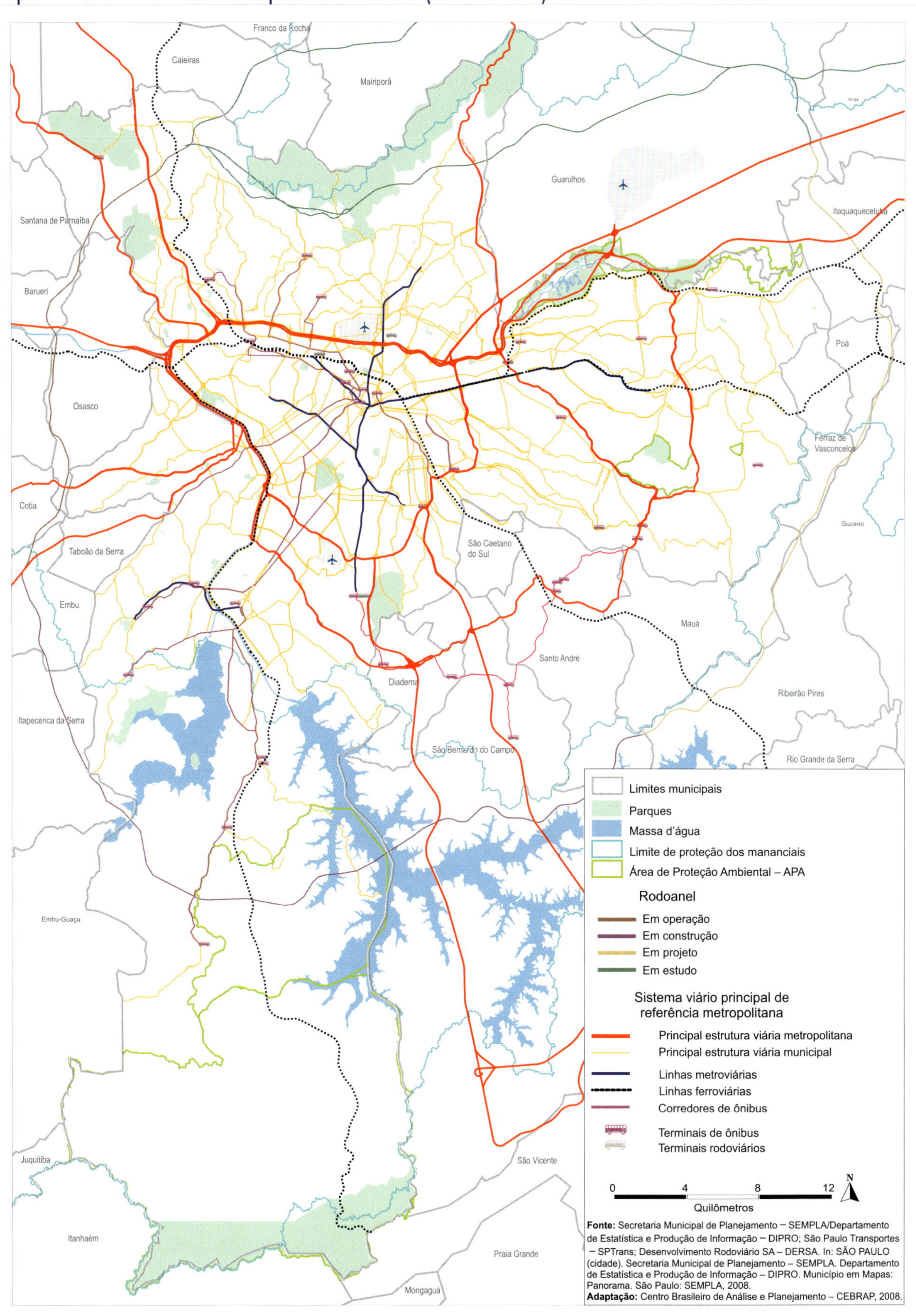

Fonte: Secretaria Municipal de Planejamento – SEMPLA/Departamento de Estatística e Produção de Informação – DIPRO; São Paulo Transportes – SPTrans; Desenvolvimento Rodoviário SA – DERSA. In: SÃO PAULO (cidade). Secretaria Municipal de Planejamento – SEMPLA. Departamento de Estatística e Produção de Informação – DIPRO. Município em Mapas: Panorama. São Paulo: SEMPLA, 2008.
Adaptação: Centro Brasileiro de Análise e Planejamento – CEBRAP, 2008.

que ascendem na escala de renda tendem a usar mais os modos individuais, como o automóvel, fazendo mais viagens.

Se adotarmos o nível de crescimento "otimista", que foi assumido no projeto Plano Integrado de Transporte Urbano (Pitu) 2025 da Secretaria de Transportes Metropolitanos (e um aumento de cerca de 4 milhões de habitantes), a quantidade de viagens por dia na RMSP deverá crescer de 45 milhões para 60 milhões. Esse acréscimo precisará ser absorvido por novos meios de transporte, para que o grau de congestionamento não aumente exponencialmente. As projeções do projeto Pitu 2025 para esse cenário otimista apontam que a infraestrutura prevista (descrita no item 5) melhorará os indicadores de qualidade do sistema de transportes. Todavia, essa melhora só será grande caso sejam adotadas medidas adicionais de controle da demanda (por exemplo, cobrando-se custos mais elevados para o uso do automóvel).

5. Propostas para melhorar a circulação de pessoas e cargas na RMSP

Existe hoje um grande número de propostas de investimentos em infraestrutura e em gestão para melhorar as condições de circulação de pessoas e cargas na RMSP e na cidade de São Paulo. Essas propostas envolvem os níveis federal, estadual e local, por meio de um grande conjunto de órgãos públicos.

5.1 Transporte de passageiros na RMSP e no MSP

5.1.1 Ações metropolitanas: o projeto Pitu 2025

O maior projeto existente no âmbito da RMSP é o Pitu – Plano Integrado de Transporte Urbano –, iniciado em 2002 pela Secretaria de Transportes Metropolitanos e atualmente na sua terceira fase de ajustes, denominado Pitu 2025. Utilizando um processo de avaliação composto por um grande conjunto de variáveis de natureza econômica, social, técnica e ambiental, o projeto modelou a mobilidade atual na RMSP e estimou os impactos de investimentos em transporte, chegando à seleção das melhores alternativas de investimento.

Dentre as propostas do Pitu 2025, destacam-se:

- Expansão e modernização da rede do metrô

O metrô deve modernizar suas Linhas 1 - Azul e 3 - Vermelha e completar a construção das Linhas 2 - Verde (trecho Alto do Ipiranga–V. Prudente), 4 - Amarela (Luz–Vila Sônia) e 5 - Lilás (trecho Largo 13–Chácara Klabin);

- Expansão e modernização da rede de trens metropolitanos

O sistema de trens metropolitanos deve modernizar suas Linhas A, C, B e F e viabilizar a Linha E/ Expresso Leste; está prevista também a construção do trem do aeroporto (São Paulo–Guarulhos);

- Construção de corredores metropolitanos de ônibus

Na RMSP, estão previstos os corredores Tucuruvi–Guarulhos (Projeto TEU) e Diadema–Brooklin, como continuação do corredor ABD já em operação. No município de São Paulo estão previstos os corredores Tiradentes e Celso Garcia, ligando o Centro histórico à zona Leste da cidade.

Os investimentos programados podem ser vistos na Tabela 5. Observa-se que estão previstos investimentos de R$ 29,5 bilhões, sendo 57% na expansão do metrô, 34% na modernização e expansão dos trens metropolitanos e 8,9% na expansão dos corredores metropolitanos de ônibus.

Os impactos esperados pelos investimentos estão resumidos na Tabela 6. Pode-se observar que a rede de metrô deverá aumentar de 60 km para 96 km, ao passo que a rede de trens mantém-se praticamente igual e a rede de corredores de ônibus aumenta de 33 km para 66 km. A demanda do metrô deve aumentar de 2,6 milhões para 4,4 milhões de passageiros por dia útil. A demanda da CPTM deve mais do que dobrar, aumentando de 1,5 milhão para 3,3 milhões de passageiros. A demanda horária dos corredores de ônibus deve subir de 16 mil para 23 mil passageiros.

Tabela 5: Investimentos programados para o PITU 2025

Sistema de Transporte	2007 - 2010 R$ bilhões	2007 - 2010 %	2011 - 2025 R$ bilhões	2011 - 2025 %	Total R$ bilhões	Total %
Metrô	9,09	54,5	7,76	60,5	16,85	57,1
CPTM (trem)	6,35	38,1	3,67	28,6	10,02	34
EMTU (ônibus)	1,23	7,4	1,39	10,9	2,62	8,9
Total	16,67	100	12,82	100	29,49	100

Fonte: SMT (2007). Elaboração própria.

5.1.2 Ações municipais: prioridade para os ônibus e gestão de trânsito

No âmbito do município de São Paulo os planos têm sido mais cíclicos, sujeitos às flutuações do processo político.

Na área dos corredores de ônibus, três grandes investimentos recentes devem ser mencionados.

O primeiro, chamado "Passa-Rápido", constou de um conjunto de 110 km de faixas exclusivas de ônibus colocadas junto ao canteiro central, monitoradas eletronicamente e com gestão de circulação dos ônibus. Nesses corredores, as estações têm piso quase na mesma altura do piso dos ônibus, facilitando a entrada e saída das pessoas. Sua implantação não foi seguida de reorganização completa da oferta de serviços, o que levou à sobrecarga de algumas vias, reduzindo-se muito a velocidade dos ônibus.

O segundo projeto relevante é o Corredor "Tiradentes", cujo trecho inicial fora construído na década de 1990, sob o rótulo de "Fura-fila". Utilizando esse trecho inicial, que entrou em operação em 2007, o corredor será estendido até o final da parte sul da zona Leste (Cidade Tiradentes), atingindo uma extensão total de 33 km. A demanda diária estimada após sua implantação total é de 300 mil passageiros.

O terceiro projeto é o novo corredor Celso Garcia, que deverá reorganizar totalmente a oferta de ônibus entre o Centro histórico da cidade e a parte norte da zona Leste (Penha), sendo integrado ao metrô, à CPTM e ao futuro corredor TEU-Guarulhos.

Na área da gestão de trânsito, houve importantes avanços no uso de ITS (Inteligent transportation systems – Sistemas Inteligentes de Transportes). O uso de ITS vem se intensificando especialmente no município de São Paulo, por meio da CET (Companhia de Engenharia de Tráfego), que conta atualmente com vários equipamentos e serviços. Dentre eles, destacam-se a sinalização semafórica "inteligente" (1.200 controladores), 300 câmeras de TV instaladas, equipamentos fixos e móveis de controle de velocidade e de identificação de veículos, e equipamentos para controle da ZMRC (Zona de máxima restrição de caminhões). O uso de ITS poderá ser incrementado quando os veículos em circulação na cidade estiverem equipados com "etiquetas eletrônicas" que funcionarão como identificadores do veículo. Recentemente o Denatran aprovou a implantação do Siniav (Sistema Nacional de Identificação Automática de Veículos), com a distribuição gratuita dessas etiquetas a toda a frota nacional, iniciando pelos veículos novos. Os órgãos de trânsito deverão implantar antenas em locais estratégicos para monitorar a passagem dos veículos.

Quanto à gestão da demanda de trânsito, a ação mais relevante foi a implantação da operação "rodízio" em 1996, limitando o número de veículos que podem circular no horário de pico. Tendo obtido grande sucesso na fase inicial, ela perdeu eficácia devido ao grande crescimento da frota em circulação.

No tocante à acessibilidade ao transporte público, a ação mais relevante foi a implementação do "bilhete único", que permite que o usuário de ônibus utilize mais de um ônibus no período de duas horas. O projeto foi inicialmente limitado ao sistema de ônibus da cidade de São Paulo, por motivos legais, tendo sido posteriormente estendido para as redes do Metrô e da CPTM (nestes casos, com pagamento de um acréscimo tarifário, mas inferior à soma do preço das duas passagens isoladas).

5.2 Transporte de carga na RMSP

5.2.1 Obras estaduais

As principais obras de porte previstas para curto e médio prazo, com efeito direto na circulação de carga de atravessamento da RMSP, dizem respeito à construção do Rodoanel – anel viário na RMSP interligando as principais rodovias que servem a região – e do Ferroanel – anel ferroviário que contorna a região metropolitana. Essas obras estão incluídas ou no PAC, programa de investimentos federal, ou no PDDT (Plano Diretor de Desenvolvimento dos Transportes). Medidas para o longo prazo incluem um sistema de centros logísticos integrados (CLI), em fase de concepção. Esses CLI deverão aproveitar a nova acessibilidade propiciada pelo Rodoanel, permitindo a transferência de cargas de veículos grandes para veículos menores.

No caso do Rodoanel o trecho oeste já opera desde o final de 2002 e o trecho sul está em início de implantação, com previsão de entrada em operação em 2010. Completando o Rodoanel, estão previstos mais dois trechos – norte e leste. O trecho oeste foi objeto de privatização ainda em 2008 e passará a ter cobrança de pedágio. A implantação completa do Rodoanel deverá ter um impacto significativo no volume de trânsito nas marginais. Todavia, deve ser deslocada das marginais apenas uma parte dos caminhões (cerca de 30%), uma vez que a maioria tem origem ou destino na RMSP.

No caso do Ferroanel, estão propostos o tramo norte – ligando Campo Limpo à zona Leste da RMSP – e o tramo sul, ligando a zona Leste ao extremo sul do município de São Paulo.

5.2.2 Ações na cidade de São Paulo

No município de São Paulo existem medidas adotadas e propostas para a ordenação do transporte de carga. Dentre elas, destacam-se:

- Definição de um veículo-tipo de transporte interno de carga, o "VUC – Veículo Urbano de Carga". Esse veículo tem largura máxima de 2,20 metros e comprimento máximo de 6,30 metros e deve obedecer a limites de emissão de poluentes especificados pelo programa Proconve;
- Definição das Zerc – Zonas Especiais com Restrição de Circulação, referentes à área ou via das Zonas Exclusivamente Residenciais – ZER (conforme o Plano Diretor Estratégico e a Lei nº 13.885, de 25 de agosto de 2004) e que implicam restrição ao trânsito de caminhões;
- Definição das VER – Vias Estruturais Restritas, referentes a vias e seus acessos que terão restrição ao trânsito de caminhões, em horário determinado;
- Definição das ZMRC – Zonas de Máxima Restrição de Circulação, referentes a áreas do município que concentram os principais núcleos de comércio e serviços. Essas áreas têm restrições em horários específicos.

Recentemente (junho de 2008) novas medidas de restrição de circulação de caminhões foram definidas. Os caminhões passaram a ter de obedecer ao rodízio de chapas também em vias principais pelas quais podiam transitar livremente. A circulação de cargas pesadas só pode ocorrer das 9 da noite às 5 da manhã.

5.3 Uso e ocupação do solo

Um dos temas mais relevantes na discussão contemporânea de desenvolvimento urbano e transporte se refere às relações entre densidade de ocupação e uso de meios de transporte. A maioria dos estudos realizados mostra que cidades mais densas induzem padrões de mobilidade com menor utilização de transporte motorizado. O Gráfico 8 compara alguns indicadores de mobilidade de cidades europeias e norte-americanas, nas quais a renda é semelhante e, portanto, não afeta a mobilidade. Pode-se observar que as cidades europeias – com o triplo da densidade populacional das americanas – produzem uma mobilidade que custa dois terços da norte-americana, consome um terço da energia, emite 37% dos poluentes e causa dois terços dos acidentes.

Gráfico 8

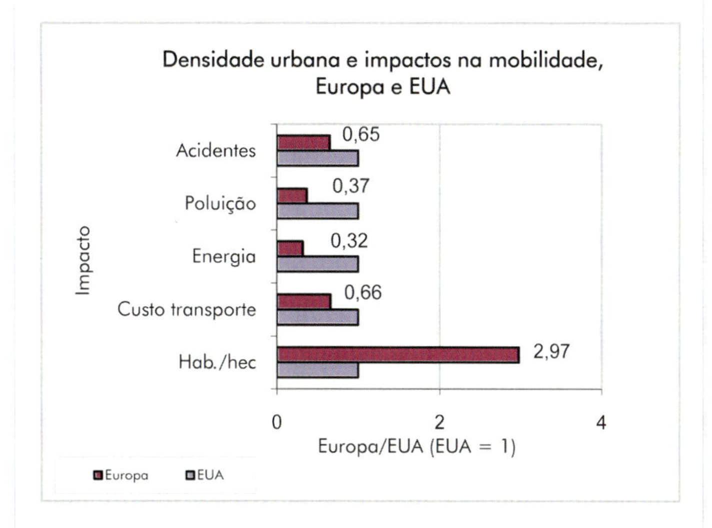

Fonte: Newman and Kenworthy (1999), tabulação especial do autor.

Conforme visto no capítulo 7, de Nakano, neste livro, um dos maiores problemas na história da cidade foi "o esvaziamento populacional e o intenso dinamismo econômico das porções mais privilegiadas (...) [com] o agravamento dos congestionamentos no sistema viário". Assim, um dos desafios é alterar esse desequilíbrio, por meio de ações de promoção de uma melhor distribuição de locais de moradia e de emprego.

O Plano Diretor Estratégico (PDE) do município de São Paulo prevê mudanças na localização espacial de empreendimentos, utilizando instrumentos existentes na legislação geral bem como no Estatuto das Cidades (ver capítulo 10, de Nakano, neste livro). O PDE prevê o adensamento de várias áreas da cidade, por exemplo, por meio da autorização, mediante pagamento adicional, de construir áreas superiores aos máximos normalmente admitidos. Caso isso seja concretizado, o adensamento resultante poderá aumentar o uso do transporte público e as viagens a pé. No entanto, tal adensamento depende da adesão do setor de construção civil, que precisa estar convencido de que comprar esses direitos será vantajoso. Imagina-se que isso ocorrerá com certeza em torno, por exemplo, de novas linhas de metrô, desde que o governo tenha se comprometido de forma irreversível a construí-las. De forma semelhante, impactos positivos poderão ser esperados no caso de adensamentos em torno das ferrovias urbanas e de grandes corredores de ônibus, como o Tiradentes e o projeto TEU.

6. Experiências internacionais e nacionais

Muitas grandes cidades do mundo e suas áreas metropolitanas enfrentam graves problemas de trânsito e de transporte público e têm buscado alternativas para o seu tratamento. Algumas grandes cidades brasileiras também têm tentado alternativas interessantes de serem analisadas.

6.1 Madri – organização institucional

O Consorcio Institucional de Transportes de Madrid (CTM) é um dos exemplos mais bem-sucedidos de reorganização institucional do sistema metropolitano de transportes dentre as grandes cidades do mundo. Ele foi criado em 1985 e hoje trabalha em uma área com cerca de 6 milhões de pessoas. O consórcio tem o objetivo de fazer a gestão do transporte público regular de passageiros, sendo gerido por um conselho que reúne o "ajuntamento de Madri", os municípios que aderiram ao conselho, os sindicatos do setor e as empresas operadoras (de metrô, trens e ônibus). Exerce as funções de planejar a infraestrutura e os serviços, programar investimentos, estabelecer a política tarifária, regular as concessões e fiscalizá-las, além de arrecadar as tarifas da maior parte do sistema. Os maiores projetos bem-sucedidos do CTM foram a grande expansão do metrô da região e a implantação da bilhetagem eletrônica total no sistema de transportes.

Esse modelo espanhol é muito atraente por sua abrangência, mas deve-se lembrar que está inserido em um processo político diverso do que experimentamos na RMSP. Conforme discutido no capítulo 11, de Tapia e Ribeiro, neste livro, a construção de um novo modelo institucional requer profundas mudanças na divisão dos poderes, na participação dos atores relevantes e na distribuição de custos e benefícios entre todos. Esse tipo de mudança não parece muito provável no atual cenário político-institucional da RMSP. Na prática, a Secretaria de Transportes Metropolitanos de São Paulo tem autoridade formal apenas sobre os sistemas de transporte metropolitanos (trens, metrô e ônibus intermunicipais), sendo o poder sobre os sistemas locais de ônibus ligado constitucionalmente à administração municipal. Ademais, a visão do município de São Paulo como "cidade central", naturalmente dominante por sua economia, coloca enormes dificuldades para a organização de um novo arranjo institucional abrangente, ao ser confrontada com as aspirações de outras grandes cidades da RMSP, como Guarulhos, São Bernardo do Campo, Santo André e Osasco. Assim, o desenvolvimento de um novo mecanismo, de uma nova organização institucional – como uma agência reguladora metropolitana, por exemplo – ainda permanece um desafio.

6.2 Londres – pedágio urbano

Londres foi a primeira cidade grande a implementar um sistema de pedágio urbano, que prevê pagamento por parte dos condutores de automóveis que adentrarem sua área central. O projeto foi objeto de longa discussão pública, terminando por ser aprovado depois de dois anos de debates. Na primeira fase, os resultados foram positivos, tendo ocorrido redução de 40% no fluxo de automóveis e aumento de 15% a 20% na velocidade dos ônibus (www.tfl.gov.uk). Houve, conforme previsto, aumento de tráfego na área que circunda a área restrita.

A aplicação dessa solução no caso do município de São Paulo – ou da RMSP – não enfrentaria mais os problemas técnicos que existiam há vinte anos, referentes ao controle operacional (eletrônico) da operação, dado que hoje essa tecnologia está muito avançada. O maior problema é de natureza política, uma vez que o pedágio tem uma imagem de ação restritiva indevida à circulação de automóveis – frente a um Estado "ineficiente" e "corrupto" –, o que faz com que políticos das forças majoritárias não o apoiem. As propostas de pedágio, quando mencionadas, estão sempre condicionadas a um futuro imprevisível, que dependeria de uma ação anterior de grande porte, destinada a elevar a qualidade e a oferta espacial do transporte público. No entanto, o grau de congestionamento pode chegar a um ponto tal que alguma forma de controle passe a ser desejada pela maioria dos atores mais poderosos, levando a uma alteração no direito à mobilidade irrestrita utilizando automóvel.

6.3 Bogotá – corredor de ônibus de alta capacidade

Bogotá foi a primeira cidade de grande porte nos países em desenvolvimento a implementar uma rede extensa de corredores de ônibus com exclusividade total – o "Transmilênio". Esse corredor serviu primeiro o eixo principal da cidade, em uma extensão de 41 km, e atualmente está em ampliação para 80 km. Na sua fase inicial, o sistema atingiu um recorde de transporte de passageiros por hora e por sentido, aproximando-se da capacidade de alguns metrôs do mundo. Sua maior qualidade – quando comparado aos corredores de São Paulo – é que se tratou de um projeto integral, que combinou a reurbanização do espaço do entorno, a reorganização da circulação de pedestres e ciclistas e a implementação de quatro faixas exclusivas de tráfego para os ônibus, dotado de sinalização de alta qualidade e de controles eletrônicos avançados da operação. Adicionalmente, está organizado na forma de rotas alimentadoras (ônibus comuns) e rotas troncais (ônibus articulados), com uma mescla de serviços comuns, semiexpressos e expressos, que lhe dão grande variedade de oferta. A velocidade média dos veículos é de 26 km/h, o dobro da velocidade verificada nos corredores de ônibus da cidade de São Paulo.

Sua aplicação na RMSP é possível, desde que duas condições sejam atendidas. Inicialmente, deve haver uma decisão política coordenada entre o governo do estado e as prefeituras servidas pelos corredores. Em segundo lugar, o projeto físico do corredor deve estar inserido em um projeto mais ambicioso de renovação urbana, que defina incentivos para organizar uma nova forma de uso e de ocupação do solo na área de influência direta do corredor.

Um dos projetos já propostos nesse sentido é o TEU – Transporte Expresso Urbano –, desenvolvido pela Associação Nacional de Transportes Públicos e proposto às autoridades metropolitanas de transporte em 2007, tendo em seguida sido incluído no orçamento dos projetos do Pitu relatados anteriormente. O TEU metropolitano compreende um anel de 87 km em torno da RMSP, começando ao norte na estação Tucuruvi do metrô, passando por Guarulhos e cruzando a zona Leste de São Paulo até atingir o corredor ABD já existente (que integra também a proposta do TEU). É uma ligação perimetral, diferentemente dos outros corredores de transporte público, que são radiais (em relação ao centro de São Paulo). Essa condição permite criar um anel de ligação metropolitano, com dez cruzamentos com outros sistemas de transporte público de alta capacidade, sobre pneus e sobre trilhos. O projeto pode contribuir para a formação de novas centralidades mais periféricas – especialmente a região da avenida Jacu-Pêssego, na qual já existe uma operação urbana do município de São Paulo. A criação de um grande número de empregos em trechos selecionados do corredor pode reduzir drasticamente as distâncias de deslocamento ao trabalho para a população da zona Leste, com economias significativas de tempo, uso de energia e emissão de poluentes.

6.4. Belo Horizonte – coordenação de transporte e trânsito

A capital de Minas Gerais é a primeira grande cidade brasileira a conseguir coordenar, dentro de um único órgão, as políticas de transporte e trânsito. A BHTRANS é uma Sociedade de Economia Mista, constituída sob a forma de Sociedade Anônima, com administração indireta da Prefeitura de Belo Horizonte. Ela é a gestora de um sistema de ônibus que serve 36 milhões de passageiros por mês em quase três mil veículos e também gestora do trânsito da cidade, na qual são feitas pelas pessoas, por dia, cerca de 5 milhões de viagens no transporte público, no transporte individual e a pé. Devido à sua atuação, a BHTrans já recebeu duas vezes o *Prêmio ANTP de Qualidade*, a mais importante premiação para gestores de transporte e trânsito do país. Nascida inicialmente por inspiração do modelo da CET de São Paulo, ela acabou por se afirmar como um modelo de planejamento e operação integrados.

A utilização desse modelo na RMSP já ocorre (total ou parcialmente) em municípios como Santo André, Guarulhos e São Bernardo do Campo, mas encontra muita resistência no município de São Paulo, onde permanece a separação entre a SPtrans (transporte público) e a CET (trânsito), embora estejam institucionalmente ligadas à mesma Secretaria Municipal de Transportes. O argumento central utilizado pelos que se opõem à ideia de um órgão único é o do gigantismo da cidade, que impediria a organização de uma única agência pública responsável diretamente pelos dois temas. Esse argumento não se sustenta, uma vez que grandes cidades do mundo têm organizações unificadas para estes propósitos. Assim, a resistência parece mais ligada à proteção dos interesses imediatos de cada organização e dos setores privados a ela ligados.

7. Conclusão

A Região Metropolitana de São Paulo e sua maior cidade vêm experimentando nas últimas décadas grandes transformações em seu sistema de transporte urbano. Ocorreu grande crescimento populacional e da frota de veículos, mas que não foram acompanhados de crescimento e melhoria de qualidade do seu sistema de transporte urbano. A expansão acelerada da ocupação periférica tornou mais complexo o problema na medida em que tornou mais difícil ofertar um sistema de transporte público eficiente e com custo aceitável para os grupos de renda baixa. A expansão urbana e a ocupação do solo de forma desordenada, associados à dissociação histórica entre as políticas de transporte e trânsito – notadamente na cidade de São Paulo – foram incentivando o uso crescente do automóvel, enquanto o transporte público era limitado em extensão e qualidade. O sistema de ônibus permaneceu com baixa prioridade na circulação e velocidades reduzidas – com grande prejuízo para sua produtividade e atratividade –, o sistema de transporte em trens da CPTM foi tendo sua qualidade reduzida ao longo do tempo e o metrô, apesar de prestar excelentes serviços, teve sua expansão realizada muito lentamente. O resultado foi um aumento constante da participação do automóvel no total de deslocamentos feitos pelas pessoas e uma redução da participação das viagens no transporte público. Em consequência, apesar dos grandes investimentos feitos na expansão do sistema viário nas décadas de 1960 e 1970, foi crescendo o nível de congestionamento viário e a ineficiência geral do sistema de mobilidade. Paralelamente, foram mantidos níveis elevados de emissão de poluentes e de acidentes de trânsito, estes apresentando alguns dos índices mais elevados dentre as grandes cidades do mundo.

Sendo a RMSP a área econômica mais importante do país, o elevado transporte de cargas – dependente majoritariamente de caminhões – também sofreu as consequências, tendo a sua produtividade reduzida devido às crescentes dificuldades de circulação.

No âmbito metropolitano, as decisões de políticas urbanas e de transporte enfrentaram os conflitos relacionados à falta de uma autoridade metropolitana clara, ligada às características do sistema político e da organização institucional brasileira. O grau de coordenação dessas políticas sempre foi reduzido, acompanhado de dificuldade no financiamento da expansão e modernização do sistema de transporte público.

No futuro, dado o aumento da população e da renda, e a tendência de permanecer uma grande quantidade de atividades industriais e de serviços, a região metropolitana e a cidade de São Paulo sofrerão pressões muito grandes sobre o seu sistema de circulação de pessoas e mercadorias. Os estudos até agora realizados – especialmente o Pitu, coordenado pela Secretaria de Transportes Metropolitanos – mostram que três ações gerais são essenciais:

1) o aumento expressivo da infraestrutura e da oferta de transporte público, na forma de metrô, trens e corredores de ônibus;

2) alterações nas regras de uso e ocupação do solo, de forma a aumentar a densidade de ocupação em áreas adjacentes ao sistema de transporte público de alta capacidade;

3) reorganização da circulação de cargas, tanto por caminhões quanto por trens.

No entanto, essas medidas não serão suficientes. Igualmente importante será uma alteração profunda na gestão do sistema de mobilidade, por meio de medidas de garantia de prioridade à circulação dos ônibus e de regulação do uso do automóvel. Um dos instrumentos essenciais para obter os resultados esperados será a definição de um novo mecanismo ou de um acordo institucional que permita dar validade legal e estabilidade operacional às decisões das políticas metropolitanas relacionadas à circulação de pessoas e mercadorias. Nesse aspecto, os exemplos de cidades como Madrid, Londres, Bogotá e Belo Horizonte podem ser importantes como referências.

Bibliografia

ANTP/IPEA (1998) Melhoria do transporte urbano com a redução das deseconomias, Brasília.

Artesp – Agência reguladora do transporte no estado de São Paulo (2007), Pesquisa origem-destino do transporte de cargas no estado de São Paulo, São Paulo.

Button (1993) Transport, the environment and economic policy, Edward Elgar, UK.

CET – Cia de Engenharia de Tráfego (2005) Acidentes de Trânsito em São Paulo, São Paulo.

______ (2006) Desempenho do sistema viário principal, velocidade dos ônibus, São Paulo.

CMSP – Metrô de São Paulo (1998) Pesquisa Origem-destino de 1997, São Paulo.

______ (2002) Pesquisa Origem-destino de 2002, São Paulo.

______ (2008) Pesquisa Origem-destino de 2007, dados preliminares, São Paulo.

Emplasa (2008) Dados sobre as metrópoles do estado de São Paulo (www.emplasa.sp.gov.br).

Hagerstrand (1987) "Human interaction and spatial mobility: retrospect and Prospect" in Nijkamp, P. and Reichman S. (eds.), Transportation Planning in a changing world, GOWER/European Science Foundation, Netherlands.

Kowarick, L. (1979) *A espoliação urbana*, São Paulo, Paz e Terra.

Newman P. e Kenworthy, J. (1999) *Sustainability and Cities – overcoming automobile dependence*, Island Press, Washington D.C., EUA.

STM – Secretaria dos Transportes Metropolitanos (2007), projeto PITU 2025, São Paulo.

Vasconcellos E. A. (2000a) *Transporte urbano, espaço e equidade – análise das políticas públicas*, Annablume, São Paulo.

______ (2000b) *Circular é preciso, viver não é preciso – a história do trânsito na cidade de São Paulo*, Annablume, São Paulo.

______ (2008) *Transporte e meio ambiente*: conceitos e informações para análise de impactos, Instituto Movimento, Annablume, São Paulo.

Verhoef (1994) "External effects and social costs of road transport", *Transportation Research A* vol. 28, n.4, pp. 273-287.

10. Alternativas de desenvolvimento econômico no planejamento e na gestão urbana

Kazuo Nakano

Introdução

O Plano Diretor Estratégico do Município de São Paulo (PDE – Lei Municipal 13.430/2002) introduziu várias inovações na política urbana local, em sintonia com a Constituição Federal de 1988,[1] o Estatuto da Cidade (Lei Federal 10.257/2001) e a Medida Provisória 2.220/2001. Com a nova Lei de Uso e Ocupação do Solo (LUOS – Lei Municipal 13.885/2004), o PDE definiu as bases para a ordenação do território municipal como um todo e, por meio dos Planos Regionais Estratégicos (PRE – Lei Municipal 13.885/2004), dos territórios de cada uma das 31 subprefeituras instituídas pela Lei Municipal 13.399/2002.[2]

O objetivo deste texto é analisar os desafios do desenvolvimento econômico do município de São Paulo para o planejamento urbano, instituído por meio dos instrumentos jurídicos mencionados. Nas análises realizadas, destacam-se as possibilidades, limitações e articulações estratégicas necessárias para a programação de intervenções urbanas previstas para as áreas com cursos d'água passíveis de receber parques lineares, vias estruturais a serem melhoradas e ampliadas, linhas de transporte público coletivo que necessitam de modernização tecnológica e aperfeiçoamentos operacionais e, finalmente, áreas com operações urbanas consorciadas em eixos estruturais da cidade. Tais intervenções urbanas podem gerar formações espaciais melhor qualificadas que promovam distribuições mais equilibradas das atividades econômicas diversas.

Destacam-se também as análises sobre as contradições e acertos intrínsecos às estratégias de ordenamento territorial voltadas para o repovoamento dos espaços urbanos centrais e intermediários que estão sofrendo processos de esvaziamento de mo-

[1] A Constituição Federal definiu o plano diretor como o "instrumento básico da política de desenvolvimento e de expansão urbana" por meio do qual se estabelecem, em âmbito municipal, as exigências fundamentais de ordenação que orientam o cumprimento das funções sociais da cidade e das propriedades urbanas.

[2] As subprefeituras foram instituídas antes do PDE e com o objetivo de descentralizar a administração pública municipal e competência de "coordenar o Plano Regional e o Plano de Bairro, Distrital ou equivalente, de acordo com as diretrizes estabelecidas pelo Plano Diretor da Cidade" (Lei 13.399/2002, artigo 5º, inciso IV). Tal descentralização não se efetivou completamente, pois muitas subprefeituras necessitam aumentar sua capacidade técnica e institucional e estabelecer canais próprios de interlocução com a sociedade, como os Conselhos de Representantes, previstos juridicamente, porém ainda não concretizados. Essa capacidade técnica é importante para que as subprefeituras realizem suas tarefas cotidianas de manutenção urbana e, principalmente, façam a gestão dos processos de implantação dos PRE elaborados a partir do PDE (artigo 294).

radores. Esse repovoamento é fundamental para o desenvolvimento econômico da cidade de São Paulo porque tal esvaziamento está ocorrendo justamente nas áreas com maior oferta de empregos e oportunidades econômicas, mais bem servidas de equipamentos e infraestruturas urbanas. Ademais, pode promover maior mistura entre atividades residenciais e não residenciais, aproximando locais de moradia e de trabalho, amenizando os problemas de congestionamentos e alterando os padrões atuais de mobilidade intraurbana.

Os conteúdos desses instrumentos podem ser sintetizados em quatro dimensões que estruturam as bases atuais do planejamento e da gestão urbana do município de São Paulo:

1) *Diretrizes e ações estratégicas setoriais* – nessa dimensão se apresentam as diretrizes e ações estratégicas setoriais para: (i) garantir os direitos sociais básicos, como saúde, educação e habitação, entre outros; (ii) promover o desenvolvimento humano, social, econômico, urbano e ambiental da cidade; (iii) melhorar a qualidade e as condições de vida dos habitantes; (iv) eliminar problemas que prejudicam o funcionamento da cidade. Tais ações e investimentos destinam-se ao atendimento das necessidades sociais e à efetivação do cumprimento das funções sociais da cidade segundo determinação da Constituição Federal de 1988 e do Estatuto da Cidade;

2) *Intervenções físicas no espaço urbano* – nessa dimensão se definem áreas e eixos da cidade, principalmente dos elementos estruturadores, que deverão ser objetos de intervenções físicas baseadas em projetos de desenho urbano. As áreas de intervenção urbana preveem projetos estratégicos de requalificação urbana, projetos urbanísticos específicos e maior aproveitamento do potencial construtivo nas áreas envoltórias das estações ferroviárias e metroviárias. As áreas para a realização de Operações Urbanas Consorciadas também preveem a realização de projetos e intervenções voltadas para a reestruturação urbana. As intervenções nos eixos visam à construção de parques lineares junto aos cursos d'água, caminhos verdes e melhorias nas redes estruturais de vias e no transporte público coletivo.

3) *Estratégias de ordenamento territorial* – nessa dimensão se articulam as normas, regras, critérios e parâmetros para regular as formas de uso, ocupação e parcelamento do solo urbano e aplicar os vários instrumentos de política urbana, previstos ou não no Estatuto da Cidade. A estratégia de ordenamento territorial vigente no município de São Paulo possui dois eixos: (i) aplicação dos instrumentos de política urbana e controle do uso do solo baseado nas macrozonas, macroáreas, zonas de uso e zonas especiais; (ii) controle de atividades incômodas com ruídos, carga e descarga de objetos, vibração, emissão de radiações, odores, gases, vapores, materiais particulados e fumaça; (iii) controle dos padrões de ocupação e aproveitamento do solo urbano baseado na hierarquização de vias classificadas em estruturais (três níveis – N1, N2 e N3),[3] coletoras e locais;

4) *Sistema democrático de planejamento e gestão urbana* – nessa dimensão se organiza um sistema democrático de planejamento e gestão urbana composto por: (i) órgãos da participação popular, como assembleia de política urbana, conselho municipal de política urbana e conselho de representantes das subprefeituras; (ii) instrumentos para o exercício do poder democrático, como debates, audiências e consultas públicas, plebiscitos, referendo e iniciativa popular, que qualificam a interlocução entre o Poder Público e a sociedade em torno das questões relativas à política urbana; (iii) diretrizes para revisão do PDE, elaboração dos PRE e articulação com o orçamento participativo; (iv) instrumentos técnicos de gestão, como o sistema municipal de informações e relatórios anuais que organizam subsídios para monitoramento e avaliação da implementação do PDE, da Luos e dos PRE.

Nesse sentido, as partes seguintes deste texto procuram discutir, a partir do PDE e da Luos, os desafios do desenvolvimento econômico da cidade de São Paulo que se impõem para as ações estratégicas, as intervenções físicas no espaço urbano e as estratégias de ordenamento territorial.

[3] Segundo o artigo 110 da Lei 13.430/2002, essas vias estruturais se classificam em três níveis, em função das ligações regionais (1º nível), metropolitanas (2º nível) e internas ao município de São Paulo. As demais vias não estruturais se classificam em coletoras, vias locais, ciclovias e vias de pedestres.

2. Ações estratégicas para o desenvolvimento econômico da cidade

Segundo o PDE, o desenvolvimento econômico e social da cidade de São Paulo deve promover a justiça social e o equilíbrio ambiental. Esse desenvolvimento implica a desconcentração de atividades no território urbano, atração de investimentos produtivos em setores com alto valor agregado e fortalecimento do uso da ciência e tecnologia por parte de micro e pequenos empreendimentos, cooperativas e empresas autogestionárias.

A diretriz referente à desconcentração de atividades no território urbano é importantíssima dada a concentração de oportunidades econômicas que ainda persiste no quadrante sudoeste. O surgimento de pequenos estabelecimentos comerciais, industriais e de serviços nos bairros predominantemente residenciais das porções intermediárias e periféricas da cidade não efetiva essa desconcentração. Nessas porções urbanas os micros e pequenos estabelecimentos ainda não são suficientes para atender às demandas crescentes por trabalho e renda. Esses estabelecimentos são bastante importantes em qualquer estratégia de desenvolvimento econômico em espaços urbanos onde se inscrevem, gerando efeitos de aglomeração e se inserindo em cadeias de produção e consumo.

Ademais, segundo o PDE, esse desenvolvimento deve se basear em articulações metropolitanas, nacionais e internacionais envolvendo organismos multilaterais e governamentais em convênios e parcerias. Essas articulações são cada vez mais estratégicas para o desenvolvimento da cidade de São Paulo, considerando as interações cada vez mais estreitas e intensas com as redes de cidades estruturadas nessas diferentes escalas. As formas de desenvolvimento das economias urbanas se estruturam, cada vez mais, a partir de vínculos intercidades que articulam territórios e agentes em circuitos curtos e longos com diferentes tipos de atividades e estabelecimentos, formações e abrangências espaciais, entre outros elementos.

A metrópole de São Paulo se coloca como importante polo econômico nessas redes urbanas regionais, nacionais e internacionais. Contudo, a falta de instâncias metropolitanas, regionais e nacionais de planejamento e gestão territorial obstrui a integração dessas diferentes escalas de desenvolvimento.

As realidades sociais, políticas, econômicas e culturais das metrópoles brasileiras não encontram correspondências em estruturas, processos e instrumentos de governança, planejamento e gestão democrática dos territórios e dimensões urbanas que envolvem múltiplas municipalidades. O pacto federativo apresenta lacunas institucionais no que diz respeito às metrópoles. Esse fato impõe limitações ao PDE, que possui abrangência estritamente municipal. Enquanto não aparecem soluções estruturais e de abrangência nacional, é necessário amadurecer diretrizes e ações estratégicas que minimizem essas limitações. A articulação de consórcios públicos entre municípios, governo estadual e governo federal apresenta-se como um caminho inicial.

No PDE, as ações estratégicas voltadas para a promoção do desenvolvimento econômico e social da cidade de São Paulo ainda são insuficientes e precisam ter melhor articulação com análises sobre as tendências econômicas em curso, em especial no que diz respeito à associação entre reconversões urbanas e econômicas em trechos com mutações nos padrões de uso e ocupação do solo. Tais ações consistem, principalmente em:

- modernização e descentralização da administração pública do município, principalmente nos aspectos relacionados com a gestão orçamentária, financeira e tributária;
- realização de investimentos para a implantação de infraestruturas e projetos urbanos, principalmente de transporte coletivo e acessibilidade de cargas;
- estímulo a atividades científicas, tecnológicas, comerciais e turísticas.

O turismo ganha destaque como componente de desenvolvimento econômico e social da cidade de São Paulo, com conjunto específico de diretrizes e ações estratégicas. Esse destaque é válido, dada a importância do turismo cultural, de compras e de negócios que ocorre regularmente na cidade, em especial nas áreas do quadrante sudoeste, com seus equipamentos culturais, núcleos de comércio de diferentes padrões, centros empresariais e de convenções.

Entretanto, tal destaque parece um tanto aleatório, pois há outros componentes da economia urbana que também são importantes e não tiveram o mesmo tratamento. Seria mais interessante se aquelas ações estratégicas tivesse mais sinergia com as áreas de intervenção urbana comentadas adiante. As intervenções previstas no PDE poderiam ser previstas de modo a criar infraestruturas e ambientes operacionais propícios para o desenvolvimento de atividades econômicas estratégicas para a formação de novos capitais, com ampliação do mercado de trabalho e absorção dos diferentes perfis das forças de trabalho existentes e em formação na cidade.

Essas ações estratégicas para o desenvolvimento econômico precisam ser discutidas com maior profundidade, pois do modo como estão enunciadas não avançam na concretização das diretrizes comentadas acima. Não avançam para a desconcentração das atividades econômicas no território urbano e, tampouco, para dar início a uma integração de processos de planejamento e desenvolvimento metropolitano e regional.

A descentralização orçamentária, financeira e tributária proposta como ação estratégica deve ser pensada em conjunto com a desconcentração das atividades econômicas de diferentes portes e setores. Adicionalmente, os projetos urbanos, o transporte coletivo e a criação de acessibilidades de cargas devem integrar as várias partes da cidade onde, futuramente, poderão se inscrever aquelas atividades desconcentradas nos espaços urbanos.

Há um descasamento entre as diretrizes e as ações estratégicas propostas. Ajustes nessas ações estratégicas poderão ser feitos num processo adequado e participativo de revisão do PDE, conforme escopo definido em seu artigo 293. Esse escopo abrange somente ajustes nas ações estratégicas, realização de pequenas correções e inclusão de novas áreas para aplicação dos instrumentos de política urbana previstas no Estatuto da Cidade, sem retirar aquelas que já constam do PDE.

3. Intervenções físicas no espaço urbano para o desenvolvimento econômico da cidade

O desenvolvimento econômico de uma cidade como São Paulo, na perspectiva da justiça social e do equilíbrio ambiental, exige a realização de investimentos no espaço urbano em atendimento às demandas por serviços, equipamentos e infraestruturas básicas que melhorem a qualidade de vida da população, reduzam ou solucionem os problemas estruturais de mobilidade e acessibilidade e gerem boas condições para a realização de investimentos privados que contribuam para o crescimento econômico, criação de postos de trabalho, aumento da renda e surgimento de oportunidades de desenvolvimento.

A associação entre desenvolvimento urbano e econômico exige o planejamento e a realização de investimentos públicos e privados em intervenções físicas que qualifiquem os espaços da cidade com boas condições de vida e funcionamento técnico eficaz para o desempenho das diversas atividades instaladas.

Nos instrumentos de planejamento e gestão urbana da cidade de São Paulo há propostas para a realização de vários tipos de intervenções físicas voltadas para a qualificação dos espaços urbanos. São desde intervenções em pequena escala e com baixo impacto, como a arborização de vias e a criação de caminhos verdes, até grandes intervenções voltadas para a reestruturação de porções extensas do espaço urbano, como as áreas de intervenções urbanas e operações urbanas consorciadas.

Do ponto de vista do desenvolvimento econômico da cidade, vale destacar as intervenções físicas mais importantes que são capazes de requalificar ou até mesmo reconfigurar trechos da cidade. Intervenções que podem introduzir novas dinâmicas econômicas atraídas por vantagens criadas, por exemplo, pela melhoria dos espaços públicos, descontaminação do meio ambiente, modernização de equipamentos e infraestruturas, redução da violência, ampliação da acessibilidade e eliminação de gargalos nas condições de mobilidade, entre outros fatores. Essas vantagens podem reconfigurar as localizações urbanas e introduzir efeitos positivos de vizinhança em favor da diversificação e do desenvolvimento de atividades econômicas.

A realização planejada de investimentos em intervenções físicas que conseguem criar vantagens locais e introduzir novas dinâmicas econômicas nos espaços urbanos é, normalmente, acompanhada pela atuação de agentes do mercado imobiliário que podem provocar renovações no parque edificado e promover a valorização de imóveis. As intervenções propostas pelo PDE e pela Luos que requerem grandes investimentos públicos e possuem essas potencialidades econômicas são:

- as áreas de intervenção urbana para implantação de parques lineares;
- as áreas de intervenção urbana para implantação ou melhoria de vias estruturais;
- as áreas de intervenção urbana em linhas de transporte público coletivo;
- as áreas de intervenção urbana em polos e eixos de centralidade;
- as áreas de operações urbanas consorciadas;
- as áreas demarcadas como zonas especiais de interesse social;
- as áreas envoltórias do Rodoanel.

Segundo as definições do PDE e da Luos comentadas adiante, essas áreas abrangem praticamente todo o espaço urbano da cidade de São Paulo. Não é cabível conceber intervenções levando em conta essa magnitude. É preciso estabelecer uma hierarquia de prioridades entre todas essas áreas segundo critérios claros, justos e socialmente pactuados. Tais critérios devem ser definidos com base em estudos de demandas e viabilidades. É importante evitar a realização de intervenções urbanas desarticuladas e aleatórias e que não incidam em aspectos estruturais da cidade.

Vale lembrar que, em certos casos, algumas dessas propostas de intervenções físicas no espaço urbano se sobrepõem. Isso não se constitui propriamente num problema, pois esses programas de intervenções não podem excluir-se mutuamente. Devem ser vistos de modo complementar e, nos casos em que há sobreposições com zonas especiais de interesse social, estas devem ser priorizadas com soluções adequadas que não firam o direito à moradia digna da população de baixa renda. Essas soluções podem ser definidas no local ou em outros locais, em comum acordo com os moradores. A acomodação entre os outros tipos de áreas de intervenções urbanas e de operações urbanas consorciadas deve ocorrer a partir da articulação entre os diferentes projetos urbanísticos específicos (PUEs).

Ademais, com exceção das áreas de operações urbanas consorciadas, faltou no PDE e na Luos uma estratégia que vincule as demais áreas de intervenções urbanas, em especial aquelas demarcadas como zonas especiais de interesse social, e mecanismos de financiamento e de aplicação dos recursos orçamentários do município. Muitas dessas intervenções não são de baixo custo. Daí a importância de enquadrá-las numa hierarquia de prioridades de curto, médio e longo prazo.

O grande desafio das intervenções nos elementos estruturais da cidade é incidir na formação espacial dos territórios urbanos de modo a criar configurações e operacionalidades que contribuam tanto para a formação de capitais promotores do desenvolvimento econômico, quanto para a eliminação das desigualdades sociais.

3.1 – Áreas de intervenção urbana para implantação de parques lineares

As áreas de intervenção urbana para a implantação de parques lineares[4] fazem parte do Programa de Recuperação Ambiental de Cursos D'Água e Fundos de Vale proposto pelo PDE e devem receber um projeto urbanístico específico (PUE). A envoltória de 200 metros no entorno imediato dos parques lineares prevê o recebimento de empreendimentos com atividades

[4] Segundo a Lei 13.430/2002, artigo 109 e a Lei 13.885/2004, artigo 32, inciso II, essas áreas se inserem na faixa de 15 metros ao longo de cada uma das margens dos cursos d'água, em planícies aluviais que deverão ser delimitadas a partir de levantamentos regionais e na faixa envoltória de até 200 metros de largura, medidos a partir do limite do parque linear, destinadas à implantação de empreendimentos residenciais e não residenciais, a serem executados pela iniciativa privada. Na Lei 13.885/2004, artigo 32, parágrafo 2º, é dito que "quando a planície aluvial não existir, como nos cursos d'água encaixados, a delimitação da faixa de até 200 (duzentos metros) de largura poderá ser definida imediatamente, a partir da área *non aedificandi*".

residenciais e não residenciais que poderão se instalar no local, atraídas pela melhora no espaço urbano. Em que pese seu alcance limitado por causa da forma de aplicação adotada no PDE, a cobrança da outorga onerosa no licenciamento desses empreendimentos tem como objetivo capturar e redistribuir parte da valorização imobiliária gerada por investimentos públicos.

Os parques lineares devem ser vistos como equipamentos de lazer que podem incorporar atividades econômicas em seus programas. Dependendo das suas características e localização, são capazes de promover a valorização imobiliária do seu entorno imediato e atrair atividades comerciais e de serviços. Devem estar articulados com ações de despoluição e limpeza do Programa de Recuperação Ambiental de Cursos D'Água que, provavelmente, irão extrapolar os limites desse tipo de área de intervenção urbana. Essas ações devem, portanto, ser definidas previamente e orientar as prioridades de execução dos parques lineares na cidade.

É interessante observar que a Luos, no seu artigo 32, parágrafo 1º, abre a possibilidade de empreendedores privados implantarem parques lineares. Segundo esse parágrafo, "a execução de uma Área de Intervenção Urbana Parque Linear por um empreendedor privado deverá abranger área mínima de projeto de 5.000 m^2 (cinco mil metros quadrados) com, no mínimo 100 m de extensão ao longo dos cursos d'água e fundos de vale". Porém, não se prevê nenhuma medida de estímulo e compensação a esse tipo de ação, e tampouco há determinações sobre o uso público desses parques lineares executados pela iniciativa privada.

O PDE propõe a implantação de parques ou parques lineares em alguns trechos urbanos analisados no capítulo 7 deste livro – "A dinâmica espacial em quatro trechos da cidade". No trecho Jacu-Pêssego, na zona Leste, propõe-se um parque na extremidade norte da avenida Jacu-Pêssego (Parque Jardim Primavera) e um parque linear na extremidade sul dessa avenida, em cujas proximidades há previsão para a implantação do parque da APA do Carmo.

3.2 – Áreas de intervenção urbana para implantação ou melhoria de vias estruturais

As áreas de intervenção urbana para a implantação ou melhoria de vias estruturais integram o Plano de Circulação Viária e de Transportes. Essas áreas possuem vocação para serem corredores de atividades terciárias e constituírem-se como eixos de centralidades lineares que podem beneficiar e integrar diferentes bairros da cidade e promover o desenvolvimento econômico de seus subcentros. A melhoria das condições urbanísticas gerais nessas áreas certamente estimula a instalação daquelas atividades terciárias. Esse estímulo pode ser fortalecido com a oferta de vantagens na utilização de potenciais construtivos e a aplicação de instrumentos de isenção fiscal, de taxas e tarifas.

As intervenções nesses corredores devem ser definidas em PUEs que abrangem "faixas de até 300 (trezentos) metros de largura de cada lado da via estrutural (ou eixos de centralidade)" (Lei 13.430/2002, artigo 112). É importante que esses PUEs equacionem adequadamente as condições de circulação e estacionamento de veículos e pedestres, a melhoria de espaços públicos e o funcionamento das diversas atividades. Além disso, deve "definir os perímetros das áreas de recepção de transferência de potencial e da venda de outorga onerosa" (Lei 13.430/2002, artigo 112, parágrafo 2º). Em que pese o alcance limitado na aplicação desse instrumento, conforme mencionado acima, essa determinação indica acertadamente as possibilidades de capturar e redistribuir parte da valorização imobiliária decorrente de investimentos viários a serem realizados na melhoria de acessibilidades e condições de mobilidade nessas áreas. Entretanto, é preciso especificar os diferentes tipos de investimentos viários a serem realizados de acordo com uma escala de prioridades, conforme dito anteriormente. Esses investimentos variam desde uma simples melhoria da pavimentação até a abertura ou complementação de uma nova via estrutural, passando pela instalação de infraestruturas, arborização e mobiliários urbanos.

Todos os trechos urbanos analisados no capítulo 7 deste livro possuem áreas de intervenção urbana em vias estruturais. No trecho junto ao rio Jacu, a avenida Jacu-Pêssego faz parte do sistema viário estrutural N3. No trecho junto ao rio Tamanduateí, a avenida do Estado faz parte do sistema viário estrutural N1. No trecho junto à futura Linha Amarela do metrô, no Butantã, a avenida Eliseu de Almeida faz parte do sistema viário estrutural N1 e a avenida Professor Francisco Morato integra o sistema viário estrutural N2. No trecho junto ao encontro dos rios Tietê e Pinheiros, as vias marginais fazem parte do sistema viário estrutural N1.

3.3 – Áreas de intervenção urbana em linhas de transporte público coletivo

As áreas de intervenção urbana ao longo das linhas de transporte público coletivo[5] também devem receber um PUE que as qualifique, com seu entorno, e crie dinamismo econômico e imobiliário de modo a gerar condições necessárias para o poder público "obter recursos para aplicação na implantação e melhoria das linhas de transporte público por meio da outorga onerosa do potencial construtivo adicional" (Lei 13.430/2002, artigo 122). Assim como as áreas de intervenções urbanas para implantação e melhoria de vias estruturais, estas também possuem vocação para se constituírem como eixos de centralidades lineares e demandam os mesmos cuidados urbanísticos e estratégias de financiamento. Vale sublinhar que os investimentos nos sistemas de transporte público coletivo devem ser pensados como elementos propulsores de reestruturação e integração urbana e inclusão social.

Numa cidade como São Paulo, os deslocamentos através dos espaços urbanos não se restringem à simples movimentação entre pontos de origem e locais de destino. As condições para a realização desses descolamentos definem o funcionamento concreto da cidade, inclusive na interação de diferentes atividades econômicas, no acesso às várias porções urbanas e, principalmente, aos benefícios da vida urbana.

Nessas áreas, a cobrança da outorga onerosa do direito de construir tem como objetivo obter recursos para financiar melhorias nas condições de acessibilidade e mobilidade da própria área. O caráter distributivo presente nessa estratégia é garantido pelos benefícios coletivos produzidos pela ampliação e melhoria no sistema de transporte público coletivo, que não serve somente aos proprietários de imóveis da área, mas a todos os usuários da cidade. Nesse sentido, os PUEs para esse tipo de área de intervenção devem dimensionar a capacidade de arrecadação de contrapartidas financeiras referentes à cobrança da outorga onerosa do direito de construir de empreendimentos implantados em sua área de abrangência. É preciso garantir que os recursos obtidos com essas contrapartidas sejam de fato aplicados na melhoria e ampliação do sistema de transporte público coletivo.

Em todos os trechos da cidade analisados no capítulo 7, há linhas de transporte público coletivo, existentes e previstas. No trecho Jacu-Pêssego se prevê a implantação de um corredor de ônibus de média capacidade na avenida com o mesmo nome. No trecho Vila Leopoldina junto ao ponto de encontro dos rios Tietê e Pinheiros, já existem ferrovias modernizadas da CPTM e se prevê a extensão da Linha Verde do metrô com implantação de uma estação na altura da avenida Dr. Gastão Vidigal, onde se pretende implantar um corredor de ônibus de média capacidade. No trecho junto à futura Linha Amarela do metrô, propõe-se implantar um corredor com prioridade operacional ao ônibus na avenida Professor Francisco Morato e no começo da rodovia Raposo Tavares. No trecho junto ao rio Tamanduateí já existem ferrovias modernizadas da CPTM e se pretende implantar corredores de ônibus de média capacidade na avenida do Estado.

São comuns as coincidências das áreas de intervenção urbana num mesmo trecho da cidade. Nesse trecho se sobrepõem áreas de intervenção urbana para implantação e melhoria de vias estruturais, em linhas de transporte público coletivo e em polos e eixos de centralidades lineares. Isso ocorre no trecho junto

[5] Segundo Lei 13.430/2002, artigo 122, são áreas delimitadas por faixas de até 300 metros de cada lado dos alinhamentos do sistema de transporte público coletivo de massa e em círculos com raio de até 600 metros, tendo como centro as estações do transporte metroviário e ferroviário.

ao rio Jacu, onde o entorno da avenida Jacu-Pêssego deverá ser uma centralidade linear a dinamizar e o centro de Itaquera deverá ser qualificado como centro polar. No trecho junto ao ponto de encontro dos rios Tietê e Pinheiros, o entorno da avenida Dr. Gastão Vidigal e um pedaço da avenida Imperatriz Leopoldina também deverão ser centralidades lineares articuladas com o centro polar da Vila Leopoldina que deverá ser qualificado. No trecho junto à Linha Amarela do metrô, a centralidade linear deverá se constituir nas proximidades da avenida Professor Francisco Morato, que atravessa a centralidade polar a qualificar da Vila Sônia. No trecho junto ao rio Tamanduateí, as áreas cortadas pela avenida do Estado não foram pensadas como uma centralidade linear. Isso pode ser um equívoco, já que essas áreas estão passando por mudanças importantes nas atividades industriais e possuem potencialidades para se constituírem como uma extensão do centro tradicional em direção ao sudeste da metrópole. Nesse trecho se propôs qualificar os centros polares do Cambuci e do Sacomã.

3.4 – Áreas de operações urbanas consorciadas

A inserção dos diferentes tipos de áreas de intervenção urbana nas porções da cidade destinadas pelo PDE para a realização de operações urbanas consorciadas aponta para programações de investimentos e realizações de projetos urbanos estratégicos que deverão orientar a definição de prioridades e basear a venda dos Certificados de Potenciais Adicionais Construtivos (Cepacs).[6] Segundo a Luos, o Cepac "é uma forma de contrapartida financeira de outorga onerosa do potencial construtivo adicional, da alteração de uso e de parâmetros urbanísticos, para uso específico nas Operações Urbanas Consorciadas" (Lei 13.885/2004, artigo 2º, inciso XIII).

De acordo com a Luos, as operações urbanas consorciadas prevalecem sobre as áreas de intervenção urbana: Lei 13.885/2004, artigo 30, parágrafo 3º – "quando houver sobreposição de 2 (dois) ou mais tipos de Áreas de Intervenção Urbana, exceto nas Operações Urbanas Consorciadas, em que prevalecerá o estabelecido na lei da Operação Urbana Consorciada". Entretanto, os PUEs dessas operações não devem desconsiderar as articulações entre as propostas de parques, parques lineares, intervenções para melhorar e modernizar as infraestruturas e o entorno das linhas de transporte público coletivo, qualificar as centralidades polares e lineares, adequar e ampliar as vias estruturais. Tais intervenções devem se articular, no âmbito dessas operações, com "o conjunto de medidas coordenadas pelo Município com a participação dos proprietários, moradores, usuários permanentes e investidores privados, com o objetivo de alcançar transformações urbanísticas estruturais, melhorias sociais e a valorização ambiental, notadamente ampliando os espaços públicos, organizando o transporte coletivo, implantando programas habitacionais de interesse social e de melhorias de infraestrutura e sistema viário" (Lei 13.430/2002, artigo 225).

É importante que o desenvolvimento urbano e econômico das áreas de operações urbanas consorciadas estabeleça a implementação das zonas especiais de interesse social (Zeis) entre as principais prioridades no conjunto de medidas, intervenções e investimentos que devem ser realizadas nessas áreas com os recursos arrecadados com a venda dos Cepacs. As Zeis se colocam como o principal instrumento de planejamento e gestão urbana para garantir terras e localizações adequadas à promoção de habitações para a população de baixa renda. Nesse sentido, é extremamente importante que as leis específicas das operações urbanas consorciadas incorporem mecanismos que assegurem recursos para a elaboração e execução de um plano de urbanização e a realização da regularização fundiária de assentamentos informais localizados nas Zeis 1,[7] e viabilizem empreendi-

[6] Segundo a Lei 13.430/2002, artigo 230, parágrafo 5º, alínea a, os Cepacs devem ser regulamentados nas leis específicas das operações urbanas consorciadas que devem a quantidade a ser emitida, seus valores mínimos, as contrapartidas correspondentes, formas de conversão e, principalmente,subsídios para aquisição de terrenos para construção de habitações de interesse social.

[7] Segundo a Lei 13.430/2002, artigo 171, inciso I, as Zeis 1 são "áreas ocupadas por população de baixa renda, abrangendo favelas, loteamentos precários e empreendimentos habitacionais de interesse social ou do mercado popular, em que haja interesse público (...) em promover a recuperação urbanística, a regularização fundiária, a produção e manutenção de Habitações de Interesse Social – HIS, incluindo equipamentos sociais e culturais, espaços públicos, serviço e comércio de caráter local".

mentos habitacionais de interesse social nas áreas e imóveis demarcados como Zeis 2[8] e 3.[9]

É interessante observar nas definições das Zeis 1 e 2 a combinação das moradias com atividades comerciais e de serviços de caráter local. Essa combinação aponta corretamente para uma concepção de Zeis como territórios de moradias e de microeconomias populares. É importante que essa concepção oriente os planos de urbanização das Zeis 1 e os empreendimentos de HIS e HMP a serem realizados nas Zeis 2.

Ademais, é importante que as leis específicas das operações urbanas consorciadas obriguem os agentes econômicos a produzirem habitações de interesse social como parte dos investimentos privados realizados em grandes empreendimentos residenciais e não residenciais. Tais mecanismos também devem ser adotados nos diferentes tipos de área de intervenção urbana, os quais precisam ser combinados com a realização de investimentos nas Zeis 1, 2 e 3.

A instituição das operações urbanas Rio Verde-Jacu, Diagonal Sul, Vila Leopoldina e Vila Sônia, para mencionar somente aquelas que abrangem os trechos urbanos analisados no capítulo 7, ocorre por meio de lei específica baseada no PDE. Essa lei deve basear-se num projeto urbanístico básico que acolha, de modo prioritário, todas as determinações, investimentos e intervenções físicas das distintas áreas de intervenção urbana e dos tipos diferentes de Zeis comentadas anteriormente.

Essas operações urbanas consorciadas devem ser encaradas como uma articulação ampla e detalhada entre investimentos públicos, desenho urbano e estratégias de captura e redistribuição de parte da valorização imobiliária para gerar recursos destinados a financiar, prioritariamente, a melhoria das condições de vida e de moradia dos grupos sociais de menor renda. As operações urbanas consorciadas devem ser instrumentos de captura da valorização imobiliária gerada pela realização de investimentos e intervenções na melhoria e qualificação dos componentes públicos do espaço urbano. A programação de prioridades para a realização desses investimentos e intervenções não pode ficar em aberto. Precisa ser consolidada juridicamente a partir de amplo e profundo processo de discussões públicas e participação social. Daí a importância de as operações urbanas consorciadas terem canais permanentes e efetivos de gestão democrática.

Do ponto de vista do desenvolvimento econômico, a implementação da operação urbana consorciada Rio Verde-Jacu (instituída pela lei 13.872/2004), atravessada pela avenida Jacu-Pêssego, deve ser acompanhada com atenção, pois é a primeira experiência na cidade que procura articular a execução de um projeto urbano com a implementação de um programa de desenvolvimento econômico em uma porção da cidade produzida segundo o "padrão periférico de urbanização". Esse programa trabalha com uma noção multidimensional de desenvolvimento, incluindo propostas de atendimento às demandas sociais, e aproveita adequadamente as tendências econômicas que já estão ocorrendo na área, aproveitando-se das oportunidades criadas pelas ligações com os sistemas viários estruturais que abrem macroacessibilidades metropolitanas e regionais.

A operação urbana consorciada Diagonal Sul, cujo perímetro é atravessado pelo rio Tamanduateí e pela avenida do Estado, também terá um componente econômico importante, pois envolve antigas áreas industriais que estão em processos de mudanças significativas. Tais mudanças não se restringem à simples saída de indústrias. Conforme analisado no capítulo 7, é preciso levar em conta a permanência e a instalação de determinados tipos de fábricas e rearranjos espaciais dos estabelecimentos comerciais e de serviços que passam a se concentrar em grandes centros de consumo localizados, principalmente, junto a grandes avenidas como a do Estado.

A operação urbana consorciada Vila Leopoldina, cujo perímetro abrange as áreas predominantemente industriais localizadas junto ao ponto de encontro dos rios Tietê e Pinheiros, também terá que lidar com a saída de indústrias e a reestruturação de estabele-

[8] Segundo a Lei 13.430/2002, artigo 171, inciso II, as Zeis 2 são "áreas com predominância de glebas ou terrenos não edificados ou subutilizados (...) adequados à urbanização, onde haja interesse público (...) na promoção de Habitação de Interesse Social – HIS ou do Mercado Popular – HMP, incluindo equipamentos sociais e culturais, espaços públicos, serviços e comércio de caráter local".

[9] Segundo a Lei 13.430/2002, artigo 171, inciso III, as Z 3 são "áreas com predominância de terrenos ou edificações subutilizados situados em áreas dotadas de infraestrutura, serviços urbanos e oferta de empregos, ou que estejam recebendo investimentos desta natureza, onde haja interesse público (...) em promover ou ampliar o uso de Habitação de Interesse Social – HIS ou do Mercado Popular – HMP, e melhorar as condições habitacionais da população moradora".

cimentos comerciais e de serviços, principalmente de alto padrão, que estão se dirigindo para o local para atender consumidores com bom poder aquisitivo que estão indo morar nos valorizados empreendimentos imobiliários construídos recentemente. Terá que trabalhar com dois cenários: um com e outro sem o Ceagesp. A possível saída desse grande equipamento público de abastecimento alimentar irá abrir grandes áreas para intervenções físicas junto ao Parque Villa Lobos, construído recentemente.

Por fim, a operação urbana consorciada Vila Sônia, cujo perímetro é atravessado pelas avenidas Eliseu de Almeida e Professor Francisco Morato, e, futuramente, contará com maior facilidade de acesso propiciada pela implantação da Linha Amarela do metrô, terá que equacionar o incremento das atividades terciárias que poderão se expandir para o local como desdobramentos dos polos de comércio e serviços consolidados junto à via marginal do Pinheiros e às avenidas Brigadeiro Faria Lima e Engenheiro Luís Carlos Berrini.

O maior desafio para a realização do desenvolvimento econômico em espaços da cidade por meio de operações urbanas consorciadas é articular adequadamente estratégias de intervenção física, promoção de atividades econômicas, regulação do uso e ocupação do solo e captura e redistribuição das rendas fundiárias geradas pelas valorizações imobiliárias decorrentes de investimentos públicos. Trata-se do desafio de acomodar, com o mínimo de conflito possível, uma convivência entre diferentes grupos sociais e de interesse e as atividades terciárias e residenciais. A regulação dessa convivência é um dos componentes básicos das estratégias de ordenamento territorial adotadas no município de São Paulo.

4. Estratégias de ordenamento territorial para o desenvolvimento econômico da cidade

As estratégias de ordenamento territorial para o desenvolvimento econômico da cidade devem aproveitar adequadamente as terras, imóveis, serviços, equipamentos e infraestruturas urbanos. Esse aproveitamento dos espaços da cidade deve se dar de modo a, de um lado, reduzir entraves para a instalação de atividades econômicas e, de outro lado, regular os efeitos e impactos provocados por essas atividades nos serviços, equipamentos e infraestruturas urbanos, nas relações de vizinhança e na qualidade de vida da população.

Nesse sentido, o desenvolvimento econômico da cidade de São Paulo demanda mecanismos de controle e regulação do uso, ocupação e parcelamento do solo que:

- promovam o repovoamento das áreas intraurbanas consolidadas que estão sofrendo processos de esvaziamento populacional;
- promovam a mistura de atividades residenciais e não residenciais de modo a reduzir ou minimizar os possíveis impactos urbanos e incômodos causadores dos conflitos de vizinhança.

Antes de discutir esses dois pontos, é preciso ter em mente a base territorial para a regulação do uso, ocupação e parcelamento do solo urbano no território municipal. Essa base para o ordenamento territorial foi instituída pelo PDE, pela Luos e pelos PREs. Os diagramas abaixo mostram o ordenamento entre as várias categorias de macroáreas, zonas de uso e zonas especiais que compõem esse zoneamento.

Macrozonas

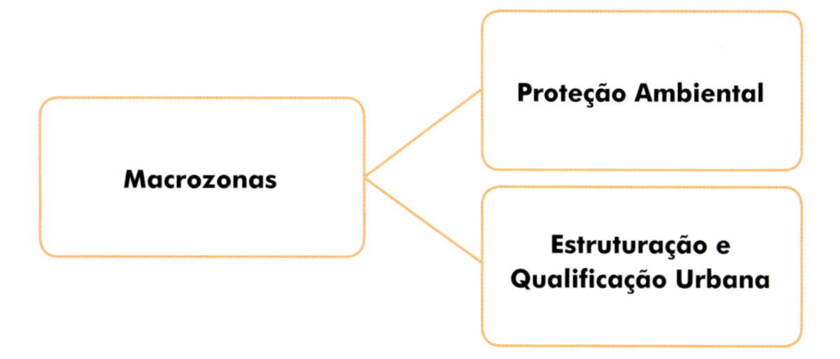

Macroáreas e zonas de uso da macrozona de proteção ambiental

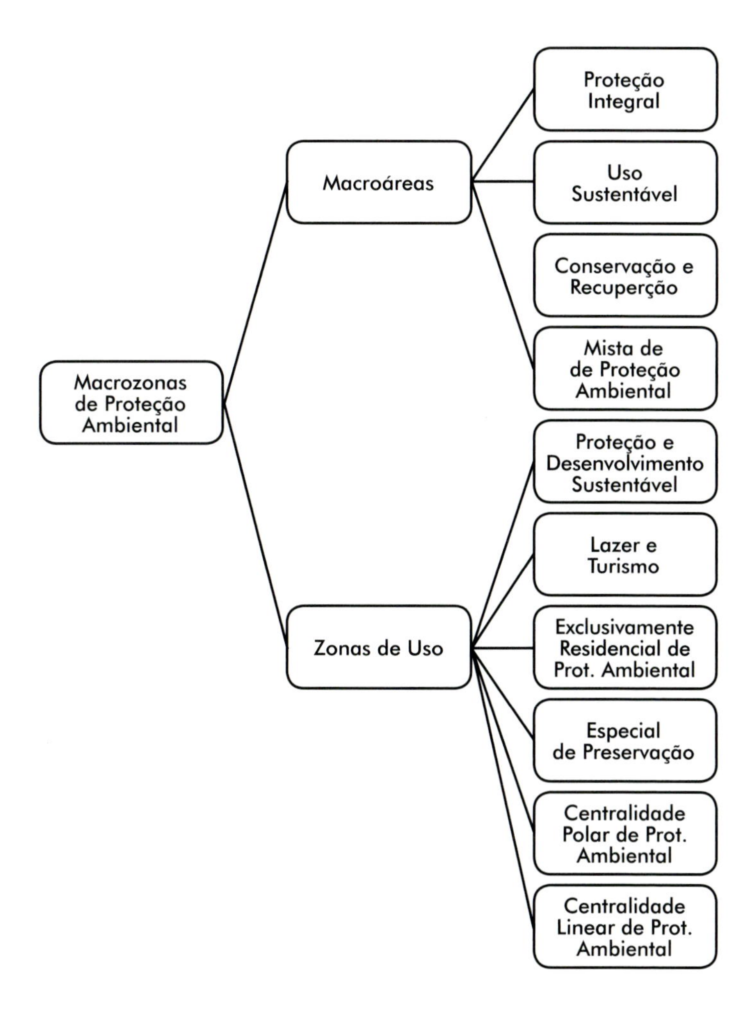

Macroáreas e zonas de uso da macrozona de estruturação e qualificação urbana

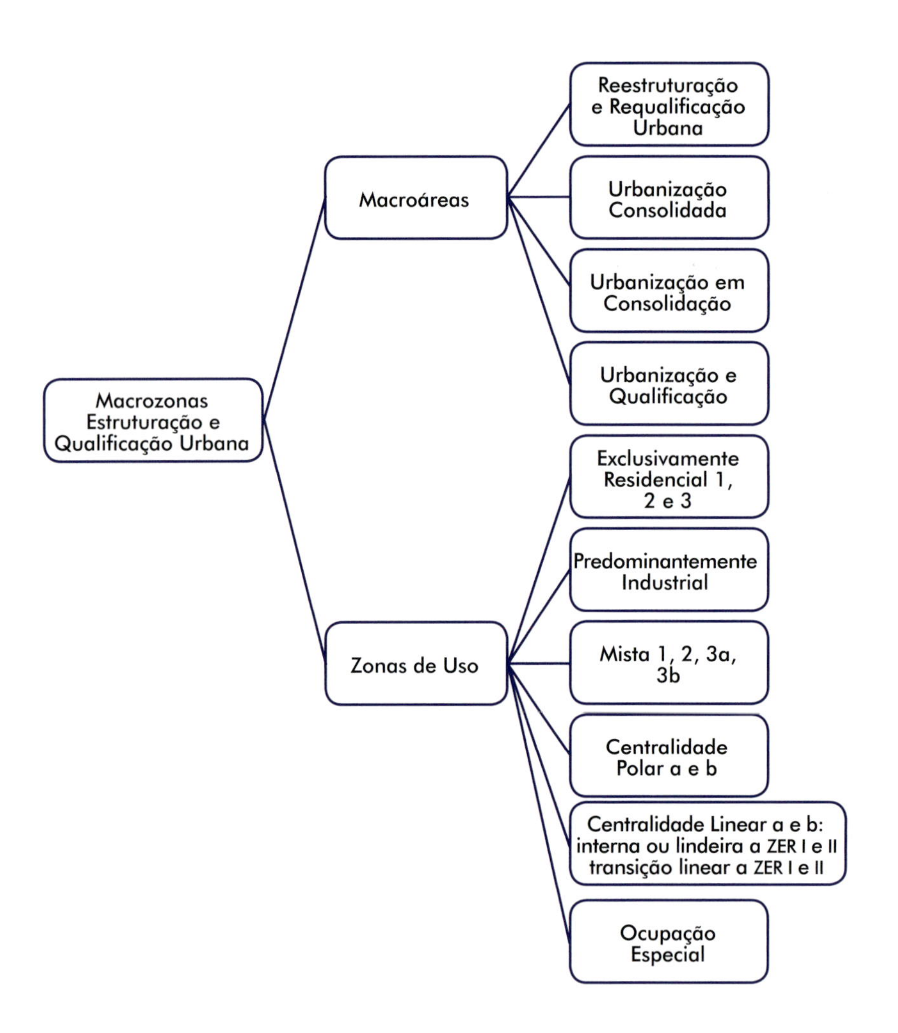

Zonas especiais

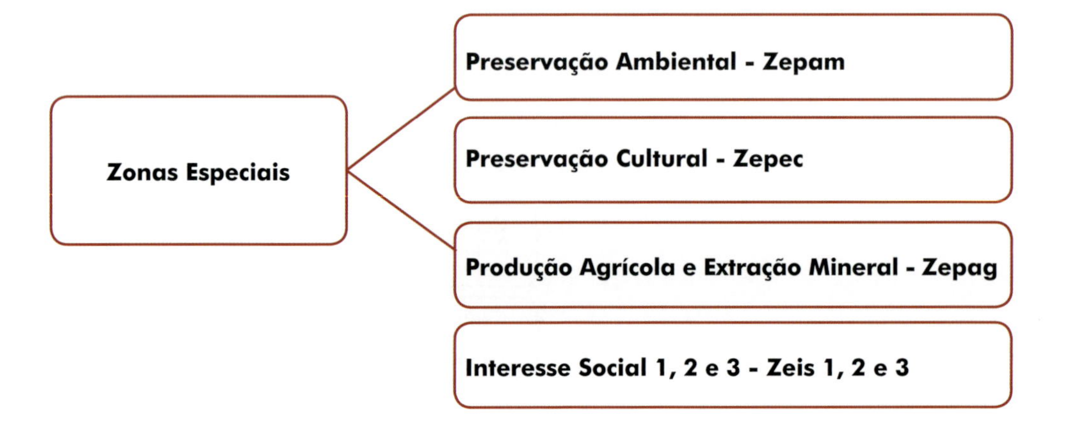

Nessa base para o ordenamento territorial do município de São Paulo, insere-se uma classificação viária que hierarquiza ruas e avenidas de acordo com as seguintes categorias: vias estruturas N1, vias estruturais N2, vias estruturais N3, vias coletoras e vias locais.[10] Essa classificação viária também orienta o disciplinamento do uso e ocupação do solo.

O repovoamento intraurbano para o desenvolvimento econômico com equidade social na cidade

O repovoamento intraurbano da cidade de São Paulo é necessário para otimizar o aproveitamento dos espaços urbanos dotados de oportunidades econômicas, serviços, equipamentos e infraestruturas urbanos viabilizados a partir de investimentos públicos e privados. Esse repovoamento é necessário para evitar o desperdício desses investimentos e dinamizar essas oportunidades econômicas a partir da proximidade com os novos locais de moradia dos trabalhadores e consumidores a serem estruturados no interior da cidade. É necessário ainda para reverter os processos inadequados de adensamento e expansão horizontal das áreas periféricas constituídas, em sua maior parte, por favelas e loteamentos irregulares e clandestinos construídos na informalidade e com diversos graus de precariedade e insalubridade urbana e habitacional. Favelas e loteamentos irregulares e clandestinos periféricos que passam por processos de adensamento e verticalização com aproveitamento intensivo de lotes habitados por várias famílias.

No último período intercensitário, entre os anos de 1991 e 2000, o município de São Paulo registrou um incremento populacional correspondente a 788.067 habitantes (8,17%). Entretanto, esse incremento se distribuiu de modo bastante desigual entre seus 96 distritos oficiais: 53 distritos centrais e intermediários (55,21%) registraram menos 462.389 habitantes e 43 distritos periféricos (44,79%) ganharam mais 1.250.456 habitantes.

[10] Ver nota 3.

Essa contradição não parece ser um fenômeno recente. No período entre 1940 e 1950, "no raio de 3,5 km a partir do centro, a população moradora diminuiu 1,17%; entre 3,5 km e 7 km, aumentou 74,6%; e, além do raio de 7 km, aumentou 158%" (Sempla, 2004).

Esse despovoamento das áreas centrais e intermediárias coincide diretamente com as porções da cidade que registraram, durante o período entre 1997 e 2007, diminuição na área construída ocupada por residências horizontais e aumento na área construída ocupada por comércio e serviços (Mapas 1 e 2).

É interessante observar a coincidência, na mesma porção central e intermediária da cidade de São Paulo, entre o despovoamento intraurbano, o aumento na área construída ocupada por residências verticais e a redução da área construída ocupada por residências horizontais. Essa coincidência mostra que a verticalização de usos residenciais não provoca o repovoamento dessas áreas intraurbanas. Esse fenômeno pode ser explicado por dois fatores: (i) de um lado, o aumento das áreas construídas ocupadas com atividades comerciais e de serviços horizontais substitui as áreas residenciais horizontais; (ii) de outro lado, o aumento das áreas construídas ocupadas com residências verticais e famílias menores aumenta a densidade construtiva sem elevar o número de habitantes na área.

Nos trechos Vila Leopoldina e Tamanduateí analisados no capítulo 7, há importante dinâmica imobiliária produzida pela implantação recente de vários empreendimentos habitacionais verticais que podem estar substituindo pequenas construções horizontais, que têm seus lotes remembrados, ou aproveitando antigos terrenos com indústrias desativadas. Esses empreendimentos construídos em grandes terrenos e com unidades habitacionais ocupadas por famílias pequenas não contribuem para o adensamento populacional nesses trechos da cidade.

Segundo os estudos que orientaram a elaboração do Plano Diretor Estratégico do Município de São Paulo, "o deslocamento da população residente nos distritos mais centrais rumo a áreas periféricas da capital ou em direção a outros municípios da região metro-

Mapa 1: Evolução da área construída de uso residencial. MSP, 1997-2007

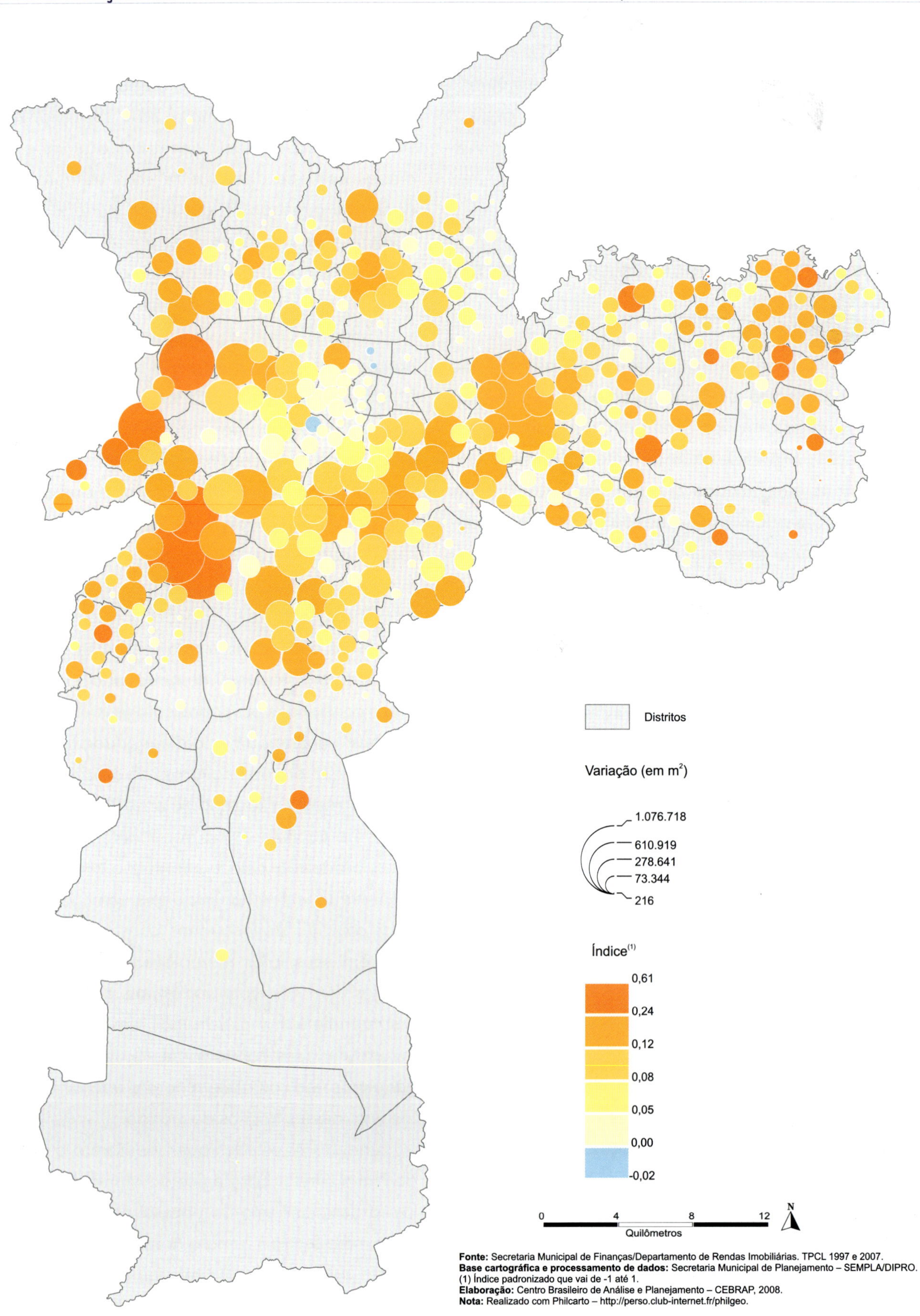

Fonte: Secretaria Municipal de Finanças/Departamento de Rendas Imobiliárias. TPCL 1997 e 2007.
Base cartográfica e processamento de dados: Secretaria Municipal de Planejamento – SEMPLA/DIPRO.
(1) Índice padronizado que vai de -1 até 1.
Elaboração: Centro Brasileiro de Análise e Planejamento – CEBRAP, 2008.
Nota: Realizado com Philcarto – http://perso.club-internet.fr/philgeo.

Mapa 2: Evolução da área construída de uso comercial e de serviços. MSP, 1997-2007

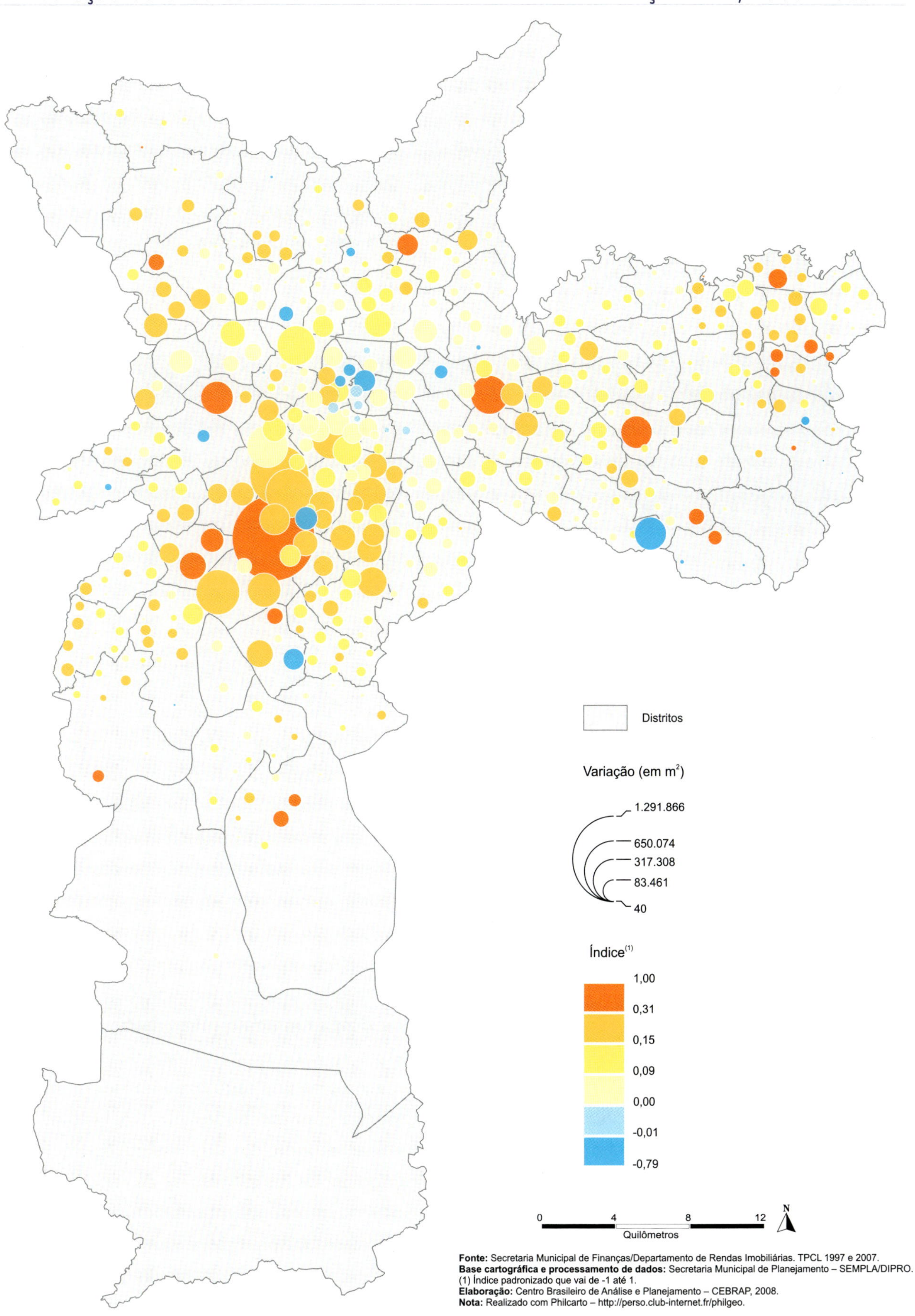

Fonte: Secretaria Municipal de Finanças/Departamento de Rendas Imobiliárias. TPCL 1997 e 2007.
Base cartográfica e processamento de dados: Secretaria Municipal de Planejamento – SEMPLA/DIPRO.
(1) Índice padronizado que vai de -1 até 1.
Elaboração: Centro Brasileiro de Análise e Planejamento – CEBRAP, 2008.
Nota: Realizado com Philcarto – http://perso.club-internet.fr/philgeo.

politana se dá pela conjugação de diferentes fatores: a deterioração das condições urbanas, sobretudo nos distritos da área central, a transformação no uso dos imóveis da categoria 'residencial' para 'comércio e serviços', e, principalmente, o elevado custo de moradia nas áreas mais consolidadas" (Sempla, 2004).

Apesar de plausíveis, essas variáveis explicativas do despovoamento intraurbano da cidade de São Paulo necessitam de demonstrações respaldadas em evidências detalhadas e concretas baseadas em pesquisas empíricas. Aparentemente, as transformações de uso dos imóveis da categoria "residencial" para "comércio e serviços" são, ao invés de causa, os efeitos do despovoamento intraurbano.

É preciso entender as razões desse despovoamento porque, do ponto de vista do desenvolvimento econômico da cidade, é problemático o distanciamento físico e social entre as áreas de moradia dos diferentes grupos sociais e as áreas com oportunidades, dinamismo e atividades econômicas. Esses distanciamentos trazem graves problemas nas condições de mobilidade cotidiana, aprofundam as desigualdades socioterritoriais, sobrecarregam o sistema de transporte público coletivo, geram congestionamentos nas vias e aumentam as distâncias e o tempo de deslocamentos entre as casas e os locais de trabalho.

A história da cidade de São Paulo, durante a segunda metade do século XX, mostrou a ocorrência de um desenvolvimento urbano e econômico com desigualdade socioterritorial. A instalação de atividades econômicas na cidade continua intensa, principalmente nos setores comerciais e de serviços. Essas atividades continuam crescendo na cidade como um todo, em especial no quadrante sudoeste, onde já há concentração do setor terciário. Esse setor cresce de modo tímido nos bairros periféricos. A expansão será benéfica desde que não esteja acompanhada pela saída dos moradores de baixa renda que não conseguem arcar com os custos de viver em áreas urbanas consolidadas, a ponto de ter que buscar locais de moradia onde os gastos são menores, como na periferia metropolitana distante.

Um desenvolvimento urbano e econômico socialmente justo e ambientalmente equilibrado exige a desconcentração das atividades econômicas nos espaços da cidade e a distribuição com equidade das áreas de moradia dos diferentes grupos sociais junto àquelas atividades. Para promover esse modelo de desenvolvimento é preciso repovoar as áreas intraurbanas que estão sofrendo processos de esvaziamento populacional. O aproveitamento dessas áreas com mesclas de atividades residenciais e não residenciais em espaços urbanos torna-se estratégico num contexto de escassez cada vez maior de terra urbana desocupada e não edificada.

Nesse contexto, a produção de espaços urbanos para a introdução de dinamismo e atividades econômicas deve ocorrer dentro da cidade, em áreas consolidadas que necessitam de investimentos em intervenções físicas capazes de reestruturar o território e promover melhor aproveitamento dos espaços urbanos consolidados – com acomodação intensa e adequada de atividades residenciais e não residenciais em espaços próximos. Porém, tais intervenções baseadas em projetos com novos desenhos urbanos devem articular mecanismos de atração de atividades econômicas com estratégias de regulação territorial que ampliem o acesso à terra urbana, principalmente para a implantação de moradias de interesse social, que encontram grandes dificuldades para se viabilizarem e se sustentarem em áreas valorizadas, com oportunidades econômicas importantes.

Portanto, as áreas de intervenções urbanas e de operações urbanas consorciadas analisadas anteriormente, predominantemente inseridas nas áreas de despovoamento intraurbano, devem incorporar em suas programações de investimentos e nos seus mecanismos de regulação territorial, além das vantagens e atratividades para a instalação de atividades econômicas e a realização de investimentos imobiliários, as estratégias de repovoamento baseadas na promoção habitacional, principalmente de interesse social. Esse é um dos maiores, senão o maior, desafios dos gestores públicos e atores sociais envolvidos com o planejamento e a gestão urbana do município de São Paulo.

Como esse desafio interpela as propostas contidas no PDE, na Luos e nos PREs? Será que esses instrumentos contêm estratégias capazes de promover o repovoamento das áreas centrais e intermediárias da cidade de São Paulo e reverter os processos de esvaziamento populacional de modo a equilibrar a convivência entre atividades residenciais e não residenciais? Essas estratégias de repovoamento intraurbano podem se combinar com os diferentes tipos de áreas de intervenção urbana e de operações urbanas consorciadas geradoras de oportunidades econômicas em diferentes partes da cidade, centrais, intermediárias e periféricas?

Para discutir essas questões, é importante observar as macroáreas que definem as porções da cidade onde se aplicam os diferentes instrumentos ambientais, urbanísticos e jurídicos, previstos ou não no Estatuto da Cidade. As macroáreas de urbanização consolidada, de reestruturação e requalificação e de urbanização em consolidação se encontram quase inteiramente no interior do raio de despovoamento urbano mencionado acima. Essas macroáreas orientam as estratégias de repovoamento intraurbano, fundamentais para a articulação entre o desenvolvimento de atividades econômicas e a promoção de áreas residenciais no interior da cidade.

Em relação a esse aspecto, vale anotar a existência de uma contradição nos conteúdos do PDE. Um dos objetivos da macroárea de urbanização consolidada é estimular o "adensamento populacional onde este ainda for viável como forma de dar melhor aproveitamento à infraestrutura existente e equilibrar a relação entre oferta de empregos e moradia".

Porém, boa parte desta macroárea é ocupada por zonas exclusivamente residenciais com coeficiente de aproveitamento máximo baixo (1 nas três categorias da ZER), baixo número máximo de habitações por m^2 de terreno (0,0042 na ZER 1 e 0,01 na ZER 2) e lotes mínimos de 500 m^2 (ZER 1) e 250 m^2 (ZER 2). A combinação desses parâmetros de uso e ocupação do solo privilegia baixas densidades construtivas e populacionais, portanto não está coerente com o objetivo de adensamento populacional.

A macroárea de reestruturação e requalificação também foi definida no PDE com vistas à "reversão do esvaziamento populacional por meio do estímulo ao uso habitacional de interesse social e da intensificação da promoção imobiliária". Para alcançar esse objetivo foram propostas três estratégias:

1) realização de operações urbanas consorciadas em praticamente toda a macroárea de reestruturação e requalificação;

2) demarcação de zonas especiais de interesse social 3 (Zeis 3) em alguns perímetros localizados, principalmente, junto ao Centro tradicional e inseridos na macroárea de reestruturação e requalificação;

3) aplicação dos instrumentos de indução do cumprimento da função social da propriedade urbana: parcelamento, edificação e utilização compulsória; IPTU progressivo no tempo; desapropriação com pagamentos em títulos da dívida pública.

Esses objetivos e estratégias incidem diretamente nos trechos Vila Leopoldina, Tamanduateí, Jacu-Pêssego e Vila Sônia analisados no capítulo 7 deste livro, pois os três primeiros se inserem inteiramente na macroárea de reestruturação e requalificação que abrange partes do último trecho.

Em relação ao primeiro ponto, há controvérsias importantes. Para promover o repovoamento da macroárea de reestruturação e requalificação, as operações urbanas consorciadas previstas no PDE ou já instituídas, principalmente Diagonal Sul, Diagonal Norte, Carandiru-Vila Maria, Celso Garcia, Santo Amaro, Tiquatira, Faria Lima, Água Branca, Centro e Águas Espraiadas, não poderão estar voltadas prioritariamente para a "intensificação da promoção imobiliária", pois esse objetivo em si, dependendo do tipo de empreendimentos imobiliários promovidos, não é capaz de induzir melhor adensamento populacional e aperfeiçoar o aproveitamento dos espaços urbanos.

Um ponto pouco discutido e amadurecido até o momento na agenda dessas operações urbanas consorciadas está relacionado com as ações, estratégias e procedimentos capazes de promover o repovoamento de áreas urbanas que passam por processos de perda de moradores, como os trechos Tamanduateí e Vila Leopoldina. Tampouco amadureceram práticas democráticas na gestão dessas operações de modo a incluir as demandas dos grupos sociais mais vulneráveis e de menor renda.

As operações urbanas consorciadas realizadas na cidade de São Paulo até o momento – Centro, Faria Lima, Água Espraiada e Água Branca – não buscaram esses resultados. Tanto a da Faria Lima quanto a da Água Espraiada se pautaram, principalmente, por revalorização imobiliária, abertura de novas frentes de investimentos do capital imobiliário em porções valorizadas da cidade e exclusão territorial dos moradores de renda média e baixa, conforme mostraram Ana Fani Alessandri Carlos (2001) e Mariana Fix (2001). Diante desses exemplos de operações urbanas consorciadas realizadas na cidade de São Paulo, coloca-se a necessidade de repensá-las, se possível, como instrumento para um projeto democrático e socialmente inclusivo para a cidade como um todo e não somente para as áreas inscritas nos seus perímetros.

Em relação ao segundo ponto, há dificuldades políticas e econômicas que exigem maior ação regulatória por parte do poder público. A demarcação de Zeis 3, com o objetivo de reservar espaços urbanos para a promoção de habitação de interesse social (HIS) e de habitação do mercado popular (HMP) para os grupos com menores rendimentos, é coerente com os objetivos de repovoamento da macroárea de reestruturação e requalificação.

Os Planos Regionais Estratégicos instituídos pela Lei 13.885/2004 alteram os quadros e mapas das Zonas Especiais de Interesse Social estabelecidos pelo PDE por meio da Lei 13.430/2002. Contudo, essa alteração no universo das zonas especiais de interesse social demarcadas na cidade não ampliou significativamente a área de abrangência e o número de perímetros das Zeis 3, que se colocam como o principal instrumento urbanístico voltado para a ampliação do acesso à terra urbana para a implantação de moradias destinadas à população de baixa renda em áreas dotadas de infraestrutura, serviços urbanos e oferta de empregos. Há pouquíssimas Zeis 3 demarcadas no trecho Tamanduateí, analisado no capítulo 7. Esse trecho possui muitas áreas passíveis de serem demarcadas como esse tipo de zona especial que, vale lembrar, se encontram em processo de esvaziamento populacional.

Ademais, a quantidade de Zeis 3 demarcadas nas macroáreas inseridas no raio de despovoamento da cidade ainda é muito baixa. Não são suficientes para atender o déficit habitacional de aproximadamente 700 mil moradias do município de São Paulo. Essa insuficiência se soma às dificuldades de viabilizar moradias para a população de baixa renda em áreas valorizadas, onde o alto preço da terra urbana encarece os custos de produção dos empreendimentos residenciais. Esse aumento no preço da terra e de imóveis urbanos localizados nas macroáreas de urbanização consolidada e de reestruturação e requalificação faz com que os custos de implementação das Zeis 3 e da produção de HIS e HMP se elevem, o que dificulta o atendimento das necessidades habitacionais dos mais pobres em áreas urbanas centrais e consolidadas. A dificuldade advém da baixa capacidade de pagamento da população de baixa renda na aquisição de unidades habitacionais novas ou usadas. Porém, é importante manter essas Zeis 3 na cidade e evitar a todo custo a captura das suas terras urbanas por empreendimentos habitacionais destinados a grupos com maior poder aquisitivo. Esse controle poderá fazer com que aqueles preços caiam.

O custo da terra urbana é um dos principais insumos na produção de HIS e HMP. Historicamente, a redução desse custo foi obtida com a produção das moradias populares e de interesse social em locais onde as terras eram mais baratas: ou seja, nas periferias distantes, precárias, informais, irregulares, clandestinas e com baixa qualidade de vida, oferta insuficiente de serviços, equipamentos e infraestruturas urbanos, condições ruins de moradia e pouca oferta de oportunidades econômicas.

Nesse contexto, ganha importância a aplicação dos instrumentos de indução do cumprimento da função social e aproveitamento adequado da propriedade urbana mencionados no terceiro ponto (parcelamento, edificação e utilização compulsória; IPTU progressivo no tempo; e desapropriação com pagamento em títulos da dívida pública), principalmente nas poucas áreas destinadas à produção de HIS e HMP localizadas nas porções centrais da cidade.

O PDE prevê a aplicação desses instrumentos em imóveis com solo urbano não edificado e subutilizado localizados em 57 distritos, cujas áreas abrangem todo o raio de despovoamento da cidade. Com exceção do trecho Vila Sônia e Jacu-Pêssego, os demais trechos analisados no capítulo 7 se inserem nesses distritos. A lista do PDE omitiu os distritos Rio Pequeno e Saúde. Essa lista foi corrigida pela Lei 13.885/2004.

Os solos urbanos não edificados são "terrenos e glebas com área superior a 250 m² (duzentos e cinquenta metros quadrados), onde o coeficiente de aproveitamento utilizado é igual a zero" (lei 13.430/2002, artigo 201, parágrafo 1º). Os solos urbanos subutilizados são "terrenos e glebas com área superior a 250 m² (duzentos e cinquenta metros quadrados), onde o coeficiente de aproveitamento não atingir o mínimo definido para o lote na zona onde se situam" (Lei 13.430/2002, artigo 201, parágrafo 2º). Dessa definição excetuam-se os imóveis utilizados: "como instalações de atividades econômicas que não necessitam de edificações para exercer suas finalidades" (idem, artigo 210, parágrafo 2º, inciso I); "como postos de abastecimento de veículos" (idem, inciso II); e "integrantes do Sistema de Áreas Verdes do Município" (idem, inciso III).

Nos distritos centrais, onde existem muitos imóveis edificados ociosos, horizontais e verticais, "é considerado solo urbano não utilizado todo tipo de edificação nos distritos da Sé, República, Bom Retiro, Consolação, Brás, Liberdade, Cambuci, Pari, Santa Cecília e Bela Vista que tenham, no mínimo, 80% (oitenta por cento) de sua área construída desocupada há mais de cinco anos, ressalvados os casos em que a desocupação decorra de impossibilidades jurídicas ou resultantes de pendências judiciais incidentes sobre o imóvel" (Lei 13.430/2002, artigo 201, parágrafo 4º).

Além dessas áreas, o PDE abriu para os Planos Regionais Estratégicos a possibilidade de "especificar novas áreas de parcelamento, edificação e utilização compulsórios" (idem, parágrafo 5º). Não cabe neste texto verificar o montante de áreas nesses acréscimos. Porém, é necessário construir o quadro completo dos solos urbanos não edificados e subutilizados existentes na cidade. Ele deverá orientar a formulação de estratégias para a aplicação daqueles instrumentos de combate à retenção especulativa da terra, em especial nas abrangências dos diferentes tipos de área de intervenção urbana e das operações urbanas consorciadas cujas "leis poderão determinar regras e prazos específicos para a aplicação do parcelamento, edificação e utilização compulsórios" (idem, parágrafo 6º). A estratégia para aplicação desses instrumentos no interior das operações urbanas consorciadas poderá ser combinada com a demarcação de Zeis 3 em imóveis desocupados de modo a orientá-las para o repovoamento urbano.

Do ponto de vista do repovoamento das áreas urbanas centrais e intermediárias, é inegável a importância dessas medidas voltadas para o aproveitamento adequado de áreas urbanas ociosas. Essa importância se redobra nas Zeis 2 e 3 que se destinam à provisão de habitação de interesse social e para o mercado popular que, como visto anteriormente, possuem várias dificuldades em se implantar nas áreas urbanas mais consolidadas e melhor localizadas.

Entretanto, a aplicação dos instrumentos de combate à ociosidade de imóveis aproveitáveis, que se inicia com a notificação dos seus proprietários, necessita de regulamentação por meio de lei específica, conforme artigo 5º do Estatuto da Cidade. É preciso iniciar uma discussão pública sobre esse importante tema. Seria interessante realizar essa discussão a partir de uma minuta de anteprojeto de lei que regulamente os detalhes de aplicação do parcelamento, edificação e utilização compulsória; do IPTU progressivo no tempo; e da desapropriação mediante pagamentos em títulos da dívida pública.

Contudo, não basta a regulamentação e aplicação desses instrumentos. Na conjuntura atual da cidade de São Paulo, caracterizada por complexidades crescentes e escassez cada vez maior de terra não edificada, é preciso, como dito acima, ter um levantamento e uma análise detalhados sobre as terras passíveis de urbanização e edificações ociosas localizadas nas franjas da cidade e nos espaços intraurbanos.

Nesse levantamento é importante discriminar os imóveis públicos dos privados. Dentre os imóveis públicos, é preciso classificar aqueles que se encontram sob domínio dos governos municipal, estadual e federal. Essa análise deve orientar a formulação e implementação de um plano de ação detalhado para a ocupação e aproveitamento dos imóveis não utilizados e subutilizados na perspectiva do desenvolvimento econômico combinada com o repovoamento intraurbano.

A realização dessa ação é cada vez mais urgente por causa da velocidade na redução da quantidade de terras não edificadas. De uma maneira geral, as áreas onde essa redução é mais forte coincidem com os locais onde houve aumento na área construída residencial vertical. Como visto antes, essa verticalização não eleva a densidade populacional.

Nesse quadro de escassez crescente de terras não edificadas aumenta a necessidade de repovoamento de grandes porções de espaços urbanos consolidados. Adquirem importância os instrumentos de política urbana que servem para o manejo dos estoques de potenciais construtivos previstos no PDE, na Luos e nos PREs, como, por exemplo, as definições dos coeficientes de aproveitamento mínimo, básico e máximo; a outorga onerosa do direito de construir; a certidão de outorga onerosa; a transferência de potencial construtivo; e as operações urbanas consorciadas. Esse manejo de potenciais construtivos é importante em áreas com aumento na valorização e dinâmica imobiliária e atração de atividades econômicas, em especial ligadas a comércio e prestação de serviços, propiciadas pela realização de investimentos públicos nos diferentes tipos de áreas de intervenção urbana e de operações urbanas consorciadas discutidas anteriormente.

A articulação entre a aplicação desses instrumentos e a realização de intervenções urbanas deve ser inserida em estratégias precisas de gestão social da valorização imobiliária, promoção de adensamentos populacionais adequados de espaços urbanos de modo a não comprometer a qualidade de vida dos moradores, efetivação de misturas equilibradas de usos residenciais e não residenciais e controles de impactos urbanos, socioeconômicos e de vizinhança.

Se em meados do século XX a agenda do planejamento e gestão urbana da cidade de São Paulo baseava-se principalmente no ordenamento da expansão da cidade em direção às terras não urbanizadas localizadas nas periferias, hoje essa agenda se constitui principalmente a partir da separação entre o direito de propriedade e o direito de construir, consagrado no Estatuto da Cidade, e as necessidades de manejo dos potenciais construtivos em espaços intraurbanos que registram processos de esvaziamento ou adensamento populacionais.

A mistura de atividades residenciais e não residenciais para o desenvolvimento econômico com equilíbrio funcional da cidade

O repovoamento intraurbano e a mistura de atividades residenciais e não residenciais constituem-se como as duas principais estratégias de desenvolvimento urbano e econômico presentes nos instrumentos de planejamento e gestão da cidade de São Paulo. A regulação de uso e ocupação do solo urbano procura acomodar essa mistura de atividades de modo a, entre outras finalidades, "assegurar localização adequada para as diferentes funções e atividades urbanas" (Lei 13.885, artigo 95, inciso I); "proporcionar distribuição mais equilibrada das atividades econômicas" (idem, inciso III) para diminuir os tempos de circulação no interior da cidade, atender às necessidades da população e melhorar a oferta de empregos perto das moradias; "determinar e disciplinar, nos empreendimentos de impacto, as condições que tornem aceitável sua implantação segundo as características da vizinhança" (idem, inciso VIII); e "eliminar os obstáculos à coexistência de uso no mesmo lote ou edificação" (idem, inciso IX).

A mistura de habitação com atividades econômicas diversas segue uma concepção de cidade que se contrapõe à proposição modernista baseada na separação dos diferentes usos. A mistura de diferentes usos do solo urbano é mais coerente com a dinâmica da cidade real que se consolida à medida que aumenta seu grau de complexidade, produzida pela diversificação e mescla de atividades residenciais e não residenciais. Tal concepção orienta o disciplinamento do uso do solo na maior parte do território municipal de São Paulo demarcada como zonas mistas (ZM). Essa mistura não está presente nas zonas exclusivamente residenciais (ZER), especiais de preservação ambiental (Zepam), e especiais de produção agrícola e extração mineral (Zepag).

As zonas mistas são "porções do território da Macrozona de Estruturação e Qualificação Urbana destinadas à implantação de usos residenciais e não residenciais, inclusive no mesmo lote ou edificação, segundo critérios gerais de compatibilidade de incômodo e qualidade ambiental, que têm como referência o uso residencial" (Lei 13.885/2004, artigo 108, inciso III). As zonas mistas se classificam em quatro categorias com diferentes coeficientes de aproveitamento mínimo, básico e máximo. Os coeficientes básicos são 1 (ZM 1, 2 e 3a) e 2 (ZM 3b) e os coeficientes máximos são 1 (ZM 1), 2 (ZM 2) e 2,5 (ZM 3a e 3b).

Nas porções dessas zonas mistas que se enquadram nos critérios de definição dos diferentes tipos de área de intervenção urbana previstos no PDE, e se inserem nas porções delimitadas para a realização de operações urbanas consorciadas, esses coeficientes de aproveitamento máximo podem chegar a quatro vezes a área do lote, desde que as definições do PUE permitam. Desse modo, as áreas de intervenção urbana dos parques lineares, vias estruturais, linhas de transporte público coletivo, estações de trem e metrô, centralidades lineares e polares, além das operações urbanas consorciadas previstas, fazem com que grande parte das zonas mistas tenha altos potenciais para adensamentos construtivos.

Não está claro no PDE e na Luos se o dimensionamento do estoque de potenciais construtivos definidos para cada um dos 96 distritos oficiais do município, apresentados no Quadro 8 anexo à Parte III da Lei 13.885/2004, é compatível com aqueles potenciais. Também não há clareza sobre a relação entre esses estoques e as capacidades de suporte das infraestruturas urbanas, principalmente do sistema viário e de transporte público coletivo. A divulgação de dados e informações sobre a capacidade de suporte e a evolução da utilização e da disponibilidade desses estoques é de interesse público.

Ademais, é preciso dimensionar a quantidade de recursos que se arrecada e poderá vir a ser arrecada com a cobrança da outorga onerosa do direito de construir dos empreendimentos imobiliários cuja área construída supera o coeficiente de aproveitamento básico. Esses recursos devem ser obrigatoriamente direcionados para o Fundo de Desenvolvimento Urbano (Fundurb) e ser aplicados nas ações previstas no Estatuto da Cidade, como, por exemplo, implantação de equipamentos comunitários, regularização fundiária, provisão de habitação de interesse social, entre outras. A divulgação das informações sobre a arrecadação e o uso desses recursos também é de interesse público.

Um aspecto relevante na estratégia de regulação do uso e ocupação do solo urbano, baseada na mistura de usos residenciais e não residenciais, é o controle de incômodos provocados, principalmente, por atividades produtivas, comerciais, institucionais, de prestação de serviços, entre outras. Para a realização desse controle, a Luos definiu quatro subcategorias de usos não residenciais: "compatíveis com a vizinhança residencial" (nR1) (Lei 13.885/2004, artigo 154, inciso I); "que não causam impacto nocivo à vizinhança residencial" (nR2) (idem, inciso II); "potencialmente geradoras de impacto urbanístico ou ambiental" (nR3) (idem, inciso III) e "ambientalmente compatíveis com o desenvolvimento sustentável" (nR4) (Lei 13.885/2004, artigo 159).

Não cabe, neste texto, detalhar todas as condições, permissões e proibições que regulam a instalação das atividades residenciais e não residenciais nas diferentes zonas de uso. Contudo, vale ressaltar que as exigências para a instalação de atividades não residenciais afetam diretamente o desenvolvimento e a dinâmica econômica nos diferentes espaços da cidade. As exigências estabelecidas pela Lei 13.885/2004 podem ser agrupadas do seguinte modo:

- parâmetros de incomodidade;
- condições de instalação;
- parâmetros de ocupação do lote;
- características viárias.

Os parâmetros de incomodidade estabelecem limites para a emissão de ruído, radiação, odores, gases, vapores, materiais particulados, fumaça, para o horário de carga e descarga, a vibração associada e a potência elétrica instalada.

As condições de instalação das atividades não residenciais estabelecem obrigações relativas ao número mínimo de vagas para estacionamento, à implantação de pátio de carga e descarga e de área destinada a embarque e desembarque de pessoas, ao horário de funcionamento, à lotação máxima, à área computável máxima permitida e ao número máximo de funcionários por turno.

Os parâmetros de ocupação do lote por atividades residenciais e não residenciais estabelecem limites para a taxa de ocupação máxima e de permeabilidade mínima, área mínima do lote, frente mínima do lote, número máximo de habitações por metro quadrado, cota mínima de terreno por unidade, gabarito de altura máxima das edificações, instalações e estruturas e recuos mínimos de frente, fundos e laterais.

As características viárias orientam a instalação de atividades não residenciais em função da largura da via e de sua classificação na hierarquia viária. De um modo geral, as atividades compatíveis com a vizinhança (nR1) e que não causam impactos nocivos (nR2) podem se instalar em vias locais e coletoras, mais estreitas e que servem principalmente áreas com predominância de usos residenciais. As atividades potencialmente geradoras de impactos urbanísticos e ambientais (nR3) devem se instalar em um dos três níveis das vias estruturais, mais largas, com tráfego intenso e predomínio de usos industriais, comerciais, institucionais e de serviços.

Os usos industriais possuem definições à parte, articuladas com as atividades não residenciais. Os usos industriais compatíveis (Ind1a) e toleráveis (Ind1b), ambos com baixo potencial de poluição ambiental, incorporam-se nas atividades nR1 e nR2, respectivamente. Os usos industriais incômodos (Ind2) e especiais (Ind3) possuem alto potencial poluidor e devem obedecer a padrões específicos de localização.

Percebe-se que esse modo de regular a instalação de atividades nos espaços urbanos da cidade procura reduzir os conflitos entre agentes econômicos e moradores. Ademais, os critérios adotados procuram combinar as lógicas da permissão/proibição, que predominam nas leis de zoneamento tradicionais, com mecanismos mais flexíveis e possibilidades de negociação voltadas para adoção de condições que viabilizam a instalação das atividades incompatíveis ou de impactos. Isto é, as atividades podem se instalar nos imóveis desde que se adaptem aos parâmetros de incomodidade, às condições de instalação e às características viárias acima mencionadas.

Essa estratégia de regulação territorial introduz inovações que demandam adaptações das edificações existentes, cujas atividades devem observar as condições de instalação e parâmetros de incomodidade para estarem de acordo com a lei. A atuação para que os empreendedores realizem essas adaptações, o monitoramento de impactos e incomodidades produzidos pelo funcionamento das atividades e a aplicação daquela estratégia no licenciamento de novos empreendimentos exigem esforços hercúleos por parte da gestão pública municipal no sentido de evitar a disseminação de irregularidades.

Do ponto de vista da dinâmica econômica, a adoção dessa estratégia de ordenamento territorial pode distribuir melhor as atividades residenciais e não residenciais pelos espaços da cidade, porém, impõe condições de funcionamento que exigirão investimentos por parte dos empreendedores. Contudo, no médio e no longo prazo, esses investimentos poderão resultar em um ambiente urbano com melhor qualidade de vida e mais potencialidade econômica.

5. Considerações finais

O Plano Diretor Estratégico (Lei 13.430/2002) e a Lei de Uso e Ocupação do Solo (Lei 13.885/2004) do município de São Paulo, instrumentos básicos de planejamento e gestão urbana, apresentam propostas que incidem no desenvolvimento econômico da cidade. Em que pese a necessidade de ajustes, complementações e definições estratégicas comentadas no texto acima, as propostas e determinações contidas nesses instrumentos afetam a conformação dos espaços territoriais da cidade criando condições mais ou menos favoráveis para a realização de atividades econômicas e a promoção de processos de desenvolvimento.

A futura implementação das áreas para a execução de intervenções urbanas, realização de operações urbanas consorciadas, urbanização de assentamentos precários e regularização fundiária exigirá grandes montantes de investimentos públicos que poderão resultar em espaços urbanos com melhores qualidades urbanísticas, ambientais, paisagísticas e funcionais. A concretização dessas qualidades favorecerá a realização de investimentos privados e criará condições adequadas para as diversas atividades econômicas que poderão se instalar em diferentes localizações. É preciso aperfeiçoar a aplicação dos instrumentos de gestão social da valorização imobiliária a fim de melhor redistribuir os ônus e benefícios das intervenções urbanas.

Para terem viabilidade e promoverem efeitos sinérgicos, os vários tipos de áreas de intervenção urbana junto a cursos d'água, vias estruturais, linhas de transporte público coletivo e centralidades lineares, precisam ser articulados estrategicamente, enquadrados numa hierarquia de prioridades baseada em mecanismos de tributação e associados aos instrumentos de planejamento do orçamento municipal (Leis de Diretrizes Orçamentárias e Leis de Orçamentos Anuais) que viabilizem formas de financiamento dos projetos e suas respectivas obras.

As operações urbanas consorciadas, previstas para áreas estratégicas na estrutura da cidade que estão sofrendo processos de despovoamento, devem articular projetos de reestruturação urbana associados com programas de desenvolvimento econômico e de promoção de moradias para diferentes grupos sociais, em especial para aqueles com menores rendimentos, com vistas ao repovoamento das áreas que estão perdendo residentes. Atentar para a experiência inédita da operação urbana consorciada Rio Verde-Jacu, que se encontra na periferia e procura desconcentrar atividades econômicas a partir da associação entre intervenções nos espaços urbanos e programas de desenvolvimento econômico e social.

Esse repovoamento é absolutamente necessário para dinamizar e reconfigurar os espaços territoriais com os maiores graus de desenvolvimento econômico da cidade. Trata-se de um objetivo fundamental para otimizar o aproveitamento de espaços urbanos centrais e intermediários, consolidados, com boa oferta de oportunidades econômicas e melhor servidos com equipamentos e infraestruturas urbanos. O PDE e a Luos propõem dois instrumentos importantíssimos que podem contribuir para promover esse repovoamento. Trata-se dos instrumentos de indução da utilização de imóveis ociosos (utilização, parcelamento e edificação compulsória; IPTU progressivo no tempo; e desapropriação com pagamentos em títulos da dívida pública) e das Zeis 3 demarcadas em imóveis não utilizados destinados a moradia para a população de baixa renda.

A mistura entre atividades residenciais e não residenciais, que norteia as novas formas de regulação e controle do uso e ocupação do solo urbano, é bastante adequada para a promoção do repovoamento intraurbano. Em que pese a necessidade de ajustes em alguns dos seus parâmetros, de modo a retirar entraves na implantação e ampliação de atividades, a aplicação dos parâmetros de controle de incômodos visa promover uma mistura com o mínimo de conflitos possível. O incremento de uma mistura equilibrada terá efeitos benéficos para as condições de mobilidade dos diferentes grupos sociais, conforme analisado por Vasconcellos no capítulo 9 deste livro, na medida em que poderá aproximar os locais de moradia e de trabalho. Essa mistura poderá promover melhor aproveitamento da infraestrutura viária, de transporte público coletivo, de saneamento básico, de fornecimento de energia elétrica, de telecomunicações e de diversos equipamentos urbanos.

A combinação desses componentes do PDE e da Luos pode dinamizar o desenvolvimento da economia da cidade de São Paulo. Como em qualquer cidade, esse desenvolvimento não prescinde de uma base fundada em espaços territoriais qualificados para a formação de capitais econômicos e, principalmente, com boas condições para a reprodução social e desenvolvimento humano.

Bibliografia

Carlos, Ana Fani Alessandri. (2001) *Espaço-tempo na metrópole*. São Paulo: Contexto.

Fix, Mariana. (2001) *Parceiros da exclusão*. São Paulo: Boitempo.

MSP – Município de São Paulo. (2002) Lei 13.430/2002. Plano Diretor Estratégico do Município de São Paulo.

_______ (2004) Lei 13.885/2004 – Lei de Uso e Ocupação do Solo e Planos Regionais Estratégicos.

São Paulo (Cidade). (2006) Secretaria Municipal de Planejamento – SEMPLA. Departamento de Estatística e Produção de Informação – DIPRO. Município em Mapas. São Paulo: PMSP.

Sempla – Secretaria Municipal de Planejamento Urbano do Município de São Paulo (org.). (2004) Plano Diretor Estratégico do Município de São Paulo, 2002-2012. São Paulo: Senac São Paulo; Prefeitura Municipal de São Paulo.

11. Governança metropolitana e desafios da gestão pública: a construção de instituições para uma futura macrorregião de SP

Jorge Ruben Biton Tapia e Leandro Ribeiro Silva

Introdução

Há um consenso bastante amplo, como indica o debate internacional, de que há necessidade, no plano das políticas públicas, de novas modalidades de arranjos institucionais capazes de enfrentar de maneira adequada os desafios colocados pelas transformações socioeconômicas e políticas, tais como reestruturação produtiva, descentralização de atividades econômicas, saturação da infraestrutura urbana, emergência de novos atores e novas funções de outros, como as agências internacionais.

A problemática da gestão das regiões, vista do ângulo das estruturas de governança, tem contemplado insatisfatoriamente a dimensão cognitiva e sua capacidade de intervir nos problemas emergentes nas metrópoles e no seu entorno. Na verdade, embora seja correto identificá-la na competição político-partidária entre os diferentes municípios, no envelhecimento da organização administrativa e na crise das finanças municipais, parece-nos que é preciso introduzir um novo elemento nesse plano de discussão. Há um déficit de diagnósticos, sobretudo integrados, a respeito da nova dinâmica territorial, e, por certo, isso influencia negativamente a proposição de formas inovadoras de intervenção adequadas à nova dinâmica de natureza metropolitana.

É preciso antecipar um aspecto importante para o entendimento das contribuições e dos limites dessa literatura e, portanto, do modo de apropriação na perspectiva deste trabalho: há uma fluidez conceitual que deve ser levada em conta. As definições do que são áreas metropolitanas, por exemplo, variam de espaços com 10 milhões de habitantes até 25 milhões, indicando a imprecisão dos contornos do uso desse conceito. Em vista disso, devemos evitar confusões puramente semânticas, ou seja, vamos considerar a relevância das questões presentes na literatura internacional sobre governança em áreas metropolitanas e não se o conceito é formalmente equivalente ao utilizado no estudo sobre São Paulo.

Os autores utilizam de maneiras diferentes conceitos para analisar uma agenda de questões comuns. Assim, os conceitos de áreas metropolitanas, *city regions*, *megacity regions*, embora tenham diferenças no plano conceitual, são as ferramentas mobilizadas para pensar mudanças na lógica da dinâmica espacial associada às transformações produzidas pela globalização capitalista intensificada desde os anos 1990.

Na verdade, é possível sustentar que há uma agenda sobre os desafios da governança, que é comum a diferentes autores e conceitos. No caso do nosso estudo, a literatura internacional que discute a governança em áreas metropolitanas oferece elementos importantes para nossa reflexão. Se é verdade que nos propomos a superar a visão da região metropolitana de São Paulo, quando alguns autores falam de metropolização se referem a processos de expansão territorial que superam confins estabelecidos pela ordem político-administrativa. Nesse sentido, esse movimento de mudança guarda relação com a noção de macrorregião. Vários dos desafios do *institutional building* discutidos, lógicas de construção institucional, instrumentos e requisitos são semelhantes aos que identificamos na literatura internacional.

O trabalho está dividido em sete itens. Na primeira parte, introduzimos os conceitos de *city regions* e *megacity regions*, privilegiando as questões analíticas presentes no debate internacional – escalas, relações entre a lógica funcional (espaço de fluxos) e a lógica territorial – e como as características da *city region* e da *megacity region* afetam as estruturas de governança tanto no plano teórico quanto no da experiência concreta, tomando o caso alemão como exemplo.

Na segunda, explicitamos o conceito de governança, procurando especificar seu uso para efeitos deste trabalho. A ideia central é que a governança deve ser entendida pela perspectiva de um espaço territorial dinâmico, submetido à forte e intensa mudança. Como sustentamos, os desafios em termos da construção de estruturas de governança são analiticamente muito semelhantes nas diferentes escalas territoriais.

Na terceira parte, apresentamos os modelos de governança metropolitana nas suas modalidades típicas por meio de construção de novas instituições ou acordos dentro do próprio marco institucional. Os obstáculos, os desafios e a especificidade da construção da estrutura de governança são outros temas discutidos.

Na quarta parte, recuperamos, à luz da experiência internacional mais relevante, quais os elementos favoráveis ou desfavoráveis à emergência de projetos metropolitanos a partir de propostas de novas modalidades de governança. Procuramos explorar uma sugestiva tipologia de metrópoles, associando a existência ou não de um conjunto de elementos, considerados essenciais para a existência de projetos metropolitanos, e diferentes níveis de desenvolvimento dos mesmos. Ainda nessa parte, exploramos os fatores explicativos, que seriam responsáveis pelo nível de desenvolvimento dos projetos regionais. Na literatura internacional estão identificados cinco tipos de fatores que afetariam tanto a elaboração quanto a implementação dos projetos regionais. São eles: institucionais; financeiros e fiscais; políticos; geográficos e econômicos; e sociológicos e históricos.

Na quinta parte, o foco está na apresentação das experiências de regionalização da Inglaterra e da Alemanha. Esses casos merecem ser abordados, a nosso ver, não só porque permitem explorar a presença dos fatores enumerados anteriormente, mas também porque permitem uma aproximação com a problemática da macrorregião de São Paulo.

Finalmente, na última parte, apresentamos de modo sucinto um conjunto de elementos para pensar as dimensões cruciais de uma estrutura de governança em uma possível macrorregião liderada pelo município de São Paulo. Aqui as características e os principais desafios do federalismo brasileiro servem de moldura institucional geral, na qual se inserem a experiência de gestão metropolitana pós-Constituição de 1988 e, especialmente, os avanços e limites do caso da Agência de Desenvolvimento do ABC. Ao mesmo tempo, resgatamos os subsídios extraídos da experiência internacional de projetos de gestão metropolitana, que se constituem em ingredientes necessários para as possibilidades de êxito de construção de novas estruturas de governança em espaço e escalas ampliados como no caso da macrorregião de São Paulo.

1. Da *city region* à *megacity region*: os desafios da governança

Nas últimas décadas, o debate internacional sobre as transformações da ordem capitalista mundial e seus impactos sobre o território nas suas diversas escalas têm seguido uma orientação de examinar a crescente integração de diferentes espaços territoriais à lógica econômica em escala global. Resta pouca dúvida sobre o grande dinamismo das transformações que vêm ocorrendo em escala mundial. A combinação entre novas modalidades de produção descentralizadas, estratégias mundiais de concorrência e sofisticadas redes de informática e telecomunicações tem permitido, para alguns, a superação da dimensão territorial pela lógica funcional – espaços de fluxos – projetando mudanças que colocam em xeque as escalas conhecidas na questão do desenvolvimento das cidades e das metrópoles.

Essa hipótese de perda da relevância analítica da dimensão física, territorial, não é consensual. Há uma corrente que rejeita essa ideia, insistindo na importância do território tanto para entender as transformações socioeconômicas vividas pelas cidades e metrópoles quanto para a construção de mecanismo de regulação ou governança nas diferentes escalas do fenômeno local, metropolitana e regional. A rejeição da hipótese da predominância da lógica do "espaço de fluxos", isto é, da lógica funcional no estudo das metrópoles, cidades e regiões, não significa negligenciar sua existência e importância, mas considerá-lo como um elemento que interage com a lógica territorial. Dificilmente o tema das estruturas de governança pode ser discutido sem partirmos do território, pois é nesse âmbito que estão as instituições e os órgãos político-administrativos responsáveis pela governança desses espaços.

Como veremos a seguir, há um esforço no sentido de apreender as mudanças socioeconômicas e territoriais a partir, sobretudo, de dois conceitos bastante difundidos: *city region* e *megacity region*. As fronteiras entre um conceito e outro, quando examinamos as realidades empíricas, mostram-se por vezes imprecisas. E os limites ou os contornos do fenômeno, seja da *city region*, seja da *megacity region*, são difíceis de fixar.

As razões estão associadas à rápida transformação desses espaços, ou seja, ao seu intenso dinamismo, e também à complexidade da operação em diferentes escalas territoriais. Ademais, a reflexão sobre as estruturas de governança é bem menos frequente nesses estudos, expressando uma assimetria de informações entre a dinâmica socioeconômica e aquela de natureza político-institucional. Esse quadro suscita questões delicadas para o tema das estruturas de governança. Desde logo, porque a fluidez dos limites geográficos coloca a dificuldade de saber o espaço de pertinência das instituições e, consequentemente, sua legitimidade e base de apoio real entre os atores pertencentes a esses espaços.

Além disso, também aqui há "a trajetória percorrida", isto é, exceto em casos específicos, existem estruturas de governança em diferentes escalas, que carregam seus interesses e conexões com atores relevantes, que podem mobilizar coalizões para neutralizar mudanças ou impulsionar aquelas que forem mais próximas a sua visão e seus interesses.

Dois aspectos são centrais e corroboram a hipótese sugerida neste trabalho. Primeiro, independentemente da noção utilizada para captá-los, há intensos processos de reterritorialização movidos por novas dinâmicas socioeconômicas, que fazem com que o aspecto substantivo da nossa ótica seja identificar as características, determinantes e tendências de reterritorialização, criação de novos espaços, mais além inclusive do debate acerca das áreas metropolitanas, *city region* etc. Segundo, esse processo dinâmico de transformação põe em outro plano a questão das escalas para a problemática da governança. Ou seja, também no caso das estruturas de governança, os desafios das escalas, da combinação de diferentes níveis de coordenação e operação estão colocados. A questão substantiva parece ser a qual territorialidade estamos nos referindo. A lógica territorial é afetada pelas diversas escalas espaciais, nas quais encontraremos instituições com diferentes atribuições, muitas em disputa, e atores heterogêneos também disputando recursos e definindo estratégias muitas vezes particularistas.

O entendimento das principais questões colocadas para a construção de uma estrutura de governança no plano macrorregional não pode prescindir de um balanço dos principais aspectos tratados na literatura relativa a *city region* e *megacity region*. A seguir apresentamos esse balanço. Basicamente dois temas serão examinados: a natureza das transformações socioeconômicas no território e a questão da governança.

Recentemente, à luz de um projeto financiado pela Comunidade Europeia, ganhou relevância o novo conceito de *megacity region*. Segundo Hall e Pain (2006a, p.1), as *megacity regions* são "uma série de algo entre dez e cinquenta cidades de diferentes portes, separadas fisicamente porém interligadas funcionalmente em rede, agrupadas em torno de uma nova divisão funcional de trabalho. Esses lugares existem tanto como entidades separadas, nas quais a maioria dos trabalhadores são residentes locais, quanto como partes de uma região urbana funcional (FUR[1]) mais ampla, ligada por densos fluxos de pessoas e informações que transitam por autoestradas, ferrovias de alta velocidade e cabos de telecomunicações".

A principal característica delas é serem policêntricas[2] em diferentes graus. As *megacity regions* "estão se tornando gradativamente mais [policêntricas], à medida que uma parcela crescente da população e do emprego se localiza fora da cidade central, ou da maior cidade, e que outras cidades menores se tornam cada vez mais interligadas em rede, trocando informações sem que essas perpassem a principal cidade da região" (Hall, 2006, p. 2). Como se depreende dessa passagem, a *megacity region*[3] está associada à funcionalidade de áreas urbanas, e não a unidades administrativas convencionais.

Geralmente, na discussão internacional, o conceito de *megacity* é definido como áreas metropolitanas com uma população acima de 10 milhões de pessoas. As *megacities* se distinguem das cidades globais por apresentarem rápido crescimento, novas formas de densidade espacial da população, economias informal e formal, pobreza, crimes e altos níveis de fragmentação social. A *megacity* pode ser uma única área metropolitana ou duas ou mais áreas metropolitanas que convergem uma sobre a outra. Algumas vezes por *megacity* se entende um território com mais de 20 milhões de habitantes.

Embora o conceito de *megacity region* elaborado por Peter Hall tenha sido adotado por vários autores, há divergências sobre a qualidade do conceito. Assim, encontramos na literatura que trata das *megacity regions* (MCRs) autores que têm chamado atenção para as dificuldades de conceituar de maneira rigorosa as MCRs, seja pelo problema das escalas espaciais envolvidas, seja pelo próprio dinamismo das mesmas, que tornariam quase por definição seus confins imprecisos. Por outro lado, as características das MCRs trariam repercussões sobre a percepção dos atores a respeito da natureza do fenômeno, incentivando a fragmentação da visão sobre a questão e também reduzindo as chances de uma convergência quanto aos temas importantes para uma agenda das MCRs. No plano político-institucional, os reflexos seriam a tendência à fragmentação das estruturas de governança e a formação de coalizões de apoio particularistas. Do mesmo modo, esse quadro dificulta muito o desenho de estratégias de construção institucional orientadas para a criação de estruturas abrangentes para gerir esse novo espaço territorial. Uma questão a ser ressaltada é que a nova escala espacial implicada nas MCRs se origina dos níveis locais, metropolitanos e regionais e traz uma dupla complexidade.

Primeiro, é difícil identificar as características específicas das MCRs. A escala territorial é bastante superior à das maiores cidades e aglomerações, colocando em xeque as noções espaciais usuais, enquanto a extensão da sua lógica de funcionamento para além dos limites administrativos tem impactos sobre a compreensão que se tem do território. A região metro-

[1] A unidade de análise é a região urbana funcional (FUR), definida como a região urbana que se estende para além da sua área física, englobando todas as áreas que têm relações regulares no dia a dia com a *core city*.
[2] No plano regional, a configuração espacial desse movimento seria a de um desenvolvimento policêntrico (polycentricity) referido à difusão das maiores cidades em direção às menores dentro das *megacity regions*, reconfigurando diferentes níveis da hierarquia urbana – nos quais os serviços não estão concentrados apenas nas cidades centrais, dispersando-se em direção às cidades menores.
[3] São oito as *megacity regions*: South East England, Belgian Central Cities, Randstad Holland, Rhine-Ruhr, Rhine-Main, Northern Switzerland, Greater Dublin e a Île-de-France.

politana Zurich-Basel, na Suíça, exemplificaria esse impacto, porque afetou a percepção tradicional sobre se o país é rural ou semirrural com pequeno grau de urbanização (Gabi et al., 2006).

Além disso, haveria dificuldade de definir com precisão o perímetro das MCRs. A própria natureza dinâmica da sua emergência preveniria contra a fixação ou a delimitação dos seus limites (Halbert et al., 2006). A própria definição, por suas funções e redes, não seria algo diretamente perceptível. Por quê? O desenvolvimento espacial escondido se refere, à primeira vista, à influência das conexões físicas e virtuais e às relações entre empresas como parte dos processos socioeconômicos que se dão no espaço (Thierstein et al., 2006).

A análise funcional das MCRs revela ao mesmo tempo diferenças e superposições das escalas espaciais. Assim, o entendimento do seu processo de formação exigiria a adoção de distintas perspectivas relativas às diferentes escalas espaciais – global, nacional, metropolitana, regional e local – e aos processos não convergentes (concentração, dispersão, centralização e descentralização). A inter-relação dos espaços funcionais e morfológicos é complexa. O espaço morfológico é heterogêneo e o espaço funcional invalidaria parcialmente distinções tradicionais entre zonas urbanas e rurais (Thierstein et al., 2006).

A segunda complexidade é a fragmentação das responsabilidades políticas resultante de visões concorrentes. Ou seja, a emergência das MCRs induz à fragmentação institucional, refletindo inclusive a própria fragmentação da percepção do fenômeno. A isso devemos somar as situações nas quais não há instituições políticas na escala das MCRs, e o quebra-cabeça é a tentativa de construir uma estrutura de governança multinível agrupando órgãos político-administrativos heterogêneos, originários de várias escalas espaciais (municipal, metropolitana, regional etc.).

O reflexo dessa situação sobre a construção da agenda específica das MCRs é forte e problemático. A fragmentação da percepção dos atores sobre a dinâmica das MCRs, somada à fragmentação das estruturas políticas, desdobra-se na acentuação das diferenças entre eles quanto aos temas relevantes para a gestão das MCRs. Portanto, a construção institucional torna-se mais complexa porque enfrenta uma inércia que acentuaria a fragmentação, exigindo um esforço, no plano dos paradigmas cognitivos, de construção de uma visão específica da problemática das MCRs, que deve ser inclusiva do ponto de vista dos interesses dos atores relevantes.

A confusão entre as lógicas territoriais e funcionais traz grandes prejuízos para a construção de estruturas de governança das MCRs. A falta de habilidade para estabelecer modalidades estáveis e exitosas de estruturas de governança multinível estaria relacionada às dificuldades na percepção dos atores devido à natureza ou escala das MCRs e à fragmentação da visão sobre como funcionam esses espaços. Daí porque as políticas de planejamento são caracterizadas por um hiato entre a lógica funcional do desenvolvimento espacial e o enfoque normativo do território. Esse descompasso tornou-se visível em diferentes escalas no caso da MCR de Paris.

No caso da experiência de Paris, a crítica é que o descompasso entre as lógicas funcional e territorial não permite um desenvolvimento espacial sustentado. As instituições e os órgãos políticos planejam os objetivos da MCR apoiados na lógica territorial e não considerando as forças que dão o impulso da lógica funcional. Isso significa que a governança da MCR de Paris não incorporou o complexo sistema de interação da MCR e dos níveis global e europeu, cuja lógica é a de um sistema econômico aberto, que tem impacto sobre outras regiões (Convery et al., 2006).

2. O conceito de governança

Ao tratar da problemática e dos desafios que terão que ser enfrentados pela cidade de São Paulo em termos de gestão pública, alguns elementos se tornam centrais no trabalho: as dimensões territoriais, o raio de ação e os atores envolvidos no processo de tomada de decisões. Esses elementos estão reunidos na noção de governança quando se pensa em uma agenda macrorregional. Parte-se do princípio de que as questões relevantes são por natureza macrorregionais, superando os contornos metropolitanos de São Paulo, isto é, vão além das estritamente locais e tratam da existência ou não de complementaridades e interdependências numa dimensão espacial que transcende o próprio desenho existente hoje no Brasil, o qual contempla o nível municipal, o estadual e o federal.

O conceito de governança tem sido utilizado de diversas maneiras e em diferentes âmbitos, exigindo uma delimitação inicial. Para efeitos deste trabalho, adotamos um conceito amplo justamente para evitar as confusões comuns ao uso polissêmico dessa noção. Assim, a governança aqui é entendida como um conjunto de estruturas, arranjos institucionais e sistemas de ação que contemplando meios e instrumentos de política pública são mobilizados pelos atores públicos, não governamentais e privados envolvidos na gestão do espaço territorial amplo. Nesse sentido, o trabalho avança em duas frentes. Na primeira, ressaltamos que a definição de governança é entendida no sentido de contemplar de maneira integrada diversas dimensões: as estruturas, os processos (envolvendo conflitos, negociações, coordenação) e a interação estratégica dos atores e dos resultados das intervenções na área de influência macrorregional (os programas e políticas públicas).

Na segunda, introduzimos uma perspectiva que vai além dos aspectos que limitam esta abordagem ao papel do município dentro da macrorregião de São Paulo. É preciso destacar que a governança não pode prescindir da dimensão crucial relativa à estrutura federativa brasileira, especialmente no que diz respeito à centralidade do município e à limitada experiência de governança nas áreas metropolitanas e nos demais espaços amplos, tema que retomaremos mais adiante. Entretanto, o desafio é realinhar a discussão no sentido de identificar as oportunidades de coordenação que o município de São Paulo poderia exercer em um espaço econômico contíguo que se estende em um raio de 100 km a partir da capital e que é reconhecido como uma "macrometrópole". O pressuposto é o de que as transformações do espaço econômico paulista nos anos 1980 e 1990 plasmaram um grande agregado regional conhecido como macrometrópole, um tecido único com grande potencial de complementaridade. Entretanto, é evidente a existência de um hiato entre a consolidação recente desse espaço econômico unificado e as perspectivas de governança desse mesmo território.[4]

Por conseguinte, esse processo contínuo de equilíbrio entre necessidades e capacidades das esferas de governo é, na verdade, o processo de constituição da governança em determinado espaço. Assim, em relação à macrorregião, haverá governança quando sua esfera de governo correspondente apresentar condições de implementar políticas públicas e ações coletivas capazes de resolver os problemas e promover o desenvolvimento local. Nesta noção estão contempladas todas as formas de instituições, inclusive políticas, que estejam capacitadas para lidar com problemas cada vez mais interseccionais e que necessitam de políticas integradas (Lefèvre, 2005).

Parte-se do pressuposto de que não existe necessariamente uma relação entre o surgimento de questões e de uma dinâmica macrorregional e o fato de as macrorregiões se converterem em locais de regulação social enquanto produtoras de riquezas e problemas sociais. As novas tecnologias e novos instrumentos e processos de gestão não podem, por si só, facilitar a governança das macrorregiões no futuro. Em primeiro lugar, porque as tecnologias podem tanto reduzir quanto aumentar a fragmentação. Em segundo, porque o principal problema de governança também nesse caso, a exemplo das áreas metropolitanas, é sua afirmação enquanto instituição política.

Um argumento central da nossa perspectiva, implícito na literatura internacional, decorrente da ideia de uma dinâmica socioeconômica que se expande no território, é que a governança deve ser vista da perspectiva de um espaço territorial dinâmico submetido a uma forte mudança, o que coloca a questão da gestão

[4] Com exceção do debate sobre alguns aspectos associados às configurações econômicas espaciais denominadas de *city regions*, essa dinâmica baseada em redes de atores envolve um trabalho de aprendizado institucional ainda pouco discutido (Matteo & Tapia, 2002).

de novas modalidades de coordenação e articulação – fluxos de relações socioeconômicas e político-administrativas. Esse caráter dinâmico exige uma visão integrada e prospectiva da governança, tendo em vista os desafios de desenhar uma estratégia de inserção virtuosa da macrorregião em termos nacionais e internacionais. Igualmente, a governança passa a ter uma dimensão associada à escala de operação e a instrumentos que reflete justamente esse caráter de território em expansão da dinâmica macrorregional.

A literatura sobre as regiões metropolitanas tem contribuições para a discussão da macrorregião no que tange aos diferentes modelos de governança metropolitana e suas respectivas especificidades, que apresentaremos no próximo item.

3.1. Modelos de governança metropolitana

De acordo com Lefèvre (2005), os modelos de governança metropolitana se dividem em duas categorias não excludentes: (3.1.1) os que operam por meio da construção institucional; e (3.1.2) os que operam por meio de cooperação e associação. Entende-se por instituições as autoridades públicas metropolitanas, as unidades de governo local ou organismos de cooperação formal entre governos municipais, suficientemente fortes e capacitados para atuar no setor público em toda a extensão (ou em parte) de uma dada região metropolitana. Há que se considerar a tradição e a cultura de cada país na solução das questões referentes às regiões metropolitanas (RMs). Em países como Alemanha, Itália, França e Canadá, o caminho escolhido foi o da construção institucional, enquanto Estados Unidos e Inglaterra optaram pela associação e cooperação das estruturas existentes.

3.1.1. Modelos de governança metropolitana que envolvem construção institucional

A criação de instituições metropolitanas foi resultado de acordos ou pactos supramunicipais e intermunicipais. Normalmente, os primeiros envolvendo a criação de um novo nível de governo independente das unidades de governo local já existentes. Os segundos, por sua vez, implicam a criação de uma instituição que não seja um novo nível de governo e que seja dependente das esferas de governo existentes (geralmente os municípios) para o seu financiamento e funcionamento. Estes últimos são as formas mais frequentes de ordenamentos metropolitanos, enquanto os primeiros, conhecidos como "modelo metropolitano" (Sharpe,1995), são menos frequentes.

(i) *Governança por meio de construção institucional*: é o modelo mais comum de gestão das RMs, cujas principais características são: legitimidade política da autoridade metropolitana por meio de eleições diretas; relativa igualdade entre os limites territorial e funcional; recursos financeiros próprios; responsabilidades e competências relevantes; corpo de funcionários capacitados para elaborar e executar políticas públicas. Este modelo, na prática, pode ou não apresentar todas essas características, resultando em exemplos fortes (o antigo Greater London Council, a atual Comunidade Autônoma de Madri e o Distrito Metropolitano de Quito) e fracos (a Associação Regional de Stuttgart,[5] a nova Greater London Authority (GLA) e o Distrito Metropolitano de Portland). As legitimidades funcional e política estão positivamente relacionadas com a eficácia da autoridade metropolitana.

(ii) *Governança a partir de uma autoridade conjunta intermunicipal*: neste caso, não há criação de uma nova instituição, mas, sim, um sistema baseado na cooperação entre os municípios pertencentes a uma determinada região metropolitana. É possível estabelecer uma tipologia a partir do grau e da natureza da cooperação entre os governos locais. O primeiro tipo consiste em uma forma normativa mais completa e restritiva para os municípios. O segundo segue o mesmo estilo, porém sua área de atuação está restrita a uma parte da RM. O terceiro difere dos demais por ser, geralmente, monossetorial, porém com potencial para ser ampliado para outras atividades (multissetorial).

[5] A Associação Regional de Stuttgart é formada por 179 municípios cobrindo aproximadamente a área funcional correspondente à região metropolitana de Stuttgart. Sua criação foi imposta pelo Estado, resultando em uma estrutura frágil e com poucas competências.

(a) *Autoridades intermunicipais conjuntas em nível metropolitano*: aproxima-se do modelo metropolitano, exceto pelo fato de estes sistemas não serem geridos por um conselho eleito de forma direta. Exemplos: as comunidades de aglomeração e urbanas francesas e a Comunidade Metropolitana de Montreal;

(b) *Autoridades intermunicipais conjuntas intra-metropolitanas*: a principal característica é o fato de a cooperação ocorrer em uma parte da área metropolitana. Isto se deve, em grande medida, à incapacidade de atrair novos municípios. Consequentemente, estas formas de colaboração, se bem que sejam multissetoriais, variam quanto às funções delegadas à autoridade conjunta, financiamento etc. Exemplo: a Agência de Desenvolvimento do Norte de Milão e a região do Grande ABC paulista;

(c) *Autoridades intermunicipais conjuntas monossetoriais*: apesar de atuarem em um setor, apresentam potencial para se tornarem multissetoriais. Exemplos: as *mancomunidades* na Espanha; alguns Distritos Especiais nos EUA; e as *Verkehrsverbund* na Alemanha.

3.1.2 Modelos de governança não institucional

Os modelos de governança não institucional dizem respeito a acordos com orientação local, cujo objetivo é ampliar a coordenação de políticas públicas em diferentes setores da vida social. Esses acordos ou pactos são formalizados mediante procedimentos e instrumentos específicos. A grande variedade dessas modalidades de governança está dividida em duas categorias: a primeira se relaciona à coordenação de estruturas existentes e a segunda aos acordos formalizados entre os governos locais.

(i) *Coordenação das estruturas existentes*: pode ser encontrada em áreas metropolitanas que carecem de uma instituição responsável pelas questões urbanas a partir da qual as políticas públicas são executadas por organismos intrametropolitanos, monossetoriais ou multissetoriais. Consequentemente, esses órgãos e estruturas não podem gerir toda a extensão da área metropolitana porque sua jurisdição é reduzida ou seus órgãos estão voltados para problemas muito específicos. Nesta categoria se enquadra a maioria das grandes áreas metropolitanas inglesas, que desde meados dos anos 1980 se organizam em parcerias público-privadas (PPP). Essas parcerias levam à extrema fragmentação das políticas públicas nas RMs, uma vez que se organizam em torno de um setor e podem atender parcialmente uma dada região. Visando compensar a fragmentação, algumas cidades organizam "associações de ordem superior", isto é, parcerias entre o setor público e o privado cujo objetivo é coordenar em nível mais amplo, por exemplo, políticas de planejamento e recuperação econômica.

(ii) *Acordos formais*: são instrumentos desenvolvidos em favor da cooperação entre atores públicos e da coordenação de políticas. São normalmente monossetoriais e limitados a um objetivo específico (por exemplo, o financiamento de obras de infraestrutura). Seu funcionamento e desenvolvimento estão subordinados à vontade política dos governos locais, ocasionando instabilidade a esses mecanismos e tornando-os dependentes da continuidade (ou não) das políticas de um governo para outro. Exemplos: os *Accordi di programma* e *Pactos territoriales* na Itália (Tapia, 2005) e o planejamento territorial de Berlim, na Alemanha.

3.2. Especificidades da construção da governança metropolitana

Há um conjunto de especificidades consideradas como aspectos fundamentais para estabelecer os acordos de governança metropolitana. Esses elementos dizem respeito às funções de estruturação da governança metropolitana, para a qual os procedimentos têm um papel estruturante; ao papel da liderança política como elemento catalisador e ponto de apoio da legitimidade;

e, por fim, à importância do Estado como ator na criação das formas de governos metropolitanos.

Vejamos, portanto, de maneira mais detalhada, como esses três elementos são fundamentais para estabelecer acordos de governança metropolitana:

(i) *A importância dos procedimentos*. A construção da governança metropolitana é um processo que precisa ser estruturado para ser bem-sucedido. A função estruturante cabe aos procedimentos. Estes também são importantes porque dão sentido ao processo, ao mesmo tempo em que ajudam a alcançar um consenso entre Estado (em todos os níveis afetados), iniciativa privada e sociedade civil. Na "era da governança" a orientação das políticas públicas deixa de ser uma tarefa delegada ao Estado e passa a seguir a orientação resultante desse consenso, evitando, assim, conflitos políticos entre esferas de governo e pontos de veto dos setores interessados. O fato de envolver todas as partes interessadas ou afetadas oferece riscos, dado que a abertura do sistema de atores é como abrir a "caixa de Pandora". É necessário entender e canalizar as expectativas desses atores, uma vez que nem todos os atores terão o mesmo poder e os mesmos recursos. Cabe perguntar de quem será a última palavra no processo de tomada de decisão, remetendo à legitimidade dos atores e também dos processos, que variam entre os países de acordo com os costumes e tradições.

(ii) *A importância da liderança*. Um líder pode ser um indivíduo, um grupo ou uma instituição que representa, dá instruções para o processo e toma decisões a cada situação de conflito. Ele só pode agir dessa maneira porque os demais atores e a sociedade o consideram um representante legítimo. Porém, a liderança está se transformando porque a base de sustentação que a legitima também está mudando. Se antes um líder era uma figura ligada a um partido político, uma figura ideológica, ou aquele que ocupava uma posição central em uma instituição, agora o poder é definido mais como "capacidade para agir" do que "capacidade de impor ou coagir". Atualmente, em uma sociedade mais pluralista, mais fragmentada e menos centralista, é maior a necessidade do consenso para agir, isto é, para formular políticas públicas e ações capazes de enfrentar os problemas. Nesse contexto, uma qualidade importante que o líder deve ter é a de reunir estes interesses pluralistas e fragmentados em um projeto que ele deverá legitimar, de maneira a torná-lo aceitável para a maior parte dos atores sociais. Em resumo, um líder (individual ou coletivo) é alguém que tem condições de representar os interesses gerais da área metropolitana e que possui os recursos necessários para agir nesse sentido. Recursos aqui entendidos como capacidade de negociar com outros segmentos da sociedade, de criar vínculos e de promover o consenso em torno de um projeto para a área metropolitana. Há três tipos de liderança que são complementares: a individual (caso de Londres), a coletiva (caso de Bolonha) e a institucional (caso de Madri).

(iii) *A importância do Estado*. Apesar de as três últimas décadas de experiências de governança metropolitana terem demonstrado a gradual redução das funções estatais, o Estado continua sendo um ator central capaz de intervir positivamente na criação de formas de governo metropolitano de três maneiras: (i) como legitimador, por meio da aprovação de leis que instituem os acordos metropolitanos e as chamadas "políticas constitutivas", em que o objetivo é estabelecer o marco das políticas públicas; (ii) como mediador entre os atores locais nos acordos metropolitanos em sistemas policêntricos; e (iii) reestruturando-se na esfera metropolitana por meio da busca de territorialização dos aparatos administrativos e tomando as regiões metropolitanas como referência para as políticas públicas. Essas diferentes maneiras, assim como os tipos de liderança, também não são excludentes e devem ser consideradas conjuntamente pelo Estado.

4. As propostas de governança convertidas em projetos metropolitanos: a análise da experiência internacional

A questão fundamental sobre governança nas regiões metropolitanas e macrorregiões está relacionada à capacidade de produzir políticas públicas capazes de solucionar os graves problemas que se apresentam e conduzir esses territórios ao desenvolvimento econômico e social. O principal desafio é superar a fragmentação de interesses e de atores sobre o território da macrorregião.

Duas perguntas são fundamentais para nortear a ação estratégica e a negociação política no longo trajeto de constituição de um nível de governança macrorregional. Quais são os elementos favoráveis e desfavoráveis à emergência e ao desenvolvimento desse novo nível de governança? Qual é o trabalho político exigido de um líder (um indivíduo ou grupo) nesse sentido? Para responder a essas questões no tocante à macroregião de São Paulo, devemos buscar alguns elementos na experiência internacional.

Segundo Lefèvre (2004), alguns pontos tidos como centrais são comuns nas diferentes experiências metropolitanas e devem ser considerados no processo de construção institucional e na comparação dos modelos de governança. São eles: a abertura do sistema de atores, que deixa de ser dominado pelo Estado e assume gradativamente uma forma policêntrica, a partir da qual outros atores econômica e socialmente relevantes ganham importância; a mudança do papel e do lugar do Estado, tendo em vista principalmente o processo de descentralização e o rearranjo dos atores em algumas áreas da política pública (transportes, saúde e saneamento, por exemplo); e o aumento dos fenômenos de democracia local sob a forma de conselhos.

Seguindo os modelos de governança expostos anteriormente e tendo como horizonte o caso da região de São Paulo, cabe destacar as experiências em que houve criação institucional e que têm como pontos de partida as reformas institucionais ou a elaboração de planos estratégicos regionais. Em relação às reformas, estas devem ter como objetivo a reformulação do sistema de atores, possibilitando o surgimento ou a reafirmação da instância de poder regional. Podemos citar como exemplo a Greater London Authority (GLA), a Comunidad Autonoma de Madrid (CAM) e a Verband Region Stuttgart (VRS). É importante diferenciar nessas experiências a origem do processo de reforma institucional, se é comandado pelo Estado ou se expressa o movimento conjunto dos municípios da região. No primeiro caso, a imposição de cima para baixo pode resultar em uma estrutura frágil e com poucas competências, como no caso de Stuttgart. Por outro lado, uma reforma apoiada nos atores locais oferece maior lastro político ao processo.

Ainda de acordo com Lefèvre (2004, 2005), alguns elementos fundamentais da experiência internacional devem ser observados na conversão das propostas em projetos de governança regional. Em primeiro lugar, a identificação dos propositores desses projetos e dos responsáveis pelo seu direcionamento; pode ser uma liderança política metropolitana, como no caso de Londres, ou um grupo político. Em segundo lugar, o sucesso dos projetos está relacionado ao apoio de uma estrutura política que favoreça a tomada de decisões em âmbito regional, sendo necessária para tanto uma estrutura institucional. Esta, por sua vez, irá variar de acordo com a natureza do projeto (reforma institucional ou plano estratégico), podendo se concentrar na cidade-centro, ou em um órgão do governo regional, como a Greater London Authority.

Em terceiro lugar, o projeto necessita de uma estrutura técnico-administrativa com um corpo de funcionários encarregados de desenvolver programas e políticas voltados para a região. Essa estrutura pode se situar em um órgão do governo metropolitano, como no caso de Londres. Em quarto lugar, é fundamental o envolvimento da sociedade civil para que haja legitimidade, uma vez que não se trata de um projeto tecnocrático. Em quinto lugar, o projeto deve ser sintetizado em um documento que o torne tangível, podendo assumir várias formas, reunindo em um plano amplo, como no caso de Manchester, ou vá-

Quadro 1 - Elementos e níveis de desenvolvimento dos projetos metropolitanos e regionais

Metrópoles	Liderança identificável	Estrutura política	Estrutura administrativa	Mobilização da sociedade civil	Plano estratégico	Ações concretas	Total	ND*
Barcelona	Sim	Sim	Sim	Sim	?	Não	4,5	3
Berlim	Não	Não	?	Não	Não	Não	0,5	0
Lisboa	Não	Não	Não	Não	Não	Não	0	0
Londres	Sim	Sim	Sim	?	Sim	?	5	3
Madri	?	?	?	Não	?	Não	2	1
Manchester	?	?	?	Não	Sim	Não	2,5	2
Milão	Não	Não	?	Não	?	Não	1	1
Montreal	?	?	Não	?	Não	Não	1,5	1
Roma	Sim	?	?	Não	?	Não	2,5	2
Stuttgart	?	?	?	?	Não	?	2,5	2
Toronto	Não	Não	Não	?	Não	Não	0,5	0

Legenda: Sim = 1 ponto; ? = ½ ponto; Não = 0 ponto. * ND = Nível de desenvolvimento do projeto.
Fonte: Lefèvre (2004).

rios planos estratégicos, como no caso de Barcelona. Por fim, o conjunto desses elementos deve resultar em ações concretas cujas metas e objetivos deverão estar traçados nos planos e documentos mencionados.

O Quadro 1 mostra a evolução dos projetos regionais mais importantes a partir dos critérios utilizados para caracterizá-los, conferindo uma nota (0, 0,5, ou 1) de acordo com o seu grau de realização. A razão de apresentar um quadro com as principais experiências não é apreender em detalhes cada caso, mas mostrar uma hierarquização dos diferentes projetos a partir do grau de desenvolvimento de cada um.

Complementando esse esforço no sentido de obter um termo de comparação entre os casos, a última coluna do quadro apresenta os valores referentes ao nível de desenvolvimento (ND) do projeto. Assim, em um primeiro nível (ND=0) estão situados os casos de Berlim, Lisboa e Toronto, em que não é possível identificar um projeto metropolitano, ou não há mobilização da sociedade civil, ou não foram constituídas estruturas que favoreçam uma reflexão estratégica sobre a região. A área metropolitana de Lisboa (AML) não dispõe de um projeto metropolitano, embora possua uma estrutura de governo sobre essa jurisdição. Apesar da ausência de um plano estratégico metropolitano, há um plano da região de Lisboa e do Vale do Tejo. A AML, por sua vez, tem sua competência estendida sobre a região, ultrapassando os limites da área metropolitana. O plano estratégico existente se refere ao nível regional e trata secundariamente da AML. Trata-se de um plano diretor elaborado pela Comissão de Coordenação da Região de Lisboa e do Vale do Tejo (CCRLVT) e prevê o desenvolvimento da metrópole em áreas específicas, como transporte e meio ambiente, até 2010. O documento foi produzido por um órgão ligado ao Estado português, sem a participação ativa da sociedade civil e sem que os governos locais estivessem representados, ainda que tenham sido consultados (Florentino, 2007).

Os casos de Madri, Milão e Montreal correspondem ao segundo nível de desenvolvimento (ND=1), em que já existe certa reflexão estratégica e um debate institucional, porém insuficientes para constituição de um projeto metropolitano. A Comunidad Autonoma de Madrid (CAM) foi criada em 1983 e reúne 179 municípios, incluindo a cidade de Madri. A administração da CAM é de responsabilidade de um conselho regional cujos integrantes são eleitos de forma direta pela população. Abaixo desse nível regional estão os governos locais, com poderes limitados. A área metropolitana de Madri possui um plano diretor, proposto em 1997, porém este não se compara a um projeto regional, na medida em que não exprime uma visão estratégica global da região, mas, sim, políticas setoriais nas áreas de transporte, habitação e infraestrutura.[6] A elaboração desse plano não resultou da mobilização da sociedade civil e também não contou com o apoio e participação decisiva dos atores políticos. Uma clara indicação nesse sentido reside no fato de o plano da CAM ter sido realizado por uma empresa de consultoria e não pelo corpo técnico-administrativo da instituição metropolitana.

Um terceiro nível de desenvolvimento (ND=2) compreende as metrópoles de Manchester, Roma e Stuttgart. Nestas, a reflexão estratégica avançou e resultou em planos diretores e projetos de reforma institucional que se encontram estagnados. Dentre os exemplos, o caso de Stuttgart se destaca, pois a mobilização dos principais atores econômicos e sociais não contribuiu para a definição de um projeto para a região. Entre outros fatores, a ausência de uma liderança claramente identificável dentre os representantes das localidades que formam a Verband Region Stuttgart (VRS) contribuiu para esse resultado. A região conta com três instituições – a VRS de natureza política e criada pelo Estado, além da Câmara de Comércio e Indústria e do Fórum Regional, que reúnem os atores sociais e econômicos – que não se relacionam de forma estruturada, o que dificulta a identificação de lideranças e a elaboração de um projeto para a região (Wolfram, 2003). Entretanto, não devemos esquecer que este é um caso raro de reforma metropolitana bem-sucedida nos anos 1990, com Londres, cujo resultado foi a criação da GLA.

Esse fato, somado à presença dos outros elementos apontados no quadro, credencia Londres a ser considerada o melhor exemplo de um projeto metropolitano bem-sucedido (ND=3), seguido por Barcelona. A região de Londres dispõe de um projeto metropolitano que foi liderado pelo prefeito de Londres, baseado em uma reforma institucional e em um conjunto de planos estratégicos. A reforma institucional ocorrida em 2000 instaurou uma estrutura de governo metropolitano, a Greater London Authority, a primeira autoridade metropolitana de Londres após a extinção do Greater London Council (GLC), em 1986.[7]

A diferença entre os casos de Londres e Barcelona reside no fato de o projeto metropolitano de esta se basear exclusivamente em uma série de planos estratégicos implementados a partir do final da década de 1980, não havendo reformas institucionais. Apesar de o plano pela primeira vez ultrapassar as fronteiras da cidade e cobrir a região, não há estrutura de governo metropolitano e, sim, uma estrutura constituída especificamente para gerir o plano. Esta é formada por um conselho presidido pelo prefeito da cidade central e assessorado por órgãos técnico-administrativos relativos ao conjunto de atribuições dos municípios: planejamento, desenvolvimento, meio ambiente, relações entre os planos setoriais e o plano estratégico, entre outras. O plano metropolitano é resultado de um conjunto de documentos atualizados constantemente e que contam com a permanente mobilização da sociedade civil (Wolfram, 2003).

4.1. Fatores explicativos do nível de desenvolvimento dos projetos regionais

A proposição mais geral quanto às condições necessárias e suficientes, de acordo com Lefèvre (2004, 2005), é que os projetos regionais resultem da combinação de fatores conjunturais e estruturais, harmonizados por um ator político (ou um conjunto de atores) que exercerá a liderança ao longo do processo de surgimento, elaboração e implementação desses projetos. O líder é o responsável pelo "trabalho político", negociando com os opositores e defendendo o projeto nas esferas de governo e perante a sociedade. Esse trabalho é determinante quanto ao impacto dos fatores, se favoráveis ou não a determinado projeto. Podemos identificar cinco tipos de fatores presentes na elaboração e implementação dos projetos regionais: institucionais; financeiros e fiscais; políticos; geográficos e econômicos; e sociológicos e históricos.

[6] A cidade de Madri também dispunha de um plano diretor nos anos 1990, ainda que este não tenha sido elaborado de maneira coordenada ao plano da região. Houve apenas cooperação em aspectos técnicos, até porque o pertencimento da cidade de Madri à CAM acaba forçando um grau mínimo de cooperação.

[7] A área da GLA é a mesma do GLC, o que pode ser visto como uma desvantagem para o atual arranjo institucional, uma vez que a área funcional de Londres cresceu em relação aos anos 1980 cobrindo a maior parte do sudeste da Inglaterra.

Fatores institucionais

Os fatores institucionais compreendem a estrutura institucional da região, a distribuição de competências, a cooperação entre as esferas de poder local, as reformas institucionais e as estruturas de democracia local. A estrutura institucional está relacionada ao tipo de Estado (unitário ou federativo), à arquitetura institucional (instâncias de governo), bem como ao peso da cidade central na mesma, ao grau de autonomia jurídica e institucional dos governos locais e ao grau de fragmentação institucional da região. Esses componentes desempenham um papel central na elaboração e desenvolvimento dos projetos metropolitanos ou regionais.

Em relação à divisão de competências entre os níveis de governo, esta pode favorecer a cooperação, como na Itália, ou o conflito, como na Alemanha. A cooperação institucional é possível a partir de estruturas (verticais e horizontais) e instrumentos (políticas e programas) que possibilitam o trabalho conjunto entre as instâncias de governo. É legitimo supor que a existência dessas estruturas e instrumentos favoreça a construção dos projetos regionais.

As reformas institucionais têm como consequência a modificação nas relações de poder nas esferas locais. O impacto destas nos projetos não é predeterminado, tendo em vista as experiências contrastantes de constituição de uma autoridade metropolitana em Londres, Montreal e Lisboa. Por fim, as formas institucionalizadas de democracia local[8] podem influenciar a elaboração dos projetos regionais ou mesmo impedi-los, como no caso das reformas metropolitanas dos anos 1990 nos países europeus que fracassaram em razão dos resultados contrários nas consultas à população.

Fatores financeiros e fiscais

Quanto aos fatores financeiros e fiscais que estruturam as relações entre os atores regionais, estes estão divididos em três elementos. O primeiro diz respeito à natureza do sistema fiscal, que varia de acordo com a natureza do Estado e o grau de descentralização entre os níveis de governo. Em alguns casos, pode estimular a concorrência entre os municípios levando ao conflito, o que dificulta o surgimento de uma instituição política regional ou metropolitana. O segundo são as relações financeiras e fiscais entre os governos locais, que indicam o grau de autonomia destes em relação às demais esferas de governo. Quanto maior a autonomia dos municípios, maiores são as oportunidades de negociação e o volume de recursos à disposição das autoridades locais para levarem a efeito o projeto metropolitano. Ao mesmo tempo, uma maior autonomia financeira pode estimular a dispersão dos atores regionais. O terceiro elemento está relacionado à situação financeira da instituição central da região, normalmente associada à crise na cidade central. Esta é a razão pela qual a maioria das reformas institucionais é levada adiante, como no caso de Stuttgart nos anos 1990. Portanto, a crise pode ser um fator impulsionador dos projetos regionais, uma vez que suas consequências são sentidas por todos os municípios da região, o que pode incentivar estes atores a buscarem uma saída conjunta.

Fatores políticos

Os fatores políticos são todos aqueles que afetam o funcionamento do sistema político e dizem respeito aos partidos, à liderança e ao comportamento dos atores políticos. O grau de estruturação do sistema político influencia os projetos regionais. Com efeito, um sistema fragmentado como o de Barcelona pode representar um obstáculo, visto que a dispersão do poder entre muitos atores dificulta a formação de um consenso. Este deve ser objeto de múltiplas negociações, sem que um ator disponha de recursos que lhe permitam sobrepor-se aos demais. Da mesma forma, um sistema partidário forte e fragmentado dificulta a construção de coalizões de governo e, consequentemente, o surgimento de uma liderança regional estável, como na Itália, na França e na Alemanha.

As identidades político-partidárias e territoriais também influenciam os projetos. Em alguns casos, como o de Roma, o projeto é apoiado pela cidade central, porém as demais cidades da região do Latium são domi-

[8] As formas institucionalizadas de democracia local podem ser de dois tipos: as estruturas intramunicipais ou estruturas de participação da sociedade civil e os procedimentos de consulta e expressão popular, como, por exemplo, os referendos.

nadas por partidos de oposição ao da cidade central. A oposição também se baseia em uma identidade territorial, colocando em posições antagônicas a cidade central e os demais governos locais, a exemplo do que acontece na região de Stuttgart. Esse tipo de oposição pode ser decisivo, como em Milão e Toronto, onde não há oposição partidária entre os governos locais.

A cooperação entre os governos locais se torna possível a partir de um conjunto de instrumentos e estruturas de regulação presentes nos sistemas políticos que estimulam o surgimento e desenvolvimento dos projetos metropolitanos ou regionais. É o que pode ser observado nas regiões metropolitanas da Itália, onde o trabalho conjunto resultou em programas e políticas nos últimos vinte anos e contribuiu para a criação de uma cultura de cooperação. Em Manchester, a constituição da Association of Greater Manchester Authorities (AGMA) em 1986 possibilitou a cooperação, mesmo em um sistema político competitivo e fragmentado.

As relações entre o Estado e os governos locais desempenham um papel decisivo no sucesso de um projeto regional, principalmente nos países federalistas. Apesar de permanecer como um ator importante, o Estado tem perdido centralidade em certos países, como ocorreu na criação da Verband Region Stuttgart (VRS). Outra situação possível é o aumento do prestígio político de uma região – um objetivo e também uma consequência do projeto regional – ser percebido pelo Estado como o surgimento de um concorrente institucional.[9] E finalmente, o Estado pode dispor de políticas territoriais que interferem nas regiões, como, por exemplo, a política britânica de regionalização que impactou o projeto metropolitano de Manchester.

Fatores geográficos e econômicos

A configuração geográfica influencia um determinado projeto regional por meio da existência ou não da cidade central, como também pela relação entre esta e as demais. As regiões podem ter ou não uma cidade central. A área metropolitana de Londres, por exemplo, não possui uma cidade central. Além disso, algumas metrópoles são monocêntricas (Berlim, Madri e Milão), enquanto outras estabelecem relações mais equilibradas com as demais localidades em sua volta (Lisboa e Manchester) e por isso são consideradas policêntricas. Essa configuração afeta o projeto para a região, na medida em que a ausência de uma cidade central evita o conflito, dado que não há relação de dominação entre as cidades. Por outro lado, nessa situação dificilmente um ator pode ser considerado uma liderança, ou o portador do projeto metropolitano.

O processo de metropolização é caracterizado por propiciar uma maior homogeneização econômica entre o centro e a periferia. Esta, por sua vez, interfere nos projetos regionais, pois favorece a cooperação entre as cidades que passam a compartilhar o mesmo destino. Contudo, essa hipótese deve ser verificada para cada caso, bem como o seu impacto sobre a região. O mesmo acontece em relação à dominância da cidade central sobre os municípios da região, situação observada em Montreal e Toronto. É inegável que essa ascendência produz efeitos, porém estes estão condicionados ao contexto regional e por isso são de difícil mensuração. A solução desta questão é um elemento-chave para o sucesso de um projeto regional.

Fatores sociológicos e históricos

Os fatores sociológicos e históricos decorrem da história de uma dada região e da ação dos seus atores locais, cuja "dependência de trajetória" característica impede mudanças radicais, ainda que seja possível utilizá-la como um recurso a favor dos projetos regionais. A elaboração e, sobretudo, a implementação desses projetos deve contar com o apoio e a participação ativa da sociedade civil para que eles tenham maiores chances de serem bem-sucedidos. Por outro lado, os vários atores políticos e sociais nem sempre têm interesses convergentes, o que representa um obstáculo para o projeto. Dessa maneira, é razoável supor que quanto mais estruturada for a sociedade civil, maiores serão as chances de sucesso do projeto metropolitano.

Uma das questões mais complexas a serem enfrentadas na elaboração do projeto para uma região diz respeito à legitimidade decorrente do surgimento

[9] Essa situação é mais comum nos casos em que a cidade central é também a capital nacional, como Londres e Paris. Por outro lado, temos o exemplo de Roma, onde não há rivalidade entre o Estado e a cidade central.

de uma identidade regional, elemento essencial para o seu sucesso. No território das metrópoles já existem identidades territoriais mais ou menos fortes que são produto da história, com as quais o projeto é confrontado. Em alguns casos, a região pode possuir uma cidade central com uma forte identidade, como em Londres, ou pode acontecer de uma área metropolitana ser o local de encontro de várias identidades, como em Milão. Em geral, a existência de identidades afirmadas sobre partes do território metropolitano configura um obstáculo à elaboração e ao desenvolvimento do projeto metropolitano, uma vez que elas se opõem ao surgimento de uma identidade metropolitana. As relações entre a cidade central e as demais cidades da região também são influenciadas por essas identidades. No caso de Berlim, elas contribuíram para tornar as relações conflituosas, configurando um obstáculo ao processo de construção de um projeto regional.

Os principais fatores que afetam as diferentes experiências de governança regional ou metropolitana, sobretudo as diversas modalidades de planos metropolitanos ou macrorregionais e suas chances de êxito ou razões de fracasso, estão presentes nos dois casos examinados a seguir: as agências de desenvolvimento inglesas e a governança multinível alemã.

5. Os casos de regionalização: as agências de desenvolvimento regional inglesas e a governança regional multinível alemã

A escolha desses casos justifica-se pela presença dos fatores enumerados anteriormente e, sobretudo, porque as experiências de Londres e da Alemanha permitem uma aproximação com a problemática da macrorregião de São Paulo. De um lado, examinando uma das experiências mais bem-sucedidas de criação de agências de desenvolvimento metropolitano e regional. De outro, abordando uma rica e antiga experiência de desenvolvimento regional de um país de natureza federativa, na qual temos os *Landers*, uma estrutura peculiar e bastante distinta da brasileira. De todo modo, a caracterização mais geral das diferentes estruturas de governança regional na Alemanha traz alguns subsídios para nossa reflexão.

A reforma metropolitana dos anos 1990 na Inglaterra, da qual a Greater London Authority é uma das resultantes, foi um dos primeiros passos dados na direção de uma nova abordagem da questão regional. Ela foi posta em prática ainda no final da década de 1990 e se baseou em quatro princípios: 1º) as instituições locais, regionais e nacionais devem participar do processo de tomada de decisões e da implementação de políticas e programas; 2º) as instituições regionais devem se organizar por meio de parcerias entre os atores locais e/ou regionais, contribuindo para a elaboração de um programa estratégico integrado e coerente com as diretrizes nacionais; 3º) as diversas áreas da política pública e os vários níveis de governo envolvidos no desenvolvimento regional devem ser vistos de forma integrada e coordenada; 4º) algumas das competências regionais, tais como o desenvolvimento econômico e o planejamento territorial, necessitam de uma liderança clara e da capacidade de ação do meio empresarial, mas devem contar igualmente com as organizações sociais e com os representantes das localidades escolhidos através de eleições diretas.

A mudança nas regiões inglesas foi conduzida a partir da aprovação em 1998 da lei que possibilitou a criação das Agências de Desenvolvimento Regional (RDAs). As RDAs são geridas por conselhos nomeados pelo secretário de Estado do Meio Ambiente, Transportes e Regiões e formados por representantes dos empresários, setores da educação, autoridades locais e da zona rural, e de entidades da sociedade civil. As agências têm como objetivo o desenvolvimento econômico e social sustentável das regiões, a coordenação entre os atores políticos regionais e locais em áreas como capacitação da mão de obra e apoio às empresas, além de desempenhar um importante papel na execução de programas nacionais e na promoção da integração regional. As RDAs poderão ainda contribuir nas políticas e nos programas nas áreas de transportes, uso do solo, meio ambiente, desenvolvimento sustentável, segurança pública, saúde, habitação, turismo, infraestrutura, cultura e esportes (OECD, 2001).

A agência de Londres (ADL) é uma instituição ligada à Greater London Authority e comandada pelo prefeito de Londres. A última das nove RDAs a ser criada, a ADL surge no bojo do processo bem-sucedido de reforma metropolitana combinada com a nova política de regionalização do final dos anos 1990, ambas aceleradas pela eleição do governo trabalhista de Tony Blair em 1997, que tinha como prioridade a reconstrução de uma autoridade metropolitana em Londres. A elaboração das estratégias complementares de desenvolvimento territorial, o *London Plan*, e econômico, *Sustaining Success – Developing London's Economy*, ambas a cargo da ADL, contrastam com outras experiências por serem regulamentadas por lei e por contarem com uma grande mobilização da sociedade civil em torno dessas propostas, o que reflete não uma visão tecnocrática, mas a de todos os setores da sociedade.

Dentro da perspectiva das reformas metropolitanas da década de 1990, o Conselho de Ministros do Planejamento da União Europeia elaborou um relatório intitulado *European Spatial Development Perspective* (ESDP), reunindo um conjunto de políticas de desenvolvimento territorial sustentável para os vários níveis de governo. Esse documento provocou mudanças, principalmente na Inglaterra e na Alemanha.

Em resposta ao ESDP, o órgão de planejamento alemão publicou uma resolução que estabelecia o sistema regional a partir da divisão do país em sete regiões.[10] O foco dos debates sobre governança regional e metropolitana tem se voltado para as questões relativas à estrutura organizacional para as regiões. Isso se deve, em parte, a alguns elementos desfavoráveis e comuns aos casos alemão e norte-americano, tais como: a tradição política de valorização dos governos locais; o *status* constitucional dos municípios; a estrutura eleitoral, a soberania sobre o território; o financiamento dos governos locais e a estrutura fiscal (Fürst, 2002).

Questões como a eficiência dos governos locais e as formas de tornar as regiões administráveis por meio das experiências de governo regionais dominaram a primeira geração de reformas metropolitanas nos anos 1960 e 1970. Sendo assim, o desenvolvimento da governança nas regiões metropolitanas alemãs pôde contar com um núcleo regional organizado em todas as áreas metropolitanas que produziram um plano regional interligado aos demais níveis de governo e com poder estatutário. Consequentemente, os atores regionais tinham um espaço para cooperação construído ao longo do tempo, facilitando as iniciativas conjuntas de planejamento regional. Além disso, os governos locais contam com autonomia para organizar associações específicas a fim de solucionar os problemas que atingem uma parte da região, como nos casos de transporte público, energia e saneamento básico. O modelo dessas parcerias geralmente é o de "distritos especiais", que oferece pleno controle aos governos locais envolvidos.

As mudanças que marcaram a década de 1990 – reestruturação econômica, integração regional, desenvolvimento tecnológico na área de infraestrutura – impactaram de diferentes formas as regiões alemãs. As respostas dadas a esses desafios fornecem um quadro dos padrões de governança a partir das experiências de cada região. A maior parte das regiões é de tipo monocêntrico, como, por exemplo, Frankfurt, Hannover e Stuttgart. As de tipo policêntrico, como as regiões do Vale do Ruhr e do Triângulo Saxão, desenvolveram uma estrutura de governança particular para as cidades centrais dessas regiões. Mais importantes do que as diferenças entre as estruturas[11] são o número e a dimensão dos governos locais no interior das regiões (enquanto a de Stuttgart possui 179 localidades, Hannover possui somente 20). Isto é, nas regiões com "cidades primárias", é mais provável existir cooperação do que naquelas com "estrutura oligopolística", onde duas ou mais cidades de dimensões similares dominam a região e a competição tende a impedir os acordos e parcerias (caso do Vale do Ruhr).

[10] São elas: Berlim/Brandemburgo, Hamburgo, Munique, Rhein-Main (Frankfurt), Rhein-Ruhr (Vale do Ruhr), Stuttgart e Halle/Leipzig/Dresden/Chemnitz (Triângulo Saxão). A região de Hannover, apesar de não ser considerada uma das regiões metropolitanas alemãs, poderia ser incluída por apresentar um alto nível organizacional para uma região com governo próprio (Fürst, 2002).

[11] Na prática, raramente esses padrões apresentados antes são observados assim como descritos para as regiões metropolitanas. Em vez disso, o que se observa é um *mix* de estruturas governamentais relacionadas a redes de atores diferentes e organizadas a partir de iniciativas diversas.

As governanças setoriais frequentemente funcionam isoladas umas das outras. Os recentes esforços dos governos dos *Landers*, buscando incentivar inovações nas economias regionais, conduziram à volta das parcerias público-privadas em escala regional, nas quais a participação dos políticos e gestores locais depende do grau de envolvimento do setor empresarial com o governo regional. Além disso, os ativistas do terceiro setor costumam organizar um sistema de governança regional próprio, com forte participação dos atores locais e orientado para questões de desenvolvimento sustentável e meio ambiente, como a Agenda 21. Dessa forma, é possível distinguir três círculos de governança regional: o econômico, o político e o do terceiro setor. Estes podem se ligar eventualmente, mas os consideráveis obstáculos existentes tornam necessária a interferência do governo para que eles sejam superados.

As iniciativas estatais voltadas para a criação e valorização dos arranjos regionais acabaram por tornar as modalidades concretas de governança metropolitana uma combinação de organizações governamentais e redes. Essas organizações fazem parte de um sistema interligado de associações que podem ser de quatro tipos: supramunicipal,[12] intermunicipal,[13] os distritos de planejamento[14] e os arranjos com coordenação intermunicipal.[15] A governança regional nesse país é tradicionalmente dominada pelos governos locais. Apenas recentemente os atores econômicos passaram a ser mais influentes, sendo representados pelas câmaras de comércio e indústria e participando por meio das parcerias público-privadas.

Fürst (2002), ao analisar as razões que levam os atores locais a cooperarem em um nível regional na Alemanha, considera útil recorrer ao institucionalismo centrado nos atores de Scharpf (1997). De acordo com este modelo a explicação passaria pelos seguintes pontos. Em primeiro lugar, a existência de incentivos como a integração das políticas públicas adotadas pela União Europeia e as estratégias de regionalização dos anos 1990. Em segundo, a identificação dos atores locais favoráveis à cooperação regional, que, mesmo com uma estrutura de governança multinível, torna imprescindível a interferência do Estado. Outro ponto diz respeito à orientação política dominante entre os atores, que, tendo em vista a estrutura federativa do país, vai se caracterizar pela preponderância dos interesses locais em uma relação competitiva entre os níveis de governo.

O quarto ponto a ser destacado são os padrões de ação predominantes entre os atores. Nas regiões onde há tradição de acordos neocorporativos (como em Stuttgart) as associações entre os atores políticos e econômicos têm maiores chances de se desenvolver do que naquelas regiões onde os atores políticos conduzem o processo (Frankfurt, Hannover, Hamburgo). E, finalmente, o quinto ponto está relacionado às oportunidades existentes a partir da estrutura política. As mudanças nos padrões de governança implicam altos custos políticos. Estes são menores quando acontecem alterações estruturais, como nos casos de Stuttgart (mudança de paradigma dos atores relevantes) e de Hannover (mudança institucional).

À luz das preocupações com a macrorregião de São Paulo, os casos examinados oferecem alguns elementos úteis para nossa reflexão. O caso alemão mostra um espaço federativo – mesmo com as peculiaridades dos *Landers* – no qual há uma forte preponderância dos governos locais, o que equivale no caso brasileiro ao federalismo ancorado nos municípios. Esse predomínio traz dificuldades para as estratégias de construção de modalidades de governança regional. Aqui um obstáculo identificado é a desconexão entre as diferentes estruturas de governança política e econômica, refletindo a distância entre as diferentes lógicas dos atores políticos, econômicos e da sociedade civil organizada. Ao mesmo tempo, como mostra essa mesma experiência, é possível criar uma identidade regional forte, que abre perspectivas de superação das dificuldades mencionadas anteriormente. Ou seja, as restrições colocadas pelo

[12] Existe somente em Hannover e consiste em um nível de governo que abrange toda a região, dispõe de uma ampla gama de competências e arrecadação própria, além de um parlamento regional escolhido por meio de eleições diretas.
[13] Conta com a agência de desenvolvimento regional e o parlamento regional eleito. Existe em Stuttgart e vem se desenvolvendo em Frankfurt. A agência tem competências limitadas, mas possui funções executivas.
[14] Esse é o tipo mais comum (Hannover até 2000, Frankfurt e Munique desde 2000, Vale do Ruhr). Apresenta poucas competências atribuídas à associação e a uma assembleia constituída por representantes dos governos locais nomeados por conselhos locais.
[15] Tem como único objetivo facilitar a coordenação entre os governos locais. Este modelo existe em Bremen e Hamburgo.

predomínio do jogo político no nível local podem ser superadas desde que se associem identidades regionais mais amplas e modos de articulação das lógicas dos distintos atores traduzidas em estruturas de governança de âmbito para além do local.

O exemplo da Inglaterra permite refletir sobre a experiência mais bem-sucedida de criação de agências regionais de desenvolvimento, uma das possibilidades cogitadas no caso da macrorregião de São Paulo. Entre os vários aspectos destacados da experiência inglesa, o caso de Londres sugere o papel estratégico que pode ser desempenhado pela liderança política, no caso, o prefeito, para construção da estrutura de governança fundada na Agência de Desenvolvimento. Assim, diferentemente do caso alemão, Londres sugere que determinadas condições permitem à lógica política assumir o papel de liderança na construção da governança regional.

6. O caso de São Paulo: elementos para a construção de uma perspectiva macrorregional

Nesta última parte do trabalho, vamos apresentar de um modo sucinto alguns elementos que devem orientar o desenho e a estratégia de construção de uma estrutura de governança no âmbito macrorregional para São Paulo. Para isso é preciso recuperar alguns elementos essenciais extraídos da experiência internacional e resgatar características e desafios típicos da nossa experiência federativa e da construção de instituições no plano das regiões metropolitanas. Comecemos por esses últimos.

O ordenamento constitucional brasileiro demorou a reconhecer e habilitar instrumentos que possibilitassem o enfrentamento da questão do desenvolvimento urbano, inclusive no que se refere à organização das regiões metropolitanas.[16] A experiência brasileira, iniciada em meados dos anos 1970, evoluiu ao longo das últimas décadas de uma gestão metropolitana altamente padronizada – que priorizava os governos estaduais – para modelos mais flexíveis, combinando formas compulsórias e voluntárias de associação nas quais há maior participação dos governos locais.

O processo de redemocratização e a Constituição de 1988 significaram, entre outras coisas, a descentralização política e tributária e o momento em que os municípios alcançam o *status* de entes federativos, conquistando maior autonomia política. A descentralização, por sua vez, significou a redução das inversões de recursos federais para as regiões metropolitanas, com o repasse de novas funções e serviços à tutela dos municípios. Azevedo & Guia (2000) ressaltam que a questão metropolitana não era um tema prioritário durante os trabalhos da Assembleia Nacional Constituinte. Ao contrário, como a institucionalização metropolitana vigente encontrava-se profundamente atrelada ao esvaziamento dos municípios e aos resquícios centralistas do período militar, tudo apontava para a ausência de uma política federal em relação ao tema.

Em outros termos, o passado autoritário condicionou a trajetória das políticas relacionadas à gestão metropolitana, resultando em um tratamento genérico na Carta de 1988, com a delegação aos estados da maioria das definições e atribuições das regiões metropolitanas, o que possibilitou o surgimento de estruturas de gestão mais flexíveis e adequadas às especificidades regionais. Dessa forma, como observa Souza (2003, 2007), os constrangimentos e incentivos à adoção de um novo modelo de gestão metropolitana não devem ser buscados exclusivamente nas atuais configurações político-partidárias e financeiras dos entes federativos.

Um traço da cultura política nacional, reforçado no atual texto constitucional[17] e que representa um forte entrave à ação regional, é o municipalismo. O seu caráter não cooperativo pode ser medido pelo incenti-

[16] Dentre os oito textos constitucionais elaborados entre a independência e a redemocratização, depois da Constituição Imperial de 1824, apenas a Carta de 1988 deu tratamento específico à questão urbana. A Constituição autoritária de 1967 e sua Emenda de 1969 foram as primeiras, no período republicano, a expressar concretamente o reconhecimento do fenômeno urbano e da competência do poder público para atuar nessa área. Porém, o fato urbano reconhecido nessas Cartas corresponde a uma superestrutura urbana – a região metropolitana –, enquanto as estruturas básicas da urbanização não são objeto de qualquer inovação no tratamento jurídico tradicional.

[17] O grau de descentralização e autonomia foi levado a novos patamares na Carta de 1988 com a elevação do município ao *status* de ente federado. A nova face do discurso municipalista que permitiu tal avanço incorpora duas tendências políticas opostas. Uma progressista, eminentemente politizada, que credita à escala local melhores possibilidades de democratizar as relações de poder e, consequentemente, criar condições para a efetiva gestão democrática do território. A segunda é de viés liberal e utiliza o instrumental do planejamento estratégico para defender a ideia de uma cidade competitiva que asseguraria aos seus habitantes uma melhor qualidade de vida (Kornin & Moura, 2004).

vo material[18] dado à emancipação dos distritos e pela ausência de incentivos institucionais que favoreçam o desenvolvimento de parcerias entre governos locais e o estabelecimento do conceito e da prática regional de planejamento e integração de políticas públicas. Ainda do ponto de vista tributário, estados e municípios tiveram seus recursos ampliados por meio de transferências de vários impostos federais para os estados e municípios, aumentando assim suas bases tributárias (Abrucio & Costa, 1999). Além desses, outros fatores podem ser apontados como obstáculos à ação regional.

O federalismo brasileiro, apesar de amortecer as disparidades inter e intrarregionais, segue sendo marcado por profundos desequilíbrios. Em relação às regiões metropolitanas, esses desequilíbrios são ainda mais visíveis, e se expressam por meio do peso político, financeiro e populacional do município central e pelo peso financeiro das cidades mais industrializadas de uma dada região. Por outro lado, esse desequilíbrio pode ser utilizado pelos municípios com maior peso no sentido de capitanear novos arranjos regionais.

No cenário de crise fiscal e redefinição do papel do Estado dos anos 1990 – movimentos estes que contribuíram para a recentralização de recursos –, houve um aumento das tensões entre os níveis de governo, ambiente que não favoreceu a cooperação necessária para os arranjos metropolitanos ou regionais. Nesse período, o governo federal teve também sua responsabilidade aumentada na área social. As chamadas competências concorrentes acarretaram certo embaraço jurídico, pois acabavam por criar um clima de indefinição e falta de clareza conceitual, o que, por sua vez, implicou prejuízo para a questão metropolitana, já que esta é permeada por diretrizes que preveem o destaque das tarefas a serem executadas pelos entes federados, seja de forma complementar, seja ou concorrente (Castro, 2006). Esse recrudescimento da competição explica a ausência de uma articulação horizontal que possibilitaria uma gestão política da região, com a participação de todos os atores envolvidos com um projeto de governança genuinamente democrática, só realizável por meio de inovações no plano legal e, principalmente, de negociações entre os atores políticos.

Mais recentemente, em tempo de complementar as alterações trazidas pela Constituição de 1988 e na tentativa de responder à demanda por instrumentos alternativos e novos arranjos institucionais que se traduzam em novas formas de governança regional, podemos destacar três leis que representam avanços nessas discussões (Brunelli & Urani, 2006). Em primeiro lugar, podemos citar o Estatuto das Cidades (Lei nº 10.257, de julho de 2001), que, ao estabelecer as diretrizes gerais da política urbana, inclui a necessidade de cooperação entre os governos e os demais atores sociais para pensar o planejamento urbano de longo prazo. Em segundo lugar, as Parcerias Público-Privadas (Lei nº 11.079, de dezembro de 2004), que podem ser entendidas como uma oportunidade de se criarem mecanismos participativos de governança para as regiões metropolitanas, que são as principais beneficiárias desse tipo de projeto. Por fim, a Nova Lei dos Consórcios Públicos (Lei nº 11.107, de abril de 2005), que possibilita a criação de parcerias entre várias esferas de governo para a realização de ações conjuntas com maior eficácia e eficiência em diversas áreas, como serviços públicos, saúde, obras públicas e desenvolvimento econômico regional.

Os conflitos e tensões que são inerentes aos sistemas federais, bem como às relações intergovernamentais, tornam-se mais acirrados em situações como a brasileira, de alta desigualdade e escassos mecanismos de cooperação entre as esferas de governo. Nas condições atuais do arranjo federativo brasileiro, a perspectiva de construção de uma nova estrutura de governança no âmbito da macrorregião pode elevar os graus de tensão já existentes no interior do sistema ao incorporar um novo ator (a própria região) ou uma nova forma de gestão territorial aos já existentes – já que as inovações citadas anteriormente, apesar de relevantes, ainda não se converteram em experiências regionais estáveis[19] e exitosas. Assim, é necessária

[18] Incentivo esse dado sob a forma de acesso aos recursos do Fundo de Participação dos Municípios (FPM). Surge então o problema de perda pelo antigo "município-mãe" de parte desses recursos, que passam a ser distribuídos entre os novos municípios. As elites locais entram em um jogo não cooperativo pela manutenção ou pela conquista de novas fontes de renda.

[19] Melo (2002) observa que os consórcios intermunicipais são soluções instáveis, pois são sensíveis à volatilidade das alianças políticas e eleitorais. Além disso, os consórcios são em larga medida um fenômeno que ocorreu na área de atenção à saúde. Isso se deve a dois fatores: a especificidade da provisão de serviços nessa área e a forte indução para a constituição dos mesmos no contexto do SUS.

uma nova estrutura institucional produzida por uma rede de múltiplos atores públicos e privados capazes de orientar as forças políticas e sociais regionais. A integração dos vários níveis de governo e dos diferentes setores da sociedade no processo decisório é um princípio fundamental para que a construção do novo modelo de governança regional seja bem-sucedida.

Os desafios de construção de novas instituições para gerir a macrorregião de São Paulo são condicionados, no que tange à dimensão crucial relativa ao federalismo brasileiro, especialmente pela centralidade atribuída ao município e pela limitada experiência de governança nas áreas metropolitanas e nos demais espaços amplos. Este aspecto, não resta dúvida, é relevante, contudo é preciso sublinhar que esse conjunto de inovações é requisito importante para a ação regional, porém não é suficiente. Isso porque o desenho da gestão regional presente no atual texto constitucional contém entraves de natureza institucional, política e de financiamento que funcionam como "forças centrífugas" (Daniel apud Moura et al., 2004). Fatos que se agravam diante da inexistência de uma identidade ou percepção da dimensão regional, que se configura na inexistência de pressão popular para a criação e implementação de programas e políticas pertinentes, reforçando a baixa prioridade na agenda política reservada ao tema.

Neste cenário, em que a questão regional passa a ser regulamentada pelas constituições estaduais, prevalecem movimentos "recentralizadores", que agem à revelia destas. Na tentativa de contemplar as limitações do poder municipal em responder a questões que ultrapassam os limites político-administrativos dos municípios, surgem esses movimentos na forma de consórcios, comitês ou associações supramunicipais, setoriais e/ou temáticos, em parcerias que se disseminam envolvendo municípios e, algumas vezes, o estado e a iniciativa privada (Kornin & Moura, 2004). O caso emblemático do processo de integração regional ocorrido nos últimos tempos é o da região do Grande ABC, formada pelos municípios de Santo André, São Bernardo do Campo, São Caetano do Sul, Diadema, Mauá, Ribeirão Pires e Rio Grande da Serra.

Da análise realizada na primeira parte deste trabalho, há importantes subsídios para a projeção de uma futura estrutura de governança macroregional liderada pelo município de São Paulo. Em primeiro lugar, a experiência alemã de governança regional multinível e a bem-sucedida constituição de uma autoridade regional em Londres, a Greater London Authority, demonstram a importância da dimensão política no desenvolvimento de um projeto regional, principalmente no que diz respeito à presença de uma liderança política identificável.

Em segundo lugar, associados a esse fator impulsionador, estão a construção de uma identidade e de uma estrutura política regional que irão reforçar a legitimidade política e funcional dessa nova dimensão territorial. Como ilustram os casos bem-sucedidos da experiência internacional, é preciso elaborar um novo paradigma cognitivo capaz de projetar as características próprias da governança macroregional, incluindo os diferentes atores num sentido de convergência possível para além de suas perspectivas específicas. Dessa forma se constrói uma nova legitimidade no plano intelectual e político, essencial para tornar factível a estratégia de construção de novas instituições de governança.

No caso da macroregião de São Paulo esses elementos indicam o papel central a ser desempenhando pelo município de São Paulo, que, além de ocupar a importante posição de cidade central da região, possui um conjunto de características políticas, econômicas e sociais que a tornam uma liderança natural no processo de constituição desse novo espaço amplo.

Entretanto, não podemos descartar a experiência metropolitana e os resultados alcançados com os recentes movimentos "recentralizadores", como é o caso do Consórcio do Grande ABC. Essa região conseguiu reunir, mesmo na ausência de incentivos de qualquer natureza, alguns atores locais em torno de uma estrutura que conta com uma Agência de Desenvolvimento Regional, a exemplo da experiência de Londres. Esses são elementos fundamentais no processo de aprendizado institucional que conduzirá à constituição de uma nova dimensão regional liderada por São Paulo.

A partir da década de 1990, cresce na região do Grande ABC paulista a consciência da necessidade de uma articulação regional, parcialmente explicada pela percepção que se tem da profundidade do impacto das transformações sobre a região e do tamanho da crise econômica. Essa conscientização impulsiona o surgimento de várias iniciativas de aproximação entre os atores regionais voltadas para a solução de problemas comuns, mais particularmente daqueles relacionados com o tema de desenvolvimento econômico regional. Em dezembro de 1990 é criado o Consórcio Intermunicipal das Bacias do Alto Tamanduateí e Billings. A princípio, definiu-se que o Consórcio trataria de diversos assuntos, desde a gestão ambiental, o gerenciamento e destino de resíduos sólidos, até o desenvolvimento econômico local (Klink & Lépore, 2004).

Entre 1993 e 1996, apesar da pouca atenção dada pelos prefeitos à questão regional, importantes iniciativas, como o Fórum da Cidadania do Grande ABC,[20] foram tomadas pela comunidade, refletindo a maturidade da identidade regional e a preocupação com os problemas específicos da região. Em 1997, a partir da eleição de novos prefeitos, é dado um passo decisivo em direção ao processo de integração regional. Além da revitalização imediata do Consórcio, foi criada a Câmara da Região do Grande ABC a partir da elaboração de seu estatuto pelo representante do governo do estado, pelos sete prefeitos e pela coordenação do Fórum da Cidadania.

Desde a sua criação, a Câmara conseguiu aprovar mais que 50 acordos regionais como resultado do processo de planejamento estratégico regional nas áreas temáticas de desenvolvimento econômico, social e urbanístico. Um dos acordos aprovados ainda em 1997 foi a criação de uma Agência de Desenvolvimento Regional, criada no ano seguinte com a forma jurídica de uma organização não governamental com participação minoritária do setor público.[21] A Agência tem como principal missão a revitalização econômica da região por meio da articulação de atividades voltadas para o fomento de micro e pequenas empresas, sistemas de informações e o marketing regional.

7. Considerações finais

Os desafios da gestão pública num horizonte de médio prazo remetem, num primeiro momento, para a necessidade de compreensão das principais tendências do movimento de articulação entre território, estruturas de governança e dinâmica socioeconômica crescentemente globalizada.

Em relação às tendências mais gerais, este estudo mostrou que há três elementos que devem ser considerados em qualquer estratégia de construção de uma governança macrorregional. O primeiro é aquele que destaca a importância crescente do movimento que associa diferentes escalas territoriais, cuja imbricação é crescente. Essa tendência tem sido apreendida com distintos conceitos, que têm como elemento comum o reconhecimento de que as noções tradicionais de áreas metropolitanas são insuficientes tanto para capturar a dinâmica que faz as escalas de atuação dos atores econômicos se expandirem, quanto para orientar as modalidades de governança exigidas por esse mesmo movimento. O essencial é entender o fenômeno do que podemos chamar de "macrorregiões", que exprime essa tendência de alargamento das escalas e suas imbricações, de um lado, e a combinação entre a lógica territorial e a lógica de fluxos, de outro.

A segunda questão diz respeito, justamente, às implicações para as formas de governança desses espaços dinâmicos. A identificação das características dessas estruturas de governança é bastante útil para refletir como e sob que condições elas devem ser concebidas. Do ponto de vista mais geral, a experiência internacional sugere que há uma tendência ao descompasso entre as instituições de governança metropolitanas – ancoradas nos territórios, com forte peso de tradições históricas, movidas por lógicas políticas específicas ou fragmentadas – e a dinâmica socioeconômica, que se move ampliando seu âmbito de atuação para além dos limites político-administrativos existentes.

[20] O Fórum é composto de um grande número de instituições da sociedade civil, como associações de empresas, sindicatos de trabalhadores, movimentos ecológicos e grupos ambientais, entre outros. Surge a partir de discussão sobre as distorções na representatividade político-institucional da região, que culmina com a campanha "Vote no Grande ABC", em março de 1994. Com o lançamento do Manifesto do Grande ABC em julho de 1994, o Fórum começa a se manifestar como nova instância de representatividade da região. Os temas de desenvolvimento econômico e urbano de corte regional vêm assumindo um papel preponderante na sua agenda (Klink & Lépore, 2004).

[21] O Consórcio tem 49% dos direitos a voto na Diretoria Geral do organismo, enquanto os demais representantes (setor privado, universidades e instituições de capacitação e sindicatos de trabalhadores) detêm os demais 51%.

O terceiro elemento relevante é a identificação dos conjuntos de condições ou requisitos que favorecem o esforço de transformar as propostas de governança em projetos metropolitanos ou macrorregionais. Embora não se possa cair na armadilha ingênua de imaginar uma espécie de "engenharia institucional de manual", os requisitos identificados destacam dimensões de inegável importância que servem de orientação para o desenho de estratégias de construção de estruturas de governança macrorregionais.

Um quarto elemento, extraído do exame das experiências alemã e inglesa, destaca as características da governança multinível em estruturas federativas e o papel da liderança encarnada num político, como o prefeito de Londres. Em relação ao caso inglês, a experiência das agências de desenvolvimento tem sido reconhecida como bem-sucedida e inovadora. Diferentemente do caso alemão, o caso da Agência de Desenvolvimento de Londres sugere que, sob determinadas condições, a lógica política assume a direção do processo de construção da governança regional. Essa liderança pode ainda ser desempenhada pela cidade central, desde que esta seja capaz de construir um projeto de governança que integre o conjunto de cidades ou municípios concernidos e de mobilizar os principais atores econômicos e da sociedade civil organizada.

A experiência alemã é rica e interessante para o caso de São Paulo porque se trata de uma estrutura federativa, que busca combinar distintas ordens de coordenação em distintas escalas territoriais. Encontramos nesse caso a criação e a valorização de arranjos institucionais, articulando diferentes modalidades de governança, através da combinação de atores públicos e privados organizados na forma de organizações governamentais e redes. Assim, por exemplo, há um sistema de caráter regional interligando e coordenando associações, atuando em âmbito intermunicipal, supramunicipal e propriamente regional.

A nosso ver, esses quatro elementos são as premissas necessárias para refletir sobre os desafios para a gestão pública na macrorregião de São Paulo. Quanto à estrutura de governança, nos parece necessário considerar três aspectos. Em primeiro lugar é preciso construir uma estrutura de coordenação para elaborar e negociar as diretrizes regionais. Caberia a essa arena elaborar a agenda mais abrangente da macrorregião e criar as condições de apoio político e técnico para implementá-la. Aqui deveriam estar representados todos os municípios, atores econômicos e da sociedade civil.

Segundo, o modo efetivo de "governar" ou coordenar seria por meio de projetos mobilizadores, cuja importância seria definida pelos benefícios e impactos potenciais sobre a macrorregião. Alguns exemplos são quase intuitivos: saúde, transportes e meio ambiente. Tratar-se-ia de explorar as experiências existentes com bons resultados, como os consórcios com outras modalidades a serem criadas.

Terceiro, a estrutura de governança macrorregional deveria ser um modelo híbrido combinando e integrando as estruturas de governança existentes com a criação de novas para tratar das questões de âmbito regional. Na verdade, o modelo híbrido parece uma alternativa mais realista, uma vez que aproveita os recursos existentes buscando reduzir a resistência dos atores municipais e, portanto, a emergência de coalizões políticas de veto.

O exemplo da agência de desenvolvimento do ABC demonstra que é possível a construção de consensos mesmo com uma institucionalidade frágil. Ele representa um passo na direção de um modelo híbrido de governança regional, com características do velho e do novo regionalismo. Após um processo endógeno de aprendizagem entre atores públicos e privados voltados para a ação coletiva em prol do desenvolvimento regional, o próximo passo seria avançar para a institucionalização dos procedimentos que se enraizaram na cultura de gestão regional. Nesse sentido, as agências de desenvolvimento regional podem dar uma importante contribuição por se tratar de uma iniciativa que busca reunir as melhores práticas de planejamento e gestão, com a participação do setor privado e de entidades da sociedade civil, resultando em um maior grau de confiança entre os atores públicos e privados e num maior comprometimento com o desenvolvimento da região.

Para finalizar, considerando a experiência do Grande ABC como um embrião do novo modelo de governança regional, é importante reconhecer também suas vantagens e limites. Quanto às vantagens, é possível afirmar que a relativa informalidade e a flexibilidade são na verdade as virtudes dessa experiência, uma vez que possibilitam avançar rapidamente na criação de projetos e acordos voltados para a solução dos problemas comuns aos municípios da região. Em relação aos limites, a principal fragilidade do "modelo ABC" é a ausência de um respaldo institucional dentro da estrutura federativa que garantiria os compromissos e recursos financeiros para a viabilização dos projetos.

Bibliografia

Abrucio, Fernando Luiz; Costa, Valeriano Mendes Ferreira (1999). *Reforma do Estado e o contexto federativo brasileiro*. Fundação Konrad-Adenauer-Stiftung.

Azevedo, Sergio de; Guia, Virgínia Rennó dos Mares (2000). "Governança metropolitana e reforma do Estado: o caso de Belo Horizonte". *Revista Brasileira de Estudos Urbanos e Regionais*, São Paulo, v. 2, n. 3, pp. 131-146.

Brunelli, André; Urani, André (2006). *Novas governanças para a Região Metropolitana de São Paulo*. Instituto de Estudos do Trabalho e Sociedade.

Castro, Henrique Rezende de (2006). A região metropolitana na federação brasileira: estudo do caso de Londrina, Paraná. Dissertação de Mestrado. UFRJ/IFCS.

Convery F.J., Halbert L., Thierstein A. Reflections on the Polycentric Metropolis Built Environment. p. 110-113.

Florentino, Rui (2007). The Spatial Governance of the Lisbon's Metropolitan Region. European Urban Research Association (EURA), 10th Anniversary Conference University of Glasgow. Glasgow. Setembro.

Fürst, Dietrich (2002). *Metropolitan governance in Germany*. University of Hannover. Fevereiro.

Gabi, S.; Thierstein A.; Kruse C.; Glanzmann L. (2006). "Governance Strategies for the Zürich-Basel Metropolitan Region in Switzerland". *Built Environment*. pp. 157-171.

Greater London Authority (2008). *The London Plan: Spatial Development Strategy for Greater London*. Londres.

Halbert, Ludovic (2008). Examining the Mega-City-Region Hypothesis: Evidence from the Paris City-Region/Bassin parisien, Regional Studies.

Hall, P. (2006). Is The Greater South East a Mega-City Region? Paper presented to a seminar held by the Institute for Public Policy Research (IPPR).

Hall, P. & Pain,. J. (2006a). "The Polycentric Metropolis: Learning from Mega-City Regions in Europe". London: Earthscan/ James & James.

Klink, J. J.; Lepore, W. C. (2004). "Regionalismo e Reestruturação no Grande ABC Paulista – São Paulo: Uma perspectiva brasileira de governança metropolitana". In *I Seminário Internacional – O Desenvolvimento Local na Integração: Estratégias, Instituições e Políticas*. I Seminário Internacional – Unesp/Rio Claro. Rio Claro: Unesp.

Kornin, Thaís; Moura, Rosa (2004). "Metropolização e governança urbana: relações transescalares em oposição a práticas municipalistas". *GEOUSP – Espaço e Tempo*, nº 16, pp. 17-30.

Lefèvre, Christian (2004). *Paris et les grandes agglomerations occidentales: comparaison des modèles de gouvernance*. Paris: Extramuros, novembro.

_______ (2005). "Gobernabilidad democrática de las áreas metropolitanas. Experiencias y lecciones internacionales para las ciudades latinoamericanas". In Rojas, Eduardo; Cuadrado-Roura, Juan; Güell, José Miguel Fernández (orgs.). *Gobernar las metrópolis*. Washington: BID – Banco Interamericano de Desenvolvimento.. pp.197-261.

London Development Agency (2005). Sustaining Success: Developing London's Economy. Londres.

Matteo, Miguel; Tapia, Jorge Ruben Biton (2002). "Características da indústria paulista nos anos 90: em direção a uma *city region?*". *Revista de Sociologia e Política*, nº18, pp. 73-93, jun.

Melo, Marcus Andre (2002). "Políticas Públicas Urbanas: uma agenda para a Nova Década". In Ana Célia Castro (org.). *BNDES 50 anos - Desenvolvimento em debate: painéis do desenvolvimento brasileiro*. Rio de Janeiro: Mauá/BNDES, v. 3, pp. 337-373.

Moura, Rosa; et al. (2004). A realidade das áreas metropolitanas e seus desafios na federação brasileira: diagnóstico socioeconômico e da estrutura de gestão. Seminário Internacional "Desafio da Gestão das Regiões Metropolitanas em Países Federados". Brasília.

Organization for Economic Co-Operation and Development (2001). Cities for citizens: improving metropolitan governance. [S.i.:S.M.].

Rolnik, Raquel; Somekh, Nádia (2002). "Governar as Metrópoles: dilemas da recentralização". *São Paulo em Perspectiva*, São Paulo, v. 14, n. 04.

Sharpe, L. J. (1995). "The Future of Metropolitan Government". In *The Government of World Cities: The Future of the Metro Model*. Chichester: John Wiley & Sons Ltd.

Scharpf, F. Games Real Actors Play: Actor-centered Institutionalism In Policy Research, Boulder Colorado, Westview, 1997.

Souza, Celina (2003). "Regiões metropolitanas: condicionantes do regime político". *Lua Nova*, nº 59, pp. 137-158.

_______ (2007). "Regiões metropolitanas: reforma do regime político e vazio de governança". In DINIZ, Eli (org.). *Globalização, Estado e Desenvolvimento: dilemas do Brasil no novo milênio*. Rio de Janeiro: Editora FGV.

Tapia, Jorge Ruben Biton (2005). "Desenvolvimento local, concertação social e governança: a experiência dos pactos territoriais na Itália". *São Paulo em Perspectiva*, Jan./Mar., vol. 19, no.1, pp.132-139.

Thierstein, A., Forster, A. Drob, M. (2006) "Mega City Regions: on awareness and value chain approach". Paper apresentado no 46º Congresso da European Regional Science Association, Volos.

Wolfram, Marc (2003). Planning the integration of the High Speed Train. A discourse analytical study in four European regions. 284 p. Dissertação – Institute of Urban Planning, University of Stuttgart, Stuttgart.

12. Perspectivas de crescimento para o município de São Paulo

Miguel Matteo

Introdução

São Paulo é uma cidade em constante transformação, adequando-se de maneira extraordinária às suas transformações sociais, culturais e econômicas, por vezes de forma radical, apagando traços de sua memória urbana. Uma fotografia da cidade tirada hoje, dificilmente mostrará os mesmos traços de uma tirada daqui a dez anos.

A história da cidade mostra como ela engendrou as condições para se transformar de um povoado jesuíta de pouco mais de uma dezena de pessoas, em meados do século XVI, na metrópole contemporânea. Mais que isso, mostra como ela foi capaz de agregar novas atividades, sem perder as preexistentes, e se tornar o centro de comando de atividades nem sempre desenvolvidas em seu território.

A capital paulista se diferencia de todas as metrópoles latino-americanas, por não ser capital de um Estado nacional, e por se configurar como metrópole com forte base industrial. Também se diferencia de suas congêneres internacionais, porque possui, como Nova York, Paris ou Londres, um terciário avançado e sofisticado, mas mantém, ao contrário dessas cidades, uma forte atividade industrial (é o maior produtor industrial do país).

Fazer previsões sobre seu futuro, por isso, transcende padrões teóricos e conceituais, e passa a ser um exercício de empirismo, com base fundamentalmente em dados estatísticos e em seu processo histórico, cujos nexos podem servir de base para uma análise prospectiva. Não se trata, portanto, de futurologia, mas de avaliar probabilidades de esses nexos se romperem, ou se a sua continuidade trará novas adequações de sua estrutura.

Os serviços avançaram em sua estrutura econômica (sobretudo aqueles intensivos em conhecimento), e isso é mostrado no capítulo 2 (de Torres Freire, Abdal e Bessa) deste livro. O mercado de trabalho se diversifica e se sofistica, e a formação de quadros adequados à maior intensidade tecnológica dos processos produtivos é tratada por Barbosa e Komatsu no capítulo 3. A necessidade de maior mobilidade (ou, ao menos, reversão da piora dela) é o foco de Vasconcellos no capítulo 9. A governança de uma região que expande continuamente seus limites produtivos, incorporando porções generosas do espaço paulista, é objeto do capítulo 11, de Tápia e Ribeiro. Os impactos dessas transformações na estrutura urbana de São Paulo também são objeto de outros textos desta publicação.

Este capítulo, que evita se aprofundar nos temas que são tratados especificamente em cada um dos outros textos do livro, procura indicar caminhos estruturais que a metrópole pode vir a percorrer. Isso será feito tendo como pano de fundo uma discussão sobre a dinâmica econômica do MSP nos últimos anos (na seção 2) e, principalmente, a partir de análises qualitativas de variações dos cenários macroeconômicos e de suas conexões com três dimensões que têm impactos no desenvolvimento econômico do município: a das políticas públicas, a dos investimentos em infraestrutura e a da inserção de São Paulo na economia contemporânea, internacionalizada. Essas dimensões serão apresentadas na seção 3, para, a partir disso, fazermos um cruzamento das três dimensões com três cenários econômicos (na seção 4): um otimista, de crescimento acelerado, um médio e um pessimista, que freia o crescimento econômico a partir da recessão que pode se aprofundar nas economias europeia e americana.

1. Contexto histórico

As articulações entre as várias dimensões de desenvolvimento econômico, cultural e social, ao longo do tempo, conformaram desde os fundamentos das atividades econômicas até a estrutura urbana do município de São Paulo. Isso é fundamental para que não sejam assumidas como definitivas proposições teóricas que supõem transformações inexoráveis e o abandono de todo um processo histórico.

São Paulo não se torna a principal cidade e forma a região metropolitana mais produtiva do país somente com a intensa atividade industrial do início do século XX. Desde a sua fundação, o *ethos* de autonomia é fundamental para a realização de atividades desvinculadas da Coroa portuguesa. Como não havia nenhuma atividade econômica, São Paulo estava à margem do desenvolvimento e das preocupações diretas de Portugal.

Essa autonomia torna comum a integração de São Paulo com as aldeias indígenas do entorno e a exploração dos caminhos fluviais em direção ao interior (e a configuração do rio Tietê traça um caminho natural), dando vitalidade ao esforço empreendedor dos bandeirantes. Isso é fundamental para que a cidade rompa seus limite, e inicie uma procura incessante do "novo", seja o comércio, a indústria ou a busca de conhecimento tecnológico.

Tudo muito longe da estruturação fortemente hierarquizada dos engenhos de açúcar do Nordeste, autossuficientes, com mão de obra escrava e voltados exclusivamente para a produção de riquezas para a metrópole portuguesa.

A desvinculação das estruturas escravocratas precedentes facilita uma melhor assimilação do capitalismo pelos cafeicultores paulistas, o que vai também favorecer a transferência do capital cafeeiro ao industrial.

No período da atividade mineradora, São Paulo desenvolve outra característica marcante, até hoje, que é a vinculação com atividades desenvolvidas fora de seu território. O comércio de animais provenientes do Sul do país e direcionado a Minas Gerais passa a constituir uma rede urbana fortemente conectada à capital, que já havia surgido com a penetração do sertão pelos bandeirantes e sido ampliada com as trilhas dos tropeiros.

Assim, é comum que atividades desenvolvidas alhures sejam fortemente vinculadas à cidade de São Paulo: o comércio com as Minas Gerais e a atividade cafeeira não são diferentes da localização de indústrias no Complexo Metropolitano Expandido[1] e a manutenção dos centros de decisão na capital.

São Paulo, como sede da administração pública, concentrou os serviços que tiveram origem nos intensos fluxos migratórios provenientes da Europa, e que se dirigiam às plantações de café. Com isso, muitas atividades de serviços ligadas ao transporte e hospedagem dos imigrantes se desenvolveram na cidade, assim como aquelas referentes ao fluxo de mercadorias, casas de corretagem, agências de despachos aduaneiros e rede bancária, entre outras.

A malha ferroviária que servia de escoadouro da produção de café adensou ainda mais a rede urba-

[1] Chamemos de Centro Metropolitano Expandido (ou Macrometrópole) uma região fortemente vinculada à Região Metropolitana de São Paulo, localizada em seu entorno imediato (num raio de cerca de 100 km a partir da capital), e que tem como característica uma integração produtiva com a metrópole, ao invés de uma localização (sobretudo industrial) alternativa a ela. Trata-se, na verdade, de incorporação de território produtivo à RMSP.

na paulista e, sobretudo, seu vínculo com a capital. O cosmopolitismo que advém da necessidade de maior intercâmbio internacional abre a cultura paulistana a uma maior diversidade. A vinda de imigrantes de diversas nacionalidades reforça esse traço de seu *ethos*.

O surgimento da indústria, de base capitalista, ainda que restringida, é o corolário desse processo histórico, que fornece as bases materiais, culturais, sociais e geográficas para o desenvolvimento e a posterior consolidação da cidade.

Nesse processo, vale lembrar, sempre houve incorporação de atividades à sua estrutura econômica, sem que as precedentes tenham sido abandonadas. Muito pelo contrário, a atividade comercial, quando a cultura do café (que sempre se desenvolveu no interior do estado) se tornou a principal atividade econômica, só fez crescer. Da mesma forma, o surgimento da indústria fez com que a prestação de serviços se transformasse e se adensasse, crescendo e se sofisticando.

É essa integração, complexa e diversificada, entre os setores econômicos que é a marca da cidade de São Paulo e que torna difícil a pertinência a campos conceituais teoricamente pouco flexíveis. Se em Nova York a indústria praticamente desapareceu, em São Paulo ela se mantém extremamente viva; Paris, que tem um *banlieu* altamente produtivo, não tem, em seu tecido urbano, a diversidade produtiva da capital paulista; Londres, capital financeira mundial e sede da economia criativa, não possui atividade industrial.

São Paulo, contudo, se assemelha, em vários aspectos, a todas essas cidades: é sede dos maiores escritórios de advocacia, publicidade e consultoria, como a metrópole norte-americana; possui uma forte região contígua que tem clara especialização industrial, como o *banlieu* parisiense; é sede financeira latino-americana e formadora dos melhores quadros para a inovação, como sua congênere britânica.

A cidade de São Paulo também se diferencia de quaisquer outras metrópoles latino-americanas, todas formadas a partir de sua vinculação com o império colonial, capitais dos países que se formaram com a sua desintegração e detentoras de grande parte da população de seus países (o que gerou, em análises dos anos 1970, a expressão "macrocefalia urbana"). São Paulo não é capital do país, não detém parcela expressiva da população, nunca teve vínculos com a sede do império colonial e cresceu com uma forte base industrial.

A diversificação e a integração das várias atividades desenvolvidas na capital são, portanto, fruto de um processo histórico singular, o que dificulta estabelecer padrões de crescimento econômico com vistas à formulação de modelos matemáticos.

Dessa forma, este trabalho procurará, a partir da estruturação atual de sua economia, *vis-à-vis* seu processo histórico, vincular suas perspectivas de crescimento a três dimensões de análise: a primeira, dada a importância da atividade industrial (localizada seja em São Paulo, seja fora dela), é a da política industrial, que tem como documento mais recente o da PDP (Política de Desenvolvimento Produtivo, do Governo Federal), mas que possui ainda outras políticas integradas a essa, como o Plano de Aceleração do Crescimento – PAC, o Plano de Desenvolvimento da Educação – PDE, o Plano de Ação em Ciência, Tecnologia e Inovação – PACTI e o Mais Saúde, para mobilizar investimentos imprescindíveis e estruturantes de longo prazo.

Uma segunda dimensão, que é fundamental para a determinação da estrutura urbana do município e de seus padrões de mobilidade, mas que tem fortes vínculos com a atividade econômica (em termos de fornecimento de insumos), é a de investimentos em infraestrutura, sobretudo os de grande porte, como o Rodoanel, o metrô, o Trem Bala e grande obras em saneamento básico.

A terceira dimensão se prende à vinculação da economia de São Paulo à economia internacional, sob três aspectos principais:

a) a captação de recursos no mercado de capitais em bolsas estrangeiras, por parte de empresas construtoras, o que implica uma forte injeção de capital para o mercado imobiliário que se encontra com demanda crescente;

b) a obtenção do grau de investimento para o Brasil, conferido pelas agências internacionais de avaliação de risco, que pode fazer com que, dissipadas as turbulências no mercado imobiliário norte-americano, a cidade receba, via Bolsa de Valores (que acaba de incorporar a Bolsa de Mercadorias e Futuros), forte fluxo monetário;
c) a taxa de câmbio, que deixa a moeda brasileira relativamente valorizada frente ao dólar americano, facilitando as importações, e, com isso, provocando um duplo impacto na economia paulistana, ao expor à competição as empresas produtoras de bens de consumo não duráveis e, ao mesmo tempo, promover maior investimento na indústria, via importação de bens de capital.

2. Dinâmica econômica do município de São Paulo

A Tabela 1 apresenta os valores correntes do PIB do município de São Paulo, além do valor adicionado de cada setor de atividade (agropecuária, indústria e serviços, com abertura para administração pública) e o PIB *per capita*. Deve-se ressaltar que o conceito de PIB não é aplicável à esfera municipal, uma vez que não há fronteira entre os municípios, devendo o dado aqui apresentado ser considerado como a contribuição de cada município à formação do PIB nacional.

Analisando-se os setores que compõem a economia paulistana, pode-se verificar que mais de três quartos do valor adicionado pertence ao setor de serviços e que a indústria representa 24% do total, enquanto a agropecuária tem um valor residual.

À primeira vista, pode-se afirmar que o setor de serviços é aquele que confere dinâmica à economia da capital. No entanto, algumas considerações devem ser feitas:
a) esse setor abarca outros segmentos importantes para a formação do valor adicionado, como a administração pública, o comércio e as instituições financeiras;
b) várias atividades que anteriormente eram realizadas por pessoal ocupado do setor industrial foram, sobretudo ao final dos anos 1980 e durante todos os anos 1990, terceirizadas, o que provocou uma transferência de valor adicionado ao setor terciário de atividades realizadas, na verdade, no interior das indústrias;
c) embora vários segmentos do setor de serviços tenham dinâmica própria, a existência de outros segmentos deve-se à existência de atividade econômica em geral, em especial à industrial. Sem esse impulso, dificilmente o setor conseguiria manter sua dinâmica.

A indústria de São Paulo está longe de ser uma atividade descartada, haja vista o seu crescimento entre os anos 2002 e 2005. De fato, ela cresce a taxas mais elevadas que os demais setores e que a do próprio PIB; isso decorre do período considerado, pois 2002 e 2003 foram anos de escassa atividade econômica, enquanto 2004 e 2005 representaram a retomada de desenvolvimento do país.

Com o aumento da produção, a taxas constantemente crescentes, a indústria de São Paulo responde rápida e intensamente, acelerando sua produção, e trazendo consigo um aumento da produtividade de parte do setor terciário. Vale lembrar que boa parte dos centros de decisão das empresas industriais se localiza na cidade de São Paulo, o que, de um lado, incrementa o valor adicionado da indústria (por conta dos salários pagos nessas unidades) e, de outro, incrementa a utilização de serviços, sobretudos dos mais sofisticados, sejam aqueles ligados à produção, sejam aqueles ligados às famílias, em decorrência do aumento da renda.

Deve-se lembrar que a economia estadual também tem o mesmo movimento da economia da capital, ao perder participação no PIB nacional, entre 2002 e 2004, e recuperar participação em 2005, mantendo-a em 2006. Tal movimento pode ser considerado normal, graças à recuperação da renda média, que impulsiona o consumo das famílias, aumentando a produção industrial, principalmente no estado de São Paulo. Isso faz também com que a demanda por serviços aumente, o que ocorre com maior intensidade, dada a concentração, no município da capital.

No cálculo do PIB dos municípios, o setor industrial compreende a indústria extrativa, a de transformação, os serviços industriais de utilidade pública e a indús-

Tabela 1: Valor adicionado total por setor de atividade econômica, Produto Interno Bruto Total e PIB *per capita* a preços correntes. MSP, 2002-2005

Anos	Valor Adicionado					PIB ***	PIB *per capita* ** (em R$)
	Agropecuária***	Indústria***	Serviços***		Total***		
			Adm. Pública	Total*			
2002	15,36	36.805,48	10.842,96	119.132,40	155.953,25	189.053,67	17.733,88
2003	16,44	42.438,97	12.534,77	131.652,67	174.108,08	211.436,09	19.669,21
2004	17,76	48.985,89	13.390,91	136.349,36	185.353,01	226.988,44	20.942,63
2005	14,57	52.654,37	14.314,85	165.021,43	217.690,37	263.177,15	24.082,86
Variação (%) 2005-2002	0,95	1,43	1,32	1,39	1,4	1,39	1,36

* Inclui a Administração Pública. ** O PIB *per capita* é o resultado do PIB total dividido pela população estimada pelo IBGE no ano considerado. *** Em milhões de R$. Fonte: Fundação SEADE, PIB dos municípios paulistas. Elaboração própria.

tria da construção. Já o setor de serviços compreende uma vasta gama de atividades, que agregam o comércio, as instituições financeiras, a administração pública, os serviços domésticos, alojamento e alimentação e o setor de serviços propriamente dito (serviços prestados às empresas e às famílias).

Os dados do PIB municipal já são apresentados de forma agregada, o que dificulta identificar a posição de cada subsetor, exceto quando se trata de pessoal ocupado, que pode ser analisado com a máxima desagregação.

Uma análise de variáveis econômicas permite uma leitura mais adequada à atividade industrial, já que o Valor Adicionado Fiscal, da Secretaria da Fazenda estadual, tem uma desagregação bastante detalhada para esse setor. Esses dados, no entanto, não representam adequadamente o setor de serviços, já que o principal imposto nesse segmento é o ISS, e não o ICMS (este imposto incide somente para telecomunicações, transportes e energia elétrica).

A indústria, assim, será analisada com mais variáveis que os demais setores, dada a sua importância para a dinâmica econômica do município.

A agropecuária, em São Paulo, é incipiente, e se encontra apenas na forma de subsistência na região de Parelheiros, Bororé e Grajaú, no extremo sul da cidade. Além de um pequeno número de pessoas estar empregado nessa atividade, ele vem diminuindo ao longo do tempo, passando de pouco mais de 5 mil pessoas, em 1996, a menos de 4 mil, em 2006.

A estrutura industrial de São Paulo é dada na Tabela 2, com base no Valor Adicionado Fiscal, da Secretaria da Fazenda estadual, obtido na página da Internet da Fundação Seade. Os dados referem-se aos anos 2002 e 2006, de forma a verificar alguma modificação expressiva em sua estrutura. Para os anos anteriores há uma dificuldade adicional, que advém de os dados serem estruturados em uma classificação diferente da apresentada nessa tabela.

Nessa tabela, apresenta-se a estrutura industrial dentro do município de São Paulo, nas duas primeiras colunas, para os anos 2002 e 2006, enquanto as duas últimas mostram, para o mesmo período, a participação de cada divisão industrial da capital no total do estado de São Paulo. Essa análise permite verificar não só os segmentos mais importantes para o município, como a relevância desses segmentos para o estado.

Verifica-se, assim, que a divisão industrial de maior valor adicionado, em São Paulo, seja em 2002, seja em 2006, era a de edição, impressão e reprodução de gravações, tanto na estrutura da capital, como em participação no estado. É bom lembrar que essa divisão é a que guarda maior integração da indústria e do setor de serviços, e que, a partir de 2007, deixa de ser considerada indústria na Classificação Nacional de Atividade Econômica (CNAE), sendo quase inteiramente transferida para um novo setor, o de Comunicação e Informação. Isso é importante, porque as próximas informações sobre a indústria não trarão mais informações sobre esse segmento.

As divisões que vêm a seguir, na estrutura municipal, são – à exceção de produtos de metal – de alto valor agregado e com certa intensidade tecnológica: produtos farmacêuticos, máquinas e equipamentos e química têm também relevância para o total do estado. A indústria farmacêutica, em especial, abrange desde farmácias de manipulação até sedes de gigantes multinacionais do setor.

Outra indústria muito diversificada é a de vestuário e confecções, que, embora participe de forma modesta na estrutura industrial do município, representa metade do setor no estado, e se compõe de pequenas unidades de corte, que se espalham principalmente pela zona Leste de São Paulo, de empresas de porte médio e grande produção, como as do Bom Retiro e do Brás, a grandes unidades industriais que promovem feiras de moda altamente sofisticadas.

O complexo tecnológico composto pelos segmentos intensivos em tecnologia (material elétrico, eletrônico, de automação e de informática) também apresenta expressiva participação na estrutura estadual, embora compareça com produção modesta na estrutura municipal, o que implica uma importância desses segmentos maior para a capital do que para as demais localidades.

Tabela 2: Participação dos segmentos industriais na estrutura do MSP e no ESP em Valor Adicionado Fiscal. MSP e ESP (%), 2002-2006

Setor Econômico	Participação no MSP (2002)	Participação no MSP (2006)	Participação MSP/ESP (2002)	Participação MSP/ESP (2006)
Edição, impressão e reprodução de gravações	12,7	11,5	58,7	56,9
Produtos farmacêuticos	8,7	10,2	29,1	25,9
Máquinas e equipamentos	8,6	9,2	20,8	21,9
Produtos de metal	6,5	7,9	24,8	25,9
Produtos químicos	6,7	7,5	11,2	12,0
Material de transporte (montadoras e autopeças)	6,0	7,3	6,8	7,3
Produtos alimentícios	7,4	6,1	7,7	5,9
Produtos de plástico	4,6	5,0	20,4	22,8
Vestuário e acessórios	4,6	4,8	57,6	49,7
Máquinas, aparelhos e materiais elétricos	3,8	3,9	22,6	22,4
Metalurgia básica - ferrosos	3,2	3,4	14,3	11,1
Papel e celulose	2,2	2,6	7,7	9,1
Equip. médicos, ópticos, de automação e precisão	2,0	2,5	40,9	35,1
Têxtil	2,9	2,4	16,7	14,7
Artigos de borracha	2,2	2,3	16,6	17,8
Minerais não metálicos	3,0	2,2	14,7	11,8
Eletrodomésticos	2,7	2,1	46,7	32,2
Metalurgia básica - não ferrosos	1,0	2,1	11,6	18,3
Diversas	1,7	1,7	26,2	25,4
Artigos de perfumaria e cosméticos	1,5	1,2	21,5	14,5
Material eletrônico e equip. de comunicações	1,9	1,1	14,8	8,4
Móveis	1,0	0,9	18,9	16,9
Máquinas para escritório e equip. de informática	2,7	0,9	43,2	17,6
Madeira	0,5	0,4	12,6	8,2
Indústria extrativa	0,2	0,3	9,2	12,4
Couros e calçados	0,3	0,3	6,3	5,4
Bebidas	1,4	0,2	9,8	1,1
Fumo	0,2	0,1	45,9	33,0
Reciclagem	0,0	0,1	6,2	10,4
Combustíveis	0,0	0,1	0,0	0,1

Fonte: Valor Adicionado Fiscal. Secretaria da Fazenda, Fundação SEADE. Elaboração própria.

Tabela 3: Número de pessoas ocupadas. MSP, 1996, 2002 e 2006

Divisões da Indústria de Transformação	MSP		
	1996	2002	2006
Total	601.516	446.164	498.456
Alimentícios e bebidas	58.860	34.667	41.115
Fumo	2.433	950	1.515
Têxteis	38.391	21.768	22.100
Vestuário e acessórios	68.925	60.912	73.938
Artefatos de couro, artigos de viagem e calçados	7.666	5.033	4.751
Madeira	4.466	3.299	3.048
Celulose, papel e produtos de papel	16.468	10.873	13.131
Edição, impressão e reprodução de gravações	54.512	44.892	41.249
Coque, refino de petróleo e álcool	40	63	375
Químicos	51.275	37.844	48.412
Borracha e plástico	47.996	35.395	43.428
Minerais não metálicos	14.436	11.020	11.150
Metalurgia básica	19.945	12.493	11.688
Metal - exclusive máquinas e equipamentos	49.294	40.768	48.406
Máquinas e equipamentos	47.397	38.721	42.998
Máquinas para escritório e equipamentos de informática	6.095	3.864	4.873
Máquinas, aparelhos e materiais elétricos	30.039	18.581	22.245
Material eletrônico e de aparelhos e equipamentos de comunicações	14.611	8.529	9.527
Equip. médico-hospitalares, de precisão e ópticos, automação industrial	9.942	7.554	9.090
Veículos automotores, reboques e carrocerias	31.790	25.108	24.181
Outros equipamentos de transporte	4.160	3.497	3.639
Móveis e indústrias diversas	22.522	20.034	16.792
Reciclagem	253	299	805

Fonte: Ministério do Trabalho, RAIS. Elaboração própria.

Em termos de pessoal ocupado, uma análise da Rais, do Ministério do Trabalho, consolidada na Tabela 3, mostra a queda no número absoluto de pessoas ocupadas na indústria da capital, entre 1996 e 2006, mas mostra também uma recuperação, em 2006, em referência a 2002. Esse movimento está em linha com a tendência da produção industrial de terceirizar parte de seus serviços e incrementar a automação, mas mostra igualmente que, quando há reativação do crescimento econômico, ela também pode responder no nível da empregabilidade.

Nota-se a extrema importância do setor de confecções no emprego industrial de São Paulo (que corresponde a quase 50% do total estadual), embora não esteja entre os principais em termos de valor adicionado, assim como a fabricação de produtos de metal. Os demais setores de importância no emprego são aqueles também importantes em termos de valor adicionado: indústria química, de máquinas e equipamentos, edição e impressão e fabricação de alimentos.

Vale ressaltar que, embora com pouca expressão no total do emprego no município, as divisões de fabricação de equipamentos médico-hospitalares e de equipamentos de informática representam 32% do total estadual, cada uma, o que mostra sua forte concentração na capital.

Trata-se, portanto, de uma indústria diversificada e que apresenta padrões muito diversos de produtividade. Estudo feito pela Fecamp para a Sempla, em 2007 (Fecamp, 2007), com base na Pesquisa de Atividade Econômica Paulista (Paep), da Fundação Seade, analisava três indicadores que comparavam a indústria da capital à de outras regiões do estado (a Região Metropolitana de São Paulo, exceto a capital, o Complexo Metropolitano Expandido – definido naquele trabalho como Macrometrópole – exceto a RMSP, e o interior do estado). O primeiro indicador, o de produtividade das empresas industriais (medido pela relação Valor Adicionado/Pessoal Ocupado), mostra que aquelas da capital têm produtividade média equivalente à das do estado, inferior apenas à daquelas da Macrometrópole.

O município de São Paulo tem a primazia em confecções, couro e calçados, edição e impressão, química, minerais não metálicos, metalurgia, material elétrico e equipamentos de automação e precisão. Verifica-se, pois, que São Paulo tem maior produtividade em segmentos intensivos em conhecimento e aporte de capital, mas também tem indústria mais produtiva em setores mais tradicionais, como confecções e calçados.

Ao analisar as outras relações, verifica-se que a indústria paulistana tem uma relação Salários/PO (que dá a noção de salário médio) 13% superior à média estadual, muito próxima daquela da RMSP e bem acima da Macrometrópole. O município de São Paulo destaca-se em várias divisões industriais, nessa relação, como em couro e calçados, edição e impressão, química, minerais não metálicos, material elétrico e eletrônico. Vale notar que, mesmo nos segmentos em que a indústria paulistana não é mais produtiva que a das demais regiões, os salários médios tendem a ser mais elevados, o que faz supor que a qualificação da mão de obra ainda é um forte fator de atração locacional.

A relação pessoal ocupado/unidade local, que reflete o tamanho médio da empresa, é reveladora da complexa interação da indústria com o tecido urbano, uma vez que tem o menor índice de todas as regiões, ou seja, 20% inferior à média estadual. Os altos custos do terreno na capital fazem com que a indústria aqui localizada tenda a ser menor que aquelas localizadas seja na RMSP, seja na Macrometrópole. Cotejando-se esse indicador com os demais, pode-se ter uma ideia do padrão médio da indústria paulistana: de porte menor que na média do estado, mais produtiva e pagando melhores salários.

Uma das causas dessa produtividade em níveis superiores pode estar ligada à presença de serviços complementares à atividade industrial, sofisticados e ligados à produção. Essa hipótese será retomada no texto que analisa o setor de serviços.

Nos demais subsetores industriais (serviços industriais de utilidade pública, construção e indústria extrativa), também houve uma substancial diminuição dos empregos entre 1996 e 2006, mas, diferentemente do ocorrido na indústria de transformação, a recuperação entre 2002 e 2006 não foi tão expressiva. No caso dos serviços industriais de utilidade pública, aliás, houve até diminuição de postos de trabalho nos dois períodos.

Uma das causas dessa diminuição está nos processos de terceirização das empresas de distribuição de gás e eletricidade. Como eram empresas estatais, todos os serviços de manutenção eram realizados pelo pessoal próprio das empresas. Ao serem privatizadas, elas passaram a contratar esses serviços externamente, o que diminuiu o pessoal ocupado nesse subsetor e aumentou os postos de trabalho em empresas de construção (sobretudo implantações de tubulações e consertos em redes aéreas) e em empresas prestadoras de serviços (limpeza, vigilância, telemarketing, por exemplo).

A indústria extrativa, assim como a agropecuária, é incipiente no município de São Paulo, e, à exceção de alguns portos de areia e extração de argila (classificados em extração de minerais não metálicos), os demais postos de trabalho se referem a sedes de empresas cuja atividade se realiza fora dos limites municipais.

O setor terciário apresenta uma dinâmica pujante na criação de empregos: no período 1996-2002, que tem o início em um ano virtuoso e o final com uma das menores taxas de crescimento da economia brasileira, ainda assim o setor terciário de São Paulo teve um aumento de quase 10% dos empregos, segundo análise da RAIS (Tabela 4). No período 2002-2006, em que ocorre o inverso com a atividade econômica (e o intervalo de tempo é menor), o crescimento do emprego nesse setor atingiu a taxa de 17%.

Tabela 4: Número de pessoas ocupadas no setor de serviços. MSP, 1996, 2002 e 2006

Classificação de Atividade Econômica	1996	2002	2006
Com. e rep. de veículos automotores e motocicletas, e comércio a varejo de combustíveis	65.483	67.187	79.777
Com. por atacado e representantes comerciais e agentes do comércio	121.849	125.798	162.039
Com. varejista e reparação de objetos pessoais e domésticos	280.330	344.318	434.536
Alojamento e alimentação	105.606	118.640	152.542
Transporte terrestre	125.420	115.022	118.578
Transporte aquaviário	328	445	192
Transporte aéreo	11.533	15.077	17.757
Atividades anexas e auxiliares do transporte e agências de viagem	24.667	33.618	45.224
Correio e telecomunicações	43.276	41.788	53.324
Intermediação financeira	107.062	103.715	99.861
Seguros e previdência complementar	17.951	20.987	28.426
Atividades auxiliares da intermediação financeira, seguros e prev. complementar	13.652	12.765	21.705
Atividades imobiliárias	100.621	104.762	115.920
Aluguel de veículos, máquinas e equip. e de objetos pessoais e domésticos	5.915	6.919	12.889
Atividades de informática e serviços relacionados	28.221	34.545	50.010
Pesquisa e desenvolvimento	1.061	2.816	2.006
Serviços prestados principalmente às empresas	284.423	287.973	506.707
Administração pública, defesa e seguridade social	813.094	912.913	840.786
Educação	104.787	109.308	128.085
Saúde e serviços sociais	132.681	154.587	197.860
Limpeza urbana e esgoto e atividades relacionadas	13.283	11.990	10.000
Atividades associativas	50.225	69.507	77.170
Atividades recreativas, culturais e desportivas	39.485	37.322	44.664
Serviços pessoais	17.915	16.737	19.302
Serviços domésticos	491	194	348
Organismos internacionais e outras instituições extraterritoriais	102	248	368

Fonte: Ministério do Trabalho, RAIS. Elaboração própria.

Mas o crescimento do emprego não se deu de forma homogênea para todo o setor. A administração pública e a intermediação financeira apresentam decréscimo de postos de trabalho entre 1996 e 2002, mas também com comportamentos diversos: enquanto a administração pública cresceu, entre 1996 e 2002, para depois cair bastante em 2006, o subsetor de administração financeira apresenta redução constante. Em contrapartida a essa diminuição, contudo, verifica-se o crescimento do emprego nos subsetores de atividades auxiliares de intermediação financeira e de seguros e previdência complementar.

Uma constatação importante se refere aos subsetores de serviços que estão vinculados diretamente à atividade econômica, que têm um comportamento, no emprego, bastante similar ao da indústria (ou seja, há uma diminuição, entre 1996 e 2002, para, em seguida, haver uma recuperação em 2006). Assim, Correios e Telecomunicações e Transporte Terrestre têm comportamento idêntico ao da atividade industrial, que também sofreu com as vicissitudes do baixo crescimento econômico da virada do século.

O caso dos serviços prestados às empresas, no entanto, é mais interessante: apesar de ser o depositário de todos os empregos desmobilizados nos demais setores da economia, em 2002 (e neste período ocorrerem os processos mais intensos de terceirização), esse subsetor apresentou um crescimento de apenas 1,2%, no período. Em compensação, no período subsequente, em que houve crescimento econômico constante (e, em alguns momentos, acelerado), os empregos nesse subsetor cresceram 76%.

Os mapas a seguir apresentam a distribuição dos empregos no município de São Paulo.[2] No que tange

[2] Uma análise mais aprofundada da localização das atividades econômicas no MSP é feita por Bessa, Colli e Paula no capítulo 5 deste livro.

Mapa 1: Indústria. Emprego. MSP, 1996-2006

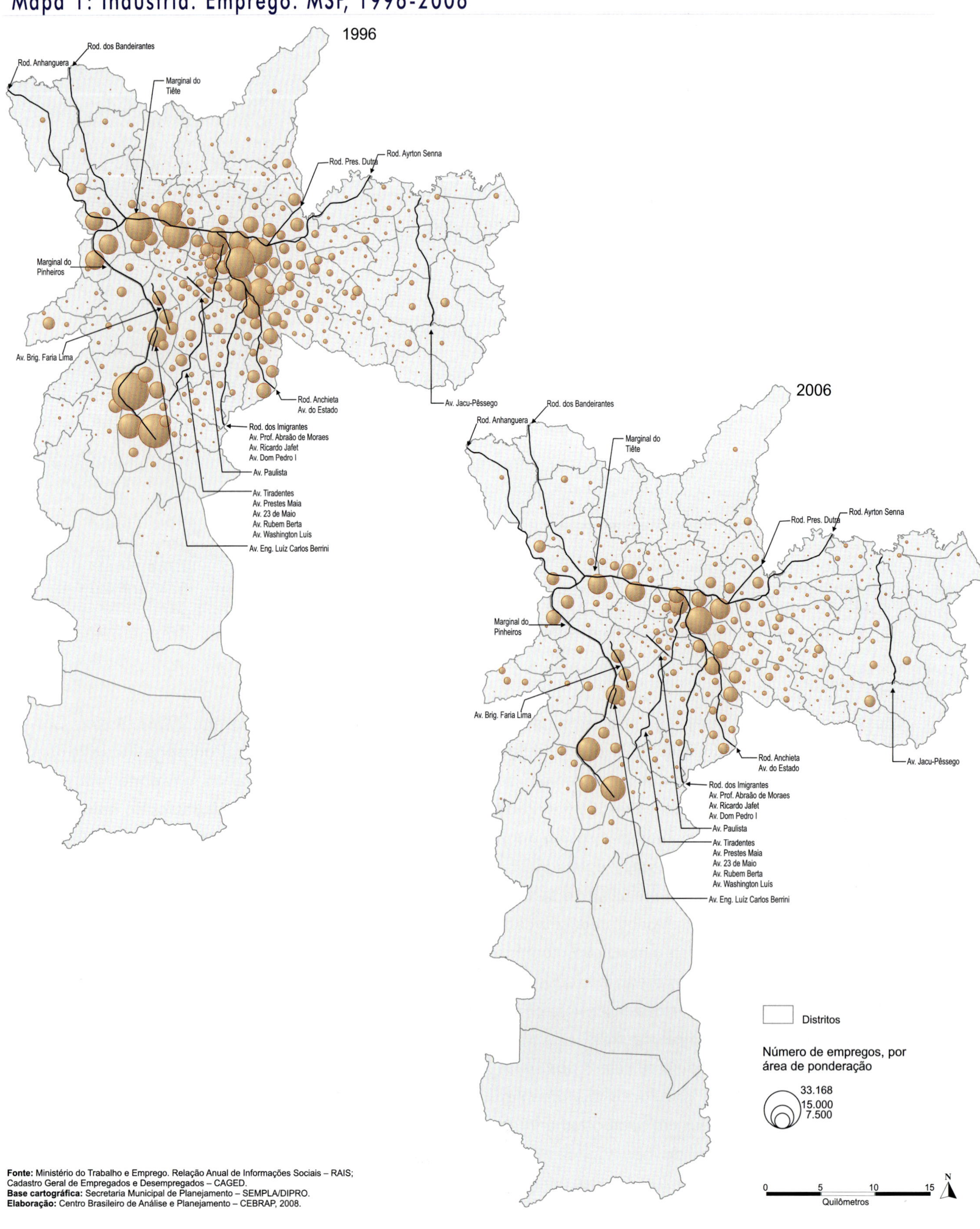

Fonte: Ministério do Trabalho e Emprego. Relação Anual de Informações Sociais – RAIS; Cadastro Geral de Empregados e Desempregados – CAGED.
Base cartográfica: Secretaria Municipal de Planejamento – SEMPLA/DIPRO.
Elaboração: Centro Brasileiro de Análise e Planejamento – CEBRAP, 2008.

Mapa 2: Indústria têxtil-vestuário. Emprego. MSP, 1996-2006

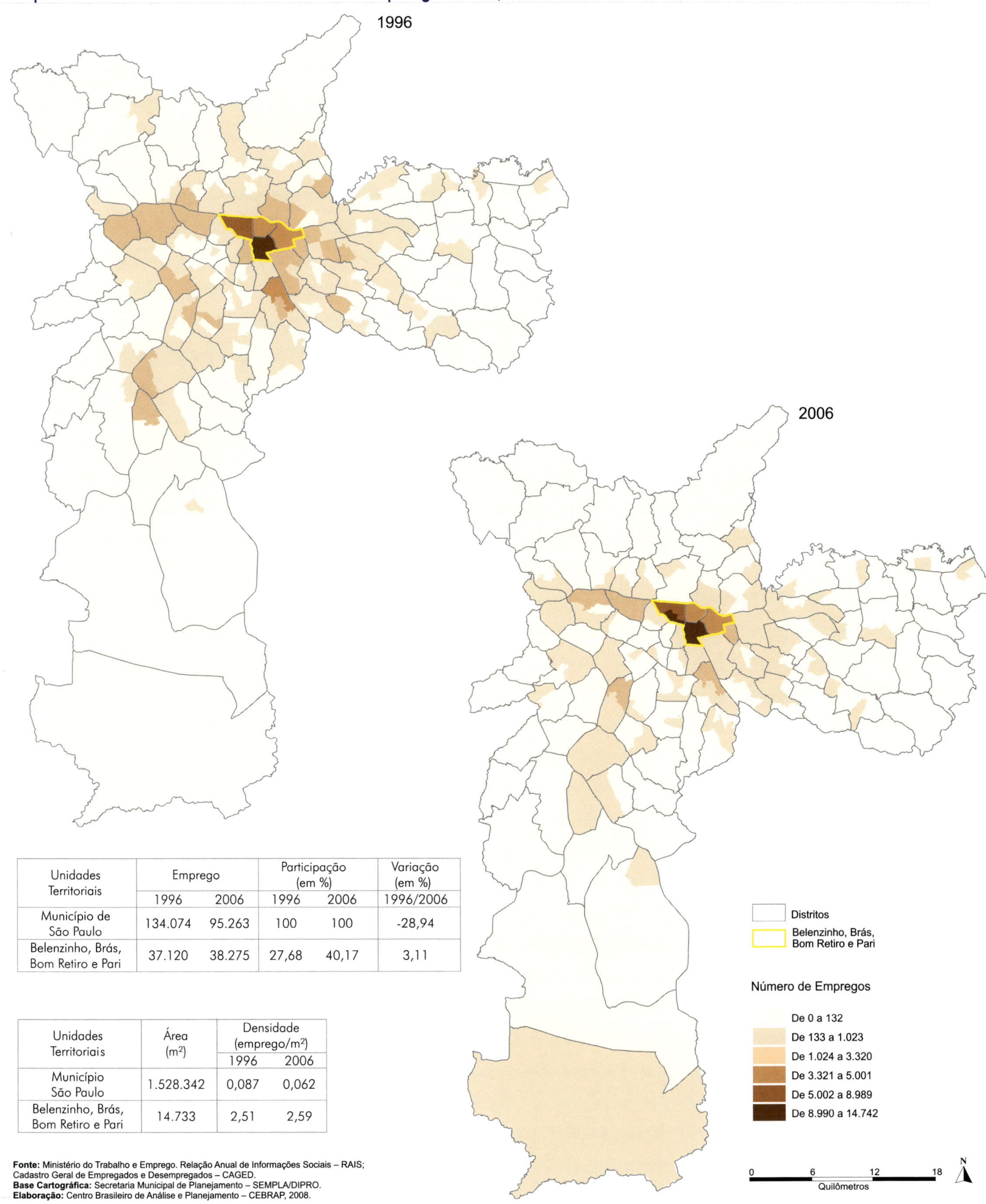

Unidades Territoriais	Emprego		Participação (em %)		Variação (em %)
	1996	2006	1996	2006	1996/2006
Município de São Paulo	134.074	95.263	100	100	-28,94
Belenzinho, Brás, Bom Retiro e Pari	37.120	38.275	27,68	40,17	3,11

Unidades Territoriais	Área (m²)	Densidade (emprego/m²)	
		1996	2006
Município São Paulo	1.528.342	0,087	0,062
Belenzinho, Brás, Bom Retiro e Pari	14.733	2,51	2,59

Fonte: Ministério do Trabalho e Emprego. Relação Anual de Informações Sociais – RAIS; Cadastro Geral de Empregados e Desempregados – CAGED.
Base Cartográfica: Secretaria Municipal de Planejamento – SEMPLA/DIPRO.
Elaboração: Centro Brasileiro de Análise e Planejamento – CEBRAP, 2008.

Mapa 3: Bens de capital. Emprego. MSP, 2006

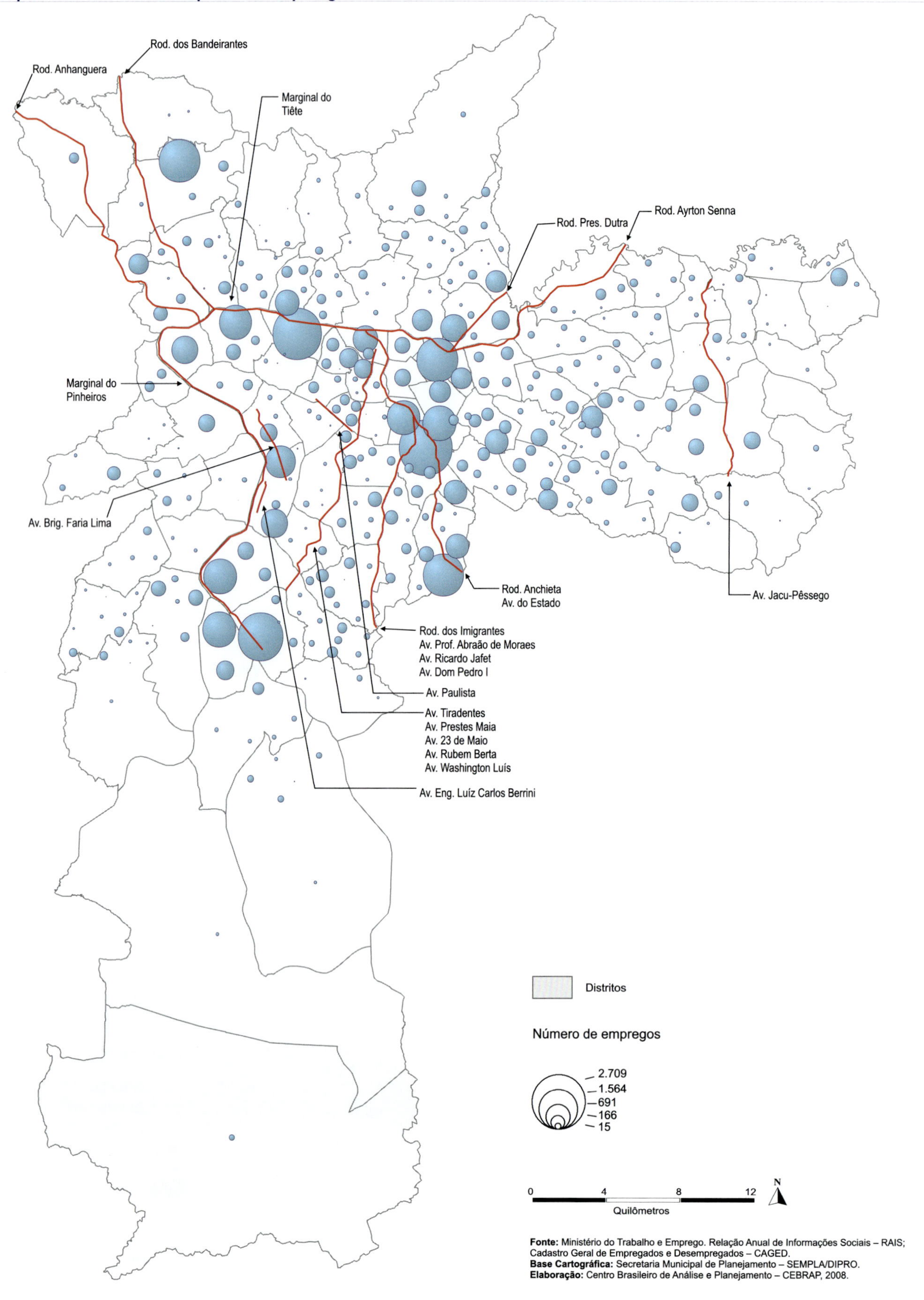

Fonte: Ministério do Trabalho e Emprego. Relação Anual de Informações Sociais – RAIS; Cadastro Geral de Empregados e Desempregados – CAGED.
Base Cartográfica: Secretaria Municipal de Planejamento – SEMPLA/DIPRO.
Elaboração: Centro Brasileiro de Análise e Planejamento – CEBRAP, 2008.

Mapa 4: Serviços. Emprego. MSP, 1996-2006

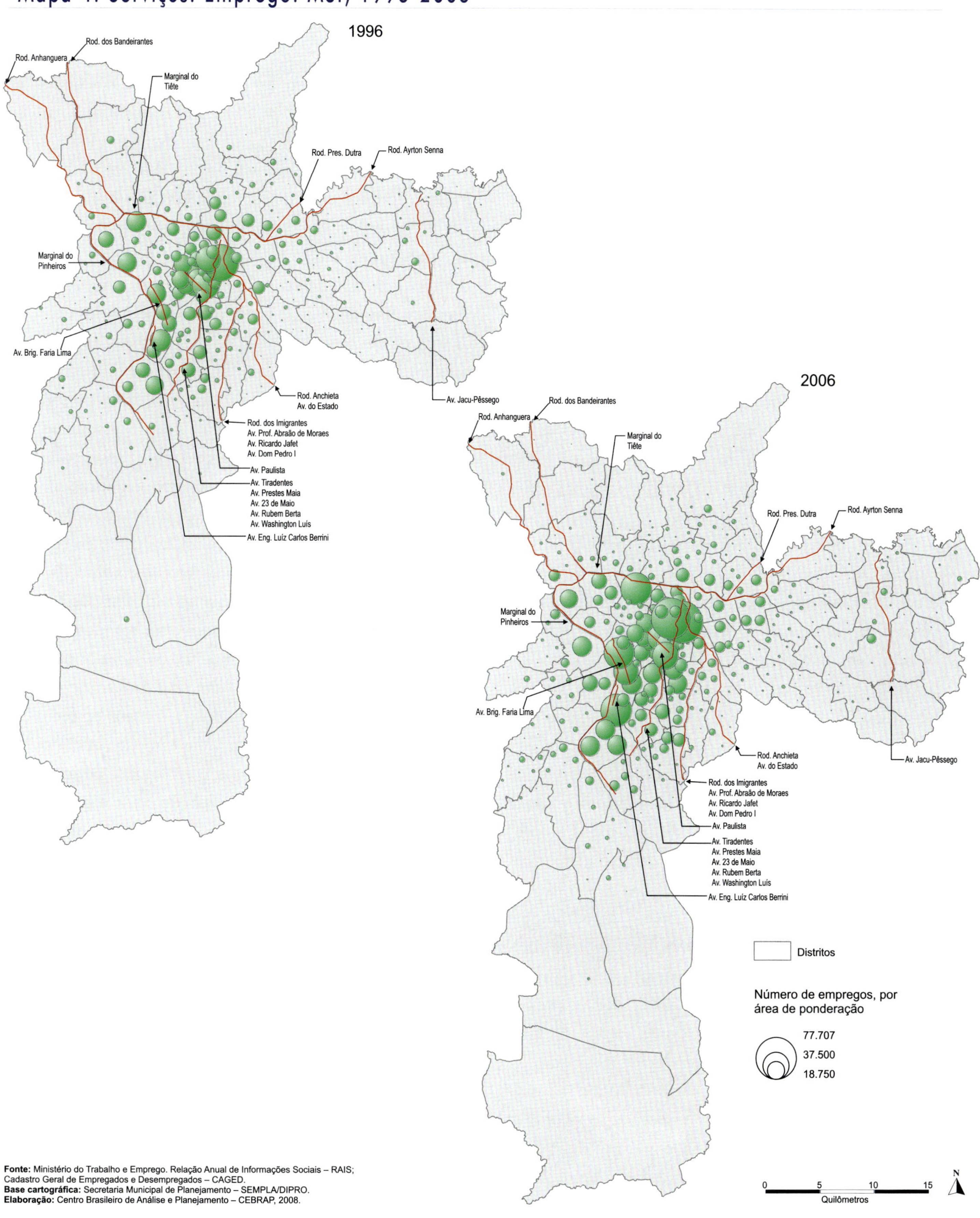

Fonte: Ministério do Trabalho e Emprego. Relação Anual de Informações Sociais – RAIS; Cadastro Geral de Empregados e Desempregados – CAGED.
Base cartográfica: Secretaria Municipal de Planejamento – SEMPLA/DIPRO.
Elaboração: Centro Brasileiro de Análise e Planejamento – CEBRAP, 2008.

à distribuição dos empregos industriais no território (Mapa1), verifica-se que sua distribuição obedece a um padrão espacial que se mantém basicamente inalterado no período 1996-2006.

Pode-se observar a existência de três macroeixos da localização industrial paulistana: o primeiro, de diretriz leste-oeste, acompanha a marginal do Tietê, e une a indústria da região de Guarulhos com a da região de Osasco; o segundo, de sentido norte-sul, liga o primeiro eixo à região de Santo Amaro; e o terceiro, paralelo a este, segue a diretriz da antiga ferrovia Santos/Jundiaí e a avenida do Estado, passando pelos bairros do Brás, Mooca e Ipiranga e chegando à região do ABC, desenhando uma espécie de pórtico sobre a estrutura urbana da cidade.

Trata-se, portanto, de uma indústria voltada aos eixos de transporte que fazem a ligação rodoviária com o interior do estado (e do Brasil), o Sul do país, o Rio de Janeiro e o porto de Santos.

Na distribuição de 2006, os eixos permanecem os mesmos, com duas diferenças importantes: a densidade é um pouco menor, o que indica a exigência de menor volume de mão de obra, e surge, ainda que de forma isolada, mas que pode vir a se transformar num eixo, um adensamento na região Leste do município, ao longo da Jacu-Pêssego, que pode vir a ser uma ligação importante entre a indústria do ABC e a de Guarulhos.

Um detalhamento dos empregos da indústria de têxtil-vestuário (Mapa 2), o setor que detém o maior número de empregos, reflete a descrição dos empregos industriais. Nota-se, no entanto, que a concentração na região do Brás e do Bom Retiro se mantém, e com a mesma intensidade no volume de empregos. Um segmento industrial importante, o de bens de capital, também se mantém nos limites do "pórtico" (Mapa 3), e nota-se a relevância, em 2006, dos empregos que são ofertados na região de Santo Amaro, na marginal do Tietê e nos bairros da Mooca e Ipiranga.

Quando se trata do setor terciário (Mapa 4), verifica-se que, se na indústria os empregos se localizam "para fora", nos serviços eles se localizam "para dentro" do Centro expandido, preenchendo, entre 1996 e 2006, os espaços internos ao "pórtico" desenhado pela distribuição dos empregos industriais (Mapa 1).

Verifica-se claramente a importância desse setor nos empregos da área central de São Paulo (centro financeiro), da avenida Paulista e das novas estruturas para os serviços, na região das avenidas Faria Lima e Luís Carlos Berrini. É interessante notar a forte interpenetração de setores na região Sul de São Paulo, em que os serviços avançam, mas a indústria (sobretudo com suas sedes) ainda mantém forte presença.

Vimos, pelo exposto, que a indústria paulistana continua estruturalmente forte, diversificada e com altos índices de produtividade, na maior parte de seus segmentos. Ocorre, contudo, que as novas formas de produção retiram da atividade industrial parte de seu valor adicionado, pois, ao focar os processos em seu produto final, as indústrias terceirizam grande parte dos serviços auxiliares e mesmo parte da manufatura.

Ao ocorrer isso, as atividades que antes eram realizadas pela empresa industrial, e faziam parte de seu VA, passam a ser contratadas de terceiros; como são atividades desenvolvidas fora da empresa, elas não fazem mais parte de seu VA, e passam a ser computadas no Consumo Intermediário, o que faz o seu valor adicionado diminuir.[3] Quando se trata de terceirização da produção, essa parcela diminuída do VA será acrescida em outro segmento do setor industrial, mas quando ocorre a terceirização de serviços, o VA "muda" de setor de atividade, diminuindo a participação da indústria.

Da mesma maneira, o pessoal ocupado na indústria tende a ser decrescente, por via da terceirização e também pela crescente automação dos processos industriais. Também aqui, se a terceirização for da produção, os trabalhadores mudarão de segmento, mas continuarão a pertencer ao setor industrial. Quando a terceirização for de serviços, contudo, eles também vão engrossar o pessoal ocupado do setor de serviços. No caso da automação, o problema é ampliado, pois os trabalhadores poupados pela mecanização não encontram ocupação em outras áreas, dentro ou fora do setor industrial.

Isso tudo não significa que a atividade industrial esteja desaparecendo de São Paulo; os dados mos-

[3] O Valor Adicionado é calculado pela diminuição do Valor da Produção (a soma das receitas) do Consumo Intermediário (a soma dos custos e despesas, exceto os de pessoal). Ao aumentar o CI, sem mudar o VP, há uma diminuição do Valor Adicionado.

tram, pelo contrário, importante número de unidades locais implantadas após 1980, até 2001. São unidades, contudo, já inseridas no novo paradigma produtivo, de menor porte, com boa parte da terceirização já concluída, que necessitam de proximidade do mercado consumidor, de qualificação de mão de obra e acessibilidade ao sistema de transportes.

Uma evidência dessa afirmação está na proporção de ocupados na indústria, na RMSP, que pode ser verificada na série histórica da Pesquisa de Emprego e Desemprego, do Seade/Dieese: entre 1985 e 2000, o pessoal ocupado na indústria diminui de cerca de 40% para 20% do total. A partir de 2000, contudo, a participação do emprego industrial pára de cair, e se mantém, há oito anos, em um patamar estável. Nossa opinião é que os processos de terceirização já se esgotaram e as novas empresas entrantes já o fazem no novo paradigma produtivo.

A perda de participação da indústria paulistana tem a ver com a crescente localização de unidades industriais fora de seus limites municipais (e estaduais), mas, mesmo nesse caso, essa desconcentração tem limites muito bem definidos: a indústria tem localização preferencial nas regiões que circundam a Região Metropolitana de São Paulo, onde, num raio de aproximadamente 100 km da capital, concentram-se 90% da indústria paulista e 90% dos investimentos anunciados para a indústria no estado de São Paulo entre 1998 e 2008.[4]

Se analisarmos os investimentos somente para o município de São Paulo, verifica-se que o setor de serviços mostra a sua força na participação dos investimentos, entre 1998 e o primeiro semestre de 2008, segundo tabulação especial obtida junto à Pesquisa de Investimentos Anunciados no Estado de São Paulo (Piesp) da Fundação Seade. Nota-se que 86,7% do total refere-se ao setor de serviços, enquanto menos de 10% refere-se ao setor industrial.

Interessante é notar quais são os subsetores mais importantes, em cada setor de atividade: no caso de serviços, quase três quartos do total referem-se a transporte aéreo, atividades imobiliárias e transporte terrestre. Se agregarmos a esse total o setor de telecomunicações, o total de 80% dos investimentos anunciados do setor refere-se à infraestrutura, vindo a seguir os investimentos anunciados em serviços prestados às famílias.

No caso dos investimentos industriais anunciados, nota-se uma preponderância dos setores que já são os mais importantes na estrutura econômica do município, como os de produtos químicos (20,2%, se somarmos os produtos farmacêuticos), de material de informática (21,2%), vindo a seguir máquinas e equipamentos e alimentos e bebidas. O subsetor de eletricidade, gás e água quente está incluído na atividade industrial, mas seria mais bem enquadrado nos investimentos de infraestrutura, já que eles referem-se, primordialmente, a investimentos da Sabesp.

Verifica-se, assim, que os investimentos anunciados sugerem que o município de São Paulo se prepara para a manutenção da sua dinâmica econômica, que integra indústria e serviços.

A localização industrial fora dos limites paulistanos (e da própria RMSP) pode ser considerada muito mais uma agregação de território produtivo do que uma alternativa locacional, formando um espaço integrado e complementar, que guarda grande homogeneidade nos dados apresentados neste trabalho.

Embora pujante, a indústria paulistana encontra obstáculos ao seu desenvolvimento. Um exemplo é a idade obsoleta dos principais equipamentos utilizados na produção, em especial naqueles setores de inserção territorial mais antiga, como é o caso das divisões de metalurgia e máquinas e equipamentos. Do ponto de vista da inserção na malha urbana, deve-se notar que boa parte desse complexo se localiza no eixo do Tamanduateí, desde a Mooca até os limites com o ABC.

A limitação de espaço físico e as dificuldades de acesso ao sistema de transportes (que é altamente valorizado pelas unidades aqui instaladas) fazem com que as empresas incorram em custos adicionais, seja para adequar seus equipamentos ao espaço disponível, seja para se adequar a um sistema viário em vias de colapso. Para as empresas que sejam fundamentalmente dependentes desses fatores, e que não

[4] Pesquisa de Investimentos Anunciados no Estado de São Paulo (Piesp), disponível em www.seade.gov.br.

Tabela 5: Investimentos anunciados, segundo setores e subsetores de atividade econômica. MSP, 1998 - 1º Sem. 2008*

Setores e Subsetores de Atividade	Total	% no Total	% no Setor
Total	43.713	100,0	-
Serviços	37.909	86,7	100,0
Transporte aéreo	15.882	36,3	41,9
Atividades imobiliárias	7.410	17,0	19,5
Transporte terrestre	4.797	11,0	12,7
Telecomunicações	2.519	5,8	6,6
Alojamento e alimentação	2.153	4,9	5,7
Saúde e serviços sociais	1.317	3,0	3,5
Atividades recreativas, culturais e desportivas	793	1,8	2,1
Atividades de informática	614	1,4	1,6
Intermediação financeira	529	1,2	1,4
Aluguel veíc., máq. e equip. e obj. pessoais	443	1,0	1,2
Jurídicas, contabilidade e de asses. empresarial	417	1,0	1,1
Auxiliares de transportes e ag. viagens	368	0,8	1,0
Educação	361	0,8	1,0
Atividades associativas	98	0,2	0,3
Pesquisa e desenvolvimento	78	0,2	0,2
Limpeza urbana e esgoto	41	0,1	0,1
Seguro e previdência privada	41	0,1	0,1
Serviços pessoais	30	0,1	0,1
Indústria	4.342	9,9	100,0
Material eletrônico e equip. comunicação	918	2,1	21,1
Eletricidade, gás e água quente	691	1,6	15,9
Produtos químicos	622	1,4	14,3
Produtos farmacêuticos	255	0,6	5,9
Máquinas e equipamentos	236	0,5	5,4
Alimentos e bebidas	189	0,4	4,4
Automotiva	187	0,4	4,3
Captação, tratamento e distrib. de água	164	0,4	3,8
Edição, impressão e gravações	156	0,4	3,6
Máq., aparelhos e materiais elétricos	154	0,4	3,5
Madeira	145	0,3	3,3
Minerais não metálicos	123	0,3	2,8
Outros equip. de transporte	67	0,2	1,5
Equip. médicos, ópticos, de automação e precisão	63	0,1	1,5
Móveis e indústrias diversas	60	0,1	1,4
Metalurgia básica	60	0,1	1,4
Máquinas escritório e equip. informática	58	0,1	1,3
Têxtil	56	0,1	1,3
Produtos de metal (exclusive máq. e equip.)	53	0,1	1,2
Refino de petróleo e álcool	29	0,1	0,7
Reciclagem	25	0,1	0,6
Papel e celulose	14	0,0	0,3
Comércio	1.423	3,3	100,0
Outros	39	0,1	100,0
Silvicultura, exploração florestal e afins	39	0,1	100,0

*Dados preliminares. Fonte: Fundação SEADE, PIESP. Elaboração própria.

Gráfico 1

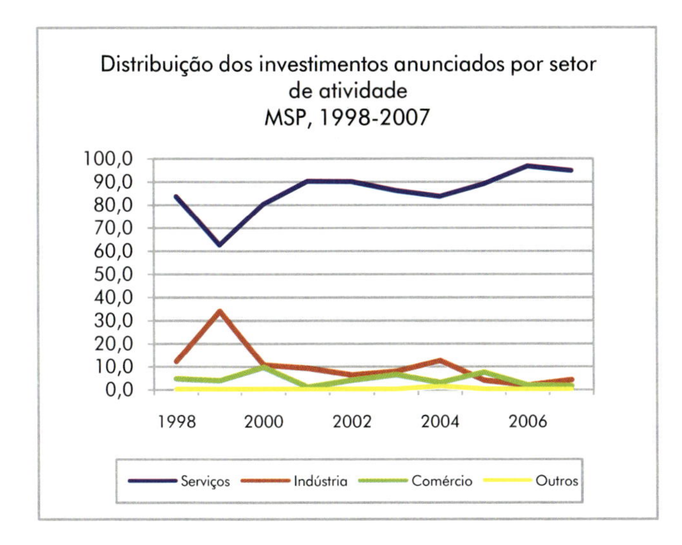

Fonte: Fundação Seade. Pesquisa de Investimentos Anunciados no ESP (Piesp).

consigam adaptar-se às novas exigências impostas pela urbanização acelerada, a localização fora dos limites da capital parece ser a única opção possível.

Todos esses óbices, contudo, não são suficientes para afastar da estrutura industrial do município seus segmentos mais dinâmicos: as indústrias de edição e impressão, de confecções e vestuário, de material elétrico, de equipamentos de precisão e automação e, sobretudo, a indústria química têm localização preferencial na malha urbana paulistana. O complexo farmacêutico, em especial, é maior que a maior parte dos setores industriais do município, e possui inserção moderna, exigindo maior qualificação de mão de obra.

Esses segmentos industriais, mesmo sem possuir equipamentos modernos, e com reduzida taxa de inovação, conseguem alcançar excelentes níveis de produtividade, seja dentro da estrutura industrial paulistana, seja em comparação com esses mesmos segmentos localizados em outras regiões.

Essa produtividade, no nosso entendimento, só é possível graças à crescente integração do setor industrial e do setor de serviços, notadamente aqueles em que a produção de conhecimento é fator substantivo para o seu desenvolvimento. A existência de serviços sofisticados no município de São Paulo serve de suporte para o desenvolvimento industrial em que os centros de decisão da indústria possibilita essa integração, permitindo que as unidades fabris se localizem fora dos limites municipais. Essa localização, no entanto, também possui seus limites, uma vez que seu raio dificilmente ultrapassa 100 km da praça da Sé.

3. As dimensões da análise prospectiva

Sempre que se pensa em análise prospectiva, uma primeira dimensão a ser estudada, e apoiada em modelos matemáticos, é a econômica. O cenário econômico atual, de combate intenso à inflação (e, portanto, de taxas de juro sob controle do BC), de taxa de câmbio flutuante e crescimento econômico moderado, mas constante, estável há pelo menos oito anos, tende a ser mantido, pelos menos no médio prazo. Não há razões para se prever uma forte ruptura com esse modelo, mas apenas ajustes localizados.

Esses ajustes localizados, no entanto, podem configurar pequenas alterações nesse cenário, que podem ser resumidas em três grandes blocos: um, mais otimista, em que o crescimento econômico seja mais acelerado, com taxas de juro mantidas em patamares mais baixos que os atuais, uma taxa de câmbio que permita uma valorização do dólar frente ao real e inflação mantida sob controle, em níveis baixos.

Uma manutenção do quadro atual configura o cenário médio, enquanto uma versão pessimista do cenário atual configura uma situação de crescimento menor, taxas de juro em elevação, taxa de câmbio com o real apreciado em relação ao dólar e inflação acima das metas estabelecidas.

Num cenário mais otimista, é de se supor que a política industrial tenha efeitos multiplicadores sobre o total da economia brasileira, em especial sobre o mercado de trabalho e, consequentemente, os rendimentos, aumentando o consumo das famílias e contribuindo assim para o aumento da produção. Como a indústria de São Paulo (e os serviços que lhe sustentam) se volta prioritariamente para o mercado interno, é de se supor, num cenário como esse, crescimento acelerado, o que significa aumento da atividade econômica em geral (sobretudo nos serviços de apoio à atividade empresarial), e da arrecadação de impostos em particular, mas pode acarretar óbices à mobilidade na cidade, tendo em vista os tempos de maturação dos investimentos em infraestrutura.

Num cenário em que são mantidas as condições atuais, supõe-se que haverá crescimento moderado da economia paulistana, o que também pode acarretar problemas à circulação, já estrangulada, mas num nível menos comprometedor que no cenário anterior. Medidas como restrição de circulação de caminhões no centro expandido e a maturação de investimentos em infraestrutura, como os do metrô e do Rodoanel podem aliviar, por um tempo, essa situação. O câmbio sob controle, assim como a taxa de juro, continua a aumentar a concorrência de produtos importados, ameaça principal à indústria de bens de consumo não duráveis. Por outro lado, são facilitados os investimentos em bens de capital, sobretudo as máquinas importadas, aumentando a capacidade produtiva das empresas industriais.

Um cenário pessimista não representa uma catástrofe, mas limita bastante a expansão da economia de São Paulo, pois tende a limitar os investimentos, tanto públicos como privados, devido à alta da taxa de juro. Com a taxa de juro em elevação, aumenta o volume de recursos investidos no mercado financeiro, subtraindo recursos destinados à produção. Uma queda na atividade econômica pode aliviar, em alguma medida, os problemas da mobilidade urbana.

O que se pretende analisar, a seguir, é a interseção de três dimensões básicas, que podem, em alguma medida, afetar a estruturação de São Paulo: primeiro, o impacto de políticas governamentais mais recentes, sobretudo aquelas ligadas à política industrial; segundo, o impacto da inserção de São Paulo na economia internacional, com a abertura de capital de empresas nacionais em bolsas estrangeiras, de investimentos imobiliários de empresas estrangeiras em São Paulo e da pauta de exportações em vista da valorização da moeda brasileira; por fim, os impactos decorrentes de pesados investimentos em infraestrutura.

3.1. A política de desenvolvimento produtivo (PDP)

Políticas governamentais de caráter amplo, como a PDP, produzem impactos consideráveis na estrutura econômica do município, antes que em sua estrutura urbana.

A PDP estabeleceu como objetivo principal dar sustentabilidade à expansão da economia e tem como objetivos particulares incentivar e ampliar os investimentos produtivos, elevar as taxas de crescimento da economia brasileira e permitir que tal crescimento se dê em bases sustentáveis. Definiu como desafios a ampliação da capacidade de oferta na economia, a elevação da capacidade de inovação das empresas, a preservação da robustez do balanço de pagamentos e o fortalecimento das micro e pequenas empresas (MPE).

A PDP inclui renúncia fiscal de R$ 21,4 bilhões até 2011, com incentivos ao investimento, P&D e exportações, e financiamentos, pelo BNDES, no valor de R$ 210,4 bilhões para projetos de ampliação, modernização e de inovação na indústria e no setor de serviços.

Em relação à política da primeira metade do atual governo (a "Política Industrial, Tecnológica e de Comércio Exterior – PITCE"), que foi limitada, abrangendo apenas quatro setores (*software*, bens de capital, fármacos e componentes eletrônicos), a formulação atual é mais ampla em termos de seus instrumentos de ação e muito mais abrangente quanto ao número de setores envolvidos, já que atribui prioridade a 25 setores. O Quadro 1 resume os objetivos da PDP.

A Política de Desenvolvimento Produtivo traz cinco programas estratégicos mais globais, chamados Programas para Destaques Estratégicos, os quais tratam de questões que se julgam fundamentais para desenvolver a indústria e o país, perpassando diversos complexos produtivos.

1. Ampliação das exportações. Regulamentação das Zonas de Processamento de Exportações – ZPEs, ampliação do financiamento do BNDES às exportações dos setores intensivos em mão de obra, por meio do

Quadro 1: Objetivos da política de desenvolvimento produtivo

Objetivo central da política	Dar sustentabilidade ao atual ciclo de expansão				
Desafios	Ampliar capacidade de oferta		Preservar robustez do balanço de pagamentos	Elevar capacidade de inovação	Fortalecer MPES
Metas	Macrometas 2010				
	Aumento da taxa de investimento		Ampliação da participação das exportações brasileiras no comércio mundial	Elevação do dispêndio provado em P&D	Ampliação do número de MPEs exportadoras
	Metas por programas específicos				
Políticas em 3 níveis	Ações sistêmicas: focadas em fatores geradores de externalidades positivas para o conjunto da estrutura produtiva				
	Destaques estratégicos: temas de política pública escolhidos deliberadamente em razão de sua importância para o desenvolvimento produtivo do país no longo prazo				
	Regionalização	MPEs	Exportações	Integração com América Latina e África	Produção sustentável
	Programas estruturantes para sistemas produtivos: orientados por objetivos estratégicos tendo por referência a diversidade da estrutura produtiva doméstica				

Novo Revitaliza, e aperfeiçoamento dos Programas de Financiamento às Exportações (Proex Equalização e Proex Financiamento).

2. Fortalecimento das micro e pequenas empresas. Regulamentação da Lei Geral das MPEs, fortalecimento de atividades coletivas e fomento de atividades inovativas.

3. Regionalização. Articulação à Política Nacional de Arranjos Produtivos Locais e promoção de atividades produtivas no entorno de projetos industriais e de infraestrutura. Uma de suas metas é ampliar a participação dos financiamentos do BNDES à região Nordeste até 2010.

4. Integração produtiva com América Latina e África. Aumentar a articulação das cadeias produtivas e elevar o comércio com essas regiões, buscando ampliar a escala e a produtividade da indústria doméstica; aprofundar as relações históricas do Brasil com o continente africano.

5. Produção sustentável. O desenvolvimento produtivo deverá ser combinado com a redução de impactos ambientais e com a exploração de oportunidades criadas pelas tecnologias limpas.

O PDP também estabeleceu programas para 25 setores, agrupados em três blocos:

1. Programas para fortalecer a competitividade: bens de capital seriados, bens de capital sob encomenda, complexo automotivo, complexo de serviços, construção civil, couro, calçados e artefatos, indústria aeronáutica, indústria naval, madeira e móveis, plásticos, sistema agroindustrial, higiene pessoal, perfumaria e cosméticos.

2. Programas mobilizadores em áreas estratégicas: nanotecnologia, biotecnologia, complexo da defesa, complexo industrial da saúde, energia, tecnologias de informação e comunicação.

3. Programas para consolidar e expandir a liderança: celulose, mineração, siderurgia, indústria têxtil, confecções, carnes.

A Política de Desenvolvimento Produtivo foi bem recebida pelo aparato produtivo. A Federação das Indústrias do Estado de São Paulo (Fiesp) comentou os principais aspectos positivos da PDP:

- ter sido lançada em um ambiente de crescimento econômico, positivo para as expectativas de investimento, a despeito das ações do Banco Central de aumento da taxa de juro;
- existência de uma forma de implementação de instrumentos, fontes de recursos e responsabilidade de ações, dando concretude à PDP;
- descrição de metas claramente estruturadas, sinalizando os esforços possíveis do setor produtivo;
- orientação por cenários estratégicos e metas setoriais;
- diferenciação de formas de atuação com os diversos setores industriais da economia, levando em consideração a diversificação da indústria brasileira, em especial a paulista;
- definição das metas até 2010, com coincidência com o final do mandato presidencial, sinalizando um compromisso com sua realização;
- existência de sistema de gerenciamento, contando com relatórios periódicos de avaliação.

No caso do Instituto de Estudos para o Desenvolvimento Industrial (Iedi), a avaliação da PDP também é positiva: em primeiro lugar, é avaliada positivamente a sua abrangência setorial, e a continuidade com a PITCE. Uma segunda avaliação positiva se refere à aplicação de políticas essencialmente horizontais – como as políticas gerais de desoneração do investimento, redução do custo do financiamento de inversões, incentivos a P&D e às exportações, considerando, porém, diferenças e objetivos distintos entre os setores (Iedi, 2008).

A coordenação e a gestão também são aspectos considerados positivos pela análise do Iedi, em especial a sua ligação com as infraestruturas previstas no PAC (Plano de Aceleração do Crescimento), com o gerenciamento feito pela Agência Brasileira para o Desenvolvimento Industrial (ABDI) e com a participação do BNDES.

O BNDES, por sua vez, tem papel estratégico na formulação da PDP, em vários aspectos relativos ao financiamento de investimentos produtivos. O primeiro deles diz respeito à diminuição do *spread* bancário[5] e da TJLP (taxa de juro de longo prazo) para investimentos produtivos. Além disso, haverá redução no custo do financiamento de longo prazo, com a eliminação da incidência de IOF nas operações de crédito.

Além disso, o BNDES aumentará os desembolsos, até atingir o limite de R$ 210 bilhões, em 2010, com duplicação do prazo das linhas Finame (de cinco para dez anos) e, para os setores intensivos em trabalho, equalização da taxa de juro para 7% ao ano. A ampliação do volume de financiamentos é significativa, pois em 2008 ela se situa na faixa dos R$ 62,5 bilhões (e apenas R$ 25,6 bilhões em 2007).

A participação da Finep, em conjunto com o BNDES, é fundamental para um dos pilares da PDP, que é o aumento da capacidade de inovação tecnológica das empresas brasileiras. Nesse caso, as taxas de juro são extremamente baixas (de zero a 2% ao ano). Para tanto, o BNDES abriu uma linha de capital inovador, de R$ 6 bilhões, para empresas que invistam em capacitação, engenharia e ativos intangíveis, com juros TJLP, de 6,25% ao ano. Essa linha é extremamente importante, pois capta recursos de fundos de investimento criados especificamente para essa finalidade, ampliando o conceito de inovação tecnológica para além da fronteira científica, integrando-a a produtos voltados ao mercado.

Essa política tem especial importância em relação ao município de São Paulo: inicialmente, é de supor que, dos programas estratégicos, o de integração produtiva com a América Latina seja o mais promissor, em vista da importância do mercado latino-americano para as exportações de São Paulo, sobretudo de equipamentos de maior conteúdo tecnológico, como os fármacos, equipamentos médico-hospitalares e máquinas e equipamentos. O apoio às micro e pequenas empresas também tem relevância para São Paulo, que possui uma estrutura altamente diversificada de empresas (de porte cada vez menor, para a indústria, como visto anteriormente), em especial no setor de serviços.

Dos programas setoriais, é de extrema importância para o município de São Paulo o de mobilização em

[5] Redução de 20% no *spread* básico das linhas do BNDES, sendo que para bens de capital a redução será de 1,5% para 0,9% ao ano.

áreas estratégicas. A capital é já um centro de referência em saúde, em especial suas relações com as chamadas Ciências da Vida, que englobam os setores de nanotecnologia e biotecnologia, além da bioinformática. A integração dos centros de pesquisa, da prestação de serviços de saúde, da formação de nível superior e da produção de equipamentos médico-hospitalares e fármacos, além de serviços de informática integrados a sistemas de gestão e aplicados a processos de análises laboratoriais, torna São Paulo um polo latino-americano em Ciências da Vida.

Estimativas da Abimo (Associação Brasileira de Indústrias de Equipamentos Médico-Hospitalares e Odontológicos) apontam que cerca de 40% da produção setorial brasileira se encontra instalada no município de São Paulo, e engloba desde produtos de baixo conteúdo tecnológico até aqueles com patente registrada no exterior, e com grande integração com centros de pesquisa e universidades.

Ainda que este seja o mais relevante, o programa de fortalecimento da competitividade também traz reflexos importantes para a competitividade da indústria paulistana, dada a sua abrangência setorial. Tal programa parece ser imprescindível para a indústria de confecções, que é, de longe, a que mais importância possui no emprego industrial de São Paulo.

3.2. Inserção de São Paulo na economia internacional

A economia contemporânea possui uma escala global, em especial a sua parcela relativa aos mercados financeiros, haja vista a enorme crise desencadeada pela queda do valor dos papéis do *subprime* norte-americano. Mergulham na crise provocada pela desordem do mercado financeiro países como a Irlanda e a Islândia, situados a milhares de quilômetros do centro da crise.

Analisar a inserção de São Paulo na economia internacional torna-se, dessa maneira, um exercício com resultados muito voláteis, mas com alguma perspectiva de longo prazo. Aqui, deve-se pensar em três vertentes diferentes, uma vez que sejam superadas as turbulências da economia norte-americana, que, atualmente, implicam desordem no mercado de capitais internacional.

A primeira vertente diz respeito à obtenção de grau de investimento por parte do Brasil de duas das três maiores agências mundiais de análise de risco. A criação da BM&FBovespa S/A, neste ano fez com que a Bolsa de São Paulo se tornasse a terceira maior do mundo em valor de mercado, a segunda das Américas e a maior do mercado latino-americano.

Ela conta com mais cinco unidades no Brasil (Rio de Janeiro, Porto Alegre, Curitiba, Fortaleza e Recife) e outras duas unidades no exterior (Nova York e Xangai), ampliando o seu raio de atuação.

Com o grau de investimento recebido pelo Brasil, e superada a crise do *subprime*, é de se supor que haja um aporte adicional de capitais, o que implica provável aumento de atividade das empresas de intermediação financeira, e de todos os serviços que lhes dão suporte.

Nesse sentido, como a localização da BM&FBovespa é na região central da cidade, e as empresas que lhe são tributárias (corretoras, distribuidoras, bancos de investimento) também têm localização preferencial nessa região, é de se supor que o centro de São Paulo será localização privilegiada, com aumento dessa atividade, além das correlatas (empresas de informática, de serviços auxiliares, e de suporte infraestrutural, como restaurantes, locadoras de automóveis etc.).

Uma segunda vertente é relativa à implantação de inúmeros empreendimentos imobiliários voltados a escritórios de empresas multinacionais, dado o custo ainda relativamente baixo do solo em São Paulo. Saliente-se que essa vertente incorpora também a construção de edifícios no padrão *green build*, ecologicamente corretos e que, por serem objetos de troca de créditos de carbono, têm maior valor de locação.

A localização de escritórios novos está privilegiando uma extensa área lindeira à extensão da avenida Faria Lima, incluindo-se aí o bairro de Vila Olímpia (ainda mais com a conclusão da ligação e ampliação da rua Funchal). São prédios de até 1.800 m^2

de laje, instalados em uma região que possui uma infraestrutura urbana ainda incipiente (ruas estreitas, carência de locais de estacionamento fora dos prédios, carência de órgãos burocráticos, como cartórios, entre outros) e uma reutilização intensa das residências que não foram derrubadas para o levantamento dos prédios, sendo transformadas em restaurantes, academias ou papelarias.

Da mesma forma, mas num estágio mais avançado de ocupação, se encontra a região da avenida Luís Carlos Berrini, que se junta à área anterior, formando um grande vetor de prédios de uso comercial na região Sul da cidade.

A colocação de ações de empresas imobiliárias de São Paulo nas bolsas internacionais traz maior aporte de capitais, que serão voltados ao mercado imobiliário. Nesse caso, não serão somente os prédios de uso comercial os beneficiários, mas a construção de imóveis em geral, e pulverizadas pela cidade, em especial naquelas áreas com maior crescimento vertical, como a Mooca, na zona Leste, e a Vila Leopoldina, na Oeste.

Uma terceira vertente, que tem impactos diretos na estrutura econômica e menos na estrutura urbana, refere-se à balança comercial, tendo em vista a cotação da moeda nacional frente ao dólar norte-americano, após constante valorização até meados de 2008, quando o dólar valia pouco mais de R$ 1,50. Mesmo após o início da crise do *suprime*, depois de uma valorização imediata da moeda americana, a cotação voltou a ceder, encontrando-se, em novembro de 2008, entre R$ 2,00 e R$ 2,50.

Isso expõe a indústria paulista, sobretudo a de maior intensidade tecnológica, à concorrência de produtos importados e pode provocar maiores dificuldades de colocação de produtos industriais nos mercados internacionais, em especial os da América Latina, principal mercado comprador dos produtos de São Paulo.

Por outro lado, a cotação do real facilita a importação de bens e equipamentos, aumentando os investimentos das empresas industriais para maior produção. Os dados mais recentes de importação mostram que entre os principais itens da pauta importadora estão as máquinas e equipamentos, o que reforça a ideia de maior formação bruta de capital fixo por parte das indústrias brasileiras. Como a maior parte dessas importações tem destino em São Paulo, é de se supor que a indústria paulista (e a paulistana em particular) vem se equipando para fazer frente ao aumento da demanda decorrente do maior consumo das famílias.

Assim, a indústria intensiva em conhecimento (como a microeletrônica e a farmacêutica), se sofre a concorrência para exportar, por outro lado tem o preço dos insumos mais baixos na composição de seus produtos. Um eventual avanço da moeda norte-americana, motivado pela crise nos Estados Unidos, pode inverter a situação, com impactos negativos nos investimentos industriais.

3.3. Os investimentos em infraestrutura

Se a Política de Desenvolvimento Produtivo acarreta impactos importantes na economia do município de São Paulo, os investimentos em infraestrutura têm impacto imediato em sua estrutura urbana.

Os investimentos mais importantes, sejam os de iniciativa do setor público, sejam os privados, estão concentrados em três grandes blocos: os contidos no PAC (Plano de Aceleração do Crescimento, do Governo Federal); os do PPA (Plano Plurianual, do Governo do Estado) e os previstos nas PPPs (Parcerias Público-Privadas, sobretudo na esfera estadual). Os investimentos municipais, sobretudo aqueles ligados à mobilidade urbana, também são importantes, mas se encontram em escala menor de impacto, em relação aos demais.

a) O PAC

O Programa de Aceleração do Crescimento (PAC) vai aplicar em quatro anos, para o estado de São Paulo, um total de investimentos em infraestrutura da ordem de R$ 503,9 bilhões, nas áreas de transporte, energia, saneamento, habitação e recursos hídricos.

O conjunto de investimentos está organizado em três eixos decisivos: infraestrutura logística, envolvendo a construção e ampliação de rodovias, ferrovias, portos, aeroportos e hidrovias; infraestrutura energética, correspondendo a geração e transmissão de energia elétrica, produção, exploração e transporte de petróleo, gás natural e combustíveis renováveis; e infraestrutura social e urbana, englobando saneamento, habitação, metrôs, trens urbanos, universalização do programa Luz para Todos e recursos hídricos.

Dentre os investimentos em infraestrutura logística, destacam-se, para o município de São Paulo, diretamente, o Ferroanel, o Rodoanel e as melhorias do Aeroporto de Congonhas; indiretamente, terão impacto sobre o município os investimentos na ampliação do Aeroporto de Guarulhos (construção do Terminal 3) e a possibilidade de construção de um terceiro aeroporto.

No caso dos anéis viários (tanto o ferroviário como o rodoviário), a ideia principal é desviar da estrutura urbana paulistana todo o tráfego de passagem. Com a execução das obras previstas (o Rodoanel já está em execução, em seu tramo sul, mas o Ferroanel não tem data de execução prevista), haverá melhores condições de mobilidade na cidade de São Paulo.

As obras de extensão do Rodoanel, no trecho sul, que permitirá a ligação de todas as rodovias que chegam a São Paulo do interior do estado e do Sul do país às rodovias Imigrantes e Anchieta, dará maior fluidez ao tráfego destinado ao porto de Santos. Estima-se, no entanto, uma redução de apenas 20% do tráfego das marginais do Tietê e do Pinheiros, o que impactará a mobilidade, sobretudo de veículos leves.

A ampliação da capacidade aeroportuária, seja no interior do município, seja na região metropolitana, tornará mais fáceis os deslocamentos internacionais, necessários para uma dinâmica econômica cada vez mais internacionalizada.

No que se refere à infraestrutura energética, o papel do município de São Paulo é maior no fornecimento de serviços especializados para as diversas obras, do que em impactos diretos na estrutura urbana, já que a maior parte das ações previstas no PAC encontra-se no interior do estado (no caso de elaboração de combustíveis de biomassa), ou no litoral (no caso de extração de petróleo e gás da Bacia de Santos).

Os investimentos em infraestrutura social e urbana, que montam, para o estado de São Paulo, a R$ 25 bilhões, até 2010, têm, por sua vez, impactos diretos na estrutura urbana de São Paulo. A conclusão do Corredor Expresso Tiradentes e a urbanização das favelas de Heliópolis, Paraisópolis, Pantanal e Jardim São Francisco, entre outras, trazem, além do aumento da mobilidade de passageiros com o uso de transporte coletivo, melhores condições de moradia.

No que se refere aos investimentos em saneamento básico, é importante a concentração, no município de São Paulo, nos de esgotamento sanitário e tratamento de efluentes, além de regularização do abastecimento de água para bairros distantes das redes de abastecimento da Sabesp e da criação de galpões para tratamento de resíduos sólidos.

Além da urbanização das favelas, já citada anteriormente, os investimentos em urbanização também contemplam a área central do município e, principalmente, a urbanização da área Billings/Guarapiranga.

b) O PPA

No Plano Plurianual 2008/2011, do Governo do Estado, o setor de saúde, em especial o de alta complexidade, é agraciado com recursos orçamentários de cerca de R$ 3 bilhões, praticamente concentrados no município de São Paulo, reforçando o caráter de centralidade da cidade no complexo de Ciências da Vida. As principais ações se voltam à produção e distribuição de artigos farmacêuticos e à ampliação do atendimento, com adequação e aparelhamento, do Hospital das Clínicas.

Essa atenção a esse setor faz com que todo o aparato médico-hospitalar, desde a produção de equipamentos, até a prestação de serviços de alta complexidade, passando por formação profissional adequada (o maior programa de residência médica do país atrai os melhores quadros para cá) e centros de pesquisa altamente desenvolvidos, faz aumentar a centralidade num setor que já é de ponta no município.

Um outro conjunto de iniciativas do PPA se concentra na Secretaria de Desenvolvimento, e se compõe de medidas que favorecem a inovação tecnológica e a competitividade de empresas paulistas, promovendo ações de favorecimento de exportações e gestão da inovação, além de importantes investimentos na ampliação de atendimento do Centro Paula Souza, de formação técnica, uma das carências mais preocupantes para a evolução da economia paulistana.

Mas é na área de transportes que o PPA tem a maior série de investimentos impactantes para a estrutura da capital. Além das obras do Rodoanel e do Ferroanel, compartilhadas com investimentos federais do PAC (já citados anteriormente), o transporte de passageiros sobre trilhos está sendo priorizado na composição do orçamento estadual.

Uma parte dos investimentos diz respeito à melhoria do sistema de transporte metropolitano sobre trilhos, operado pela CPTM, e visa ao aumento da velocidade dos trens e, consequentemente, à ampliação da capacidade de transporte em massa, sobretudo dos bairros mais afastados do centro expandido.

A maior parte, entretanto, concentra-se na ampliação da rede metroviária: até o ano de 2011, há a previsão de melhoria das Linhas 1 (azul), 2 (verde) e 3 (vermelha), em recapacitação e modernização; ampliação da Linha 2 do Alto do Ipiranga até a Vila Prudente e da Linha 5 (lilás) do Largo 13 até a Chácara Klabin; e, principalmente, a construção da Linha 4 (amarela), inicialmente prevista para ligar a Estação da Luz a Taboão da Serra, mas redimensionada para terminar na Vila Sônia.

A Linha 4 terá 12,8 km de extensão, com 11 estações, atendendo a uma demanda de 843 mil passageiros/dia. Até 2010 é prevista a construção total de 6 estações (Butantã, Pinheiros, Faria Lima, Paulista, República e Luz) e a construção parcial de mais 4 (Morumbi, Fradique Coutinho, Oscar Freire e Higienópolis), além do pátio da Vila Sônia (com previsão de complementação até 2011). Essa linha é de vital importância não somente para a diminuição do tráfego do corredor Rebouças/Francisco Morato como também para o aumento da capacidade de transporte da linha da CPTM Interlagos/Amador Bueno.

As obras do metrô não são importantes somente para o aumento da mobilidade das pessoas (para aquelas às quais o metrô passa a ser alternativa de transporte e para as que usufruem de vias mais desobstruídas de veículos), mas também para a valorização de terrenos lindeiros à linha do metrô. A previsão orçamentária de construção de novos trechos de metrô (e uma linha totalmente nova), presente no PPA, aumentará substancialmente a rede metroviária paulistana, após vários anos de estagnação.

Os impactos sobre a estrutura urbana e a mobilidade são evidentes, mas também há impactos importantes sobre a indústria paulista, seja em termos de equipamentos ferroviários, seja em termos de equipamentos eletrônicos embarcados. Também é relevante o impacto sobre a prestação de serviços, sejam aqueles diretamente envolvidos com a construção e operação do metrô (sobretudo os serviços auxiliares – limpeza, vigilância e conservação predial), sejam aqueles decorrentes dos impactos sobre a estrutura urbana.

c) As PPPs

Uma modalidade de investimento recentemente adotada pelos governos federal e estadual é a das parcerias público-privadas, concebidas para desonerar os gastos governamentais em obras de infraestrutura, que posteriormente serão concedidas à iniciativa privada para operação.

Dentre as de maior impacto para o município de São Paulo, encontra-se o trem de alta velocidade entre Campinas e Rio de Janeiro, passando pela capital. A ligação por trem rápido (o "Trem Bala") entre Campinas, São Paulo e Rio de Janeiro aumentará as ligações da capital com a Macrometrópole, desafogando a ligação rodoviária pendular entre Campinas e São Paulo. O leilão de concessão ocorrerá em março de 2009, e a perspectiva é que o trem entre em operação antes da Copa do Mundo de Futebol de 2014. Seu traçado parte de Viracopos, passa por Campinas, São Paulo e Rio de Janeiro, com tempo estimado de viagens de 30 minutos, entre Campinas e São Paulo, e de uma hora e meia, entre São Paulo e Rio. O projeto está sendo estruturado pelo BNDES e pelo BID, e a Agência Nacional de Transportes Terrestres (ANTT) será responsável pelo processo de concessão.

No âmbito do governo estadual, já se encontram aprovados para audiência pública o Expresso Aeroporto e o Trem de Guarulhos. O primeiro terá uma extensão de 28,3 km, com percurso estimado de 20 minutos, entre o Aeroporto Internacional Franco Montoro e a Estação da Luz, aumentando expressivamente a velocidade de deslocamento de passageiros usuários do aeroporto internacional com o centro de São Paulo, com integração com o metrô. Saliente-se que atualmente o tempo de deslocamento entre Guarulhos e São Paulo, por via rodoviária, pode levar mais de uma hora, a depender do horário desse deslocamento.

O trem de Guarulhos, com extensão de 20,8 km, ligará o Brás ao Parque Cecap, em Guarulhos, com demanda inicial de 100 mil passageiros/dia. Os investimentos montam a R$ 1,5 bilhão (para a iniciativa privada) e R$ 500 milhões (para o setor público), com início de operação previsto para 2011 e prazo de concessão de 35 anos.

Há ainda uma série de investimentos em parceria para ampliação da capacidade de transporte da CPTM, como aquisição de novos trens para a Linha 8 (Júlio Prestes/Amador Bueno), até 2014.

São, portanto, investimentos de monta e com indiscutíveis impactos no município de São Paulo, em especial para o aumento da mobilidade de seus habitantes. Mas, como vimos, os impactos não se limitam ao aumento da mobilidade, mas também da atividade industrial e de serviços, e da infraestrutura adequada à realização de negócios numa cidade à beira da estagnação em termos de mobilidade.

4. Cenários prospectivos

O Quadro 2 apresenta a interseção entre as dimensões de análise e os cenários macroeconômicos, e o seu resultado. No que se refere às políticas de desenvolvimento, o cenário otimista implica políticas ativas, com desembolsos maiores que os previstos e cronogramas acelerados, o que significa maior dotação de infraestrutura para a atividade econômica com crescimento constante. No cenário médio, o cronograma é mantido, e os desembolsos também, o que forma um quadro de dotação constante de infraestrutura. Já o cenário pessimista implica atrasos nos desembolsos e nas obras, adiando a adequação da infraestrutura a uma economia em crescimento.

Quanto à infraestrutura, o resultado da interseção dos cenários e dimensões não é muito diferente do anterior, devendo as obras de infraestrutura, assim como as mostradas no item anterior, ser realizadas em sua totalidade, realizadas em parte ou paralisadas, conforme o cenário seja otimista, médio ou pessimista.

No caso da inserção internacional, um cenário otimista (no qual seja superada a crise na economia norte-americana) prevê uma desvalorização contida do real frente ao dólar, aumentando as exportações, mas sem impedir a importação de partes e de equipamentos. Assim, continuaria a localização de sedes de empresas multinacionais, aumentando a demanda por locação de imóveis para uso comercial, além de valorização do mercado de ações, seja para os capitais ingressantes na BM&FBovespa, seja para as empresas que buscam a capitalização em bolsas externas.

Num cenário médio (no qual há uma recessão moderada nos Estados Unidos e não há espraiamento da crise para a Europa e a Ásia), o mercado de capitais tende a sofrer uma diminuição de sua atividade, e a busca por novos investimentos no exterior tende a cessar, provocando menor disponibilidade financeira para a produção imobiliária.

No cenário pessimista (no qual a crise da economia americana se agrava, e se espalha pelo resto do mun-

Quadro 2: Interseção entre as dimensões de análise e os cenários macroeconômicos

	CENÁRIOS ECONÔMICOS		
Dimensões	Otimista	Médio	Pessimista
Políticas de desenvolvimento	Ativas, com desembolsos maiores que o previsto	Ativas, com desembolsos conforme previsto	Atrasos nos desembolsos, retração das metas
Infraestrutura	Obras previstas realizadas	Obras previstas em andamento e algumas concluídas	Obras paralisadas, poucas conclusões
Inserção internacional	Aumento das exportações, incremento de sedes de multinacionais, incremento da internacionalização de empresas, mercado de capitais valorizado	Exportações no mesmo patamar Mercado imobiliário em crescimento moderado Sem novas empresas internacionalizadas Mercado de capitais em recuperação	Exportações e importações em declínio acentuado; mercado imobiliário estagnado; mercado de capitais desvalorizado

do, durante um certo tempo), haverá declínio das exportações e das importações, além de uma queda nas atividades das bolsas de valores, aqui e lá fora, impedindo uma nova capitalização das empresas. O mercado imobiliário tende, assim, à paralisação, seja pela falta de capitais para investimento, seja pela diminuição da demanda por parte de empresas multinacionais.

Os efeitos sobre a cidade de São Paulo da interseção das dimensões de análise e dos cenários estão apresentados no Quadro 3, nos três cenários em questão.

O município de São Paulo responde rápida e eficazmente aos impulsos macroeconômicos, tanto positivos como negativos. No cenário otimista, a sua pujança econômica é alavancada pelos investimentos em infraestrutura, pela política industrial e pela inserção positiva na economia internacional.

Isso traz, na estrutura urbana, maior necessidade de mobilidade, que cresce num ritmo maior que a capacidade de transporte, sobretudo o metrô, que tem um tempo grande de maturação. Acresça-se a isso o ingresso de mais automóveis na já grande frota da cidade, e os efeitos sobre a mobilidade serão impactantes.

Em termos de ocupação do espaço urbano pode-se prever uma intensificação do uso comercial verticalizado na Vila Olímpia (principalmente nas áreas lindeiras das avenidas Faria Lima e Juscelino Kubitschek) e na avenida Luís Carlos Berrini (eventualmente se expandindo para a avenida Roberto Marinho). É a área onde se concentram os serviços mais intensivos em conhecimento.

No que se refere ao uso industrial, a intensificação da atividade não deve mudar o padrão locacional, dado que a indústria mantém a mesma distribuição territorial das últimas décadas, mas num porte menor. Seria interessante definir algumas áreas de ocupação industrial sem que fosse necessária uma legislação absolutamente restritiva. Deve-se lembrar que as indústrias localizadas na cidade de São Paulo, atualmente, são muito pouco poluentes e tendem a ser menos ainda, visto o seu perfil setorial. Áreas como a Barra Funda, entre a linha do trem e a marginal do Tietê, por exemplo, podem vir a ser ocupadas com essa atividade.

Uma preocupação constante, em qualquer cenário, mas principalmente neste, se refere à qualificação da mão de obra, principalmente de nível técnico e médio. A quantidade ofertada pelas escolas técnicas, tanto federais como estaduais, não supre a demanda atual por esses profissionais e tende a se agravar com maior crescimento da atividade econômica.

Num cenário médio, as dimensões analisadas têm um curso menos acentuado que no cenário otimista, mas os impactos na estrutura urbana de São Paulo continuam os mesmos, porém com menor intensidade. Assim, a mobilidade urbana deve apresentar o mesmo padrão (ruim) que o atual, e a ocupação territorial também

Quadro 3: Efeitos sobre a cidade nos cenários macroeconômicos

Cenários econômicos		
Otimista	Médio	Pessimista
Problemas crescentes com mobilidade	Mobilidade prejudicada	Problema da mobilidade diminuído
Falta de qualificação da mão de obra agravada	Falta de qualificação de mão de obra	Maior oferta de mão de obra (aumento do desemprego)
Aumento do preço dos imóveis		Depreciação dos imóveis, freio na construção

deve seguir as mesmas diretrizes que no cenário otimista. No entanto, o espraiamento para a avenida Roberto Marinho e a ocupação intensa da Vila Olímpia devem ser mais contidos que no cenário anterior. A preocupação com a qualificação da mão de obra permanece nos níveis atuais, ou seja, há baixa qualificação sobretudo de técnicos de nível médio, mas também aquela decorrente das habilidades básicas, que são adquiridas com um bom processo educacional, o que não ocorre atualmente, ao menos no ensino público.

Um cenário pessimista traz uma queda considerável da atividade econômica paulistana, e a decorrente redução da arrecadação de tributos, municipais, estaduais e federais, limitando sobremaneira a capacidade de intervenção estatal, sobretudo na dotação de infraestruturas. Com isso, apesar de não haver pressão sobre os padrões de mobilidade, haverá degradação da infraestrutura existente, o que dificultaria uma retomada do crescimento econômico.

A diminuição da atividade econômica provocará, sem dúvida, aumento nas taxas de desemprego e, em virtude da baixa qualificação profissional, puxará os salários para baixo, reduzindo ainda mais o crescimento econômico, que, lembre-se, em boa parte é mantido pelos investimentos em formação bruta de capital fixo e no consumo das famílias.

O setor imobiliário, que anda experimentando um período de expansão que não acontecia ao menos desde 1996, deve entrar novamente em crise, num cenário deste tipo. Isso porque os investimentos em uso comercial tendem a sofrer atrasos, e a falta de crédito (ou aumento das taxas de juro) deve frear a expansão de uso residencial.

5. Considerações finais

As conclusões deste trabalho podem ser assim resumidas:

- Não se antevê uma possível perda de centralidade do município de São Paulo. Pelo contrário, o que se verifica é uma incorporação de território ao seu espaço produtivo, que se prolonga até Campinas e região, São José dos Campos e Vale do Paraíba, Baixada Santista e Sorocaba. Essa região produz o equivalente a 40% da indústria nacional, por exemplo.
- A indústria ainda exerce um papel relevante na economia paulistana. Além de o município possuir uma grande produção industrial (em especial nos ramos farmacêutico, de equipamentos médico-hospitalares e de máquinas e equipamentos), São Paulo comanda o processo industrial em fábricas localizadas fora de seus limites (assim como controlava a produção cafeeira, que ocorria distante da capital), sobretudo aquelas localizadas na sua Região Metropolitana e em seu entorno.
- A predominância do setor terciário, tanto em valor adicionado, como em pessoal ocupado, tem que ser vista como um elemento a mais na atividade econômica, e não como uma substituição do setor industrial. É justamente a integração da indústria e dos serviços (em especial aqueles intensivos em conhecimento) que faz com que a indústria paulistana se renove, invista em novos padrões tecnológicos e consiga se tornar mais produtiva que a média estadual.
- A distribuição espacial das atividades econômicas em São Paulo obedece a um padrão que se confi-

gurou ao longo de seu processo histórico e que se mantém até hoje, mas incorporando novos territórios. A indústria se concentra em três eixos principais: ao longo da marginal do Tietê, ligando, a leste, a Via Dutra e, a oeste e ao norte, a Castello Branco, a Bandeirantes e a Anhanguera; ao longo do vale do Tamanduateí, ligando o primeiro eixo aos municípios do ABC e ao porto de Santos; e ao longo da marginal do Pinheiros, ligando o polo de Santo Amaro ao primeiro eixo, na saída da Castello Branco.

- No interior dessa espécie de pórtico desenhado pela localização industrial se desenvolveu um vasto setor terciário, com polos na região central, na avenida Paulista e, mais recentemente, nas avenidas Faria Lima e Berrini (em direção à região Sul há uma interseção de usos industrial e terciário). Há também certa concentração de serviços nos bairros de Vila Mariana e Água Branca, boa parte deles em virtude de centros hospitalares (no primeiro caso) e dos fóruns criminal e trabalhista, no segundo.

As dimensões analisadas para a elaboração de cenários apontaram para algumas direções, a saber:

- A Política de Desenvolvimento Produtivo (tida como uma política industrial) deve favorecer, na medida em que os cenários econômicos assim o permitirem, não somente os segmentos industriais que terão impacto no município de São Paulo (aqueles de maior intensidade tecnológica, sobretudo), mas também o setor de serviços prestados às empresas, que evolui, em termos de empregos, de forma mais acentuada que o industrial. Um crescimento da atividade industrial (e ela não precisa estar com a produção fisicamente localizada na capital) tem um impacto considerável sobre o setor de serviços. Como se trata de indústrias com alto conteúdo tecnológico, os serviços mais intensivos em conhecimento serão privilegiados, mas não se deve esquecer dos serviços auxiliares, que também respondem positivamente à dinâmica econômica crescente.
- Da mesma forma, os impactos no setor de serviços das dotações de infraestrutura previstas nos planos das três esferas governamentais não se limitam a esse setor (engenharia, consultorias, projeto, informática etc.), mas interferem diretamente na produção industrial de insumos para a construção e equipamentos.
- A inserção da economia paulistana no mercado internacional vai ter a sua escala determinada pelo volume da crise deflagrada com o *subprime* na economia americana. Passadas as turbulências, e com a BM&FBovespa atuando de forma normal, a tendência é que o volume de negócios cresça, e com ele, o volume de empregos nas atividades auxiliares do sistema financeiro (localizadas preferencialmente na área central da cidade).
- Do ponto de vista de impactos sobre a estrutura urbana, com o crescimento da atividade econômica vale refletir sobre a ocupação intensa das áreas da Berrini e da Nova Faria Lima (em especial na Vila Olímpia), cuja infraestrutura talvez não seja capaz de suportar o volume de empreendimentos, especialmente no que diz respeito à mobilidade.
- O uso industrial, ainda contido nos limites dos eixos supracitados, deveria merecer algum projeto de reurbanização para a própria indústria. A região da Barra Funda, entre as linhas de trem e a marginal, contém áreas industriais que poderiam servir de suporte infraestrutural para a indústria de confecção do Bom Retiro, Pari e Brás, com centros para exposições, escola técnica específica e áreas para expansão das indústrias que contam com espaço exíguo, mas não podem se afastar de seu maior mercado consumidor.

Bibliografia

FECAMP (2007). "A indústria do município de São Paulo", Fecamp/SEMPLA. Campinas.

FIESP (2008). "Avaliação da política de desenvolvimento produtivo". FIESP/DECOMTEC. *Cadernos Política Industrial*, n. 11. São Paulo.

IEDI (2008). "A política de desenvolvimento produtivo". Mimeo.

Classificação das atividades industriais e de serviços segundo grau de intensidade tecnológica e grau de intensidade de conhecimento. Compatibilização com a CNAE 1.0

1. Indústria de alta intensidade tecnológica

23. Fabricação de coque, refino de petróleo, de combustíveis nucleares e produção de álcool
232. Fabricação de produtos derivados do petróleo
29. Fabricação de máquinas e equipamentos
30. Fabricação de máquinas para escritório e equipamentos de informática
31. Fabricação de máquinas, aparelhos e materiais elétricos
32. Fabricação de material eletrônico e de aparelhos e equipamento de comunicações
322. Fabricação de aparelhos e equipamentos de telefonia e radiotel. e de transmissores de TV/rádio
323. Fabricação de aparelhos receptores de rádio/TV e reprodução, gravação ou amplificação de som/vídeo
33. Fabricação de equipamentos de instrumentação médico-hospitalares, instrumentos de precisão ópticos, equipamentos para automação industrial e cronômetros e relógios
34. Fabricação e montagem de veículos automotores, reboques e carrocerias
341. Fabricação de automóveis, camionetas e utilitários
342. Fabricação de caminhões e ônibus
343. Fabricação de cabines, carrocerias e reboques
345. Recuperação de motores para veículos automotores

2. Indústria de média-alta intensidade tecnológica

16. Fabricação de produtos do fumo
21. Fabricação de celulose, papel e produtos de papel
211. Fabricação de celulose e outras pastas para fabricação de papel
24. Fabricação de produtos químicos
32. Fabricação de material eletrônico e de aparelhos e equipamentos de comunicação
321. Material eletrônico básico
34. Fabricação e montagem de veículos automotores, reboques e carrocerias
344. Fabricação de peças e acessórios para veículos
36. Fabricação de móveis e indústrias diversas
369. Produtos diversos

3. Indústria de média-baixa intensidade tecnológica

19. Preparação de couros e fabricação de artefatos de couro, artigos de viagem e calçados
21. Fabricação de celulose, papel e produtos de papel
212. Fabricação de papel, papelão liso, cartolina e cartão
213. Fabricação de embalagens de papel ou papelão

214. Fabricação de artefatos diversos de papel, papelão, cartolina e cartão
25. Fabricação de artigos de borracha e de material plástico
26. Produtos de minerais não metálicos
27. Metalurgia básica
28. Fabricação de produtos de metal – exclusive máquinas e equipamentos

4. Indústria de baixa intensidade tecnológica

15. Produtos alimentícios
17. Produtos têxteis
18. Confecção de artigos do vestuário e acessórios
20. Fabricação de produtos de madeira
22. Edição, impressão e reprodução de gravações
23. Fabricação de coque, refino de petróleo, elaboração de combustíveis nucleares e produção de álcool
231. Coquerias
233. Elaboração de combustíveis nucleares
234. Produção de álcool
36. Fabricação de móveis e indústrias diversas
361. Fabricação de artigos do mobiliário

5. Serviços Intensivos em Conhecimento Tecnológicos (SIC-T)

64. Correio e telecomunicações
642. Telecomunicações
72. Atividades de informática e serviços relacionados
73. Pesquisa e desenvolvimento
731. Pesquisa e desenvolvimento das ciências físicas e naturais
74. Serviços prestados principalmente às empresas
742. Serviços de arquitetura e eng. e de assessoramento técnico especializado
743. Ensaios de materiais e de produtos

6. Serviços Intensivos em Conhecimento Profissionais (SIC-P)

73. Pesquisa e desenvolvimento
732. Pesquisa e desenvolvimento das ciências sociais e humanas
74. Serviços prestados principalmente às empresas
741. Atividades jurídicas, contábeis e de assessoria empresarial
7411. Atividades jurídicas
7412. Contabilidade e auditoria
7413. Pesquisa de mercado e de opinião pública
7416. Assessoria em gestão empresarial
744. Publicidade
745. Seleção, agenciamento e locação e mão de obra

7. Serviços Intensivos em Conhecimento Financeiros (SIC-F)

65. Intermediação financeira
66. Seguros e previdência complementar
67. Atividades auxiliares da intermediação financeira, seguros e previdência complementar

8. Serviços Intensivos em Conhecimento Sociais (SIC-S)

80. Educação
803. Educação superior
809. Educação profissional e outras atividades de ensino
8099. Educação profissional de nível tecnológico
85. Saúde e serviços sociais
851. Atividades de atenção à saúde
8511. Atividades de atendimento hospitalar
8514. Atividades de serviços de diagnóstico ou terapêuticas
8516. Outras atividades relacionadas com a atenção à saúde

9. Serviços Intensivos em Conhecimento de Mídia (SIC-M)

92. Atividades recreativas culturais e desportivas
921. Atividades cinematográficas e de vídeo
922. Atividades de rádio e de televisão
924. Atividades de agências de notícias

10. Demais serviços

55. Alojamento e alimentação
60. Transporte terrestre
61. Transporte aquaviário
62. Transporte aéreo
63. Atividades anexas e auxiliares dos transportes e agências de viagem
64. Correio e telecomunicações
641. Correio
70. Atividades imobiliárias
71. Aluguel de veículos, máquinas e equip. sem condutores
74. Serviços prestados principalmente às empresas
746. Investigação, vigilância e segurança
747. Limpeza
749. Outras atividades de serviços às empresas
80. Educação
801. Educação infantil e ensino fundamental
802. Ensino médio
809. Educação profissional e outras atividades de ensino
8096. Educação profissional de nível técnico
8099. Outras atividades de ensino
85. Saúde e serviços sociais
851. Atividades de atenção à saúde
8512. Atividades de atendimento a urgências
8513. Atividades de atenção ambulatorial
8515. Atividades de outros profissionais da área de saúde
852. Serviços veterinários
853. Serviços sociais
90. Limpeza urbana e esgoto e atividades relacionadas
91. Atividades associativas
92. Atividades recreativas culturais e desportivas
923. Outras atividades artísticas e de espetáculos
925. Atividades de bibliotecas, arquivos, museus e outras atividades culturais
926. Atividades desportivas e outras atividades relacionadas ao lazer
93. Serviços pessoais
95. Serviços domésticos
99. Organismos internacionais e outras instituições extraterritoriais

Autores e assistentes de pesquisa

Alexandre Abdal
Mestre em Sociologia pela Universidade de São Paulo (2008), com graduação em Ciências Sociais pela USP (2005). Atualmente é pesquisador do Centro Brasileiro de Análise e Planejamento (CEBRAP) e do Observatório da Inovação e Competitividade. Trabalha com pesquisas nas áreas de Sociologia do Desenvolvimento e Sociologia Econômica, principalmente nos seguintes temas: desenvolvimento urbano e regional, economia regional, inovação, conhecimento, mercado de trabalho.

Alexandre de Freitas Barbosa
Doutor em Economia Aplicada pela Universidade Estadual de Campinas (2003). Possui graduação em Ciências Econômicas pela Universidade Estadual de Campinas (1991) e mestrado em História Econômica pela Universidade de São Paulo (1997). Atualmente é pesquisador do CEBRAP e participa da Direção da ABET (Associação Brasileira de Estudos do Trabalho). Publicou em 2008 o livro *A formação do mercado de trabalho no Brasil*. Tem também escrito artigos sobre a inserção externa brasileira, especialmente no que se refere às relações com a China e os impactos das negociações da OMC.

Aline Borghi Leite
Mestre em Sociologia pela Universidade Federal de Goiás (2007). Tem graduação em Ciências Sociais pela Universidade Federal de Goiás (2005) e em Relações Internacionais pela Universidade Católica de Goiás (2004). Tem experiência na área de Sociologia do Trabalho, atuando principalmente nos temas: relações de gênero, trabalho informal, precarização do trabalho e desemprego.

Aline de Paula
Possui graduação em Geografia pela Pontifícia Universidade Católica de São Paulo (2007). Atualmente trabalha com geoprocessamento na elaboração de mapeamento de apoio para análises urbanísticas.

Alvaro Comin
Doutor em Sociologia pela Universidade de São Paulo. Atualmente é professor do quadro permanente do departamento de Sociologia da FFLCH-USP, pesquisador e presidente do CEBRAP. Concentra suas atividades de pesquisa na área de Sociologia do Desenvolvimento, com ênfase nos seguintes temas: mercado de trabalho, desenvolvimento regional e urbano, política industrial, política de inovação tecnológica.

Bruno Komatsu
Graduado em Ciências Sociais pela Universidade de São Paulo. Trabalha atualmente no CEBRAP como assistente de pesquisa nas áreas de mercado de trabalho e desenvolvimento.

Carlos Torres Freire
Doutorando em Sociologia pela Universidade de São Paulo, é mestre em Sociologia (2006) e graduado em Ciências Sociais também pela USP (2002). Atualmente é pesquisador do Cebrap. Trabalha em pesquisas nas áreas de Desenvolvimento e Sociologia Econômica, especialmente com os temas: desenvolvimento regional e urbano, economia do conhecimento, ciência, tecnologia e inovação, e setor de serviços. Também tem experiência em Planejamento de Políticas Públicas e em Comunicação.

Eduardo Alcântara de Vasconcellos
Engenheiro civil e sociólogo. Tem mestrado e doutorado em Ciência Política (Políticas Públicas – USP) e pós-doutoramento em planejamento de transportes na Universidade Cornell (EUA). Atualmente é assessor da Associação Nacional de Transportes Públicos (ANTP) e diretor do Instituto Movimento. Sua atuação está concentrada em estudos e projetos de transporte urbano e mobilidade no Brasil e no exterior.

Flávia Consoni
Professora da pós-graduação em administração do Centro Universitário da FEI. Formada em Ciências Sociais pela UFSCar, possui mestrado e doutorado em Política Científica e Tecnológica pela Unicamp e pós-doutorado em Sociologia (USP). Atua como pesquisadora no Departamento de Política de Científica e Tecnológica (Unicamp), como membro do GEMPI (Grupo de Estudos de Empresa e Inovação), e colaboradora do G.A.I.A. (Grupo de Apoio à Inovação e Aprendizagem em organizações e sistemas cooperativos), no CTI (MCT). Tem experiência nas áreas de Inovação Tecnológica e Mercado de Trabalho, principalmente nos temas: estratégias de inovação em empresas multinacionais e inovação em serviços, incluindo estratégias de intermediação de mão de obra (terceirização).

Hervé Théry
Doutor em Geografia pela Universidade Paris I Pantheon-Sorbonne. Atualmente é diretor de pesquisa no Centre National de la Recherche Scientifique e professor convidado na Universidade de São Paulo. Concentra as suas atividades de pesquisa na área de Geografia Regional, com ênfase nos seguintes temas: disparidades e dinâmicas do território brasileiro e frentes pioneiras.

Joana Varon Ferraz
Mestre em Direito e Desenvolvimento pela Fundação Getúlio Vargas. Possui graduação em Relações Internacionais pela Pontifícia Universidade Católica de São Paulo (2004) e graduação em Direito pela Universidade Presbiteriana Mackenzie (2005). Trabalha em pesquisas do CEBRAP e do Observatório da Inovação e Competitividade (IEA/USP). Tem interesse na área de Direito, Sociologia Econômica e Desenvolvimento, com ênfase em Novas Tecnologias, Inovação e Políticas Públicas.

Jorge Ruben Tapia (IN MEMORIAM)
Doutor em Ciências Humanas pela Universidade Estadual de Campinas (1993) e Professor Assistente Doutor MS-3 da Universidade Estadual de Campinas, com graduação em Ciências Sociais pela Universidade Federal do Rio Grande do Sul (1978) e mestrado em Ciência Política pela Universidade Estadual de Campinas (1986).

Juliana Colli Munhoz
Mestranda em Geografia Humana pela Universidade de São Paulo e pós-graduada em Geoprocessamento pela Universidade Federal de São Carlos (2008). Possui graduação em Geografia e em Hotelaria. Concentra suas atividades em geoprocessamento para apoio a estudos na criação, ajuste e atualização de dados gráficos e espaciais, com ênfase em planejamento do uso e ocupação de áreas urbanas.

Kazuo Nakano
Mestre em Arquitetura e Urbanismo pela Universidade de São Paulo, foi gerente de projetos do Ministério das Cidades, atualmente é técnico do Instituto Pólis. Con-

centra atividades de pesquisa e assessoria em planejamento e gestão urbana e habitacional.

Leandro Ribeiro Silva
Doutorando em Ciências Sociais pela Universidade Estadual de Campinas. Possui graduação em Ciências Econômicas pela Universidade Federal de Juiz de Fora (2004) e mestrado em Ciências Sociais pela Universidade Federal de Juiz de Fora (2007). Atualmente faz estágio docência, sendo corresponsável pela disciplina de Ciência Política no Instituto de Economia da UNICAMP.

Manuelito P. Magalhães Júnior
Economista com atuação no setor público, em especial nas áreas voltadas ao planejamento. Atualmente é presidente da EMPLASA (Empresa Paulista de Planejamento Metropolitano S/A). Secretário municipal de Planejamento entre 2007 e 2009, foi um dos responsáveis pela criação da Agenda 2012, o programa de metas para a cidade de São Paulo.

Miguel Matteo
Doutor em Economia pela Unicamp. Engenheiro civil, com especialização em Planejamento Urbano Aplicado às Áreas Metropolitanas (Università di Roma), mestre em Administração Pública e Planejamento Urbano (EAESP/FGV). Atualmente, é chefe da divisão de estudos econômicos da Fundação Seade, ligada à Secretaria de Economia e Planejamento do Estado de São Paulo. Atua na área de economia regional e urbana, estudos sobre a atividade industrial, Região Metropolitana de São Paulo e desenvolvimento econômico.

Tomás Cortez Wissenbach
Geógrafo e mestre em Geografia Humana pela USP. Atua nas áreas de planejamento, indicadores sociais e economia urbana. Atualmente é assessor da Emplasa e coordenador de pesquisa do Projeto São Paulo 2022. Foi assessor do Departamento de Estatísticas e Produção de Informações e coordenador técnico da Agenda 2012, Programa de Metas da Cidade de São Paulo.

Vagner de Carvalho Bessa
Doutorando do Instituto de Economia da Unicamp e mestre em Geografia pela Universidade de São Paulo, é analista da Fundação SEADE, instituição ligada à Secretaria de Economia e Planejamento do Estado de São Paulo.

FUNDAÇÃO EDITORA
DA UNESP

Editores-Assistentes
Anderson Nobara
Fabiana Mioto
Jorge Pereira Filho

IMPRENSA OFICIAL
DO ESTADO DE SÃO PAULO

Coordenação Editorial
Cecília Scharlach

Assistente Editorial
Francisco Alves da Silva

Assistência à Editoração
Fernanda Buccelli
Isabel Ferreira
Marli Santos de Jesus
Teresa Lucinda Ferreira de Andrade

CTP, Impressão e Acabamento
Imprensa Oficial do Estado
de São Paulo

CENTRO BRASILEIRO DE ANÁLISE
E PLANEJAMENTO CEBRAP

Equipe do projeto
"Metamorfoses Paulistanas"

Coordenador Geral
Alvaro Comin

Coordenação Executiva
Carlos Torres Freire
Joana Varon Ferraz

Consultor Técnico
Vagner de Carvalho Bessa

Pesquisadores e assistentes
do Cebrap
Alexandre Abdal
Alexandre de Freitas Barbosa
Aline Borghi Leite
Aline de Paula
Bruno Komatsu
Juliana Colli Munhoz

Pesquisadores externos
Eduardo Alcântara de Vasconcellos
Flávia Consoni
Hervé Théry
Jorge Ruben Tapia
Kazuo Nakano
Leandro Ribeiro Silva
Miguel Matteo

PREFEITURA DO MUNICÍPIO
DE SÃO PAULO

Projeto "Atlas Geoeconômico e
Mutações Territoriais da Cidade de
São Paulo" (2008)

Coordenação Geral
Silvia Anette Kneip

Coordenação Técnica
Tomás Cortez Wissenbach

André de Freitas Gonçalves
Arlete Lucia Bertini Leitão
Akinori Kawata
Edson Capitanio
Isaura Regina Ferraz Parente
José Benedito de Freitas
José Geraldo Martins de Oliveira
José Marcos Pereira de Araujo
Liane Lafer Schevs
Luis Oliveira Ramos
Marcia Regina Alessandri
Marcos Toyotoshi Maeda
Maria Isabel Rodrigues Paulino
Maria Lúcia Figueiredo Bueno de
Camargo
Maria Raimunda Marinho
Maria Teresa Oliveira Grillo
Mauricio Feijó Cruz
Nilza Maria Toledo Antenor
Olímpio Bezerra Campos de Souza
Pedro Manuel Rivaben de Sales
Regina Magalhães de Souza

Dados Internacionais de Catalogação na Publicação
Biblioteca da Imprensa Oficial do Estado de São Paulo

Metamorfoses paulistanas: atlas geoeconômico da cidade / Organização Alvaro Comin ... et al. – São Paulo : SMDU: CEBRAP: Editora UNESP : Imprensa Oficial do Estado de São Paulo, 2012.
368p.:il. color.

ISBN 978-85-62676-16-1 (CEBRAP).
ISBN 978-85-393-0140-9 (Editora UNESP).
ISBN 978-85-7060-997-7 (Imprensaoficial).

1. São Paulo - Desenvolvimento econômico 2. São Paulo – Desenvolvimento sustentável 3. Mobilidade social 4. Geografia – Planejamento I. Comin, Alvaro. II. Freire, Carlos Torres. III. Kneip, Silvia Anette IV. Wissenbach, Tomas Cortez V. Secretaria Municipal de Desenvolvimento Urbano. VI. Centro Brasileiro de Análise e Planejamento. VII. Editora UNESP

CDD 330.981

Índice para catálogo sistemático:
1. Desenvolvimento econômico : Brasil 330.981

Foi feito o depósito legal na Biblioteca Nacional (lei nº 10.994, de 14.12.2004)
Grafia atualizada segundo o Acordo Ortográfico da Língua Portuguesa de 1990, em vigor no Brasil desde 2009

Impresso no Brasil 2012

CENTRO BRASILEIRO DE ANÁLISE
E PLANEJAMENTO – CEBRAP
Rua Morgado de Mateus, 615
04015-051 São Paulo SP
(11) 5574 0399 Fax (11) 5574 5928
cebrap@cebrap.org.br
www.cebrap.org.br

PREFEITURA DO MUNICÍPIO
DE SÃO PAULO
SECRETARIA MUNICIPAL DE
DESENVOLVIMENTO URBANO – SMDU
Rua São Bento, 405 17º e 18º andares
01011-100 São Paulo SP
(11) 3131 7500
dipro@prefeitura.sp.gov.br
www.prefeitura.sp.gov.br

IMPRENSA OFICIAL DO ESTADO
DE SÃO PAULO
Rua da Mooca, 1.921 Mooca
03103-902 São Paulo SP
sac 0800 01234 01
sac@imprensaoficial.com.br
livros@imprensaoficial.com.br
www.imprensaoficial.com.br

FUNDAÇÃO EDITORA DA UNESP (FEU)
Praça da Sé, 108
01001-900 São Paulo SP
(11) 3242 7171 Fax (11) 3242 7172
feu@editora.unesp.br
www.editoraunesp.com.br
www.livrariaunesp.com.br

IMPRENSA OFICIAL
DO ESTADO DE SÃO PAULO
Diretor-presidente
Marcos Antonio Monteiro

CENTRO BRASILEIRO DE ANÁLISE
E PLANEJAMENTO CEBRAP
Presidente
Paula Montero
Diretor Científico
Adrian Gurza Lavalle
Diretor Administrativo-financeiro
Marcos Nobre

FUNDAÇÃO EDITORA DA UNESP
Presidente do Conselho Curador
Herman Jacobus Cornelis Voorwald
Diretor-Presidente
José Castilho Marques Neto
Editor-Executivo
Jézio Hernani Bomfim Gutierre
Assessor editorial
João Luís Ceccantini
Conselho Editorial Acadêmico
Alberto Tsuyoshi Ikeda
Áureo Busetto
Célia Aparecida Ferreira Tolentino
Eda Maria Góes
Elisabete Maniglia
Elisabeth Criscuolo Urbinati
Ildeberto Muniz de Almeida
Maria de Lourdes Ortiz Gandini Baldan
Nilson Ghirardello
Vicente Pleitez

PREFEITURA DO MUNICÍPIO DE
SÃO PAULO
Prefeito
Gilberto Kassab
Vice-Prefeita
Alda Marco Antonio

Secretaria Municipal de
Desenvolvimento Urbano
Secretário
Miguel Luiz Bucalem
Secretário Adjunto
Domingos Pires de Oliveira Dias Neto
Chefe de Gabinete
Eduardo Mikalauskas

Departamento de Estatística e
Produção de Informação
Diretor
José Marcos Pereira de Araujo

GOVERNO DO ESTADO
DE SÃO PAULO
Governador
Geraldo Alckmin
Secretário-chefe da Casa Civil
Sidney Beraldo

formato 22,5 x 29 cm
tipologia Futura
papel miolo Couché 120 g/m²
papel capa Cartão Supremo 250 g/m²
número de páginas 368
tiragem 1.000